여러분하는

해커스공무원의 특별 혜택

FREE 공무원 행정학 특강

해커스공무원(gosi.Hackers.com) 접속 후 로그인 ▶ 상단의 [무료강좌] 클릭 ▶ [교재 무료특강] 클릭 후 이용

해커스공무원 온라인 단과강의 20% 할인쿠폰

22A43C56669DA9CA

해커스공무원(gosi.Hackers.com) 접속 후 로그인 ▶ 상단의 [나의 강의실] 클릭 ▶
좌측의 [쿠폰등록] 클릭 ▶ 위 쿠폰번호 입력 후 이용

* 등록 후 7일간 사용 가능(ID당 1회에 한해 등록 가능)

합격예측 온라인 모의고사 응시권 + 해설강의 수강권

FC8824F97EA87458

해커스공무원(gosi.Hackers.com) 접속 후 로그인 ▶ 상단의 [나의 강의실] 클릭 ▶
좌측의 [쿠폰등록] 클릭 ▶ 위 쿠폰번호 입력 후 이용

* ID당 1회에 한해 등록 가능

쿠폰 이용 관련 문의 1588-4055

단기 합격을 위한
해커스공무원 커리큘럼

입문 ▼

탄탄한 기본기와 핵심 개념 완성!

누구나 이해하기 쉬운 개념 설명과 풍부한 예시로 부담없이 쌩기초 다지기

TIP 베이스가 있다면 **기본 단계**부터!

기본+심화 ▼

필수 개념 학습으로 이론 완성!

반드시 알아야 할 기본 개념과 문제풀이 전략을 학습하고
심화 개념 학습으로 고득점을 위한 응용력 다지기

**기출+예상
문제풀이** ▼

문제풀이로 집중 학습하고 실력 업그레이드!

기출문제의 유형과 출제 의도를 이해하고 최신 출제 경향을 반영한
예상문제를 풀어보며 본인의 취약영역을 파악 및 보완하기

동형문제풀이 ▼

동형모의고사로 실전력 강화!

실제 시험과 같은 형태의 실전모의고사를 풀어보며 실전감각 극대화

최종 마무리

시험 직전 실전 시뮬레이션!

각 과목별 시험에 출제되는 내용들을 최종 점검하며 실전 완성

PASS

단계별 교재 확인 및
수강신청은 여기서!

gosi.Hackers.com

* 커리큘럼 및 세부 일정은 상이할 수 있으며,
자세한 사항은 해커스공무원 사이트에서 확인하세요.

해커스공무원

현 행정학

기본서 | 2권

승리는 가장 끈기 있는 자에게 돌아간다.

많은 수험생 여러분들이 행정학 과목의 방대한 양에 막연한 두려움을 느끼곤 합니다. 더불어 2022년부터 9급 행정학개론이 일반행정직의 필수과목으로 변경되면서, 과목의 중요성이 높아졌습니다. 이에 『해커스공무원 현 행정학 기본서』는 수험생 여러분들이 행정학 과목을 보다 쉽게 이해하고 효율적으로 학습할 수 있도록 내용을 구성하였습니다.

『해커스공무원 현 행정학 기본서』는 다음과 같은 특징이 있습니다.

행정학의 핵심 내용만을 체계적으로 구성한 본 교재는 본인의 학습 과정 및 수준 등에 맞추어 수험생활 전반에 두루 활용할 수 있도록 다음과 같은 특징을 가졌습니다.

첫째, 본문에 수록된 '핵심정리', '개념PLUS', '고득점 공략' 등 다양한 학습장치를 통해 행정학의 기초부터 심화 이론까지 꼼꼼하게 학습할 수 있습니다.

둘째, 중요한 기출문제를 엄선하여 수록한 CHAPTER별 '학습 점검 문제'를 통해 본문에서 학습한 내용을 다시 한번 확인하고 문제 응용력을 키울 수 있습니다.

셋째, 각 PART 도입부에 수록된 '10초 만에 파악하는 5개년 기출 경향'을 통해 최근 5개년 공무원 행정학 기출문제의 출제 비중을 파악할 수 있으며, 혼자 학습하는 경우에도 학습의 강도를 조절할 수 있도록 도와줍니다.

넷째, 부록으로 수록한 '법령으로 보는 행정학'을 통해 행정학에서 필수적인 주요 법령을 학습하고, 최근 출제 비중이 높아지는 법령 문제를 대비할 수 있습니다.

그 밖의 자세한 책의 구성 및 특징은 '이 책의 활용법(p.8~9)'을 참고하시기 바랍니다.

행정학 학습은 어떻게 해야 할까요?

행정학은 양이 방대하고 생소한 용어도 많이 쓰여, 처음 접하는 수험생들은 어렵고 막연하게 느낄 수 있는 과목입니다.

행정학을 처음 학습할 때에는 욕심내지 않고 차분하게 이해를 바탕으로 기본적인 개념들을 먼저 정리해야 합니다. 어느 정도 개념에 대한 정리가 되었다면, 전체적인 이론의 흐름을 파악할 수 있도록 다리를 놓아야 합니다. 그 다리가 바로 반복학습입니다. 행정학은 충실한 반복학습이 반드시 필요하며 특히 출제되었던 지문에 익숙해질 수 있도록 기출문제를 함께 학습하는 것이 중요합니다.

이러한 과정들이 유기적으로 연결될 때 비로소 **행정학적 마인드**가 형성되며, 이를 통해 실제 시험장에서 기본적인 개념을 묻는 문제부터 지엽적이고 난도 높은 문제까지 어렵지 않게 풀 수 있게 될 것입니다.

더불어, 공무원 시험 전문 사이트 **해커스공무원(gosi.Hackers.com)**에서 교재 학습 중 궁금한 점을 나누고, 다양한 무료 학습 자료를 함께 이용하여 학습 효과를 극대화할 수 있습니다. 부디 『**해커스공무원 현 행정학 기본서**』와 함께 공무원 행정학 시험 고득점을 달성하고 합격을 향해 한걸음 더 나아가시기를 바랍니다.

2024년 7월

서현, 해커스 공무원시험 연구소

목차

PART 3 행정조직론

목차

PART 6 행정환류론

PART 7 지방행정론

[별책] 법령으로 보는 행정학

🕐 10초만에 파악하는 **5개년 기출 경향**

▌최근 5개년(2024~2020) 출제율

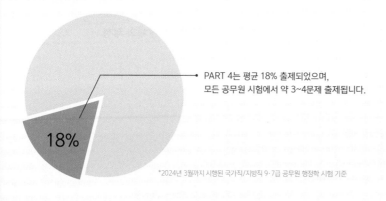

PART 4는 평균 18% 출제되었으며,
모든 공무원 시험에서 약 3~4문제 출제됩니다.

18%

*2024년 3월까지 시행된 국가직/지방직 9·7급 공무원 행정학 시험 기준

▌CHAPTER별 출제율

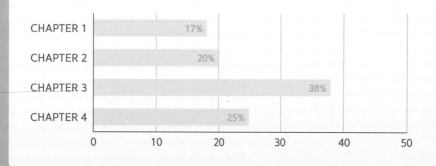

CHAPTER 1	17%
CHAPTER 2	20%
CHAPTER 3	38%
CHAPTER 4	25%

0   10   20   30   40   50

PART 4

인사행정론

1 인사행정의 의의

1. 의의 및 목표

(1) 의의

인사행정이란 정부활동의 수행에 필요한 인적자원을 효율적으로 충원하고, 유지하며, 통제하는 일련의 활동이다. 행정활동의 주체는 사람이고 구성원들의 가치관이나 능력, 의욕에 따라 행정활동의 양과 질이 달라지므로 인사행정은 행정의 다른 부문보다도 특히 중요하다.

(2) 목표❶

① 인사행정은 행정의 목표달성을 위한 인력의 효율적 관리·발굴·활용을 통해 조직의 목표를 달성하기 위한 것으로, 궁극적으로 국민에 대한 봉사의 질을 높이려고 한다.
② 인사행정은 인적자원활용의 합리화, 조직운영의 민주화, 사무처리의 능률화 등 인사행정의 조직목표달성을 위해 노력한다.

> ❶ 인사행정의 주요 가치
> 인사행정의 발전을 위해서는 이를 위한 기본적인 지침 또는 이념 및 지도정신이 있어야 할 것이다. 인사행정상의 주요 가치 중에는 관리자의 지도력, 행정의 능률성, 국민의 대표성, 공무원의 권익보호 등이 있으며, 이는 시대의 변천과 각국의 정치와 행정상황에 따라 다르게 주장되었고 서로 충돌하기도 한다.

2. 체제 및 주요 내용

공직구조의 형성	임용	능력발전	사기부여	규범과 통제
· 직무설계 · 공직분류(계급제와 직위분류제)	· 모집 · 시험 · 임용	· 교육훈련 · 근무성적평정 · 경력발전	· 사기앙양 · 보수, 연금 · 관리기법	· 공무원단체 · 행동규범 · 공직윤리, 징계

3. 특징(사기업의 인사관리와의 차이)

인사행정은 효율적인 인적자원관리라는 측면에서 사기업의 인사관리와 유사하다. 그러나 공익의 실현을 목표로 하는 인력관리활동이라는 측면에서는 사기업의 인사관리와 다른 특성을 지닌다.

(1) 인사행정은 행정의 공공성으로 인해 봉사성과 평등성을 추구한다.

(2) 인사행정은 행정의 독점성으로 인해 능률성 추구에 한계가 있다.

(3) 인사행정은 법령의 제약성으로 인해 재량의 여지가 적고 법적 규제가 강하다.

(4) 행정에 대한 국민의 통제는 인사행정의 탄력성을 약화시키는 원인이 된다.

(5) 정치적 환경 속에서 작동하는 인사행정은 정치적인 압력을 받을 소지가 있다.

2 인사행정의 패러다임 변화

1. 전통적 인사행정

(1) 조직 중심의 인사관리로서 조직과 직무를 개인보다 강조하고, 비용 측면으로 접근하였다.

(2) 개인적 욕구를 경시하고 개인과 직무, 개인과 조직 간의 부조화를 야기시켰다는 점이 전통적 인사행정의 한계이다.

2. 현대적 인사행정(HRM → SHRM)

(1) **전통적 인사행정 극복**

전통적 인사행정의 한계를 극복하고자 조직과 개인의 조화를 통한 통합모형을 강조한다. 특히 전략적 인적자원관리(SHRM)를 통한 인사행정의 발전을 추진한다.

(2) **전략적 인적자원관리(SHRM; Strategic Human Resources Management)**

① 전략적 인적자원관리는 인적자원관리를 기반으로 조직전략을 기획하고, 전략을 수립·실행하는 것을 의미한다. 조직의 비전 및 목표, 조직 내부 상황, 조직 외부 환경을 모두 고려해 가장 적합한 인력을 개발·관리해 조직의 목표를 극대화하고자 하는 인사관리를 말한다.

② 전통적 인적자원관리(HRM) 방식이 채용, 교육, 훈련, 평가, 보상과 같은 인사관리방식들을 미시적 시각(micro-perspective)에서 개별적으로 나누어 접근하는 데 비하여, 전략적 인적자원관리는 거시적 시각(macro-perspective)에서 개별적 인사관리방식을 통합하려는 시도라고 할 수 있다.

③ 구성원을 '인적자원(human resource)'의 개념으로 보기보다는 조직목표달성의 핵심적인 자산, 즉 '인적자본(human capital)'의 개념으로 보고, 사람에 대한 투자(invest)와 개발(develop)의 필요성을 강조한다.

④ 인적자본의 관리에 있어서 개인과 조직의 통합 및 전략적 관리와의 연계를 강조하는 후기 인간관계론과 밀접한 관련이 있다.

(3) **기존 인적자원관리와 전략적 인적자원관리**

특징	기존 인적자원관리(HRM)	전략적 인적자원관리(SHRM)
분석	개인의 심리적 측면 (직무만족, 동기부여, 조직시민행동 증진 등)	조직의 전략적 측면 (조직의 전략과 인적자원관리 활동의 연계 및 성과 강조)
범위	미시적 시각 (개별 인적자원관리방식들의 부분적 최적화)	거시적 시각 (인적자원관리방식들 간의 연계를 통한 전체적 최적화)
관점	단기적 관점 (인사관리상의 단기적 문제해결)	장기적 관점 (전략 수립 관여 및 인적자본 육성)
역할	조직목표와 무관, 부수적·도구적 역할	조직전략의 수립·실행에 적극적 관여

(4) 현대적 인사행정의 특징

현대적 인사행정은 지금까지 축적되어 온 인사행정연구의 지식과 경험 위에 성립되고 이 모든 것을 종합 또는 포괄하고 있는 것으로 이해할 수 있다. 현대적 인사행정의 일반적인 특징은 다음과 같다.

① **개방체제적 성격**: 인사행정은 행정체제를 포함한 상위체제로부터의 다양한 요구를 수용하고 이에 적절히 대응하는 성격을 가지고 있다. 즉, 체제적 관념에 입각한 상황적응적 접근방법이다.

② **가치갈등적 성격**: 인사행정은 시대나 정치적 상황의 산물로서 다양한 가치를 내포하며 서로 갈등하기도 한다.

③ **종합학문적 성격**: 인사행정에 대한 체계적 연구나 관리전략의 수립은 여러 관련 학문(정치학, 조직행동론, 인사심리학 등)의 종합학문적 접근을 통해서 가능하다. 이는 가치기준의 다원화에 대응한 접근방법의 분화와 통합 등으로 요약할 수 있다.

④ **전략적 인적자원관리 관점**: 전통적 인사행정이 강조하는 비용이나 통제적 측면보다는 현대적 인사행정은 인적자본(human capital)의 관리와 투자의 관점에서 접근하여 조직구성원의 능력개발과 전략적 인적자원관리(SHRM; Strategic HRM)를 지향한다.

⑤ **환경적 영향**: 한 정부의 인사행정을 지배하는 가치나 원칙은 그 정부의 정치·경제·사회문화적 환경의 특수성에 의해서 결정된다.

---

2 인사행정의 주요 이론과 제도

1 엽관주의

1. 의의

엽관주의(spoils system)는 공무원의 인사관리나 공직임용에 있어 그 기준을 정치적 신조나 당파성 또는 개인적 충성에 두는 인사제도이다.

❶ 정실주의
인사권자와의 개인적인 신임이나 친분관계를 기준으로 공무원을 임용하는 인사제도이다.

📊 **고득점 공략** 정실주의❶와 엽관주의의 비교

구분		정실주의(영국)	엽관주의(미국)
유사점		능력이나 실적 등에 의하여 선발하지 않음	
차이점	시기	17세기 말	19세기 초(1829~1883년)
	배경이념	기득권 존중 전통, 공직을 재산권으로 인식	잭슨 민주주의 (민주적 책임성)
	선발기준	당파성 + 개인적 친분 (혈연, 지연, 학연, 문벌 등)	당파성 (정당에의 공헌도)
	신분변경	종신직, 소수교체	정권교체 시 변경, 대량교체
	신분보장	인정	불인정(대폭 경질 가능)
	실적제 전환	1870년 제2차 추밀원령	1883년 「펜들턴법」

2. 성립배경

(1) 민주정치의 발전❶

잭슨(Jackson)식 민주주의와 맥락을 같이하며 행정의 민주화와 지지에 대한 보상을 중시하게 되었다. 또한, 상류계급의 엘리트들이 건국 초기부터 관직을 장기간 지배하면서 관직이 부패되었기 때문에 소수의 의사를 대변할 수 있는 사람들에게 관직을 공유하는 것이 민주정치에 기여한다고 보았다.

(2) 정당정치의 발달

정당정치가 발달하면서 공직인사에서도 정당정치의 이념을 도입하려는 결과로서 엽관주의가 도입되었으며, 국민에 대한 공약이나 정책을 보다 강력하게 추진하기 위해서는 대통령 측근에 정치적 이념을 같이하는 사람을 임용하는 것이 필요하였다.

(3) 행정의 단순성과 비전문성(아마추어리즘)

그 당시의 행정이 단순하였기 때문에 엽관주의가 가능하였다. 즉, 아직까지 행정수요가 전문적이고 다양하지 않은 행정환경이었기 때문에 정치인이 행정의 업무를 맡아도 수월하게 처리할 수 있었던 것이다.

(4) 미국사회의 무국가성

미국사회는 사회 중심의 무국가성(無國家性, statelessness)* 또는 약한 국가성을 전제로 발전해 왔기 때문에 다원주의적 국가론에 입각한 행정이론체계를 발전시켜 왔다.

(5) 정치적·권력적 이유

잭슨(Jackson) 대통령은 당시 미국사회의 주류집단이 아니었기 때문에 서부 개척민들의 지지를 받아 대통령으로 당선되었다. 따라서 엽관주의는 잭슨(Jackson) 대통령의 권력적 기반을 공고히 하기 위한 것이기도 하다.

3. 수립 및 발전과정

(1) 엽관주의의 기반

미국은 독립 후 주로 동부 출신 주민들이 관직을 독점하였고, 제3대 제퍼슨(Jefferson) 대통령 당시에도 대부분이 반대세력인 연방파에 의하여 충원됨에 따라 공직의 25%에 민주공화당원을 임명하는 등 엽관주의의 기반이 조성되었다.

(2) 「4년 임기법(Four Year's Law)」의 제정

1821년 제5대 먼로(Monroe) 대통령이 공무원의 책임을 강조하는 의미에서 「4년 임기법」(공직경질제)을 제정함으로써 엽관주의의 기반을 닦았다.

(3) 잭슨식 민주주의(Jacksonian democracy, 1829)

① 미국의 제7대 대통령 잭슨(Jackson)은 자기를 지지한 서부개척민들에게 공직을 개방하는 것이 행정의 민주화와 지지에 대한 보상이라고 여기고, 민주주의의 실천적인 정치원리로 엽관주의를 채택하였다.

② 1832년 마시(Marcy) 상원의원의 "전리품은 승자에 귀속된다(To the victor belongs the spoils)."라는 주장이 이를 뒷받침한다.

❶ 잭슨(Jackson) 대통령의 연두교서
"공직에서 수행되는 모든 일은 평범하고 간단한 것들로서 기본적인 지적 능력을 갖춘 사람이면 누구나 노력만 하면 그 일을 수행할 수 있도록 되어 있습니다. 본인은 한 사람이 공직에 오래 근무하면서 오는 폐해가 그 사람이 경험의 축적을 통해 공직에 기여하는 것보다 훨씬 크다고 생각합니다.……"

용어

무국가성(statelessness)*: 국가의 영향력이 약해지고 상대적으로 사회의 영향력이 강해지는 것이다. 미국은 중앙정부의 권위적 질서를 거부하는 무국가성이 강하였는데 이것이 엽관주의 성립의 배경이 되었다.

핵심 OX

01 엽관주의란 원래 정치적 충성도, 임용권자와의 개인적인 친분관계에 따라 공직에 임용되는 제도를 의미하였다. (O, X)

02 엽관주의의 발전요인은 민주정치의 발전과 정당정치의 발달, 행정의 단순성과 전문성, 미국사회의 무국가성 등에 있다. (O, X)

01 X 엽관주의는 정당의 충성도만을 임용의 기준으로 삼았다. 개인적 친분관계를 기준으로 하는 것은 정실주의이다.
02 X 전문성이 아니라 비전문성(아마추어리즘)이다.

4. 장단점

(1) 장점
① 정당의 이념이나 정강정책을 강력히 추진할 수 있다.

② 공직 경질을 통해 관료주의화나 공직의 침체를 방지할 수 있다.

③ 국민 요구에 대한 관료적 대응성을 향상시킨다(행정책임·행정통제 구현).

④ 공직의 개방으로 민주주의의 평등이념에 부합한다(행정의 민주화).

(2) 단점
① 공직의 아마추어리즘 및 교체임용주의로 인해 전문성을 확보하기 어렵고 유능한 인물의 배제로 행정능률이 저하된다.

② 불필요한 관직의 남설로 예산이 낭비(爲人設官)*될 수 있다.

③ 대량적인 인력교체로 행정의 안정성과 계속성을 유지하기 곤란하다.

④ 신분보장이 되지 않아 부정부패의 원인이 된다.

⑤ 관료의 정당 사병화*로 행정의 국민에 대한 책임성이 결여된다.

⑥ 정치적 중립성을 저해할 우려가 크다.

5. 최근의 경향

(1) 미국의 SES(Senior Executive Service)와 같이 정책의 적극적인 추진이라는 측면에서 부분적으로 유용하다. 즉, 대통령의 강력한 정책 추진력을 확보하기 위해서 상위직급에 대해서는 부분적인 정치적 임용을 고려한다.

(2) 적극적 인사행정 측면에서 엽관주의와 실적주의 간의 조화가 강조되고 있다.

2 실적주의

1. 의의

실적주의(merit system)는 공직에의 임용기준을 개인적인 친분이나 정당에의 충성도에 두는 것이 아니라 객관적인 실적, 즉 개인의 능력·자격·성적에 두는 제도이다.

2. 성립배경

(1) 엽관주의의 폐해 극복
엽관주의의 부정부패 및 행정의 전문성·안정성 저하 등의 폐해를 극복하기 위한 제도가 필요하였다.

(2) 정당정치의 부패
보스 정당정치, 즉 정당의 부패문제가 극에 달하여 이러한 문제의 개선이 필요하였다.

(3) 행정국가의 등장
20세기 이후 환경의 복잡화·다양화·전문화 등으로 행정의 영향력이 강화되자 실적주의의 필요성이 대두되었다.

---

(4) 행정의 능률화와 전문화의 요청

시민의 정치의식 향상으로 19세기 중반 이후 능률적인 행정을 요구하는 공직개혁운동이 활발히 전개되었다.

(5) 정치적 이유

① 1881년 가필드(Garfield) 대통령의 암살❶을 계기로 엽관주의가 크게 비판받았다.

② 1882년 중간선거에서 공화당이 참패하자 2년 후 대통령 선거에서 승리할 자신이 없어짐에 따라 엽관주의의 개혁을 추진하였다.

3. 수립 및 발전과정

(1) 미국의 실적주의

① **젠크스(Jenkes)의 개혁법안(1868):** 엽관주의의 문제점에 따라 능률적인 행정을 요청하는 국민들의 관심이 높아졌고, 이에 따라 정부개혁운동이 벌어졌다. 특히 실적주의의 확립을 위한 젠크스(Jenkes)의 개혁법안이 제출되고 공무원제도의 개혁운동이 전개되었다.

② **인사위원회의 부활(1877)과 이튼 보고서(1880):** 개혁론을 지지하던 헤이스(Hayes) 대통령이 민간의 공직개혁운동의 영향을 받아 이튼(Eaton)을 위원장으로 하는 인사위원회를 부활시켰다. 이튼(Eaton)은 대통령에게 영국의 공무원제도(실적주의)에 관한 보고서를 제출하였다.

③ **「펜들턴법」❷(1883):** 1883년 「펜들턴법」의 제정으로 실적주의의 기초가 마련되었다.

④ **「해치법」❸(1939~1940):** 뉴딜정책의 실시와 더불어 정당의 행정침해를 막기 위하여 공직에 대한 정당의 지배와 공무원의 정치활동금지 등을 규정하였다.

⑤ **「연방공무원제도개혁법」(1978):** 연방인사위원회를 폐지하고 인사관리처(OPM)와 실적제보호위원회(MSPB, 공무원 신분보장 관련)를 신설하였다.

(2) 영국의 실적주의

영국의 경우에도 정실주의의 폐단에 따라 실적주의의 필요성이 제기되고, 추밀원령(1870)을 계기로 실적주의가 확립되었다.

① **노스코트와 트레벨리언 보고서(1853)**

㉠ 영국의 실적주의 수립의 제도적 기초를 마련한 보고서이다.

㉡ 주요 내용으로는 공개경쟁채용시험에 의해 공무원을 채용할 것과 시험을 관장할 독립적인 중앙인사위원회를 설치할 것을 건의한 것이 있다.

② **제1·2차 추밀원령**

㉠ 1855년 제1차 추밀원령에서는 노스코트와 트레벨리언 보고서를 보완하였으며, 영국의 실적주의는 1870년 제2차 추밀원령에 의해서 확고하게 뿌리내리는 계기를 마련하였다.

㉡ 주요 내용으로는 공개경쟁시험제도의 확립, 계급의 분류, 재무성의 인사권 강화 등을 강조한 것이 있다.

❶ 가필드(Garfield) 대통령 암살사건
대통령 선거의 공로에도 불구하고 공직(파리 총영사)을 주지 않은 데 불만은 품은 한 엽관주의자(Charles Guiteau)가 1881년 가필드(Garfield) 대통령을 암살한 사건은 실적주의 확립의 촉매제가 되었다.

❷ 「펜틀턴법」의 주요 내용
1. 능력위주의 공정한 인사를 전담할 수 있는 독립적인 연방인사위원회 설치
2. 정실에 의한 임용방지를 위한 공개경쟁 채용시험제도
3. 공직자의 정치자금의 헌납 및 정치활동의 금지(정치적 중립성 최초 규정)
4. 제대군인 임용 시에 있어서의 특혜
5. 공직임용 시 시보제도 실시
6. 정부와 민간기업 간 인사교류

❸ 「해치법」의 주요 내용
1. 선거자금공여의 금지
2. 선거운동 금지
3. 공무원신분으로 입후보 금지
4. 공무원단체의 정치활동 금지
5. 특정정당가입 및 직위보유의 금지

핵심 OX

01 「펜들턴법」의 주요 내용은 공개경쟁채용제도, 정치적 중립성, 연방인사위원회 설치, 제대군인 우대조항, 시보제도 실시, 민관 간 인사교류 등이 있다. (O, X)

02 「연방공무원제도개혁법」에 의해서 연방인사위원회(CSC)와 실적제보호위원회(MSPB)가 설치되었다. (O, X)

01 O
02 X 「연방공무원제도개혁법」에 의해서 연방인사위원회가 폐지되고 인사관리처(OPM)와 실적제보호위원회(MSPB)가 신설되었다.

1. 실적주의의 기본원칙(1978년 미국의 「인사개혁법」)

① 공무원 임용은 사회 각계각층에서 자격을 갖춘 사람을 대상으로 이루어져야 하며, 선발과 승진은 균등한 기회가 보장된 공정하고도 공개적인 경쟁을 거쳐, 개인의 능력·지식·기술을 기준으로 결정되어야 한다.

② 모든 공무원과 공무원 응시자는 인사관리의 모든 측면에서 정치성, 지역성, 혈연, 종교, 성별, 결혼, 연령 또는 신체적 장애 상태를 이유로 차별받지 않으며 헌법에 보장된 기본적 권리를 향유할 수 있어야 한다.

③ 공무원에게는 민간부문의 근로자에게 지급되는 임금수준과의 형평을 고려하여 동일직무에는 동일보수가 제공되도록 하여야 한다. 또한 실적이 탁월한 공무원에게는 그에 상응하는 인센티브와 명예가 주어져야 한다.

④ 공무원은 개인의 품행이 올바르고, 공익을 실현시키기 위하여 항상 직무를 성실하게 수행할 것이 요구된다.

2. 실적주의에 기여한 요인

모셔(Mosher)는 실적주의의 형성에 기여한 요소들 중 주요한 것들로 다음의 여섯 가지를 지적하였다.

① **청교도적 윤리**: 실적은 보상받을 만한 가치가 있으며 경쟁시험 등 업적에 따라 보상한다는 감정을 존중한다.

② **개인주의**: 다른 사람들과 경쟁 속에서 자신의 실력에 따라 평가된 개인을 중시한다.

③ **평등주의**: 사회적 배경의 차이에도 불구하고 모든 사람들을 동등하게 취급한다(기회균등).

④ **과학주의**: 모든 인간문제는 객관적·과학적으로 발견할 수 있는 올바른 해결책이 존재한다는 신념이다.

⑤ **분리주의**: 비정치적인 실적과 과학주의에 의거한 독립적인 인사업무의 수행을 중시한다(중앙인사기관의 정치적 중립).

⑥ **일방주의**: 최고통치자로서 정부가 정당한 절차를 거쳐 최종적인 것으로 정부의 정책을 결정한다.

3. 실적주의를 위협하는 요인

제2차 세계대전 이후로 실적주의의 의미와 내용에 대해서 회의와 혼란이 야기되기 시작하였다. 모셔(Mosher)는 실적주의가 수립하는 데에 공헌한 요인에 대해서 특히 전문가주의, 직업공무원제도, 공무원단체 등이 강력하게 도전하고 있다고 지적한다.

① **전문가주의**: 관료의 전문가주의는 노동조합과 더불어 정부의 정책결정에 대하여 그들의 영향을 증대시킴으로써 인사행정의 일방주의에 도전한다.

② **직업공무원제도**: 직업공무원제도는 공무원단체와 함께 경쟁을 피하고자 승진의 기준으로 실적이 아닌 연공서열(경력)만을 주장하므로 실적주의의 근간인 개인주의나 평등주의를 위협한다.

③ **공무원단체(노조)**: 중앙인사기관의 독립성을 침해함으로써 인사행정의 과학적·독립적 수행이라는 분리주의를 위협한다. 또한 노동조합은 전문가주의와 더불어 정부의 정책결정에 대해서 그들 조직의 영향력 증대를 요구함으로써 일방주의의 개념에 직접적으로 도전한다.

4. 주요 내용

(1) 공직에의 기회균등

공직은 모든 국민에게 개방되며 성별이나 종교, 사회적 신분 등에 있어서 차별을 받지 않는다. 이때의 기회균등은 형식적인 기회균등이다.

(2) 능력·자격·실적 중심의 공직임용

공무원의 임용에 있어 직무수행능력과 자격 및 성적을 기준으로 임용하는 것으로서 정치적 임용을 배제한다.

(3) 정치적 중립성

공무원은 당파성을 떠나 어떤 정당에도 치우치지 않는 불편부당(不偏不黨)성을 유지하여야 한다.

(4) 공무원의 신분보장

공무원의 행정수행의 안정성을 확보하기 위해서 공무원의 신분보장을 강화한다.

(5) 중앙인사기관의 권한 강화

실적주의의 확립과 객관적인 인사기준의 마련 등을 위해서 중앙인사기관의 권한을 강화한다.

(6) 과학적·객관적 인사행정

인사행정의 과학화·객관화를 통하여 인사행정에서의 정실이나 부정부패를 방지한다.

5. 장단점

(1) 장점

① 공직임용의 기회균등을 통하여 민주적 평등이념을 실현한다.
② 엽관주의의 폐해를 극복하여 행정능률을 향상시킨다.
③ 공무원의 정치적 중립을 보장하여 행정의 공정성을 확보한다.
④ 행정의 안정성과 계속성을 확보하여 공직자의 사기앙양과 신분보장을 강화한다.

(2) 단점

① 반엽관주의에 지나치게 집착하며 부적격자 제거라는 기술성 위주의 소극적이고 경직적인 인사행정을 초래한다.
② 지나친 신분보장으로 인해 관료의 특권화 및 보수화를 초래하고 민주적 통제가 곤란하며 대응성과 책임성이 저하된다.
③ 독립적 중앙인사기관의 권한이 강화되는 집권화로 인하여 신축성이 저해되고 전문가적 무능을 초래할 수 있다.
④ 객관적이고 기술적인 인사행정에 주력하므로 행정의 비인간화와 소외현상이 나타난다.
⑤ 개인 능력 중심의 인사이므로 소외집단에 불리하고 형식적 형평성의 문제가 발생한다.

6. 최근의 경향❶

(1) 인사행정의 소극성과 경직성을 해소하기 위해서 엽관주의와의 조화를 추구하는 경향이 있다.

(2) 실적주의가 지닌 소극성을 극복하기 위해서 대표관료제, 인간 중심의 인사행정, 정치적 중립의 완화 등의 적극적 인사행정이 대두하고 있다.

❶ 최근의 경향 – 엽관주의와의 조화
1. 고위직의 경우에는 집권자와 정치적 이념을 공유하는 것이 정책의 추진에 유리하기 때문에 엽관주의가 바람직하다.
2. 단순 근로직 등의 하위직이나 특별한 신임을 필요로 하는 직위 등은 그 업무의 성격상 공개경쟁이 어렵거나 불필요하여 엽관주의나 정실주의가 적합한 경우가 있다.
3. 반면에 절대 대다수를 점하는 직업공무원들은 실적에 의해 임용하는 것이 행정의 능률성과 공정성·안정성·계속성의 확보에 유리할 것이다.

핵심 OX

01 모셔(Mosher)의 실적주의에 대한 논의에서 실적주의를 위협하는 요인은 전문가주의, 직업공무원제도, 공무원단체이다. (O, X)

02 실적주의는 행정의 전문성과 대응성 확보를 장점으로 한다. (O, X)

01 O
02 X 실적주의는 개인의 실적·자격·능력에 따라 임용하는 것으로서, 행정의 전문성과 능률성을 강화시킨다. 국민요구에 부응하는 행정의 대응성은 엽관주의의 장점이다.

3 적극적 인사행정

1. 의의

(1) 실적주의의 지나친 소극성·비융통성·집권성을 극복하기 위하여 엽관주의적 요소나 인간관계적 요소를 신축성 있게 받아들이는 인사관리방안을 의미한다.

(2) 적극적 인사행정에는 인간관계론적 인사행정, 대표관료제, 엽관주의 임용확대, 정치적 중립성의 완화, 고용기회의 평등 등이 있다.

2. 성립배경

(1) 실적주의의 한계

소극적 실적주의는 공직의 기회균등, 능력과 실적에 의한 임용·승진, 정치적 중립, 신분보장 등 엽관주의적 성향을 배제하여 비효율적인 인사관리가 이루어졌다.

(2) 과학적 인사관리의 한계

인간을 오직 합리적 도구로 다루었고, 감정적 측면에 대한 관리에 소홀하였다. 따라서 구성원들의 인간적인 측면을 고려하는 인사행정이 필요하게 되었다.

3. 주요 내용

(1) 적극적 모집

기존의 소극적 모집방식에서 벗어나 공직에 유능한 인재를 채용하기 위해서 다양한 방식과 고객지향적인 모집방식을 고려한다.

(2) 정치적 임용의 허용

기존의 지나친 객관적 인사행정으로 인한 인사행정의 경직성을 완화하고 정책추진력을 확보하기 위해서 정치적 임용을 일정 부분 허용한다.

(3) 인사권의 분권화

중앙인사행정기관의 집권적인 인사행정체제에서 행정수요에 부응할 수 있도록 인사권을 하위기관에 나누어 준다.

(4) 재직자의 능력발전

재직자들이 환경변화에 탄력적으로 적응할 수 있도록 재직자의 능력발전을 위한 방안을 마련해 준다.

(5) 공무원단체활동의 인정과 인간중심의 인사

공무원단체(노조)를 인정하여 공무원에 귀속감·안정감을 부여해주고 인사에 있어서도 인간 중심적인 행정관리를 한다.

(6) 장기적 인력계획과 종합적 인사관리

기존의 무원칙적인 인사관리에서 벗어나 장기적인 계획하에서 인력계획을 세우고, 그에 따른 인사관리를 한다.

(7) 인사관리의 민주화 · 인간화

① 공무원의 인간적인 욕구를 존중한다.

② 인사상담, 고충처리, 제안제도 등을 도입한다.

③ 참여를 확대하며, 민주적 리더십 등을 필요로 한다.

4. 관리융통성모형(management flexibility model)

실적주의의 한계를 보완하기 위한 적극적 인사행정의 일환으로서, 변화하는 환경에 효과적으로 대응할 수 있도록 운영상의 자율성과 융통성을 높인 인사행정모형이다.

조직	팀제, 네트워크조직, 학습조직 등의 탈관료제조직을 활용한다.
인사	· 실적주의에 엽관주의를 가미한다. · 직위분류제에 계급제를 가미한다. · 내부임용의 신축성을 확보한다. · 다양한 인사제도 활용: 재택근무, 계약제, 시간제공무원 등의 제도를 활용한다. · 다양하고 체계적인 교육훈련을 실시한다. · 퇴직관리의 효율화를 추구한다(일률적 퇴직 탈피). · 보수관리의 융통성을 강화한다(총액인건비제 등). · 경력관리의 다양화를 추구한다(CDP). · 인사권의 분권화: 중앙인사기관은 전략적 정책기능에 치중한다.
재무	· 총액배분 자율편성예산(Top-down)제도 · 지출통제예산제도 · 다년도 예산(MYB)

◎ 핵심정리   인사행정제도의 변천

구분		개념		특징
엽관주의와 정실주의	미국	엽관주의(spoils system) · 1829년 잭슨(Jackson) 대통령의 공직경질제 · 정당정치 발달의 산물로 등장 · 공약의 추진과 행정책임 구현		· 장점: 관료주의화 방지, 교체임용에 의한 행정의 대응성 · 책임성 · 민주성 고양 · 단점: 정치적 중립 저해, 행정의 안정성 저해, 비능률 · 낭비 초래
	영국	정실주의(patronage system) · 초기: 은혜적 정실주의 · 후기: 정치적 정실주의		
실적주의	미국	1883년 「펜틀턴법」에 의해 확립: 능력 중심의 임용, 정치적 중립, 인사위원회 설치, 공개채용시험	직위분류제 (개방형, 직무 중심)	· 장점: 인사행정의 능률성 · 전문성 · 중립성 · 자율성 · 단점: 소극성, 집권화, 비인격화, 경직성, 형식화, 행정의 대응성 · 책임성 · 민주성 부족
	영국	· 1855년 제1차 추밀원령에 의해 기반 마련: 인사위원회 설치 · 1870년 제2차 추밀원령에 의해 실적주의 확립: 공채, 계급 분류 등	계급제 (폐쇄형, 사람 중심, 직업공무원제 확립)	
적극적 인사행정		· 적극적 모집 · 공무원의 능력발전 · 인사권의 분권화 · 공무원단체활동의 허용 · 필요 시 정치적 임용의 허용 · 인사행정의 인간화		· 실적주의의 완화(실적주의 개념의 확대) · 관리융통성모형

4 직업공무원제도

1. 의의

(1) 개념

① 직업공무원제도란 공무원이 공직을 보람 있는 생애의 일(a worthwhile life work)로 생각하고 공직생활을 할 수 있도록 마련된 제도이다.

② 이를 위해서는 공직이 유능한 젊은 남녀에게 개방되고, 매력적인 것이 되어야 하며, 업적과 능력에 따라 명예롭고 높은 지위에 올라갈 수 있어야 한다. 이런 의미에서 직업공무원제도는 공무원이 단순히 전 생애를 공무에 봉사하는 것과는 다르다.

(2) 발달과정

직업공무원제도는 절대군주*시대부터 체계화되었다. 절대군주의 필요에 의한 상비군과 재원조달을 위한 관료조직이 직업공무원제의 모태이다. 관료들은 절대군주에 대한 충성과 엄격한 복무규율을 준수하면서 대신 그들의 특권과 신분을 보장받았다.

(3) 구성요소

젊고 유능한 인재등용을 위한 학력과 연령제한, 공직에 대한 높은 사회적 평가, 승진기회의 보장, 신분보장, 사기와 보람 등으로 구성된다.

2. 실적주의와의 관계 ❶

(1) 양자의 관계(객관적으로 동일한 것은 아님)

① **미국**: 1883년에 이미 실적주의가 확립되었으나, 직업공무원제도의 필요성이 강조된 것은 1935년 이후로, 이전에는 공무원의 이직률이 매우 높았다.

② **유럽 각국**: 직업공무원제도가 일찍부터 확립되었으나, 실적주의는 근래에 와서 확립되었다.

(2) 실적주의에서는 공무원의 신분이 보장되어 있다 할지라도 외부인의 공직임용이 폭넓게 허용될 경우에는 직업공무원제도의 확립이 어렵다.

(3) 이와 동일한 것은 아니지만 근래에 와서 실적주의는 직업공무원제도로 발전되어 가고 있으며, 직업공무원제도의 확립을 위한 기초가 되고 있다.

◈ **핵심정리**   **직업공무원제와 실적주의의 비교**

구분	직업공무원제	실적주의
공통점	· 정치적 중립성 · 신분보장의 성립 · 정실주의의 배제(기회균등) · 자격 · 능력에 의한 채용과 승진	
차이점	· 폐쇄형(신분의 절대적 보장) · 계급제 · 내부충원형(결원보충 시) · 공직임용 시 연령 · 학력 등의 제한 · 생활급 보수제도 · 잠재적 능력 기준	· 개방형(신분의 상대적 보장) · 직위분류제 · 외부충원형(결원보충 시) · 공직임용 시 완전한 기회균등 · 직무급 보수제도 · 채용 당시 능력 기준

📖 **용어**

절대군주*: 유럽사에서는 18~19세기의 전제군주제를 따로 절대군주제 또는 절대왕정이라고도 부른다. 전제군주는 이상화된 정부 형태로 통치자가 법률이나 합법적인 반대 세력의 의견에 상관없이 자신의 나라와 국민을 무제약적으로 통치하는 권력을 누리는 군주이다.

❶ 직업공무원제도와 실적주의의 차이
실적주의는 반드시 젊고 유능한 젊은이들에게 공직이 개방될 것을 필요로 하지 않지만, 직업공무원제도는 이를 요건으로 한다.

3. 확립요건

(1) 실적주의의 우선적 확립

① 공무원의 임용에 있어서 능력과 실적을 중심으로 한 기회의 균등이 확립되어야 한다.

② 직무수행에 있어서 정치적 중립이 요구된다.

(2) 공직에 대한 높은 사회적 평가

유능한 인재가 공직에 지원할 수 있도록 공직에 대한 사회적 평가의 제고가 필요하다.

(3) 장기적인 인력수급계획의 수립

주먹구구식의 인사행정에서 벗어나 장기적인 관점에서 공무원의 능력향상이 필요하기 때문에 장기간의 인력수급계획을 수립하여야 한다.

(4) 젊고 유능한 인재 등용

젊고 유능한 인재를 공직에 유치하여 능력발전을 시키는 것이므로 학력과 연령에 제한을 둔다.

(5) 적정한 보수·연금 지급

공직에 대해서 사명감을 가지고 최선을 다할 수 있도록 적정한 보수와 연금이 마련되어야 한다.

(6) 폐쇄형 인사제도의 확립

직업공무원제는 공직에의 계속성과 안정성의 확보, 신분보장이 중요시되므로 폐쇄형 인사제도가 요구된다.

(7) 능력발전의 기회 제공

공무원의 능력발전을 위한 다양한 교육프로그램이 존재하여야 한다.

4. 장단점

(1) 장점

① **행정의 안정성·계속성**: 정권교체 등 정치적 변혁이 있는 경우에도 공무원의 신분을 보장하여 행정의 안정성 및 계속성을 유지한다.

② **행정의 중립성·공익성**: 의회정치나 정치적 폐단을 방지하고 사회적인 중립적 안정장치의 역할을 한다.

③ **행정의 능률성**: 행정의 전임제 경향에 대비하고 능률성을 증진시키며, 고급공무원 양성에 유리하다.

④ **공무원의 사기양양**: 공무원의 확실한 신분보장을 통해서 사기를 앙양시킨다.

(2) 단점

① 관료제에 대한 민주적 통제가 곤란해진다.

② 폐쇄적 인사관리로 공무원의 보수화 및 무사안일주의를 조장할 우려가 있다.

③ 공직이 침체될 수 있다.

④ 행정의 전문화·기술화를 저해하기도 한다.

⑤ 학력과 연령에 관한 요건의 제한이 엄격하여 평등한 공직취임의 기회를 제약한다.

핵심 OX ____

01 직업공무원제는 채용 당시의 능력을 중심으로 하는 능력 중심의 인사제도이다. (O, X)

02 신분보장은 직업공무원제도와 실적주의의 공통점이다. (O, X)

01 X 채용 당시의 능력을 중심으로 하는 제도는 실적주의이며, 직업공무원제는 미래의 능력을 중시한다.

02 O

5. 직업공무원제의 위기와 발전방향

(1) 위기

① **개방형 인사제도**: 공직 경쟁력을 높이기 위하여 내·외부의 공개경쟁을 통해 공무원을 임명하는 개방형 인사제도는 직업공무원제와 상충할 수 있다.

② **대표관료제의 대두**: 행정에서 실질적인 평등성을 확보하고 사회적 약자의 공직취임기회를 확대하기 위해서 대표관료제가 대두되었는데, 이는 주로 공개경쟁시험을 통해서 임용되는 직업공무원제와 상충할 가능성이 크다.

③ **후기 관료제모형**: 전통적인 관료제조직의 특성인 폐쇄형 인사관리제도를 극복하고 새로운 형태의 신축적인 관료제를 도입하려는 노력으로, 직업공무원제와 상충할 수 있다.

④ **정년문제와 계급정년제**: 직업공무원제는 일정한 연령이나 근속 등 정년을 확보하여 장기근무를 유도하는 측면이 있는데, 정년단축이나 계급정년제 등은 직업공무원제의 위기를 야기할 수 있다.❶

(2) 발전방향

① 최근에 직업공무원제는 확립의 대상이 아니라 개혁의 대상으로 보는 관점이 강하다.

② 공무원들의 의식이 전통적 관료주의에서 기업가정신으로 그 가치관과 태도가 변화되어야 한다.

③ 적극적인 개방형 임용제도의 도입을 통해 직업공무원제를 보완한다.

④ 공직의 책임성을 확보하기 위한 통제장치를 강화하여야 한다.

5 대표관료제(균형인사제도)

1. 의의❷

대표관료제(representative bureaucracy)는 그 사회를 구성하는 모든 주요 집단의 인구비례에 따라 관료를 충원하고, 그들을 정부관료제 내의 모든 계급에 비례적으로 배치함으로써 정부관료제가 그 사회의 모든 계층과 집단에 공평하게 대응하도록 하는 제도이다.

2. 기본적 전제

(1) 진보적 평등이념

① 진보적 평등이론은 평등을 근본적이며 의도적인 공평성으로 본다. 따라서 기회가 모든 사람에게 진정으로 평등하게 주어지려면 개인들 사이에서 발생하는 자연적 불평등을 정부가 보상해 주어야 한다고 주장한다.

② 개인의 성공에는 순전히 개인의 능력이 아니라 다른 배경(특히 출신배경, 인종 등)이 작용하고 있으므로, 이러한 불평등한 요소들은 시정되어야 한다고 주장한다.

(2) 피동적 대표성이 능동적 대표성❸을 보장한다고 전제

대표관료제는 피동적 대표성을 확보하면 능동적 대표성이 보장될 것이라고 생각한다. 즉, 공무원들은 자신들의 사회적 배경이 되는 집단의 이익이나 가치를 표출할 것이라고 생각한다.

3. 장단점[1]

(1) 장점

① **정부관료제의 대응성 강화**: 다양한 위치의 국민들이 관료에 진출하므로 그들의 위치에 상응하는 행정을 수행함으로써 대응성을 높일 수 있게 된다.

② **행정의 책임성 확보**: 각계각층에 임용된 관료는 국민에 대한 책임을 지게 되므로 책임성을 증진시키게 된다.

③ **행정의 민주성 확보**: 행정과정에 국민이 참여함으로써 민주성을 증진시킬 수 있다.

④ **효율적인 통제 강화**: 대표관료제는 외재적 통제의 한계를 극복하고 관료제 내에 통제기능을 보유하는 것으로서 효과적인 비공식적 내부통제방안 중 하나가 된다.

⑤ **사회적 형평성 제고 및 실질적 평등 확보**: 형식적인 평등에 의해서 소외당할 수 있는 사람들의 위치를 고려하여 공직을 임명하는 것이므로, 실질적인 평등을 기할 수 있다.

(2) 단점

① **관료들의 사회화 과정 경시(가치관·태도의 변화)**: '피동적 대표성이 능동적 대표성으로 연결된다.'는 전제는 오류이다. 관료가 정부조직문화에 매몰되거나 조직구조상 제약 때문에 능동적 대표성으로 연결될 가능성이 낮다.

② **역차별(reverse discrimination) 문제와 사회분열 조장**: 대표관료제는 실질적 평등을 기한다는 취지에서 사회적 약자에게 기회를 주는 것이므로 기회균등을 요구하는 기득권에게는 역차별로 작용한다.

③ **실적주의와의 상충관계**: 대표관료제는 실적이나 능률에 따라 임명하는 것이 아니라 대표성을 고려해서 임명하는 것이므로 전문성·능률성을 저해하고 실적주의와 상충할 가능성이 크다.

④ **기술상의 문제**: 대표성 있게 관료제를 구성하기는 힘들다. 여러 직업과 계층의 사람들의 비율을 정확히 공직에 반영하는 것은 매우 어렵기 때문이다.

4. 대표성 확보방안

(1) 적극적 모집, 교육훈련, 근무성적평정, 승진과 배치전환 등에서 차별을 배제하고 임용할당제(quota system)를 적용한다.

(2) 적극적 조치[2]

여성이나 흑인 등 소외계층에게 공무원이 될 수 있는 기회를 증대시키기 위해서 일정비율을 할당하는 제도로, 남성이나 백인 등 미국의 기득권 세력들이 역차별을 당한다고 비판받기도 한다.

(3) 우리나라의 대표성 확보제도[3]

① **양성평등채용목표제(2003.1.1. ~)**

㉠ 양성평등채용목표제는 성비 불균형 해소를 위해 남녀 모두의 최소 채용비율을 설정하는 제도이다. 공무원 채용시험에서 남성이든 여성이든 어느 한쪽이 합격자의 70%를 넘지 않도록 하는 것으로, 남성이나 여성이 합격자의 30%가 되지 못하였을 때 가산점을 주어 합격자의 성비를 조정한다.

---

[1] 대표관료제의 특징과 한계

특징	· 내부통제 수단 · 비공식적 통제 · 수직적 공평성 확보 · 실질적·적극적인 기회균등
한계	· 국민주권 원리 위반 · 구성론적(소극적) 대표성 확보 곤란 · 역할론적(적극적) 대표성 확보 곤란 · 2차 사회화 불고려

[2] 미국의 적극적 조치
미국의 경우, 1970년대부터 적극적 고용증진계획에 따라 고용평등조치와 차별철폐조치(적극적 조치, affirmative action)를 시행하고 있다.

[3] 기타 대표성 확보제도
1. 취업보호대상자 우대제도, 이공계출신 채용목표제, 지역대학할당제 등이 대표성 확보 제도와 유사한 맥락에서 제시되고 있다.
2. 저소득층의 공직진출기회를 확대하기 위하여 9급 공개채용 시 선발인원의 1% 이상을 2년 이상된 국민기초생활수급자 중에서 의무적으로 선발하는 저소득층 구분모집제를 시행하고 있다.
3. 국가유공자 우대제도의 경우, 국가에 대한 공로를 인정하여 채용 시 우대하는 제도로서 대표관료제와는 거리가 있는 제도이다.

핵심 OX

01 대표관료제는 베버(Weber)의 관료제나 실적주의의 확립과 관련 있다. (O, X)

02 대표관료제는 사회 각 계층의 이익을 균형 있게 대표할 수 있기 때문에 역차별의 문제를 해결할 수 있는 방안이다. (O, X)

01 X 대표관료제는 베버(Weber)의 관료제나 실적주의가 주장하는 형식적 평등이 아니라 실질적 평등을 확보하기 위한 노력과 관련된다.
02 X 적극적 조치로 인하여 역차별 문제가 제기되기도 한다.

ⓛ 공직에서의 성비균형을 위해 기존 여성채용목표제를 양성평등채용목표제(2003)로 바꾸었다.

② **장애인의무고용제❶**: 국가 및 지방자치단체의 장이 장애인을 소속공무원 정원의 일정비율 이상 고용하는 것을 의무로 규정하는 제도로서 장애인의 고용촉진과 경제적 능력향상을 목적으로 한다.

③ **여성관리자 임용확대 5개년 계획(4급 이상 여성관리자 임용확대 5개년 계획)**: 「4급 이상 여성관리자 임용확대 5개년 계획」을 수립하여 중앙행정기관의 4급 이상 여성공무원의 비율을 2011년까지 10% 이상으로 늘렸다.

④ **지역인재 추천채용제(2005)**: 일종의 공직 인턴제도이다.
  ㉠ 임용권자는 우수인재를 공직에 유치하기 위하여 학업성적 등이 뛰어난 대학 졸업자 또는 졸업예정자를 추천·선발하여 3년의 범위 안에서 수습으로 근무하게 하고, 당해 근무기간 동안 근무성적 및 자질이 우수하다고 인정되는 자는 6급 이하의 공무원으로 특별채용한다.
  ㉡ 견습직원을 공무원으로 임용함에 있어서는 행정분야와 기술분야별로 적정한 구성을 유지하여 지역별 균형을 이루도록 하여야 한다.

5. 다양성 관리(diversity management)

(1) 개념

① 다양한 속성(성, 연령, 국적, 기타 개인적 차이)이나 다양한 가치·발상을 받아들여 기업의 활성화를 위한 조직문화 변혁을 목표로 하는 전략이며, 기업과 고용된 개인의 성장·발전으로 이어지게 하려는 전략이다.

② 이러한 다양한 활동에 관한 조직의 관여나 정교한 정책과 프로그램을 통하여 다양한 배경의 종업원들을 조직의 공식적, 비공식적 구조에 보다 많이 포용하려는 자발적인 조직 행동이다.

(2) 유형

다양성(diversity)은 한 집단 내에 개인들이 보유하고 있는 각기 다른 특성, 신념, 상대적 위치 등을 보유하고 있는 상태를 말하며 다양성은 외적인 요소에 의한 '표면적 다양성'과 내적인 요소에 의한 '내면적 다양성'으로 구분된다. 오늘날 개인의 성격, 가치관의 차이와 같은 내면적 다양성의 중요성이 점차 커지고 있다.

(3) 접근방법

다양성 관리에 대한 접근방법에서 최근에는 문화적 다원주의에 근거한 다양성을 통한 조직을 탄력성을 극대화하기 위한 적극적인 방법으로 샐러드볼 접근을 통한 다양성의 유지와 확대를 강조한다.

✓ 개념PLUS 다양성 관리의 접근방법

구분	멜팅팟(melting pot) 접근	샐러드볼(salad bowl) 접근
접근	소극적	적극적
방법	구성원 간의 이질성을 지배적인 주류에 의해 동화시키는 방법	문화적 다원주의에 근거한 다양성을 통한 조직을 탄력성을 극대화하는 방법

(4) 관리방안

구성원들을 일률적으로 관리하지 않고 다양한 차이와 배경, 시각을 조직업무에 적극 반영시키려는 전략적 인적자원관리(SHRM)로서 개인별 맞춤형 관리, 일과 삶의 균형(워라벨), 우리나라의 균형인사정책(대표관료제) 등이 대표적인 관리방안이다.

(5) 한계

이러한 균형인사정책을 통한 조직 내 다양성 증대는 실적주의와 충돌하여 행정의 능률성과 전문성을 떨어뜨린다는 한계를 갖는다.

📊 고득점 공략 제1차 균형인사 기본계획❶

1. 의의

인사혁신처는 문재인 정부의 균형인사 정책목표와 추진과제를 담은 '제1차 균형인사 기본계획(2018~2022)'을 2018년 7월 17일 발표하였다. 1차 기본계획에는 ① 공직 내 실질적 양성평등 제고, ② 장애인이 일하기 좋은 공직 여건 조성, ③ 우수한 지역인재 채용으로 공직 내 지역 대표성 강화, ④ 4차 산업혁명시대 정부 대응성 강화, ⑤ 사회통합형 인재 채용 확대 등의 내용이 담겨 있으며, 이를 통한 '차별 없는 균형인사를 통한 사회적 가치의 실현'이라는 비전을 실현하고자 한다.

2. 주요 내용

다양성 확보를 통한 정책 대표성 향상	· 성별 다양성 · 지역인재 채용 확대	· 장애인 채용 확대 · 사회통합형 인재 채용
차별 없는 인사관리로 형평성 제고	· 여성 · 이공계 관리자 임용 확대 · 성별 · 장애 등 차별없는 보직 부여 · 장애 없는 근무환경 조성	
다양성 관리를 통해 정부 역량 강화	· 일 – 생활 양립 근무환경 조성 · 맞춤형 역량 교육 지원	· 포용적 공직 문화 확산

3. 목표

구분		2017년	2022년
양성평등	고위공무원단 여성 비율	6.5%	10%
	본부과장급 여성 비율	14.8%	21%
장애인	법정 의무고용률	3.2%	3.6%(~2023) 3.8%(2024)
	근무지원 사업 지원율 / 보조공학기기	2%	4%
	근무지원 사업 지원율 / 근로지원인	3%	5%
지역인재	5급 지방인재 채용 비율	7.6%	20%
	7급 지방인재 채용 비율	22.4%	30%
이공계	고위공무원단 이공계 비율	21.5%(2016)	30%
	5급 신규채용 이공계 비율	33.2%	40%
사회통합인재	저소득층 구분모집 비율	9급 2%	7 · 9급 2.5%
	다문화가정, 북한이탈주민 등	–	활용방안 마련

---

❶ 범정부 균형인사 추진계획

1. 시행

정부가 2019년 9월 24일 발표한 인사 방안으로, 모든 공공기관에 최소 1명 이상의 여성 임원을 임용하도록 하고, 장애인 의무고용률을 달성하지 못한 지방자치단체는 이후 채용에서 의무고용률의 2배를 채용하도록 하는 내용 등을 골자로 한다.

2. 주요 내용

· 여성 관리자 임용 비율 확대
· 장애인 의무고용률 준수(지방자치단체 위반 시 의무고용률의 2배 채용)
· 국가균형발전을 위한 지역 대표성 강화
· 사회통합형인재 채용 노력 지속

1 의의와 특성

1. 의의 및 성립배경

(1) 의의

① 중앙인사행정기관❶은 국가의 모든 공무원에 대한 인사관련업무를 총괄하는 행정기관이다. 각 행정기관의 균형적인 인사운영, 인력의 효율적 활용, 공무원의 능력발전 등을 위하여 정부의 인사행정을 전문적·집중적으로 총괄한다.

② 현대 행정의 기능 확대와 역할 증대에 따라 공무원의 능력발전을 위한 계획의 수립, 개인의 성장문제에 이르기까지의 인사정책을 수립하고, 적극적 기능을 수행하는 기관으로 부상하고 있다.

(2) 성립배경

① 인사행정을 정치적이고 정실적인 요소로부터 차단하기 위함이다.

② 인사행정이 개별 행정기관에 의하여 행해짐으로써 발생하기 쉬운 할거성과 비능률성 등을 배제하고자 하는 소극적이고 방어적인 필요에서 시작되었다.

2. 필요성

(1) 국가기능 확대

국가기능이 확대·강화되고, 공무원 수가 지속적으로 증가하면서 합리적 인사기관의 필요성에 따라 설치되었다.

(2) 엽관주의의 극복

① 엽관주의와 정실주의의 폐해를 극복하고 인사행정의 공정성과 중립성을 확보하기 위해 합의성과 독립성을 가진 인사기관의 설치가 필요하다.

② 대표적인 예는 1883년 미국의 「펜들턴법」에서 설치한 연방인사위원회가 있다.

(3) 인사행정의 통일성

인사행정의 통일성과 일관성을 확보하고 할거주의를 방지하기 위하여 집권적 중앙인사행정기관❷이 필요하다.

(4) 인사행정의 전문화

행정이 전문화·다양화됨에 따라 인사행정의 전문화와 기술적 발전을 통하여 능률성과 효과성을 높이기 위해 필요하다.

(5) 공무원의 권익 보호

공무원의 권익을 보호하고, 실적주의와 직업공무원제도를 확립하기 위해서 필요하다.

❶ 중앙인사행정기관의 범위
중앙인사행정기관에는 각 부처의 인사기능을 부분적으로 행사하는 부처인사기관(총무과 또는 운영지원팀 내 인사부서)은 포함되지 않는다.

❷ 실적주의와 중앙인사행정기관
실적주의가 확립되면 중앙인사행정기관의 존재가치가 저하되며, 이러한 입장에서 최근의 적극적 인사행정에서는 인사권의 분권화가 나타나는 경향이 강하다.

3. 기능

(1) 전통적 기능

① **준입법적 기능**: 법률의 범위 내에서 인사에 관한 규칙을 제정한다.

② **준사법적 기능**: 위법 또는 부당한 처분을 받은 공무원의 소청에 대해서 재결한다.

　㉠ 비위공무원에 대한 제재 및 징계를 한다.

　㉡ 위법·부당한 제재를 받은 공무원의 소청을 심사한다.

　㉢ 공무원의 고충처리심사의 기능을 수행한다.

③ **기획기능**: 인력계획 수립 등 인사에 관한 기획기능을 수행한다.

④ **집행기능**: 실질적인 인사행정, 즉 임용·훈련·승진·연금 등의 인사사무를 인사법령에 따라 수행하는 구체적인 인사행정사무를 집행한다.

⑤ **감사기능**: 법령에 따라 부처인사기관을 감독하는 기능을 수행한다.

⑥ **권고적·보좌적 기능**: 인사행정에 관한 정책에 대해서 행정수반(대통령)에게 권고적·보좌적 기능을 수행한다.

(2) 발전방향

① 통제적 기능에서 감시 및 자문기능이 강화되어야 한다.

② 준입법권의 약화에 따라 인사기능의 분권화를 도모하여야 한다.

③ 새로운 인사관리제도 도입의 연구자로서의 기능이 필요하다.

4. 성격

(1) 독립성

① 의의

　㉠ 중앙인사행정기관은 정치적 영향과 입법·사법·행정부로부터 자유롭다는 것이다.

　㉡ 독립성이란 최소한 위원의 신분보장, 자주적 조직권, 예산의 자주성을 유지하는 것으로서, 입법부나 사법부로부터의 독립은 물론, 진정한 독립은 정치적 힘을 가지고 있는 행정부로부터의 독립을 의미한다.

② 장단점

　㉠ 장점

　　ⓐ 공직임명에서 엽관주의나 정실주의가 배제되고 인사행정의 중립성을 확보할 수 있다.

　　ⓑ 잦은 공직교체에서 오는 행정의 단절을 막을 수 있다.

　㉡ 단점

　　ⓐ 국정전반을 책임지고 있는 행정수반이 공무원의 인사를 통제하기가 힘들 수 있다.

　　ⓑ 공무원의 권익보호 등 인사문제만을 미시적으로 다루기 때문에 정부의 다른 정책과 일관성을 유지하기 힘들다.

　　ⓒ 독립된 기관의 부당행위와 무능에 대해서는 책임을 묻기 곤란하다.

(2) 합의성

① 의의: 중앙인사기관의 결정이 다수위원의 합의에 의하여 결정되는 것이다.

② 장단점

　㉠ 장점

　　ⓐ 다수위원의 타협과 조정을 거치므로 결정의 편향성을 배제할 수 있다.

　　ⓑ 위원들의 교차임명을 통해 인사정책 및 관리활동의 지속성을 기할 수 있다.

　㉡ 단점

　　ⓐ 합의에 의한 의사결정은 시간이 많이 걸린다.

　　ⓑ 책임을 전가하기 쉬우므로 책임의 소재가 모호해질 수 있다.

　　ⓒ 타협적인 결정이 나올 수 있다.

(3) 집권성

① 의의: 각 부처의 인사기능을 중앙인사행정기관에 집중시키는 것이다.

② 집권성을 주장하는 논거

　㉠ 통제가 용이하고 인사행정의 통일성을 기할 수 있다.

　㉡ 부처인사기관이 전문성을 확보하지 못한 상황에서 중앙인사기관이 전문인력을 풀(pool)로 가동함으로써 규모의 경제(효율성) 효과를 얻을 수 있다.

　㉢ 부처인사기관에 많은 권한을 위임하였을 때, 부처인사공무원이 중앙인사기관의 편에 서기보다는 소속부처의 편의와 이해에 따르기 쉬운 경향이 있다.

③ 분권성을 주장하는 논거

　㉠ 융통성 있는 인사관리와 부처사정에 대한 풍부한 지식의 활용이 가능하다.

　㉡ 인사행정의 분권화는 적극적 인사행정을 가능하게 한다.

> **✓ 개념PLUS**　중앙인사행정기관의 조직형태❶
>
> | 구분 | 합의성 | 단독성 |
> | --- | --- | --- |
> | **독립성** | 독립합의형 | 독립단독형 |
> | **비독립성** | 비독립합의형 | 비독립단독형 |
>
> ※ 우리나라의 인사혁신처는 국무총리 소속의 비독립단독형이다.

2 우리나라의 인사기관

1. 인사혁신처(우리나라의 중앙인사행정기관)

(1) 의의

① 인사혁신처는 공무원 인사정책 및 인사행정운영에 대한 기본방침을 정하고 인사관계법령(임용, 교육훈련, 보수 등)의 제정과 개폐를 관장하는 입안기관이다.

② 급여 등 공무원 처우개선 및 성과를 관리하는 기관이다.

③ 고위공무원단에 속하는 공무원의 채용과 고위공무원단의 직위로의 승진기준에 관한 사항에 관여하는 기관이다.

④ 직무분석의 원칙과 기준에 관한 사항을 관장하는 기관이다.

(2) 변천❶

1999년 5월 김대중 정부의 제2차 정부조직개편으로 행정자치부의 인사국과 중앙인사위원회로 이원화되었으나, 참여정부에 들어 중앙인사위원회로 인사기능이 통합·일원화되었다(2004.6.). 이후 이명박 정부의 출범(2008.2.)과 함께 행정안전부(윤리복무관, 공무원노사협력관, 인사실)로 완전 일원화되었다가 박근혜 정부(2013.2.) 때 안전행정부로 그 명칭이 바뀌었다. 그리고 박근혜 정부 제2차 정부조직개편에 의하여 인사혁신처(2014.11.)로 분리되었고, 문재인 정부로 계승되었다.

❶ 우리나라 중앙인사기관의 변천
1. 고시위원회와 총무처(1948)
2. 국무원 사무국(1955)
3. 국무원 사무처(1960)와 내각 사무처(1961)
4. 총무처(1963~1998)
5. 행정자치부(1998)
6. 행정자치부와 중앙인사위원회(1999) → 이원화
7. 중앙인사위원회(2004) → 일원화
8. 행정안전부(2008) → 중앙인사위원회 폐지, 행정안전부로 일원화
9. 안전행정부로 개칭(2013)
10. 인사혁신처로 개편(2014)

✅ 개념PLUS 인사혁신처의 변천

김대중 정부 (국민의 정부)	행정자치부의 인사국과 중앙인사위원회로 이원화[제2차 정부조직개편(1999.5.)]
노무현 정부 (참여정부)	중앙인사위원회로 통합·일원화(2004.6.)
이명박 정부	행정안전부(윤리복무관, 공무원노사협력관, 인사실)로 완전 일원화(2008.2.)
박근혜 정부	· 안전행정부로 명칭 변경(2013.2.) · 인사혁신처로 분리·변경[제2차 정부조직개편(2014.11.)]
문재인 정부	인사혁신처(2017)

(3) 기능

① 공무원의 인사정책 및 인사행정운영의 기본방침에 관한 사항과 인사집행(고시·교육훈련 등) 및 소청심사업무까지 수행한다. 그러나 공무원의 징계기능은 담당하지 않는다.

② 고위공무원의 임용제청은 고위공무원 임용심사위원회의 심사를 거쳐야 한다. 고위공무원 임용심사위원회는 임용권자나 임용제청권자가 선정한 대상자만을 심사할 수 있으며, 임용제청권자가 심사결과에 응할 수 없을 때에는 재의를 요구하지 않고 심사결과를 첨부하여 직접 임용제청할 수 있다.❷

③ 각 부처에 대한 인사운영감사권과 개방형 대상직위 지정·협의 및 직무분석기능도 가진다.

(4) 조직과 구성❸

인사혁신처에는 기획조정관, 인사혁신국, 인력개발국, 성과복지국, 윤리복무국, 공무원노사협력관 등이 있고 소속기관으로는 국가공무원인재개발원과 소청심사위원회가 있다. 인사관련 하부조직은 다음과 같다.

인사혁신국	인사정책과, 인사심사과, 개방임용과를 둔다.
인력개발국	인력기획과, 교육훈련과, 채용관리과, 시험출제과를 둔다.
성과복지국	성과급여과, 연금복지과, 균형인사과를 둔다.
윤리복무국	복무제도과, 윤리정책과, 취업심사과를 둔다.
소속기관	국가공무원인재개발원, 소청심사위원회, 중앙고충심사위원회(소청심사위원회가 담당), 주식백지신탁심사위원회 등이 있다.

❷ 고위공무원 임용심사위원회
1. 의의: 과거의 중앙승진심사위원회와 고위공무원단 적격심사위원회를 통합한 위원회로서 고위공무원단에 속하는 공무원의 채용과 고위공무원단 직위로의 승진임용에 있어서의 기준과 절차 등에 관한 사항과 고위공무원단으로의 진입심사 및 적격심사기능을 담당한다.
2. 구성: 위원장(인사혁신처장)을 포함하여 행정안전부장관이 지명·위촉하는 5인 내지 7인의 위원으로 구성한다.

❸ 지방자치인재개발원
행정안전부 소속기관으로, 지방행정연수원에서 2017년 7월 26일 개편되었다.

📖**용어**

소청(訴請)*: 공무원의 징계 등 불이익 처
분에 대한 심사를 하는 행정심판으로, 공
무원의 권익을 보장하고 행정질서를 확립
하기 위한 제도이다.

2. 소청심사위원회❶

(1) 의의

① 인사혁신처 소속기관으로서 공무원의 불이익 처분에 대한 소청*을 심사·결정하는 상설합의제기관이다.

② 소청심사위원회의 결정은 구속력이 인정되어 처분청의 행위를 기속하며, 인사혁신처장은 소청심사위원회의 의결에 대해 재의요구권을 가지지 않는다.

③ **행정소송의 전심절차**: 소청심사는 행정소송의 전심절차로서 징계처분 등에 대한 행정소송은 소청심사를 거치지 않으면 제기할 수 없다.

④ 공무원의 징계 불복 시 이의신청을 심사·처리하는 준사법적 의결기관으로 미국의 실적제보호위원회와 유사하다.

(2) 구성

① 위원장(차관급 정무직) 1인을 포함한 5~7인의 상임위원과 상임위원 수의 2분의 1 이상인 비상임위원으로 구성한다(현재 상임위원 5인, 비상임위원 4인).

② 상임위원의 임기는 3년이고 1차에 한하여 연임이 가능하며, 비상임위원의 임기는 1년이다.

(3) 소청심사위원회 관할기관

구분		소청담당기관
행정부	국가공무원 (일반직, 외무, 경찰, 소방공무원)	인사혁신처 소청심사위원회
	지방공무원 (지방교육)	각 시·도 소청심사위원회 (교육소청심사위원회)
입법부		국회사무처 소청심사위원회
사법부		법원행정처 소청심사위원회
헌법재판소		헌법재판소사무처 소청심사위원회
중앙선거관리위원회		중앙선거관리위원회사무처 소청심사위원회
교원		교육부 교원소청심사위원회
검사		-(소청제도 없음)

3. 징계위원회

(1) 중앙징계위원회(국무총리 소속)

① 1~5급 공무원·연구관 및 지도관, 고위공무원단의 징계사건을 담당한다.

② 국무총리가 징계의결을 요구한 6급 이하 공무원·연구사 및 지도사의 징계사건을 담당한다.

(2) 보통징계위원회(5급 이상 공무원을 장으로 하는 행정기관 소속)

6급 이하 공무원·연구사 및 지도사의 징계사건을 담당한다.

핵심 OX

01 우리나라의 경우, 이명박 정부 때 공무원에 대한 인사권이 중앙인사위원회에서 행정안전부로 이관되었다. (O, X)

02 우리나라의 중앙인사기관인 인사혁신처는 공무원의 인사정책 및 인사행정 운영의 기본방침에 관한 사항과 인사집행 및 소청심사업무, 공무원의 징계기능 등을 담당한다. (O, X)

01 O
02 X 공무원의 징계는 징계위원회가 담당한다.

4. 고충심사위원회

(1) 5급 이상 공무원의 고충처리

중앙고충심사위원회에서 담당하는데, 소청심사위원회가 대행한다.

(2) 6급 이하 공무원의 고충처리

각 부처의 보통고충심사위원회가 담당한다.

> ✅ **개념PLUS** 우리나라 인사기관별 기능❶
>
> | 인사혁신처(중앙인사행정기관) | 공무원의 인사, 복무 및 연금 관리기능 |
> |---|---|
> | 소청심사위원회(인사혁신처 소속) | 소청심사기능, 중앙고충처리기능 |
> | 행정안전부 | 조직 및 정원 관리기능 |
> | 징계위원회(각 부처 및 국무총리) | 제재 및 징계기능 |

3 각국의 중앙인사행정기관

최근 각국에서는 거의 공통적으로 실적주의가 확립되는 과정에서 중앙인사행정기관을 새로이 설치하거나 권한을 강화한다. 오늘날 대부분의 선진국에서는 인사기획과 선발을 담당하는 합의제기관과 구체적인 집행업무를 담당하는 단독제기관으로 중앙인사행정기관이 이원화되어 있는 것이 특징이다.

구분 / 국가	독립·합의제기관 기획·선발·준입법·준사법적 기능	비독립·단독제기관 집행기능
미국	MSPB(실적제보호위원회)	OPM(인사관리처)
영국	CSC(인사위원회)	OMCS(공무원장관실)
일본	NPA(인사원)	총무청 인사국
한국	–	인사혁신처

> 📊 **고득점 공략** 미국의 중앙인사행정기관
>
> 1. 1883년 「펜들턴법」에 의하여 인사위원회(CSC; Civil Service Commission)를 설치하였다.
> 2. 1978년의 「공무원제도개혁법」에 의하여 독립합의제 인사행정기관인 인사위원회가 인사관리처와 실적제보호위원회로 개편되었다.
>   ① 인사관리처(OPM; Office of Personnel Management): 대통령 직속의 단독제기관으로 대통령에게 인사자문을 하며 각 부처의 인사를 집행·감독하는 인사행정기관이다. 인사관리처장은 대통령이 임명하며 임기는 4년으로 한다(우리나라의 중앙인사위원회와 유사).
>   ② 실적제보호위원회(MSPB; Merit System Protection Board): 공무원들의 실적주의를 보호하고 인사권의 남용으로부터 공무원을 보호하기 위해 설치된 독립적인 준사법적 기관이다(우리나라 소청심사위원회와 유사).
>   ③ 연방노사관계청(FLRA; Federal Labor Relations Authurity): 행정부 내에 설치된 독립기관으로서 연방정부의 노사관계에 관한 정책을 감독하고 정책실행을 주관한다.

❶ 인사위원회
1. 설치: 각 지방자치단체에 두는 인사행정기관으로 독립·상설집행기관이다. 지방자치단체에 임용권자별로 인사위원회를 두되, 특별시·광역시·도 또는 특별자치도에는 필요하면 제1인사위원회와 제2인사위원회를 둘 수 있다(「지방공무원법」 제7조).
2. 구성 및 권한: 인사위원회는 16명 이상 20명 이하의 위원으로 구성한다. 인사위원회의 권한으로는 임용 및 승진시험의 실시, 임용권자의 요구에 따른 징계의결 그리고 기타 법령의 규정에 의해 그 권한에 속하는 사항 등이 있다.

핵심 OX

01 미국의 인사관리처(OPM)는 대통령 직속의 단독제기관이다. (O, X)

02 미국의 실적제보호위원회와 유사한 기능을 하는 우리나라의 인사기관은 소청심사위원회이다. (O, X)

01 O
02 O

01 전략적 인적자원관리(Strategic Human Resource Management)에 대한 설명으로 옳은 것은?

2017년 국가직 7급(8월 시행)

① 장기적 관점에서 현재 및 미래의 환경변화와 이를 기반으로 하는 역량분석에 집중한다.

② 직무만족 및 조직시민행동에 중점을 두고 개인의 심리적 측면에 분석의 초점을 둔다.

③ 조직의 목표달성을 보조하기 위한 통제 메커니즘 구축에 초점을 둔다.

④ 개별 인적자원관리기능의 부분 최적화를 추구한다.

02 엽관주의와 실적주의에 대한 설명으로 옳은 것만을 모두 고르면?

2014년 국가직 9급

> ㄱ. 엽관주의는 실적 이외의 요인을 고려하여 임용하는 방식으로 정치적 요인, 혈연, 지연 등이 포함된다.
> ㄴ. 엽관주의는 정실임용에 기초하고 있기 때문에 초기부터 민주주의의 실천원리와는 거리가 멀었다.
> ㄷ. 엽관주의는 정치지도자의 국정지도력을 강화함으로써 공공정책의 실현을 용이하게 해 준다.
> ㄹ. 실적주의는 정치적 중립에 집착하여 인사행정을 소극화·형식화시켰다.
> ㅁ. 실적주의는 국민에 대한 관료의 대응성을 높일 수 있다는 장점이 있다.

① ㄱ, ㄷ　　　　　　　　　　② ㄴ, ㄹ

③ ㄴ, ㅁ　　　　　　　　　　④ ㄷ, ㄹ

03 엽관주의의 정당화 근거로 옳지 않은 것은?

2021년 국가직 7급

① 행정 민주화에 기여　　　　　② 정치지도자의 행정 통솔력 강화

③ 정당정치 발달에 공헌　　　　④ 행정의 안정성과 지속성 확보

04 실적주의(merit system)에 대한 설명으로 옳지 않은 것은?

① 실적주의의 도입은 중앙인사기관의 권한과 기능을 분산시키는 결과를 가져왔다.

② 사회적 약자의 공직 진출을 제약할 수 있다는 점은 실적주의의 한계이다.

③ 미국의 실적주의는 「펜들턴법」(Pendleton Act)이 통과됨으로써 연방정부에 적용되기 시작하였다.

④ 실적주의에서 공무원은 자의적인 제재로부터 적법절차에 의해 구제받을 권리를 보장 받는다.

정답 및 해설

01 전략적 인적자원관리

전통적 인적자원관리(HRM)가 채용, 교육, 훈련, 평가, 보상과 같은 인사관리 방식들을 미시적 시각(micro-perspective)에서 개별적으로 나누어 접근하는 데 비해, 전략적 인적관리(SHRM)는 거시적 시각(macro-perspective)에서 개별적 인사관리방식을 통합하는 종합적인 인력관리 프로그램을 운영하는 방식이다.

| 선지분석 |
② 개인의 심리적 측면에 분석의 초점을 두는 것은 전통적 인적자원관리 방식이다. 전략적 인적자원관리는 조직의 전략과 인적자원관리를 연계하는데 중점을 둔다.
③ 목표달성을 보조하기 위한 통제 메커니즘 구축에 초점을 전통적 인적자원관리 방식이다. 전략적 인적자원관리는 구성원에 대한 권한 부여 및 자율성 확대에 초점을 둔다.
④ 개별적인 인적자원관리의 부분적 최적화를 추구하는 것은 전통적 인적자원관리 방식이다. 전략적 인적자원관리는 거시적 시각에서 인적자원관리방식들 간의 연계를 통한 전체적 최적화를 추구한다.

02 엽관주의와 실적주의

ㄷ, ㄹ이 옳은 설명이다.

| 선지분석 |
ㄱ. 엽관주의는 능력이나 실적 이외의 요인을 고려하는 임용방식으로, 정치적 요인(당파성)은 고려하지만 나머지는 기준에 포함되지 않는다. 혈연, 지연 등을 고려하는 것은 정실주의이다.
ㄴ. 엽관주의는 정실임용이 아니라 정당에 대한 충성도에 따라 임용하기 때문에 민주주의의 실천원리와 밀접한 관련이 있다.
ㅁ. 실적주의는 지나친 공무원의 신분보장으로 인해 관료의 특권화 및 보수화를 초래할 수 있어 대응성을 높이기 어렵다는 단점을 가진다.

03 엽관주의의 정당화 근거

엽관주의는 정당에의 충성도에 따라 관료를 임용하는 것으로 공무원들의 임기를 정하여(4년 임기법) 근무하는 인사제도로서 신분이 보장되지 않기 때문에 행정의 안정성과 지속성 확보가 곤란하다.

| 선지분석 |
①, ②, ③은 모두 엽관주의의 장점에 해당한다.

04 실적주의(merit system)

실적주의의 도입은 공정하고 독립적인 인사행정을 위한 연방인사위원회(중앙인사기관)를 설치하여 인사행정의 집권화를 가져왔다.

| 선지분석 |
② 실적주의는 능력중심의 인사제도로 사회적 약자의 공직 진출을 제약할 수 있다는 한계가 있다.
③ 미국의 실적주의(공개경쟁채용)는 1883년 「펜들턴법」(Pendleton Act)이 제정됨으로써 연방정부에 적용되기 시작하였다.
④ 실적주의에 의하여 공무원의 권리와 신분이 보장되므로 자의적인 제재로부터 적법절차에 의해 구제받을 권리를 보장 받는다.

05 실적주의 공무원제도에 대한 설명으로 옳은 것은?

① 미국에서는 잭슨(Jackson) 대통령에 의해 공식화되었다.

② 공직의 일은 건전한 상식과 인품을 가진 일반 대중 누구나 수행할 수 있는 것이라고 전제하였다.

③ 공개경쟁시험, 신분보장, 정치적 중립이 핵심적인 요소이다.

④ 사회적 형평성을 가장 중요한 가치로 삼는 인사제도이다.

06 직업공무원제의 특징으로 옳지 않은 것은?

① 직무급 중심 보수체계

② 능력발전의 기회 부여

③ 폐쇄형 충원방식

④ 신분의 보장

07 직업공무원제의 단점을 보완하는 것으로 옳지 않은 것은?

① 개방형 인사제도

② 계약제 임용제도

③ 계급정년제의 도입

④ 정치적 중립의 강화

08 직업공무원제에 대한 설명으로 옳지 않은 것은?

① 젊고 우수한 인재가 공직을 직업으로 선택해 일생을 바쳐 성실히 근무하도록 운영하는 인사제도이다.

② 폐쇄적 임용을 통해 공무원집단의 보수화를 예방하고 전문행정가 양성을 촉진한다.

③ 행정의 안정성을 확보할 수 있고, 높은 수준의 행동규범을 유지하는 데 도움이 된다.

④ 조직 내에 승진적체가 심화되면서 직원들의 불만이 증가할 수 있다.

09 직업공무원제에 대한 설명으로 옳지 않은 것은?

① 공무원의 신분을 보장해 행정의 연속성과 일관성을 유지하는 데 긍정적인 제도이다.

② 젊고 유능한 인재들이 공직을 보람 있는 직업으로 선택하여 일생을 바쳐 성실히 근무하도록 유도하는 인사제도이다.

③ 공무원이 환경적 요청에 민감하지 못하고 특권집단화할 염려가 있다.

④ 공무원의 일체감과 단결심 및 공직에 헌신하려는 정신을 강화하는 데 불리한 제도이다.

정답 및 해설

05 실적주의의 기본요소

실적주의는 공개경쟁시험, 신분보장, 정치적 중립을 기본요소로 하는 제도이다.

| 선지분석 |

① 미국 잭슨(Jackson) 대통령에 의해 공식화된 인사행정제도는 엽관주의이다.

② 잭슨은 행정의 단순성을 주장하며 공직의 일은 건전한 상식과 인품을 가진 일반 대중 누구나 수행할 수 있는 것이라고 전제하였다.

④ 사회적 형평성을 가장 중요한 가치로 삼는 인사제도는 대표관료제(균형인사제도)이다.

06 직업공무원제

직업공무원제도는 계급제, 폐쇄형을 기본으로 하며, 계급제는 공직자의 생계유지를 위한 생활급 중심의 보수체계를 특징으로 한다. 직무급은 직무의 곤란도(난이도)와 책임도를 기준으로 하는 합리적인 보수제도로 직위분류제와 개방형 임용에 적합한 제도이다.

| 선지분석 |

② 직업공무원제도는 계급제와 폐쇄형을 기본으로 하므로 재직자들에게 장기적인 능력발전의 기회를 부여한다.

③, ④ 폐쇄형 충원방식은 내부승진을 기본으로 하기 때문에 공직자의 신분보장을 가능하게 하는 직업공무원제도의 특징이다.

07 직업공무원제

직업공무원제도는 젊은 인재들이 공직에 들어와 평생에 걸쳐 명예롭게 근무하도록 조직·운영되는 인사 제도로 공직의 침체, 보수성, 비전문성 등의 단점을 초래한다. 이러한 단점을 보완하는 제도로는 개방형, 계약제, 계급정년제의 도입 등이 필요하다. ④의 정치적 중립의 강화는 모든 정당에 대해 공평성과 비당파성(非黨派性)을 갖는 것으로 실적주의를 기반으로 하는 직업공무원제의 특징이다.

08 직업공무원제도

직업공무원제도는 젊고 유능한 인재를 공직에 임용하여 평생 동안 업무 수행에 전념하도록 신분을 보장하여 주는 인사제도이다. 또한 폐쇄형, 계급제로 일반행정가를 양성하기 때문에 지나친 신분보장으로 인한 공무원 집단의 보수화와 공직의 전문성이 저하되기 때문에 전문행정가 양성이 곤란하다는 문제점이 있다.

| 선지분석 |

④ 직업공무원제도는 폐쇄형 인사제도로 승진이 어렵기 때문에 승진적체가 심화되면서 직원들의 불만이 증가하게 된다.

09 직업공무원제도

직업공무원제도는 폐쇄형, 계급제에 입각하여 공무원들의 신분을 보장해 주는 제도로서 공무원의 일체감이나 단결심 및 공직에 헌신하려는 정신을 강화하는데 유리한 제도이다.

| 선지분석 |

① 직업공무원제의 장점으로 옳은 지문이다.

② 직업공무원제도의 개념이다.

③ 직업공무원제도는 폐쇄형을 추구하기 때문에 환경변화에 둔감하고 특권집단화할 염려가 있다.

정답 05 ③ 06 ① 07 ④ 08 ② 09 ④

10 대표관료제에 대한 설명으로 옳지 않은 것은? 2017년 국가직 9급(4월 시행)

① 엽관주의의 폐단을 시정하기 위해 등장하였다.

② 관료의 국민에 대한 대응성과 책임성을 향상시킨다.

③ 형평성을 제고할 수 있으나 역차별의 문제가 발생할 수 있다.

④ 우리나라도 대표관료제적 임용정책을 시행하고 있다.

11 대표관료제에 대한 설명으로 가장 옳지 않은 것은? 2019년 서울시 7급(10월 시행)

① 관료의 전문성과 생산성 제고에 기여한다.

② 역차별을 초래하여 사회 내 갈등과 분열을 조장할 수 있다.

③ 국민에 대한 관료의 대응성을 향상시킬 수 있다.

④ 사회 각계각층의 이해를 공공정책에 반영하여 사회적 정의 실현에 이바지할 수 있다.

12 대표관료제에 대한 설명으로 옳지 않은 것은? 2023년 지방직 9급

① 우리나라는 양성채용목표제, 장애인 의무고용제 등 다양한 균형인사제도를 통해 대표관료제의 논리를 반영하고 있다.

② 다양한 집단의 이익을 반영하는 실적주의 이념에 부합하는 인사제도이다.

③ 할당제를 강요하는 결과를 초래하고, 특정 집단에 대한 역차별 문제를 야기할 수 있다.

④ 임용 전 사회화가 임용 후 행태를 자동적으로 보장한다는 가정하에 전개되어 왔다.

13 다양성 관리(diversity management)에 대한 설명으로 옳지 않은 것은?

① 오늘날 개인의 성격, 가치관의 차이와 같은 내면적 다양성의 중요성이 커지고 있다.

② 다양성 관리란 내적·외적 차이를 가진 다양한 조직구성원을 공평하고 효율적으로 활용하기 위한 체계적인 인적자원관리 과정이다.

③ 균형인사정책, 일과 삶 균형정책은 다양성 관리의 방안으로 볼 수 없다.

④ 대표관료제를 통한 조직 내 다양성 증대는 실적주의와 충돌할 가능성이 있다.

정답 및 해설

10 **대표관료제**

엽관주의의 폐단을 시정하기 위해서 등장한 것은 실적주의이다. 대표관료제는 소극적이고 경직적이며 비인간적인 실적주의의 폐단을 시정하기 위하여 등장하였다.

11 **대표관료제**

대표관료제는 각계각층의 국민의 비율에 따라 관료로 임명하는 제도로 관료의 전문성과 생산성을 저하시킨다는 비판을 받는다. 관료의 전문성과 생산성 제고에 기여하는 제도는 개인의 능력과 자격, 성적을 기준으로 임용하는 실적주의이다.

| 선지분석 |

② 역차별을 통한 사회 내 갈등과 분열을 조장할 수 있다는 것은 대표관료제의 한계이다.

③, ④ 국민에 대한 관료의 대응성 향상과 각계각층의 이해를 공공정책에 반영하여 사회적 정의 실현에 기여할 수 있다는 것은 대표관료제의 장점이다.

12 **대표관료제**

대표관료제는 다양한 집단의 이익을 반영하는 집단주의·사회주의적 성격의 제도로서, 개인의 능력이나 성적을 중시하는 개인주의·자유주의적 성격의 실적주의와 충돌하는 인사제도이다.

13 **다양성 관리**

구성원들을 일률적으로 관리하지 않고 다양한 차이와 배경, 시각을 조직 업무에 적극 반영시키려는 전략적 인적자원관리(SHRM)로서 개인별 맞춤형 관리, 일과 삶의 균형(워라벨), 우리나라의 균형인사정책(대표관료제) 등이 대표적인 관리방안이다.

정답 10 ① 11 ① 12 ② 13 ③

14 현재 우리나라와 같은 유형의 중앙인사기관이 갖는 특성으로 옳은 것은? 2014년 국가직 9급

① 인사에 대한 의사결정이 신속하고, 책임소재의 명확화가 가능한 유형이다.

② 행정수반의 적극적인 지원을 받고 있어 인사상의 공정성 확보가 용이하다.

③ 복수 위원들 간의 합의에 의한 결정방식을 특징으로 한다.

④ 1883년 「펜들턴(Pendleton)법」에 의해 창설된 미국의 연방인사기구가 이 유형에 속한다.

15 인사혁신처에 설치된 소청심사위원회에 대한 설명으로 옳지 않은 것은? 2014년 국가직 7급

① 「정당법」에 따른 정당의 당원, 「공직선거법」에 따라 실시하는 선거에 후보로 등록한 자는 소청심사위원회의 위원이 될 수 없다.

② 다른 법률로 정하는 바에 따라 특정직공무원의 소청을 심사·결정할 수 있다.

③ 위원장 1명을 포함한 5명 이상 7명 이내의 상임위원으로 구성하고, 필요 시 비상임위원을 둘 수 있다.

④ 행정기관 소속 공무원의 징계처분, 그 밖에 그 의사에 반하는 불리한 처분이나 부작위에 대한 소청을 심사·결정한다.

16 「지방공무원법」상 인사위원회의 위원으로 임명되거나 위촉될 수 없는 사람은? 2023년 국가직 9급

① 지방의회의원

② 법관·검사 또는 변호사 자격이 있는 사람

③ 공무원으로서 20년 이상 근속하고 퇴직한 사람

④ 초등학교·중학교·고등학교 교장 또는 교감으로 재직하는 사람

17 공무원과 관할 소청심사기관의 연결로 옳지 않은 것은?

① 경기도청 소속의 지방공무원 甲 – 경기도 소청심사위원회

② 지방검찰청 소속의 검사 乙 – 법무부 소청심사위원회

③ 소방청 소속의 소방위 丙 – 인사혁신처 소청심사위원회

④ 국립대학교 소속의 교수 丁 – 교육부 교원소청심사위원회

정답 및 해설

14 우리나라 중앙인사행정기관

우리나라의 중앙인사행정기관은 인사혁신처이다. 인사혁신처의 유형은 비독립·단독형 기관으로, 인사에 대한 의사결정의 신속성과 책임소재의 명확화가 가능하다는 것이 장점이다.

| 선지분석 |

② 인사혁신처는 비독립형으로 인사상의 공정성 확보가 어려운 한계를 가진다.

③, ④ 미국에서 1883년 「펜들턴(Pendleton)법」에 의해 창설된 미국의 연방기구는 인사위원회(CSC; Civil Service Commission)로 독립·합의형 기관이다. 이러한 독립·합의형 기관은 복수 위원들 간의 합의에 의한 결정방식을 특징으로 한다.

15 소청심사위원회

인사혁신처에 설치된 소청심사위원회는 위원장 1명을 포함한 5명 이상 7명 이내의 상임위원과 상임위원 수의 2분의 1 이상인 비상임위원으로 구성하도록 하고 있다(「국가공무원법」 제9조 제3항).

16 「지방공무원법」상 인사위원회의 위원

「지방공무원법」상 정당의 당원이나 지방의회의원의 경우에는 정치적 중립성의 침해 문제 때문에 인사위원회의 위원이 될 수 없다.

❶ **「지방공무원법」상 인사위원회**

> 제7조 【인사위원회의 설치】⑤ 지방자치단체의 장과 지방의회의 의장은 각각 소속 공무원(국가공무원을 포함한다) 및 다음 각 호에 해당하는 사람으로서 인사행정에 관한 학식과 경험이 풍부한 사람 중에서 위원을 임명하거나 위촉하되, 위원의 자격요건에 관하여 필요한 사항은 대통령령으로 정한다. 다만, 시험위원은 시험실시기관의 장이 따로 위촉할 수 있다.
> 1. 법관·검사 또는 변호사 자격이 있는 사람
> 2. 대학에서 조교수 이상으로 재직하거나 초등학교·중학교·고등학교 교장 또는 교감으로 재직하는 사람
> 3. 공무원(국가공무원을 포함한다)으로서 20년 이상 근속하고 퇴직한 사람

> ⑥ 다음 각 호의 어느 하나에 해당하는 사람은 위원으로 위촉될 수 없다.
> 1. 제31조 각호의 어느 하나에 해당하는 사람
> 2. 「정당법」에 따른 정당의 당원
> 3. 지방의회의원

17 공무원과 관할 소청심사기관

검사는 소청제도가 없으며, 사법부 소속인 법원공무원은 법원행정처 소청심사위원회가 관할이다.

| 선지분석 |

① 경기도청 소속 지방공무원은 시·도 지방공무원(경기도) 소청심사위원회가 관할이다.

③ 소방공무원은 행정기관 소속으로 인사혁신처 소청심사위원회가 관할이다.

④ 교원(국립대학교 교수)은 교육부 교원소청심사위원회가 관할이다.

❶ **「국가공무원법」상 소청심사기관**

> 제9조 【소청심사위원회의 설치】① 행정기관 소속 공무원의 징계처분, 그 밖에 그 의사에 반하는 불리한 처분이나 부작위에 대한 소청을 심사·결정하게 하기 위하여 인사혁신처에 소청심사위원회를 둔다.
> ② 국회, 법원, 헌법재판소 및 선거관리위원회소속 공무원의 소청에 관한 사항을 심사·결정하게 하기 위하여 국회사무처, 법원행정처, 헌법재판소사무처 및 중앙선거관리위원회사무처에 각각 해당 소청심사위원회를 둔다.

2 공직의 분류

1 공직분류의 의의

1. 의의

(1) 공직분류(job classification)란 행정조직 속의 직위를 일정한 기준에 따라 질서 있게 배열하는 것이다.

(2) 공무원의 채용·승진, 인사이동 등 인적자원의 효율적 관리에 관한 모든 활동에 직·간접적으로 영향을 미치며 보상의 공평성을 확보하는 중요한 기준이다.

2. 기준 ❶

공직분류의 기준에는 ① 임용주체에 따른 국가직과 지방직, ② 신분보장에 의한 경력직과 특수경력직, ③ 신규임용에 따른 폐쇄형과 개방형, ④ 사람과 직무를 기준으로 하는 계급제와 직위분류제 등이 있다.

❶ 우리나라의 공직의 분류

경력직	일반직	· 일반행정사무 담당 · 행정일반, 기술분야, 연구·지도직공무원

	특정직	· 특수한 업무
		· 검사, 법관, 소방, 경찰,
		  교육, 외무, 군무원,
		  군인 등

특수 경력직	정무직	선거 또는 정치적 임용
	별정직	· 별도의 절차로 임용 · 공정성, 기밀성, 신임 을 요하는 직위

현재 우리나라의 공직분류체계는 계급제의 근간 위에 직위분류제를 가미한 체계로 구성되어 있다.

2 국가공무원과 지방공무원

구분	국가공무원	지방공무원
개념	중앙정부의 업무를 수행하는 공무원	지방자치단체에 의해 임명되거나 선거에 의해 취임하여 지방의 사무를 수행하는 공무원
근거법률	「국가공무원법」	「지방공무원법」
보수재원	국비	지방비
임용권자	대통령(5급 이상), 장관(6급 이하)	단체장, 교육감
근무기관	중앙행정기관, 특별지방행정기관	지방자치단체
고위공무원단제도	있음	없음
「공무원연금법」, 「노조법」	공통적용	
개방형 직위	고위공무원단 20%, 과장급 20%	1~5급 10%(광역), 2~5급 10%(기초)

3 경력직과 특수경력직

1 경력직

실적과 자격에 의해 임용되고 그 신분이 보장되며, 평생토록 공무원으로 근무할 것이 예정되는 공무원이다. 이는 다시 일반직·특정직으로 나누어진다.

1. 일반직❶

(1) 행정일반 또는 기술·연구를 담당하는 공무원으로서 직군과 직렬로 구분되며, 우리나라의 경우 현재 1급에서 9급으로 구분된다. 다만, 연구직이나 지도직 공무원은 연구관과 연구사 그리고 지도관과 지도사의 2계급으로 구분된다.

(2) 행정, 기술직 공무원이 이에 해당하고 국회전문위원, 감사원 사무차장❷(1급) 등이 있다.

(3) **임기제공무원(term of office system)**

① **의의**: 전문지식·기술 등이 요구되는 업무를 담당하도록 일정 기간 동안 임기를 정하여 일반직으로 임용하는 공무원으로, 2013년 공무원 직종체계가 일반직 중심으로 재편성됨에 따라 기능직과 계약직이 폐지되고 그 보완조치로 도입되었다. 예를 들면 소속책임운영기관장, 시도선거관리위원회 상임위원 등이 있다.

② **계약직과의 차이점❸**: 과거의 계약직은 보수등급으로 구분될 뿐 명확한 호칭이 없었고, 계약기간 중에서도 신분보장이 되지 않아 업무수행능력이 부족할 경우 언제라도 계약을 해지할 수 있는 반면, 임기제공무원은 사무관·주사 등 일반직과 동일한 직급명칭이 부여되고, 임기동안 법이 정한 사유에 해당되지 아니하는 한 면직되지 않는 등 신분이 보장된다.

2. 특정직

(1) 특정한 분야의 업무를 담당하기 위해 별도의 자격기준에 따라 임용하는 공무원으로 개별적으로 제정된 법률의 적용을 받는다. 공무원 비율 중 가장 많은 비중을 차지하는데 법관(대법원장❹, 대법관 포함), 검사(검찰총장 포함), 경찰(경찰청장, 해양경찰청장 포함), 소방(소방청장 포함), 헌법재판소 헌법연구관, 군인, 국가정보원 직원 등이 대표적이다.❺

(2) 특정직공무원의 경우에는 계급정년제가 적용되는 경우가 있으며, 최근 외무공무원의 경우에는 직위분류제를 지향하여 계급을 전면적으로 폐지하고 직무등급을 이용하고 있다.

---

❶ 전문경력관제도(「전문경력관 규정」)

1. 제3조【전문경력관직위 지정】① 소속 장관은 해당 기관의 일반직공무원 직위 중 순환보직이 곤란하거나 장기 재직 등이 필요한 특수 업무 분야의 직위를 인사혁신처장과 협의하여 전문경력관직위로 지정할 수 있다.

2. 제4조【직위군 구분】① 제3조에 따른 전문경력관직위의 군은 직무의 특성·난이도 및 직무에 요구되는 숙련도 등에 따라 가군, 나군 및 다군으로 구분한다.

3. 제17조【전직】① 임용권자는 다음의 어느 하나에 해당하는 경우에는 전직시험을 거쳐 전문경력관을 다른 일반직공무원으로 전직시키거나 다른 일반직공무원을 전문경력관으로 전직시킬 수 있다.
   · 직제나 정원의 개정 또는 폐지로 인하여 해당 직(職)의 인원을 조정할 필요가 있는 경우
   · 제7조에 따른 전문경력관 경력경쟁채용시험 등의 응시요건을 갖춘 경우(전문경력관이 아닌 일반직공무원이 전문경력관으로 전직하는 경우로 한정)

❷ 사무총장과 사무차장의 구분
「감사원법」 제19조【사무총장 및 사무차장】① 사무총장은 정무직으로, 사무차장은 일반직으로 한다.

❸ 계약직공무원
계약직공무원은 2013년 12월 12일 자로 임기제일반직공무원 및 별정직(장관정책보좌관 등)으로 바뀌었다.

❹ 대법원장의 공직분류
대법원장은 일부 정무직이라는 견해도 있지만 법관의 신분이므로 특정직으로 보는 것이 옳다. 또한 헌법상 국회의 동의를 요하도록 규정하고 있다.

❺ 공무원 현원(2021.1. 기준, 단위: 명)

구분	국가직	지방직
행정부 (전체)	746,267	362,355
일반직	173,727	–
특정직	571,919	–

우리나라의 경우, 국가직공무원이 지방직공무원보다 많으며 공직분류상 특정직공무원의 비중이 가장 높다.

2 특수경력직

경력직 이외의 공무원으로 실적주의와 직업공무원제의 획일적 적용을 받지 않지만, 「국가공무원법」에 규정된 보수와 복무규율의 적용은 받는다. 이는 다시 정무직·별정직으로 나누어진다.

1. 정무직

(1) 선거에 의해 취임하거나 국회의 동의·정치적 판단 등에 의하여 임명되는 공무원이다.

(2) 국무총리, 장·차관, 국회의원, 지방자치단체의 장, 지방의회의원, 감사원장, 헌법재판소장 및 헌법재판소 재판관, 중앙선거관리위원회 상임위원, 국가정보원 차장급 이상 및 기획조정실장 등이 있다.

2. 별정직

(1) 특정한 업무를 담당하기 위하여 별도의 자격기준에 의하여 임용되는 공무원이다. 일반직으로 충원이 곤란한 특정한 직위에 특정한 업무를 담당하게 하기 위하여 경력직공무원과는 다른 절차와 방법으로 임용한다.

(2) 직무의 성질이 공정성·기밀성이나 특별한 신임을 요하는 직위이다.

(3) 국회수석전문위원(1급 상당), 헌법재판소 헌법연구관보, 국회의원비서관·비서 등이 있다.

📊 고득점 공략 국회의 인사청문대상 공직자

1. **의의**
   ① 공직자에 대해서 그 적격성 여부를 국회차원에서 사전검증하는 제도로 인사청문특별위원회의 인사청문과 소관 상임위원회의 인사청문으로 구분된다.
   ② 「국회법」의 개정으로 헌법상 국회의 임명동의가 필요하거나 국회에서 선출하도록 되어 있는 공직자, 개별법에서 국회의 인사청문을 거치도록 되어 있는 공직자에 대해서 인사청문을 실시한다.

2. **인사청문 대상 공직자**
   ① 헌법에 의하여 그 임명에 국회의 동의를 요하는 직위: 대법원장, 헌법재판소장, 국무총리, 감사원장, 대법관 및 국회에서 선출하는 헌법재판관, 중앙선거관리위원회 위원이 있다. → 인사청문특별위원회 및 본회의의 의결을 거치며 대정부 구속력이 있다.
   ② 개별법에 의하여 국회의 인사청문을 거치는 직위: 국가정보원장, 국세청장, 검찰총장, 경찰청장은 국회의 인사청문을 거쳐 대통령이 임명하도록 한다. → 인사청문특별위원회를 구성하지 않고 소관 상임위원회에서 인사청문을 실시하며 대정부 구속력이 없다.
   ③ 대법관, 검찰총장, 경찰청장은 국회의 인사청문을 거치지만 정무직이 아닌 특정직이다.

3. **효력**
   국회의 인사청문회의 결정은 대통령을 법적으로 구속하지 못한다. 대통령은 청문회의 결정을 정치적으로 존중하느냐의 문제이지 법적인 문제는 아니다(헌법재판소 판례).

핵심 OX

01 경찰, 군인, 국가정보원장은 경력직 공무원 중 특정직공무원에 해당한다. (O, X)

02 국가정보원의 원장은 정무직, 일반직원은 특정직공무원에 해당한다.(O, X)

03 국회전문위원과 감사원의 사무차장은 별정직공무원에 해당한다. (O, X)

04 국회전문위원과 헌법재판소 헌법연구관은 특수경력직공무원에 속한다. (O, X)

01 X 경찰과 군인은 특정직이나, 국가정보원장은 정무직공무원으로 특수경력직공무원에 해당한다.
02 O
03 X 국회전문위원은 일반직 2급이다.
04 X 헌법재판소 헌법연구관은 특정직, 국회전문위원은 일반직으로서 모두 경력직공무원이다.

4 폐쇄형과 개방형

1 폐쇄형 인사제도와 개방형 인사제도

1. 폐쇄형 인사제도

(1) 의의

폐쇄형 인사제도는 공직에의 신규채용이 최하위 계층에서만 허용되며 내부승진을 통해 그들이 상위계층까지 올라갈 수 있는 인사체제이다.

(2) 특징

① 개방형에 비하여 내부승진의 기회가 많고 공무원의 지위향상이나 경력발전을 위한 정책에 각별히 관심을 쏟는다.

② 주로 계급제에 바탕을 두고 있고, 일반행정가 중심의 인사체제이다.

③ 농업사회 전통이 강하고 계급제를 채택하거나 직업공무원제가 일찍부터 발전한 영국, 독일, 일본 등에서 확립되었다. 그러나 최근 영국을 포함한 많은 나라에서 개방형 임용제를 가미시키고 있다.

2. 개방형 인사제도

(1) 의의

개방형 인사제도는 공직의 모든 계급이나 직위를 불문하고 신규채용이 허용되는 인사체제이다. 공직의 내부에 있는 사람이든 외부에 있는 사람이든 모두에게 전 등급에서 신규채용이 허용된다.

(2) 특징

① 외부전문가나 경력자에게 공직의 문호를 개방하여 새로운 지식과 기술 그리고 새롭고 참신한 아이디어를 받아들임으로써 공직의 침체를 막고 효율성을 높이려는 의도를 가진다.

② 일반적으로 직위분류제와 결합되며, 전문행정가 중심의 인사체제이다.

③ 산업사회의 전통이 강하고 직위분류제를 채택하고 있는 미국이나 캐나다에서 발달하였다.

개념PLUS 폐쇄형과 개방형 인사관리의 비교

구분	폐쇄형	개방형
신분보장	신분보장(법적 보장)	신분 불안정(임용권자가 좌우함)
신규임용	최하위직만 허용	전 등급에서 허용
승진임용기준	내부임용	외부임용
임용자격	일반능력	전문능력
직위분류기준	직급: 사람 중심(능력, 자격, 학력 등)	직위: 직무 중심
채택국가	영국, 독일, 프랑스, 일본, 우리나라	미국, 캐나다

핵심 OX

01 폐쇄형은 승진의 한계가 높기 때문에 개방형에 비해 높은 직위로 올라갈 수 있는 기회가 많다. (O, X)

02 개방형 임용제도는 계급제와, 폐쇄형 임용제도는 직위분류제와 친근성이 있다. (O, X)

03 개방형 직위제도는 재직공무원의 승진기회 확대로 사기증대를 가져온다. (O, X)

04 개방형 임용제도는 직위분류제를 취하고 있는 미국, 캐나다 등지에서 주로 확립되었으며 영국, 일본, 프랑스 등 국가는 계급제를 바탕으로 하는 폐쇄형 임용제도를 채택한 나라들이다. (O, X)

01 O
02 X 개방형 임용제도는 직위분류제와, 폐쇄형 임용제도는 계급제와 친근성이 있다.
03 X 개방형 직위제도는 재직공무원의 승진기회 축소로 사기저하를 가져온다.
04 O

2 개방형 직위제도

1. 의의 및 기대효과

(1) 의의

개방형 직위제도는 공직에 적합한 자를 정부 내외에서 공개채용하는 제도이다. 즉, 공직임용에 민관 전문가들 사이에 경쟁체제를 도입하여 보다 전문성 있고 능력 있는 사람을 공직에 채용하고자 하는 제도이다.

(2) 기대효과

① 공직사회의 침체를 방지하고 자극을 통한 전문성 확보에 기여한다.
② 정부의 인적자원의 활용범위를 확대시킨다.
③ 채용과정에서 높은 실적기준을 적용하여 성과주의적 관리를 촉진시킨다.
④ **정치적 리더십의 강화:** 임용체제를 개방화하게 되면 임용권자의 임용기능이 확대되고 재량권도 커진다. 또한 관료조직의 배타적 보수성을 약화시킬 수 있어 행정기관의 상층부에 있는 정치적 리더십의 조직 장악력이 강화된다.

2. 우리나라의 개방형 직위제도❶

(1) 개방형 직위의 선정

① **개방형 직위의 지정:** 우리나라의 개방형 직위제도는 직위분류제적 성격이 강하며, 공직 내외의 경쟁을 중시한다. 임용권자 또는 임용제청권자는 당해 기관의 직위 중 '전문성'이 특히 요구되거나 '효율적인 정책수립'을 위하여 필요하다고 판단되어 공직 내부 또는 외부에서 적격자를 임용할 필요가 있는 직위에 대하여는 이를 개방형 직위로 지정하여 운영할 수 있다.
② **지정범위:** 소속장관별로 고위공무원단 직위 총수의 20% 범위 안에서 개방형 직위를 지정하되, 중앙행정기관과 소속기관 간에 균형을 유지하여야 한다. 소속장관은 실장·국장 밑에 두는 보조기관 또는 이에 상당하는 직위(과장급직위) 총수의 20% 범위 안에서 개방형 직위를 지정하여야 한다.❷
③ **지정대상:** 개방형 직위를 지정하는 경우 그 실시성과가 크다고 판단되는 기관, 공무원의 종류 또는 직무분야를 고려하여야 한다.
④ **인사혁신처장과 협의:** 개방형 직위의 지정범위와 관련하여 필요한 사항은 소속장관이 인사혁신처장과 협의하여 정한다.
⑤ **지정대상 확대:** 지방자치단체는 개방형 직위제도가 폭넓게 활용될 수 있도록 개방형 직위의 지정대상을 1급 내지 4급에서 1급 내지 5급으로 확대하였다.
⑥ **인사혁신처와의 사전협의 폐지:** 지방자치단체의 개방형 직위 지정·변경 등을 함에 있어 인사혁신처와 사전에 협의하도록 하던 것을 폐지하였다(2021. 11. 30. 개정).

(2) 개방형 직위 선발시험과 선발시험위원회

① 소속장관은 개방형 직위에 공무원을 임용하려는 때에는 공직 내부와 외부를 대상으로 공개모집에 의한 시험을 거쳐 적격자를 선발하여야 한다.
② 선발시험은 서류전형과 면접시험에 의하되, 필요한 경우에는 필기시험이나 실기시험을 부과할 수 있다.

❶ 경력개방형 직위
경력개방형 직위는 개방형 직위 중 민간의 경험과 전문성을 적극 활용할 수 있는 분야를 중심으로, 각 부처가 지정한 일부 직위에 대해 민간인만을 공개모집·임용하도록 하는 직위이다(「개방형 직위 및 공모 직위 운영 등에 관한 규정」).

❷ 과장급 개방형 직위의 의무화
과장급 직위에 우수한 민간 인재의 유치를 촉진하기 위하여 임의사항으로 규정되어 있는 과장급 개방형 직위의 지정·운영을 의무화하였다

③ 소속장관은 시험을 실시하는 경우에는 임용예정 직위별로 5인 이상의 시험위원으로 선발시험위원회를 구성하여야 한다.

④ 시험위원은 소속장관이 임명 또는 위촉하되, 시험위원의 2분의 1 이상은 민간위원(국·공립대학 교원 포함)이어야 하며, 위원장은 민간위원 중에서 위촉하여야 한다.

(3) 개방형 직위 임용절차 및 방법

① **임용절차:** 선발시험위원회는 개방형 직위의 임용예정 직위별로 2인 또는 3인의 임용후보자를 선발하여 소속장관에게 추천하고, 소속장관은 선발시험위원회에서 추천한 임용후보자 중에서 임용하여야 한다(인사혁신처의 심사대상자가 있는 경우에는 인사혁신처의 심사를 거쳐야 한다).

구분	결정 주체
지정기준과 직무수행요건의 설정기준에 관한 사항	인사혁신처장
지정범위에 관한 사항	소속장관이 정하되, 인사혁신처장과 협의
직위의 지정·변경, 직위별 직무수행요건의 설정·변경	소속장관 (개방형·공모직위운영심의회의 심의는 거쳐야 함)

② **임용방법:** 개방형 직위에 임용되는 공무원은 임기제공무원으로 임용하여야 한다. 다만, 개방형 임용 당시 경력직공무원(임기제공무원은 제외)인 사람은 전보, 승진 또는 전직의 방법으로 임용할 수 있다.

③ **임용기간:** 개방형 직위에 임용되는 공무원의 임용기간은 원칙적으로 5년의 범위 안에서 소속장관이 정하되, 최소한 2년 이상으로 하여야 한다.

④ 소속장관은 개방형 직위에 임용된 자를 계속 근무하게 할 사유가 있는 경우 총 임용기간이 5년을 넘지 아니하는 범위 안에서 소정의 선발시험과 임용절차를 거치지 않고 임용기간을 연장할 수 있다.

(4) 평가

① 임기를 보장하여 잦은 순환보직에 따른 문제를 어느 정도 해소할 수 있다.

② 외부임용자의 적응이 곤란하며 민간인의 임용과 부처 간 인사교류의 정도가 미흡하다.

③ 실질적인 공개경쟁이 미흡하고 경쟁률의 편차가 상당히 크다.

3 공모직위제도 ●

1. 의의

공모직위제도는 정부 인력의 효율적인 활용을 위해서 각 부처의 장관이 실·국 장급 공무원을 선발·국장급 공무원을 선발·보직함에 있어 적격자를 공직 내의 부처 내외에서 공개모집을 통해서 선발하는 제도이다.

● 개방형 직위와 공모직위의 비교

구분	개방형 직위	공모직위
대상	고위공무원단 직위 총수의 20% 이내 (과장급 직위 총수의 20% 이내 지정 요함)	고위공무원단 경력직 직위 총수의 30% 이내 (과장급 직위 총수의 20% 이내 지정 요함)
범위	공직 내외	부처 내외
목적	전문성 및 효율적 정책수립	효율적인 정책 수립 및 관리, 인적자원의 효과적 활용
채용 기간	5년 이내 (최소한 2년 이상)	기간제한 없음 (2년간 전보제한)
직종	일반직, 특정직, 별정직	경력직에 한함
지정 기준	전문성, 중요성, 민주성, 조정성, 변화필요성	직무공통성, 정책통합성, 변화필요성

2. 우리나라의 공모직위제도

(1) 공모직위의 지정

① 소속장관은 소속장관별로 경력직공무원으로 보할 수 있는 고위공무원단 직위 총수의 100분의 30의 범위 안에서 공모직위를 지정하되(고위공무원단 운영지침 은 기관특성을 고려하여 15% 내외로 지정할 수 있게 함), 중앙행정기관과 소속기 관 간 균형을 유지하도록 하여야 한다.

② 소속장관은 경력직공무원으로 임명할 수 있는 과장급 직위 총수의 100분의 20의 범위에서 공모 직위를 지정하되, 그 실시 성과가 크다고 판단되는 기관, 공무원 의 종류 또는 직무 분야 등을 고려하여야 한다(「개방형 직위 및 공모 직위의 운 영 등에 관한 규정」제13조 제2항).❶

(2) 공모직위 선발시험

① 소속장관은 고위공무원단 공모직위에 공무원을 임용하려는 때에는 경력직 고위 공무원, 고위공무원 승진요건을 갖춘 일반직공무원, 고위공무원 임용요건을 갖 춘 연구관 또는 지도관을 대상으로 공개모집시험을 거쳐 적격자를 선발하여야 한다.

② 소속장관은 과장급 직위 이하 직위를 공모직위로 지정하여 공무원을 임용하려 는 때에는 그 기관 내부 및 외부의 경력직공무원을 대상으로 공개모집에 의한 시 험을 거쳐 적격자를 선발하여야 한다.

③ 선발시험은 서류전형과 면접시험으로 한다.

(3) 공모직위 임용자의 임용 및 보직관리

① 공모직위에 임용되는 공무원은 전보·승진·전직 또는 특별채용의 방법에 의하 여 임용하여야 한다.

② 공모직위에 임용된 공무원은 원칙적으로 임용된 날부터 2년 이내에 다른 직위에 임용될 수 없다.

---

❶ 과장급 공모직위의 의무화
과장급 직위의 20% 이내에서 지정을 의무 화하였다.

---

5   고위공무원단

1 고위공무원단의 의의

1. 의의

(1) 고위공무원단(SES; Senior Executive Service)은 고위공무원들의 자질향상과 정치 적 대응능력을 높이고 업무의 성취동기를 부여하기 위해 공직체계 중 일부 고위직 을 중하위직과 구별하여 운영하는 시스템이다.

(2) 기존의 부처단위로 폐쇄적으로 공무원을 임용하던 것을 공직의 경쟁력 제고를 위 해서 전체 정부부처의 고급공무원을 통합하여 관리하는 제도이다.

---

2. 도입배경

1978년 미국 카터(Cater) 행정부에서 개방형 인사제도의 일환으로 도입된 것이 고위공무원단의 시초이다. 고급공무원을 외부로부터도 자유롭게 채용하여 부처 간의 이동을 가능하게 함으로써 엄격한 실적주의의 소극성을 극복하기 위해 도입되었다.

3. 필요성

(1) 성과관리 운영기반의 확립

현행 계급제하에서는 직무능력이나 업무성과보다는 연공서열식으로 승진임용됨으로써 인력운영이 비탄력적인 측면이 있다. 그러므로 고위직 공무원의 성과관리 운영기반을 확립하기 위하여 고위공무원단제도가 필요하다고 보았다.

(2) 관료정치의 폐해 극복과 민주정치의 가능성 증대

고위직 공무원들이 변화와 개혁을 지향하는 정치집행부를 좌절시키는 부작용을 초래하는 경우가 많다. 고위공무원단제도는 이러한 부작용을 치유할 수 있다.

(3) 부처 할거주의의 타파

고위직 공무원의 대부분이 부처 내에서 임용됨으로써 부처 간의 업무협조나 정책조정이 원활히 이루어지지 않아 부처 간의 갈등요인으로 작용하고 있다. 행정의 복잡성과 다양성으로 인하여 단일부처의 업무영역의 차원을 넘어서 범정부적으로 조정하는 정책시스템이 요구되고 있는바, 이를 위한 제도적 장치가 고위공무원단이다.

(4) 고위공무원의 전략적 육성

범정부적인 정부역량을 강화하기 위하여 고위직 공무원에 대한 전문적이고 체계적인 인력관리가 필요하다. 부처를 초월하여 인력을 활용할 수 있는 방안으로 모색한 제도적 장치가 고위공무원단이다.

2 외국의 고위공무원단제도

1. 미국의 SES(Senior Executive Service)

(1) 의의

미국이 1978년 도입한 고위공무원단(Senior Executive Service)제도는 직위분류제에 계급제적 요소를 가미한 대표적인 제도이다.

(2) 도입배경

엄격한 직위분류제로 인하여 공무원 간 순환이 곤란하고, 이로 인해 폭넓은 시각을 요하는 고위직 업무수행에 문제가 발생함에 따라 이를 해결하기 위해서 도입되었다.

(3) 적용대상

① 고위공무원은 행정 내의 일반직 보수표(GS; General Schedule)의 적용을 받는 GS 16~18등급에 해당하는 공무원과 고위관리직 보수표(ES; Executive Schedule)의 적용을 받는 Ⅳ(차관보), Ⅴ(부차관보)등급의 공무원 중에서 선발하며, 그 수는 약 7,800여 명이다.

② 5개 등급의 구성원들은 등급의 변동 없이 직위를 자유로이 이동할 수 있다.

(4) 특징

① 정부기관 내 또는 정부기관 간의 횡적 이동이 자유롭기 때문에 기관장의 인사관리의 탄력성과 신축성을 확보해 준다.

② 고위공무원의 다양한 경험과 지식의 축적은 일반행정가의 양성에 기여한다.

③ 고위공무원단에 속하는 공무원은 계속해서 평가를 받아야 하며, 일정한 등급 이상의 평가를 받지 못하면 탈락한다.

④ 경력직이 아닌 비경력직은 일정한 기간만 근무할 수 있게 하여 직업공무원제의 요소를 완전히 받아들인 것은 아니다. 그러나 고위공무원단에 속하는 경력직공무원은 고위공무원단에서 해임되더라도 신분상의 변화가 없다는 점에서 직업공무원제와 유사하다.

2. 영국의 SCS(Senior Civil Service)

(1) 도입배경

① 공무원제도가 폐쇄적이고 전문성이 약하다는 비판과 직급 중심의 피라미드형 계급구조로 공직에 전문가의 영입이 곤란하다는 문제를 극복하기 위하여 도입하였다.

② 고위공무원의 전문성과 고위공무원 상호 간 및 전정부적 연계성과 통합성을 획기적으로 제고하여 정부 효율성을 극대화하기 위해 도입하였다.

(2) 적용대상

① 1996년 Grade 5 이상(과장급 이상 약 3,800명, 전체공무원의 0.7%)을 대상으로 계급을 폐지하고 하나의 관리계층집단으로 통합하였다.

② 이 중 1/3 이상이 전문가(법률가, 의사, 세무전문가)로 구성되며 'Bringing in and Bringing on Talent 프로그램*'을 마련하여 능력에 따른 이동을 촉진하고, 능력발전기회의 확대를 도모한다.

3 우리나라의 고위공무원단제도

1. 의의

(1) 우리나라는 전문화된 일반행정가를 확보하기 위해 2006년(노무현 정부)에 「국가공무원법」을 개정하고 고위공무원단제도를 도입하였다. 우리나라의 고위공무원단제도는 국장급(3급) 이상 고위공무원들의 자질 향상과 안목 확대, 부처 간 정책조정 및 협의 촉진, 업무의 성취동기를 부여하기 위하여 국가공무원체계 중 이들을 중하위직과 구별하여 인사혁신처에서 별도로 관리·운영하는 인사시스템이다.

(2) 기존 1~3급(관리관, 이사관, 부이사관)의 경우 계급 구분이 폐지되고 고위공무원단 소속에 포함되어 부처 간 이동은 물론 지방자치단체(광역자치단체에 두는 국가직에 한함)와 중앙부처 간에도 인사교류의 대상이 되었다.

(3) 고위공무원단제도는 1~3급 고위공무원들을 범정부 차원에서 관리함으로써 관료제 내외 간의 경쟁 유도, 부처 간 자유로운 이동, 적격성 평가 등으로 성과와 책임 및 정치적 대응성을 높이기 위한 새로운 인사관리방식이며, 피터스(Peters)의 뉴거버넌스모형 중 신축적 정부모형의 성격을 띠는 제도이다.

용어

Bringing in and Bringing on Talent 프로그램*: 영국의 SCS(고위공무원단)에서 공무원들의 이동을 촉진하고 능력발전의 기회를 확대하기 위하여 마련된 프로그램을 말한다.

핵심 OX

01 우리나라의 고위공무원단은 계급의 명칭을 유지하며 계급제적 요소를 받아들인다. (O, X)

02 고위공무원단에는 「정부조직법」상 중앙행정기관의 실장·국장 등의 보조기관뿐 아니라 이에 상당하는 보좌기관도 포함된다. (O, X)

03 고위공무원제도는 피터스(Peters)의 뉴거버넌스모형 중 신축적 정부모형의 성격을 띠는 제도로서, 고위직에의 기업논리 도입으로 상위직은 경제논리로, 하위직은 정치논리로 이원화되는 행정의 분절화 현상이 나타나고 있다. (O, X)

01 X 고위공무원은 계급이 폐지되고 직무성과에 따라 보수가 지급되며, 개방형으로 임용되고 기관 간 이동이 자유로운 준직무직 집단이 된다.

02 O

03 X 고위직에의 정치논리 도입으로 상위직은 정치논리로, 하위직은 기업논리(경제논리)로 이원화되는 행정의 분절화 현상이 나타나고 있다.

---

(4) 평가

고위공무원단제도의 도입(노무현 정부)으로 실·국장급 고위공무원이 준(準)정무 직화되어 공직사회 인사제도에 일대 변화가 나타났다. 이에 실효성과 부처 간 전문 성 저하라는 문제점이 나타나기도 한다.

2. 주요 내용

(1) 고위공무원단의 구성 및 정원관리

① **고위공무원단의 개념**: 고위공무원단은 직무의 곤란성과 책임도가 높은 직위에 임용되어 재직 중이거나 파견·휴직 등으로 인사관리되고 있는 일반직·별정직 및 특정직공무원의 군을 말한다.

② **대상직위**

    ㉠ 중앙행정기관 실·국장급의 일반직·별정직 및 외무직공무원이 대상이다.

    ㉡ 지방자치단체 및 지방교육청에 근무하는 국가직 고위공무원(부시장, 부지사 및 부교육감 등)도 포함된다.

③ **소속과 인사권**

    ㉠ **소속**: 고위공무원단제도가 도입되면 모든 실·국장급 국가공무원은 일단 '고위공무원단 소속 공무원'이 되어 범정부적 풀 관리의 대상이 된다.

    ㉡ **인사권**: 각 부처 장관은 소속에 구애되지 않고 고위공무원의 전체 풀에서 적임자를 임용 제청할 수 있으며, 이러한 절차를 거쳐 각 부처에 배치된 고위공무원에 대해서는 현행과 같이 소속장관이 인사권과 복무감독권을 행사하게 된다.

④ **정원관리방식(직무등급과 직위 중심)**: 계급이 폐지되고 직무 중심으로 인사관리가 이루어지게 됨에 따라 기존 계급별 정원관리방식이 직무등급과 직위 중심으로 전환된다. 따라서 '관리관', '이사관' 등의 신분적 계급명칭은 없어지고 대신 '국장', '실장' 등의 직위명칭으로 불리게 된다.

(2) 능력발전과 역량강화

① **능력발전 프로그램의 혁신**: 고위공무원 후보자 교육은 고위공무원단으로의 진입이 예상되는 각 부처의 핵심과장급이 대상이 되며, 각 부처별 연간 평균 국장급 승진인원의 일정 배수에 해당되는 인원을 추천받아 교육을 실시하게 된다. 각 부처 핵심과장들은 직책상 자리를 비우기 어려우므로 후보자 과정은 현업병행방식으로 진행되며 교육지도관별 소그룹으로 나누어 정부가 당면한 실제 정책과제를 부여하고 해결책을 모색하는 문제해결형 교육(action learning*)프로그램이 실시된다.

② **역량평가제의 도입❶**

    ㉠ 역량평가제는 고위공무원단 후보자가 고위공무원에게 필요한 능력과 자질(역량)을 충분히 갖추고 있는지 사전에 검증하는 제도이다.

    ㉡ 역량평가에서 역량은 조직의 목표달성을 위해 뛰어난 성과를 나타내는 고성과자의 차별화된 행동특성과 태도를 의미한다.

📖 **용어**

액션러닝(action learning)*: 이론과 지식 전달 위주의 강의식·집합식 교육의 한계를 극복하고 참여와 성과 중심의 교육훈련을 지향하는 방식이다. 실제 현장에서 부딪치는 정책현안문제에 대한 현장방문, 사례조사와 성찰, 미팅을 통하여 구체적인 문제해결능력을 제고한다.

❶ **역량평가제**

1. **역량평가의 자격·대상**: 고위공무원단 후보자 교육과정을 이수한 후, 4급 이상 공무원으로 승진소요 최저연수를 갖추거나 과장급 직위에 재직한 연구관·지도관으로서 5년의 근무연수를 갖춘 자가 해당된다.

2. **역량평가요소**: 다수 평가자의 참여와 합의에 의한 평가결과 도출이 특징이다.
  · 4개 역량군: 수평적 관계 역량군, 수직적 관계 역량군, 업무수행 역량군, 사고 역량군 4가지로 범주화한다.
  · 평가대상: 문제인식, 전략적 사고, 성과지향, 변화관리, 고객만족, 조정·통합의 6가지 역량으로 구성되어 있다(「고위공무원단 인사규정」).

3. **재평가 가능**: 역량평가를 통과하지 못한 경우에는 부족한 역량을 보완한 후 재평가를 받을 수 있으며, 재평가를 받을 수 있는 횟수에는 제한이 없다.

📖 **용어**

서류함기법*: 미래에 발생할 수 있는 다양한 형태의 모의업무상황을 미리 준비해 놓고 하나의 업무상황을 임의적으로 선택하게 하고 이를 실제 수행하게 하는 방법이다.

❶ 공모직위의 비중
고위공무원단 인사가 부처 실정에 맞게 현장 중심으로 이루어지도록 소속장관의 인사자율성을 강화하기 위하여 공모직위의 비중을 종전에 일률적으로 30% 범위 안에서 지정할 수 있도록 하던 것을 기관의 특성에 따라 15% 내외로 낮추어 지정할 수 있도록 하고, 대신 자율인사직위의 비중을 50%에서 65%로 상향하여 지정할 수 있도록 하였다.

© 외부 민간전문가와 공직 내부 고위공무원단 소속 공무원이 포함된 다수의 평가자들이 그룹토론, 역할연기, 서류함기법*, 면접 등의 평가기법을 활용하여 실제 업무에서 나타날 수 있는 모의상황을 통하여 피평가자의 행동양식을 평가하는 것이다.

③ **최소보임기간의 설정:** 고위공무원의 전문성을 제고하고 능력을 충분히 발휘할 수 있도록 해당 직위에 최소 2년간은 재직할 수 있도록 하고 있다.

(3) 개방과 경쟁의 촉진[자율직위(50%), 공모직위(30%), 개방형 직위(20%)]❶

① 고위공무원단은 개방형 직위를 통한 민간과의 경쟁뿐만 아니라 공모직위제도를 도입하여 부처 간 경쟁을 통하여 적격자를 충원한다. 기존의 실·국장급 공무원은 일괄하여 고위공무원단으로 편입되며 고위공무원단으로의 신규진입은 후보자교육과정을 이수하고 사전역량평가를 거쳐야 한다.

② 자율직위는 실·국장급의 50% 이내에서 당해 부처 소속공무원으로 제청이 가능하고, 공모직위는 30%로 그 직위를 타 부처에 개방하여야 하며, 20%는 개방형 직위로서 민간에 개방하여야 한다.

📊 **고득점 공략** 고위공무원단 역량평가의 대상

문제인식	정보의 파악 및 분석을 통해 문제를 적시에 감지·확인하고 문제와 관련된 다양한 사안을 분석하여 문제의 핵심을 규명
전략적 사고	장기적인 비전과 목표를 설정하고 이를 실행하기 위한 대안의 우선순위를 명확히 하여 추진방안을 확정
성과지향	주어진 업무의 성과를 극대화하기 위한 다양한 방안을 강구하고, 목표달성과정에서도 효과성과 효율성을 추구
변화관리	환경 변화의 방향과 흐름을 이해하고, 개인 및 조직이 변화상황에 적절하게 적응 및 대응하도록 조치
고객만족	업무와 관련된 상대방을 고객으로 인식하고 고객이 원하는 바를 이해하고 그들의 요구를 충족시키려 노력
조정/통합	이해당사자들의 이해관계 및 갈등상황을 파악하고 균형적 시각에서 판단하여 합리적인 해결책을 제시

(4) 직무와 성과 중심의 인사관리

① **직무성과계약제의 도입:** 성과목표·평가기준 등을 직상급자와 합의하여 1년 단위의 성과계약을 체결한다.

② **성과 중심의 근무성적평정**❷

❷ 고위공무원단의 상대평가
고위공무원단 인사규정에 따라 5개 등급으로 평가하되 부처별로 최상위 등급(매우우수)의 인원비율을 평가자 대비 20% 이내로, 최하위 등급(매우 + 매우미흡)의 인원비율을 평가자 대비 10% 이상으로 설정함에 따라 기존의 절대평가에서 상대평가로 전환함으로써 평가의 관대화 경향을 방지한다.

㉠ 성과계약에 의한 목표달성도를 5등급(매우우수, 우수, 보통, 미흡, 매우미흡)으로 구분하여 상대평가하는 제도이다.

㉡ 근무성적평정제도는 성과목표뿐만 아니라 평가기준까지도 평가자와 피평가자 간에 합의하기 때문에 성과계약과정에서 피평가자의 입장이 충분히 반영될 수 있는 공정한 룰에 의한 평가체계이다. 또한 사전에 합의된 평가기준에 의해 평가가 이루어지므로 계량성이 약한 정부업무에 대한 성과평가에 있어서도 그 결과에 대한 당사자의 수용성을 높일 수 있다.

③ 직무성과급적 연봉제 도입

- ㉠ 직무성과급제도는 '직무급'과 '성과급'을 결합한 형태의 보수체계로서, 직무의 난이도·중요도를 반영한 직무등급에 따라 보수를 책정한다. 즉, 고위공무원단의 보수는 현행 연봉제와 동일하게 '기본연봉'과 '성과연봉'으로 구성한다.
  - ⓐ 기본급(기본연봉): 기준급과 직무급으로 구성된다. 기준급은 개인의 경력 및 누적성과를 반영하여 책정되며, 직무급은 업무의 성질과 난이도에 따라 2등급(가 - 나)으로 구분하여 지급한다.
  - ⓑ 성과급(성과연봉❶): 전년도 성과에 성과연봉기준액의 15% 범위 내에서 차등지급한다. 근무성적 매우우수는 기준액의 15%, 우수는 10%, 보통은 6%, 미흡·매우미흡은 0%를 지급하는 보수체계이다.
- ㉡ 고위공무원단에게는 성과와 보수의 연계성을 강화하기 위하여 성과연봉의 비중을 확대하고, 탁월한 소수에 대해서는 특별상여금도 지급한다.

❶ 성과연봉
고위공무원의 성과계약평가(5등급)와 성과연봉 지급기준(4등급)을 연계시키기 위해 성과계약평가결과에 따라 성과연봉을 지급하기로 한다.

✅ 개념PLUS 보수제도

구분		적용 대상	보수구조					
			기본급여	성과급여(지급기준)				
연봉제	고정급적 연봉제	정무직	기본연봉 (직책, 계급, 누적성과)	–				
	직무 성과급적 연봉제	고위 공무원단	기 본 연 봉 / 기준급 / 직무급 (2등급)	성과 연봉	매우 우수 15%	우수 10%	보통 6%	미흡· 매우미흡 0%
	성과급적 연봉제	과장급 이상	기본연봉	성과 연봉	최상 20% / 7%	상위 30% / 5%	하위 40% / 3%	최하 10% / 0%
호봉제		과장급 미만	봉급 (직급과 근무연한)	성과 상여금	S등급 (최상 20%) / 230% 이상	A등급 (상위 30%) / 160%	B등급 (하위 40%) / 90% 이하	C등급 (최하 10%) / 0%

(5) 적격성 심사(우수인력 선발·유지를 위한 검증시스템 강화)

- ① 대상
  - ㉠ 총 2년 이상 최하위 등급을 받은 경우
  - ㉡ 총 1년 이상 보직을 받지 못한 경우
  - ㉢ 총 1년 이상 최하위 등급을 받고 총 6개월 이상 보직을 받지 못한 경우
  - ㉣ 교육훈련 또는 연구과제를 수행하지 아니한 조건부 적격자

② 경과 및 의결

ⓐ 사유발생일로부터 6개월 이내에 고위공무원임용심사위원회에서 적격심사를 실시한다.

ⓑ 고위공무원임용심사위원회는 인사혁신처장이 적격심사 의결요구서를 접수하였을 때에는 30일 이내에 적격 여부를 의결한다(다만, 부득이한 사유가 있는 경우에는 고위공무원임용심사위원회의 위원장은 30일의 범위에서 그 기간 연장 가능).

ⓒ 심사결과 부적격 판정 시 직권면직이 가능하다.

핵심정리 고위공무원단제도의 도입 전·후 비교

구분	도입 전	도입 후
소속	각 부처	고위공무원단
인사운영 기준	**계급제** 보수·정원관리·승진·전보 등을 계급 기준에 따라 운영	**직무등급제** 보수·정원관리·승진·전보 등을 직위나 직무등급기준에 따라 운영
충원· 보직이동	**부처 내 폐쇄적 임용** · 부처 내부 공무원을 연공서열에 따라 승진·전보시켜 충원 · 과장급은 별도 교육·검증 없이 국장으로 승진	**부처 내외 개방적 임용** · 부처 내외 공무원 간 또는 공직 내외 경쟁을 통해 충원 · 과장급은 기본교육·역량평가·직위공모를 거쳐야 승진
성과관리	**연공서열 위주의 형식적 관리** 목표관리제가 있으나 연공서열 위주로 형식적 운영	**엄격한 성과관리** 직무성과계약제에 따라 성과계약을 체결하고 평가결과에 따라 신분상 불이익도 부여
보수	**계급제적 연봉제** · 계급에 따라 보수 차등 · 성과의 차이에 따른 연봉 차이가 미미	**직무성과급적 연봉제** · 직무의 난이도와 책임도에 따라 차등 · 성과의 차이에 따라 연봉 차등 확대, 특별상여금 지급
자질· 능력평가	**주관적·추상적 평가** 다면평가 등에 의한 주관적 평가	**역량평가제** 역량모델을 과학적으로 설정하여 객관적·구체적으로 평가
교육훈련	**획일적 교육** 교육프로그램이 다양하지 못하고, 능력발전 기회로 인식하지 못함	**개별적·맞춤식 교육** 부족한 역량과 자질을 파악하여 향상시키고, 개인이 처한 상황에 따른 맞춤형 교육 실시
검증	**인사 심사** 채용·계급승진 시마다 인사 심사(계급단계별 심사)	**인사 심사 + 적격성 심사** 고위공무원 진입 시만 심사하여 각 부처의 인사자율권 확대(진입 시만 심사), 정기적으로 적격성 심사 실시
신분관리	안정적 신분보장	엄격한 인사관리

6 계급제와 직위분류제

1 계급제

1. 의의

(1) 계급제란 공직분류의 기준을 '인간'을 중심으로 하는 것으로서 공무원 개개인의 자격과 능력을 기준으로 계급❶을 분류하는 것이다.

(2) 계급제는 주로 농업사회로부터의 오랜 관료제 전통을 지닌 영국·독일·프랑스와 우리나라에서 운용하고 있다.

2. 특징

(1) 4대 계급제

전통적인 계급제를 취하는 대부분의 국가는 4대 계급제(행정·집행·서기·서기보)로 구분한다. 각 계급이 교육제도상의 계층이나 학력과 밀접한 관련을 가지고 있으며, 학력을 제한하는 것이 일반적이다.

(2) 폐쇄형 인사제도❷

계급제는 동일한 계급이면 어떤 직위도 가능하다고 보기 때문에 결원이 발생할 경우 이를 외부에서 충원하기보다는 내부에서 채용한다. 빈자리가 생겼을 때 다른 업무를 수행하던 동일계급의 공무원이나 하위계급을 승진시키는 경우 모두 그 자리의 임무를 수행할 수 있는 자격이 생기기 때문이다.

(3) 계급 간의 차별

계급에 따라 사회적 평가·보수·자격요건·교육 면에서 심한 차이를 두고 있으며 계급 간의 승진이 용이하지 않다.

(4) 고급공무원의 엘리트화

고급관료로의 임용에 있어 학력 등의 제한을 둠으로써 엘리트화하며 보수 등에 있어 특별한 관리를 한다.

(5) 일반행정가의 양성

일정한 자격과 경력이 담보된다면 행정 일반의 업무와 기능을 수행하는 것이 가능하다는 전제하에서 행정 일반의 업무를 맡을 수 있는 관료들을 양성한다. 따라서 인사운영에 있어서의 융통성은 높아지지만 전문행정가의 입지는 축소된다.

3. 장단점

(1) 장점

① 인력활용의 융통성과 효율성을 높여 탄력적인 인사관리를 가능하게 한다. 즉, 특정 분야의 전문지식만을 지니고 있는 사람은 여러 자리에 융통성 있게 쓰기가 곤란하나, 계급제는 인문지식을 바탕으로 다방면의 업무를 맡아 할 수 있다.

② 직업공무원제 확립에 기여하고 일반행정가 양성에 유리하다.

❶ 계급
계급은 한 사람이 차지하는 신분과 밀접한 관계가 있으며 그가 어떤 직위를 맡게 되든 항상 따라다니게 된다. 군대의 이병에서 대장까지의 계급체계가 전형적인 예이다.

❷ 2024년 공무원 직급표

직급	행정부	지방자치단체
국가원수	대통령	–
총리급	국무총리	–
부총리급	부총리 감사원장	–
장관급	장관 국정원장 위원장	서울시장
차관급	차관청장	도지사 광역시장 서울부시장
준차관급	차관보	–
1급 (관리관)	실장	道부지사 광역부시장 시장(大)
2급 (이사관)	국장	道실장 시장(中)
3급 (부이사관)	과장, 세무서장	道국장 군수
4급 (서기관)	고참계장	道과장 부군수 구청장
5급 (사무관)	계장	道계장 市과장 동(면)장
6급 (주사)	주무관	道차관 市계장
7급 (주사보)	실무자	실무자
8급 (서기)	실무자	실무자
9급 (서기보)	업무보조	업무보조

③ 재직자의 사기앙양을 도모할 수 있고, 공무원의 직업적 연대의식과 일체감을 제고할 수 있다.

④ 시야와 이해력이 넓어 다른 부서와 협조가 원활하게 이루어질 수 있다.

⑤ 직책 유무에 관계없이 신분이 유지되기 때문에 공무원의 신분보장에 유리하다.

(2) 단점

① 직무급체계의 확립을 어렵게 하고 행정의 전문화를 저해한다.

② 의사결정의 합리화를 기하기 어렵고 적임자의 임용을 담보할 수 없어 능률성을 떨어뜨린다.

③ 신분보장과 폐쇄형 임용체제로 인해 무사안일을 부추기고 공무원을 특권집단화할 우려가 있다.

④ 사람을 기준으로 인사관리가 이루어지다 보면 객관적인 기준보다는 연공서열과 같은 주관적이고 편의적인 기준을 적용하기가 쉽다.

✓ 개념PLUS 연공주의

1. 의의
근무연한이나 근속연수 등의 차이에 따라 보수나 승진에 격차를 두는 제도이다.

2. 장단점
장기근속으로 조직에 대한 공헌도를 높이고, 계층적 서열구조 확립으로 조직 내 안정감을 높인다는 장점이 있으나, 개인의 성과에 따른 적절한 보상이 어려워 사기를 저하시키며 조직 내 경쟁을 통한 개인의 역량 개발이 어렵다는 것이 단점이다.

3. 성과주의와 비교

구분	연공주의	성과주의
의의	근무연한이나 근속연수 등의 차이에 따라 보수나 승진에 격차를 두는 제도	개인의 능력에 따른 실적이나 성과 등에 따라 보수나 승진에 격차를 두는 제도
장점	· 계층적 서열구조 확립으로 안정감 향상 · 장기근속으로 조직에 대한 충성심, 공헌도 증대 · 조직 내 경쟁완화를 통한 협력적 관계 형성에 기여	· 개인의 성과에 따른 적절한 보상을 통한 사기증진 · 조직 내 경쟁을 통한 개인의 역량개발 용이 · 계층적이고 엄격한 서열화로 인한 조직의 경직성 완화

---

2 직위분류제

1. 의의

(1) 직위분류제는 '직책'을 중심으로 각 직위를 직무의 난이도와 책임의 경중도에 따라 등급으로 분류하는 것이다.

(2) 계급제와의 차이

① 계급제는 사람을 대상으로 그 사람이 일을 '얼마나 잘' 수행할 수 있고 주어진 책임을 '얼마나 효과적으로' 감당할 수 있는가를 기준으로 분류하는 것이다. 그러나 직위분류제는 사람이 하는 일을 대상으로 그 일이 '무엇이며' 그에 따른 책임이 '어느 정도'인가를 기준으로 분류하는 것이다.

② 직위분류제는 직무 중심의 객관적인 공직분류방법이라는 점에서 특정 공무원의 능력과 자격 등을 기준으로 하는 인간 중심의 주관적인 공직분류방법인 계급제와는 다르다.

2. 성립배경

(1) 산업사회를 배경으로 발달하였다. 특히 산업화된 미국과 이러한 문화적 영향을 받은 캐나다나 필리핀 등이 대표적으로 직위분류제를 채택하고 발전시켰다.

(2) 과학적 관리운동의 영향으로 직무분석과 직무평가방법이 발달하였으며, 이것이 정부개혁운동에 영향을 미치면서 절약과 능률을 위한 정부개혁운동으로 발전하였다.

(3) 엽관제에 의한 보수의 불평등을 해소하고, 동일업무의 동일보수(equal pay equal job)❶라는 합리적 사상에 기초하여 직위분류제가 발달하였다.

(4) 실적주의의 발전으로 각 직책에서 요구되는 지식과 기술을 가진 전문가의 채용을 강조하였다.

3. 구성요소❷

직위	· 1인의 공무원에게 부여할 수 있는 직무와 책임이다. · 우리말의 '자리'라는 뜻과 통용된다. 사무실에 책상과 의자의 한 조를 생각하면 되고 그 것을 편의상 직위라 할 수 있다. · 무질서하게 흩어져 있는 직위들을 정렬하는 것이 직위분류이다.
직급	· 직무의 종류, 곤란성과 책임도가 상당히 유사한 직위의 군이다. · 채용·보수 기타 인사행정상 동일하게 다룰 수 있는 직위의 집단이다.
직렬	· 직무의 종류가 유사하고 곤란성과 책임도가 상이한 직급의 군이다. · 모양별로 열을 맞추어 앞으로 나란하게 정렬시킨 것이 직렬이다.
직군	· 직무의 성질이 유사한 직렬의 군이다. · 직렬을 기준으로 유사한 직렬을 합쳐 대단위로 묶으면 직군이 된다.
직류	· 동일한 직렬 내에서 담당분야가 유사한 직무의 군이다. · 직렬 내에서 직무의 성질이 더욱 유사한 것끼리 세부적으로 분류하면 직류가 된다.
등급	직무의 종류는 다르지만 곤란도와 책임도 측면에서 유사하다는 것을 의미하고 동일한 보수를 지급하게 된다. 즉, 모양은 다르지만 크기가 같도록 옆줄을 맞추어 옆으로 정렬한 것이다.

4. 장단점

(1) 장점

① 보수체계의 합리화·객관화에 기여하며 정원관리에 합리성을 기할 수 있다.
② 담당직책이 요구하는 능력을 소유한 자를 임용할 수 있으므로 인력계획, 임용, 근무성적평정 등의 공정한 기준을 제공해 준다.
③ 적재적소에 유능한 사람을 임용할 수 있으며 훈련수요를 명확하게 한다.
④ 개방형을 택하여 행정의 전문화를 촉진시킨다.
⑤ 권한과 책임의 한계를 명백히 하여 정원관리에 합리성을 기할 수 있다.
⑥ 횡적으로는 직책의 한계가 분명하고, 종적으로는 지휘감독관계가 분명하다.

❶ 동일업무의 동일보수(equal pay equal job)
직위분류에 있어서는 모든 직위를 직무의 종류와 곤란성 및 책임도에 따라 직군, 직렬 및 직급별로 분류하되 동일직급에 속하는 직위에 대하여는 동일한 보수가 지급되도록 하여야 한다.

❷ 직위·직급
직위는 과장이나 국장을, 직급은 각 직무의 등급으로 4급 서기관, 5급 사무관을 말한다.

핵심 OX

01 직무의 종류는 유사하지만 곤란도·책임도가 상이한 직급의 군을 직류라고 한다. (O, X)

02 직위분류제는 잠정적·비정형적 업무로 구성된 역동적이고 불확실한 상황에 유용하다. (O, X)

01 X 직류가 아니라 직렬이다.
02 X 직위분류제는 신축성과 융통성이 부족하여 잠정적·비정형적 업무로 구성된 역동적이고 불확실한 상황에 불리하다.

(2) 단점

① 행정의 전문화를 가져와 협조와 조정이 곤란해지는 경우가 발생한다.

② 인사배치의 신축성과 융통성이 부족하다.

③ 직업공무원제의 확립이 곤란하다.

④ 신분보장이 미흡하고 행정의 안정성을 저해한다.

⑤ 장기적 시야를 가진 인재를 양성하기 곤란하다.

◎ 핵심정리   계급제와 직위분류제의 비교

1. 양자의 차이

구분	계급제	직위분류제
분류기준	개인의 자격·능력·신분 (횡적 분류)	직무의 종류·책임도·곤란도 (종적 분류 + 횡적 분류)
발달배경 및 국가	농업사회(영국·독일·한국)	산업사회(미국·캐나다·필리핀)
중심내용	인간중심(인사행정의 탄력성)	직무중심(인사행정의 합리성)
시험·채용	비합리성(주먹구구식)	합리성·형평성
행정주체	일반행정가 양성	전문행정가 양성
보수	생활급(생계유지수준)	직무급(동일직무·동일보수), 보수의 형평성
인사배치	신축성(횡적 이동 용이)	비신축성(횡적 이동 곤란)
행정계획	장기적 계획	단기적 계획
교육훈련수요	정확한 파악 곤란	정확한 파악 용이
업무조정·협조	용이	곤란(할거주의 초래)
공직구조	폐쇄형(내부충원형)	개방형(외부충원형)
신분보장 (직업공무원제)	강함(확립 용이)	약함(확립 곤란)
조직구조와의 관계	연계성 낮음	연계성 높음
인사운용의 탄력성	높음	낮음
공직의 경직성	높음(폐쇄적)	낮음(개방적)
장기적 능력발전	유리	불리

2. 양자의 조화 경향

① 미국: 직위분류제에 계급제 가미
- 실적주의에 기반한 직위분류제는 행정의 전문성에는 도움이 되지만 상위직에 요구되는 넓은 시야와 인사의 융통성을 저해한다는 문제점이 제기된다.
- 미국은 직위분류제가 고도로 확립되어 있었는데 이러한 문제에 대한 해결이 요구되었고, 1978년 고위공무원단(SES)을 도입하여 고위직에 일반행정가를 제도적으로 확보하려고 하였다.

② 영국: 계급제에 직위분류제 가미
- 영국은 계급제적 공직구조가 형성되어 고착화되는 경향을 보였다.
- 1971년 각 계급을 통합하고 개방구조(open structure)를 신설하였는데, 이는 모든 직위는 교육적 배경과 관련 없이 직무에 적합한 사람을 임명하여 직위분류제적 요소를 강화하였다.

· 최근의 인사개혁으로는 개방구조에서 1~5급까지 고급관리자단(SCS; Senior Civil Service)으로 재편하여 계급의 개념을 폐지하고 직위의 개념만 남아있게 되었다.

③ 우리나라에서의 논의

· 우리나라의 공직분류제도는 계급제 위주로 되어 있으며 직위분류제적 요소가 가미되어 있다.

· 최근 과학적이고 합리적인 인사관리를 위해서 직위분류제적 요소를 많이 도입하려고 노력하고 있는 실정이다. 대표적인 예로서 개방형 임용(고위공무원단)을 들 수 있다.

5. 직위분류제의 수립절차

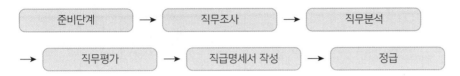

준비단계 → 직무조사 → 직무분석 → 직무평가 → 직급명세서 작성 → 정급

(1) 준비단계

① **계획의 수립 및 분류담당자 선정**: 직위분류제의 준비단계에서 담당자의 선정은 외부자(전문가) 중심으로 할 것인가, 내부자(관료) 중심으로 할 것인가가 문제된다.

　㉠ **외부자 중심의 경우**: 객관적이고 종합적인 계획이 이루어진다.

　㉡ **내부자 중심인 경우**: 내부사정을 잘 고려할 수 있다.

② **분류대상 직위의 결정**: 실제 분석에 들어가기 전에 어느 직위를 분류의 대상으로 할 것인지에 대한 범위를 결정하여야 한다.

(2) 직무조사 및 직무기술서(job description)❶의 작성

① **의의**

　㉠ 직무조사는 직위분류제를 수립함에 있어서 분류대상이 된 직위들의 직무내용에 관한 자료를 수집하는 행위 또는 그 과정을 말한다.

　㉡ 직무조사에서는 직무의 내용, 책임도, 곤란성, 자격요건 등에 관한 자료를 수집하여 직무분석의 기초자료가 될 직무기술서(job description)를 작성하여야 한다.❷

② **방법**: 질문지법, 면접법, 관찰법 등이 있다.

(3) 직무분석(job analysis)

① **의의**

　㉠ 직무분석(job analysis)이란 조직 내의 직무(jobs)에 관한 정보를 체계적으로 수집하여 처리하는 활동이다.

　㉡ 직무의 종류와 성질에 따라 직군·직류·직렬별로 종적(수직적)으로 분류하는 것을 의미한다. 즉, 다음 장의 '직위분류 관련 용어의 도식적 이해'에서 직위들을 같은 모양끼리 모으는 과정이다.

　㉢ 유사한 직위를 모아 직류를 만들고, 직류를 모아 직렬을, 다시 직렬을 모아 직군을 만드는 것으로서 수직적(vertical) 분류 구조를 형성하는 것이다.

② **방법**: 직군과 직렬의 폭을 얼마로 정할 것인가와 같은 문제로, 실제 분석적 기법이 존재하는 것은 아니고 논리적 사고와 판단력을 동원하여 분류작업을 하게 된다.

❶ 직무기술서

직무기술서(job description)는 한 직위에 부가된 직무의 내용에 관한 자료와 정보를 구체적으로 정리·기록한 문서로서 직무분석의 기초자료가 된다. 직무명·직무번호·소속부서명 등을 나타낸 직무표식(job identification), 다른 직무와 구별될 수 있는 직무수행의 목적이나 내용을 약술한 직무개요(job summary), 직무내용(job content) 및 직무수행에 필요한 책임, 전문지식, 정신적·신체적 조건 등을 기술한 직무요건(job requirement)으로 구성된다.

❷ 자격명세서와 직무수행기준서

1. 자격명세서(job specifications): 점직자에게 요구되는 일이 무엇이며, 점직자의 자격요건은 무엇인가를 규정하는 문서이다. 직무기술서가 직무에 관한 프로필이라면, 자격명세서는 일하는 사람, 즉 점직자가 구비해야 할 인적 특성에 관한 프로필이다.

2. 직무수행기준서(job performance standards): 직무성취의 기준을 규정한 문서로서 이러한 기준은 점직자의 직무수행목표가 되고 직무성취도를 평가하는 기준이 된다.

📊 고득점 공략 직위분류 관련 용어의 도식적 이해

분류 이전의 직위 | 직렬별 분류: 직무분석 | 등급별 분류: 직무평가

	행정	감사	전산	
		△	□ □	18등급
	⊗		□	15등급
	○ ○	△ △	□	11등급
	○○○ ○○	△ △ △ △	□ □ □	5등급

직렬

직군

※ 자료: U. S. Civil Service Commission, Basic Training Course, Washington, D. C: Government Printing Office, 1961, part 1:10-17; J. D. Williams, Public Administration, The Peoples's Business, Boston: Little, Brown Company, 1980, p.425 재인용

(4) 직무평가(job evaluation)

① 의의

ㄱ 직무평가(job evaluation)는 직무의 곤란도·책임도에 따른 횡적(수평적) 분류를 의미한다. 즉, 위의 '직위분류 관련 용어의 도식적 이해'에서 도형의 크기를 중심으로 횡으로 나누어 수직적인 등급을 결정하는 과정이다.

ㄴ 직무의 곤란도·책임도 등 직무의 상대적 비중이나 가치에 따라 직위의 상대적 수준이나 등급을 정함으로써 보수체계의 산정과 기준의 확립에 중요한 역할을 한다.

ㄷ 직무자체의 상대적 평가이고 인간의 등급화 작업은 아니므로 수평적 분류구조에 해당한다(Thompson).

② 방법

ㄱ **서열법**

ⓐ **의의**: 직무를 전체적·종합적으로 평가하여 상대적 중요도에 의해 서열을 부여하는 방법이다.

ⓑ **장단점**: 단순하고 경제적이며 짧은 시간에 평가를 용이하게 할 수 있고 소규모 조직에 적용이 가능하나, 자의적인 평가로 객관성을 상실할 수 있다.

ㄴ **분류법**

ⓐ **의의**: 직무 전체를 종합적으로 판단하여 미리 정해 놓은 등급기준표에 의하여 직무의 책임과 곤란도 등을 파악하는 방법이다. 이때 등급기준표는 등급과 등급정의로 구성된 일종의 척도이다. 여기서 등급정의는 기술·책임·노력·근무조건 등의 직무구성요소를 중심으로 가장 보편적인 직무특성을 개괄적으로 기술한 것이다.

ⓑ **장단점**: 서열법보다 다소 세련된 방안으로서 정부부문에서 많이 사용하나, 등급정의작업이 곤란한 문제가 있다.

ⓒ 점수법

ⓐ **의의**: 직위의 직무구성요소를 정의하고 요소별로 직무평가기준표에 의한 점수를 총합하는 방식으로, 외국기업체 등 일반적으로 가장 많이 사용된다.

ⓑ **방법**: 직무평가기준표는 직무수행에 필요한 평가요소(기술, 책임, 노력, 작업조건 등)에 비중을 두어 작성한다.

ⓒ **장점**: 평가결과의 타당도·신뢰도가 높고, 이해하기가 용이하여 평가결과를 수용하기 쉽다.

ⓓ **단점**: 평가를 위한 고도의 기술과 많은 시간·노력을 필요로 하며 평가요소의 선정, 평가자의 주관적 평가 등의 문제점에 따라 명확하고 객관적인 이론적 증명이 곤란하다.

ⓔ 요소비교법

ⓐ **의의**: 직무를 평가요소별로 계량화하여 평가하되, 점수법의 임의성을 보완하기 위하여 기준직위(대표직위)를 선정하여 이와 대비시키는 방법으로 보수액을 산정한다. 가장 늦게 고안된 객관적이고 정확한 방법으로 금액가중치방식이라고도 한다.

ⓑ **방법**: 평가할 직위에 공통되는 평가요소를 선정한 후에 대표직위를 선정하여 비교의 기준직무를 정해 놓고, 각 요소별로 평가할 직무와 기준직무를 비교해 가며 점수를 부여하는 것이다. 이를 토대로 각 직위의 보수액을 결정한다.

핵심정리   직무평가의 방법

구분	비계량적 비교 (직무전체 비교)	계량적 비교 (직무구성요소 비교)
직무와 직무 (상대평가)	서열법	요소비교법
직무와 기준표 (절대평가)	분류법	점수법

(5) 직급명세서의 작성

① 직군·직렬과 등급·직급이 결정되면 분류대상이 되는 직위 전체에 대한 분류구조가 만들어지고 그에 따라 직급이 결정된다. 직급에 대한 내용을 명백하고 상세하게 기록하는 단계이다.

② 직급명세서에는 직급의 명칭, 직책의 개요, 최저자격요건, 채용방법, 보수액, 직무수행방법 등이 명시된다.

(6) 정급

직위분류제와 각 직급에 대한 명세서가 완료되면 다음으로 직무분석과정에서 수집된 각 직위에 대한 정보와 직급명세서를 비교해 가면서 해당 직급에 분류대상 직위를 배정하여야 하는데 이를 정급이라고 한다.

01 ( ) 안에 들어갈 말을 바르게 나열한 것은?   2016년 국가직 7급

> 「국가공무원법」상 행정각부의 차관은 (ㄱ)공무원 중 (ㄴ)공무원이다.

	ㄱ	ㄴ			ㄱ	ㄴ
①	경력직	일반직		②	경력직	특정직
③	특수경력직	별정직		④	특수경력직	정무직

02 다음 중 특정직 공무원에 해당하는 것만을 모두 고르면?   2019년 지방직 7급

> ㄱ. 국가인권위원회 상임위원   ㄴ. 검사
> ㄷ. 헌법재판소의 헌법연구관   ㄹ. 도지사의 비서
> ㅁ. 국가정보원 직원

① ㄱ, ㄷ, ㄹ   ② ㄱ, ㄹ, ㅁ

③ ㄴ, ㄷ, ㄹ   ④ ㄴ, ㄷ, ㅁ

03 전문경력관제도에 대한 설명으로 옳지 않은 것은?   2018년 국가직 9급

① 소속 장관은 해당 기관의 일반직공무원 직위 중 순환보직이 곤란하거나 장기 재직 등이 필요한 특수 업무 분야의 직위를 인사혁신처장과 협의하여 전문경력관직위로 지정할 수 있다.

② 일반직공무원과 마찬가지로 계급 구분과 직군 및 직렬의 분류를 적용한다.

③ 전문경력관직위의 군은 직무의 특성·난이도 및 직무에 요구되는 숙련도 등에 따라 구분한다.

④ 임용권자는 일정한 경우에 전직시험을 거쳐 전문경력관을 다른 일반직공무원으로 전직시킬 수 있다.

04 개방형 또는 폐쇄형 인사제도에 대한 설명으로 옳은 것은?

2021년 국가직 7급

① 개방형 인사제도는 외부전문가나 경력자에게 공직을 개방하여 새로운 지식과 기술, 아이디어를 수용해 공직사회의 침체를 막고 행정의 효율성을 높이는 데 유리하다.

② 일반적으로 폐쇄형 인사제도는 직위분류제에 바탕을 두고 있으며, 일반행정가보다 전문가 중심의 인력구조를 선호한다.

③ 개방형 인사제도는 폐쇄형 인사제도에 비해 안정적인 공직사회를 형성함으로써 공무원의 사기를 높이고 장기근무를 장려한다.

④ 폐쇄형 인사제도는 개방형 인사제도에 비해 내부승진과 경력발전을 위한 교육훈련의 기회가 적다.

정답 및 해설

01 경력직과 특수경력직

「국가공무원법」상 행정각부의 장관과 차관은 특수경력직공무원 중 정무직공무원에 해당한다.

❶ 경력직과 특수경력직

경력직	일반직	행정일반, 연구지도직, 기술직 분야
	특정직	법관, 검사, 경찰, 외무, 소방, 경찰, 군인, 국가정보원 등
특수경력직	정무직	선거 또는 정치적 취임, 국회의 임명 동의(장, 차관 등)
	별정직	공정성·신임·기밀을 요하는 직위

02 특정직 공무원

ㄴ. 검사, ㄷ. 헌법재판소 헌법연구관, ㅁ. 국가정보원 직원은 특정직 공무원에 해당한다.

| 선지분석 |

ㄱ. 국가인권위원회 상임위원은 차관급 정무직 공무원이다.

ㄹ. 도지사의 비서는 별정직 공무원이다.

03 전문경력관제도

전문경력관은 「국가공무원법」 제4조 제2항 제1호에 따라, 계급 구분과 직군 및 직렬의 분류를 적용하지 아니하는 특수 업무 분야에 종사하는 일반직공무원을 말한다(「전문경력관 규정」).

❶ 「전문경력관 규정」상 직위군 구분

> **제4조【직위군 구분】** ① 제3조에 따른 전문경력관직위의 군은 직무의 특성·난이도 및 직무에 요구되는 숙련도 등에 따라 가군, 나군 및 다군으로 구분한다.

04 개방형 인사제도와 폐쇄형 인사제도

개방형 인사제도는 모든 직위에 외부전문가나 경력자를 채용할 수 있는 제도로 공직사회의 침체를 막고 새로운 아이디어나 지식 등을 활용하여 행정의 효율성을 높이는데 유리하다.

| 선지분석 |

② 일반적으로 폐쇄형 인사제도는 계급제에 바탕을 두고 일반행정가 중심의 인력구조를 선호한다.

③ 안정적인 공직사회를 형성함으로써 공무원의 사기를 높이고 장기근무를 장려하는 것은 폐쇄형 인사제도의 장점이다.

④ 내부승진과 경력발전을 위한 교육훈련의 기회가 적은 것은 개방형 인사제도의 단점이다.

정답 **01** ④ **02** ④ **03** ② **04** ①

05 고위공무원단제도에 대한 설명으로 옳지 않은 것은? 2016년 국가직 9급

① 전(全)정부적으로 통합 관리되는 공무원 집단이다.

② 계급제나 직위분류제적 제약이 약화되어 인사 운영의 융통성이 강화된다.

③ 고위공무원단에 속하는 모든 일반직공무원의 신규채용 임용권은 각 부처의 장관이 가진다.

④ 성과계약을 통해 고위직에 대한 성과관리가 강화된다.

06 역량평가(competency evaluation)에 대한 설명으로 옳지 않은 것은? 2017년 국가직 7급(8월 시행)

① 단순한 근무실적을 넘어 해당 업무수행을 위한 충분한 역량이 있는지에 대해 평가한다.

② 역량평가센터를 활용한 역량평가는 도입되지 않았다.

③ 성과에 대한 외부 변수를 통제함으로써 개인 역량에 대한 객관적인 평가를 시도한다.

④ 역량은 조직의 목표달성을 위해 뛰어난 성과를 나타내는 고성과자의 차별화된 행동특성과 태도를 의미한다.

07 역량평가에 대한 설명으로 옳은 것만을 모두 고르면? 2018년 지방직 9급

> ㄱ. 역량은 조직의 평균적인 성과자의 행동특성과 태도를 의미한다.
> ㄴ. 다수의 훈련된 평가자가 평가대상자가 수행하는 역할과 행동을 관찰하고 합의하여 평가결과를 도출한다.
> ㄷ. 고위공무원단 역량평가의 대상은 문제인식, 전략적사고, 성과지향, 변화관리, 고객만족, 조정·통합의 6가지 역량으로 구성되어 있다.
> ㄹ. 고위공무원단 후보자가 되기 위해서는 역량평가를 거친 후 반드시 고위공무원단 후보자 교육과정을 이수해야 한다.

① ㄱ, ㄴ

② ㄱ, ㄹ

③ ㄴ, ㄷ

④ ㄷ, ㄹ

08 계급제에 대한 설명으로 옳지 않은 것은?

① 직무의 속성을 중심으로 공직을 분류하는 제도이다.

② 폐쇄형 충원방식을 원칙으로 한다.

③ 일반행정가 양성을 지향한다.

④ 탄력적 인사관리에 용이하다

정답 및 해설

05 고위공무원단제도의 임용

고위공무원단에 속하는 모든 일반직공무원의 신규채용 임용권은 각 부처의 장관이 아니라 대통령이 가진다(「국가공무원법」 제32조 제1항). 다만, 대통령은 고위공무원단에 속하는 일반직공무원의 신규채용, 승진임용, 기관 간 전보, 전직, 강임, 강등, 면직, 해임, 파면 등의 임용권을 제외한 일부 권한을 소속장관에게 위임할 수 있다(「국가공무원법」 제32조 제3항).

06 역량평가(competency evaluation)의 내용

역량평가제는 고위공무원단 후보자가 고위공무원에게 필요한 역량을 충분히 갖추고 있는지 사전에 검증하는 제도로, 이미 인사혁신처에 의하여 도입되어 실시하고 있다. 다수의 평가자가 참여하여 다양한 평가기법을 활용하고, 평가자들의 합의를 통해 평가결과를 도출한다.

| 선지분석 |

① 역량평가는 단순한 근무실적을 넘어 공무원에게 요구되는 해당 업무수행을 위한 충분한 역량을 보유하고 있는지에 대한 평가를 시행한다.

③ 역량평가는 발전가능성이나 잠재력을 평가하는 것으로 그 결과가 보상과 직결되지 않아 정치적 압력이나 정실주의 등의 외부변수에 대한 통제가 용이하므로 객관적인 평가를 시행할 수 있다.

④ 역량이란 조직 측면에서 조직의 성과창출을 위한 자질로서 조직목표 달성을 위하여 뛰어난 직무수행을 보이는 고성과자의 차별화된 행동특성과 태도를 의미한다.

07 역량평가의 내용

ㄴ, ㄷ은 옳은 설명이다. 고위공무원단 역량평가의 대상은 문제인식, 전략적 사고, 성과지향, 변화관리, 고객만족, 조정·통합의 6가지 역량으로 구성되어 있다(「고위공무원단 인사규정」).

| 선지분석 |

ㄱ. 고위공무원단의 역량평가에서 역량은 조직의 평균적인 성과자가 아니라 가장 높은 성과를 나타낸 고성과자의 행동특성과 태도를 의미한다.

ㄹ. 고위공무원단 후보자가 되기 위해서는 고위공무원단 후보자교육과정을 이수하고 역량평가를 거쳐야 한다(「고위공무원단 인사규정」 제7조).

08 계급제

직무(일)의 속성(종류와 난이도 등)을 중심으로 공직을 분류하는 제도는 직위분류제이다. 계급제는 개인(사람)의 능력, 자격, 경력 등을 중심으로 공직을 분류한다.

정답 **05** ③ **06** ② **07** ③ **08** ①

09 계급제의 장점에 대한 설명으로 옳지 않은 것은? 2017년 국가직 9급(4월 시행)

① 공무원의 신분안정과 직업공무원제 확립에 기여한다.

② 인력활용의 신축성과 융통성이 높다.

③ 정치적 중립 확보를 통해 행정의 전문성을 제고할 수 있다.

④ 단체정신과 조직에 대한 충성심 확보에 유리하다.

10 연공주의(seniority system)에 대한 설명으로 옳은 것만을 모두 고르면? 2023년 국가직 9급

> ㄱ. 장기근속으로 조직에 대한 공헌도를 높인다.
>
> ㄴ. 개인의 성과에 따른 적절한 보상을 통해 사기를 높인다.
>
> ㄷ. 계층적 서열구조 확립으로 조직 내 안정감을 높인다.
>
> ㄹ. 조직 내 경쟁을 통해서 개인의 역량 개발에 기여한다.

① ㄱ, ㄴ   ② ㄱ, ㄷ

③ ㄴ, ㄹ   ④ ㄷ, ㄹ

11 직위분류제의 주요 개념에 대한 설명으로 옳지 않은 것은? 2022년 국가직 9급

① '직위'는 한 사람의 공무원에게 부여할 수 있는 직무와 책임을 의미한다.

② '직급'은 직무의 종류가 유사하고 곤란도·책임도가 서로 다른 군(群)을 의미한다.

③ '직류'는 동일 직렬 내에서 담당분야가 동일한 직무의 군(群)을 의미한다.

④ '직무등급'은 직무의 곤란도·책임도가 유사해 동일 보수를 줄 수 있는 직위의 군(群)을 의미한다.

12 직위분류제의 단점은?

① 행정의 전문성 결여   ② 조직 내 인력 배치의 신축성 부족

③ 계급 간 차별 심화   ④ 직무경계의 불명확성

정답 및 해설

09 계급제

정치적 중립 확보를 통해 행정의 전문성을 제고할 수 있는 것은 실적주의의 특징으로서 직위분류제와 관련된다. 계급제는 폐쇄형, 직업공무원제, 일반행정가주의(generalism)와 관련된다.

| 선지분석 |

① 계급제는 폐쇄형이므로 공무원의 신분안정과 직업공무원제 확립에 기여한다.
② 계급제는 인사행정의 탄력성을 강조하므로 인력활용의 신축성과 융통성이 높다.
④ 계급제는 직무보다는 인간 중심의 분류제도로, 조직에 대한 충성심 확보에 유리하다.

❶ 계급제와 직위분류제의 비교

구분	계급제	직위분류제
분류기준	개인의 자격·능력·신분 (횡적 분류)	직무의 종류·책임도·곤란도 (종적 분류 + 횡적 분류)
발달배경 및 국가	농업사회 (영국·독일·한국)	산업사회 (미국·캐나다·필리핀)
중심내용	인간 중심 (인사행정의 탄력성)	직무 중심 (인사행정의 합리성)
시험·채용	비합리성	합리성, 공평성
일반·전문행정가	일반행정가 양성	전문행정가 양성
보수정책	생활급 (생계유지수준을 지급하는 비합리적 보수제도)	직무급 (동일직무·동일보수의 합리적 보수제도)
인사배치	신축성 (횡적 이동 용이)	비신축성 (횡적 교류 곤란)
행정계획	장기계획·장기능률·장기안목	단기계획·단기능률·단기안목
교육훈련	일반지식·교양 강조 (수요 파악 곤란)	전문지식 강조 (수요 파악 용이)
업무조정·협조	용이	곤란(할거주의 초래 우려)
공직구조 및 경직성	폐쇄형(내부충원형), 경직성 높음	개방형(외부충원형), 경직성 낮음
신분보장 (직업공무원제)	강함(확립 용이)	약함(확립 곤란)
조직구조와의 관계	연계성 부족	연계성 높음
장기적 능력발전	유리	불리

10 연공주의(seniority system)

연공주의는 근무연한이나 근속연수 등의 차이에 따라 보수나 승진에 격차를 두는 제도로서 ㄱ. 장기근속으로 조직에 대한 공헌도를 높이고 ㄷ. 계층적 서열구조 확립으로 조직 내 안정감을 높인다는 장점이 있다.

| 선지분석 |

ㄴ. 개인의 성과에 따른 적절한 보상을 통해 사기를 높이며, ㄹ. 조직 내 경쟁을 통해서 개인의 역량 개발에 기여하는 것은 성과주의의 장점이다.

11 직위분류제의 주요 개념

직무의 종류가 유사하고 곤란도·책임도가 서로 다른 군(群)을 의미하는 것은 직렬이다. 직급은 직무의 종류가 유사하고 곤란도·책임도도 유사한 직위의 군을 말한다.

| 선지분석 |

① 직위에 대한 설명이다.
③ 직류에 대한 설명이다.
④ 직무등급에 대한 설명이다.

❶ 직위분류제의 주요 개념

직위	한 사람의 근무를 필요로 하는 직무와 책임의 양(자리)
직급	직무의 종류·곤란도 등이 유사하여 인사 상 동일하게 다룰 수 있는 직위의 군
직렬	직무의 종류는 유사하나 곤란도·책임도가 상이한 직급의 군
직군	직무의 성질이 유사한 직렬의 군
직류	동일한 직렬 내에서 담당분야가 동일한 직무의 집합
직무등급	직무의 곤란도·책임도가 유사해 동일 보수를 줄 수 있는 직위의 군(群)
등급	직무의 종류는 다르지만 직무의 곤란도·책임도가 유사하여 동일한 보수를 줄 수 있는 직위의 군

12 직위분류제의 단점

직위분류제는 과학적이고 합리적인 공직분류제도로 조직 내의 직위를 각 직위가 내포하고 있는 직무 종류별로 분류하고, 또 직무 수행의 곤란성과 책임성에 따라 직급별·등급별로 분류해 관리하는 인사행정 제도를 말한다. 분류기준이 지나치게 세분화되어 계급제에 비하여 조직 내의 인력배치의 신축성이 부족하다는 비판을 받는다.

| 선지분석 |

① 행정의 전문성 결여는 계급제의 단점이다.
③ 계급 간 차별 심화는 계급제의 단점이다.
④ 직무경계의 불명확성은 계급제의 단점이다.

정답 09 ③ 10 ② 11 ② 12 ②

13 직무평가방법과 설명이 바르게 연결된 것은?

> A. 서열법(job ranking)
> B. 분류법(classification)
> C. 점수법(point method)
> D. 요소비교법(factor comparison)

> ㄱ. 직무전체를 종합적으로 판단해 미리 정해 놓은 등급기준표와 비교해가면서 등급을 결정한다.
> ㄴ. 대표가 될 만한 직무들을 선정하여 기준직무(key job)로 정해놓고 각 요소별로 평가할 직무와 기준 직무를 비교해가며 점수를 부여한다.
> ㄷ. 비계량적 방법을 통해 직무기술서의 정보를 검토한 후 직무 상호 간에 직무전체의 중요도를 종합적으로 비교한다.
> ㄹ. 직무평가표에 따라 직무의 세부 구성요소들을 구분한 후 요소별 가치를 점수화하여 측정하는데, 요소별 점수를 합산한 총점이 직무의 상대적 가치를 나타낸다.

	A	B	C	D			A	B	C	D
①	ㄱ	ㄴ	ㄷ	ㄹ		②	ㄱ	ㄷ	ㄹ	ㄴ
③	ㄷ	ㄴ	ㄱ	ㄹ		④	ㄷ	ㄱ	ㄹ	ㄴ

14 직무평가방법에 대한 설명으로 옳지 않은 것은?

① 점수법은 직무를 구성하는 하위요소별 점수를 합산하여 평가하는 방법이다.

② 분류법은 미리 정한 등급기준표와 직무 전체를 비교하여 등급을 결정하는 비계량적 방법이다.

③ 서열법은 직무의 구성요소를 구별하지 않고 직무 전체의 중요도를 종합적으로 평가하는 방법이다.

④ 요소비교법은 기준직무(key job)와 평가할 직무를 상호 비교해 가며 평가하는 비계량적 방법이다.

15 직무평가방법에 대한 설명으로 옳지 않은 것은?

① 분류법은 미리 정해진 등급기준표를 이용하는 비계량적 방법이다.

② 서열법은 비계량적 방법으로, 직무의 수가 적은 소규모 조직에 적절하다.

③ 점수법은 직무와 관련된 평가요소를 선정하고 각 요소별로 중요도를 부여하는 과정에서 계량화를 통해 명확하고 객관적인 이론적 증명이 가능하다.

④ 요소비교법은 조직 내 기준직무(key job)를 선정하여 평가하려는 직무와 기준직무의 평가요소를 상호비교하여 상대적 가치를 판단하는 방법이다.

정답 및 해설

13 직무평가방법

각각 ㄱ은 분류법(B), ㄴ은 요소비교법(D), ㄷ은 서열법(A), ㄹ은 점수법(C)에 해당한다.

❶ 직무평가방법

비계량적 방법	서열법	직무를 전체적·종합적으로 평가하여 상대적 중요도에 의해 서열을 부여하는 자의적 평가방법 (직무와 직무)
	분류법	· 사전에 작성된 등급기준표에 의해 직무의 책임과 곤란도 등을 파악하는 방법 · 서열법보다 다소 세련된 방안으로서 정부부문에서 많이 사용하나, 등급 정의 작업이 곤란한 문제점 발생(직무와 기준표)
계량적 방법	점수법	· 직위의 직무구성요소를 정의하고 요소별로 평가한 점수를 총합하여 기준표와 비교하는 방식 · 결과의 타당도·객관도가 높고, 이해가 용이하여 가장 광범위하게 사용되지만 고도의 기술과 많은 시간·노력이 요구됨(직무와 기준표)
	요소 비교법	직무를 평가요소별로 나누어 계량적으로 평가하되 기준직위를 선정하여 이와 대비시키는 방법으로 보수액 산정이 동시에 이루어짐(직무와 직무)

14 직무평가방법

요소비교법과 점수법은 대표적인 계량적 직무평가방법이다.

❶ 직무평가방법

구분	비계량적	계량적
직무와 직무 (상대평가)	서열법	요소비교법
직무와 기준표 (절대평가)	분류법	점수법

15 직무평가방법

점수법은 각각의 직무요소에 점수를 매겨서 총점을 작성하는 직무평가기준표에 따른 것으로 평가자의 직무요소에 대한 개념정의와 주관적 평가 등이 문제가 되므로 명확하고 객관적인 이론적 증명은 어렵다는 한계를 가진다.

정답 13 ④ 14 ④ 15 ③

1 인사행정의 과정과 인적자원관리의 방향

1 인사행정의 과정

❶ 인사행정의 3대 변수
1. 적재적소의 임용
2. 지속적인 능력발전
3. 높은 사기의 유지

❷ 인력계획의 과정(Kingner)

조직목표의 설정
↓
인력 총수요 예측
↓
인력 총공급 예측
↓
실제적 인력수요 결정
↓
인력확보방안의 결정
↓
인력확보방안의 시행
↓
통계자료의 준비
↓
평가 및 환류

1. 인력(인적자원)계획❶❷

(1) 의의

인력계획은 정부조직에 필요한 인력의 수요와 공급에 관한 예측을 하고, 그것을 토대로 최적의 공급방안을 모색하는 활동이다. 이에 따라 업무의 증가나 감소에 대한 예측과 장래에 필요로 하는 직무의 종류와 내용 및 규모 등 인적자원의 질적인 측면에 대한 예측도 포함하여야 한다.

(2) 필요성

① 변화하는 행정환경에 대응할 수 있는 인력계획을 마련할 수 있다.
② 인적자원을 원활하게 공급할 수 있고 조직이 필요로 하는 인력을 적시에 수급할 수 있다.
③ 체계적인 인력관리를 통한 행정의 능률성 및 전문성의 확보가 가능해진다.

2. 공직구조의 형성

인력계획이 수립되면 현재 정부에서 수행되는 업무의 증감에 대한 예측을 바탕으로 구체적인 직위에 대한 직무설계를 하고 공직구조를 형성하여야 한다.

3. 임용

(1) 인력계획과 공직구조 형성작업이 끝나면 이에 필요한 인적자원을 모집하고 충원하는 임용을 하게 된다.

(2) 임용은 정부조직 밖에서 사람을 선발해 쓰는 신규채용, 즉 외부임용과 정부조직 안에서 사람을 움직여 쓰는 내부임용으로 나누어 볼 수 있다.

4. 능력발전과 사기부여

(1) 효율적인 행정업무의 수행을 위해서 개개인의 능력을 발전시키기 위한 활동을 수행한다.

(2) 조직구성원의 능력 발휘여부는 그 사람이 얼마나 일하고자 하는 의욕을 가졌는가 하는 근무의욕과 관련이 깊다. 즉, 근무의욕이 잠재능력의 동원여부를 결정하는 중요한 변수가 되므로 인사행정은 근무의욕과 관련된 공무원의 사기를 중요한 영역으로 다룬다.

5. 환류와 통제

공무원들의 태도와 활동이 정부의 목표와 일치되도록 그들을 유도하고 통제하는 과정이다. 이 과정은 인사행정의 고찰로서 실제의 인사행정은 여러 기능이 동시에 수행되거나 환류되는 경우도 있다.

2 인적자원관리의 방향
– 인적자원관리(HRM) → 전략적 인적자원관리(SHRM)

1. 인사관리의 분권화

중앙집권화되어 있는 각종 권한을 하위직급자에게 위임하여야 한다. 이를 위해 결과에 대한 책임의 추궁이 필요하다.

2. 탄력적 보수와 임용제도

(1) 기존의 일률적인 보수지급에서 벗어나서 작업환경이나 직무의 난이도 등을 종합적으로 고려하여 보수가 책정되어야 한다.

(2) 임용에서 임기제공무원, 개방형 임용제도의 활성화가 필요하다.

3. 능력발전의 강화

공무원이 재직하는 동안에도 다양한 기술변화나 환경변화에 적응하고 자신의 성취욕구를 충족시킬 수 있도록 다양한 능력발전방안이 모색된다.

4. 다양한 성과급의 도입

성과관리의 대표적인 수단으로 개인·집단 수준의 성과급제도가 도입되고 있다. 이는 능력발전을 위한 수단이기도 하다.

---

2 | 공무원의 임용과 승진

1 공무원의 임용

1. 의의

임용은 공무원관계를 발생·변경·소멸시키는 모든 인사행위이다. 직업공무원제도를 근간으로 할 경우에 합리적인 임용제도의 확보가 중요하다.

공무원관계의 발생	신규채용의 경우이다.
공무원관계의 변경	승진과 강임·강등, 배치전환(전직, 전보, 전입, 파견근무), 겸임, 정직, 복직, 휴직, 직위해제 등이 있다.
공무원관계의 소멸	면직, 해임, 파면 등이 있다.

핵심 OX

01 체계적인 인력계획을 위해서 총공급을 예측한 후 총수요를 예측하는 것이 바람직하다. (O, X)

01 X 총수요의 예측 후에 총공급을 예측하는 것이 바람직하다.

2. 종류

(1) 외부임용(신규임용) - 공개경쟁채용, 경력경쟁채용 등

① 공개경쟁채용
- ㉠ **의의**: 자격 있는 모든 지원자에게 평등하게 지원기회를 부여하고 공개된 경쟁시험을 통하여 임용후보자를 선발하는 신규채용의 방식이다. 실적주의를 강조하는 인사행정하에서 신규임용의 원칙이 되고 있다.
- ㉡ **목적**: 보다 많은 수의 사람들에게 지원기회를 부여함으로써 우수한 인력을 흡수하는 것이다.
- ㉢ **요건**: 공개경쟁채용의 요건은 적절한 공고, 공정한 지원기회의 제공, 선발 기준의 현실성, 차별 금지, 능력에 따른 서열 결정, 결과의 공개 등이 있다.

② 경력경쟁채용❶
- ㉠ **의의**: 공개경쟁시험에 의한 채용이 부적당하거나 곤란한 경우 또는 특별한 자격을 가지고 있는 사람을 채용하는 경우의 임용방식이다.
- ㉡ **장단점**
  - ⓐ **장점**: 경력경쟁채용은 공개경쟁채용제도를 보완하고 임용구조에 융통성을 부여하려는 적극적 인사제도의 일종이다. 즉, 경력경쟁채용은 인사행정의 적극화에 기여하는 수단이 될 수 있기 때문에 인력조달의 융통성·적극성을 기할 수 있다.
  - ⓑ **단점**: 경력경쟁채용은 그 용도에 따라서는 악용되어 정실에 의한 채용이 될 우려도 많다. 즉, 공직취임에 대한 기회균등이 파괴되고 정실주의의 온상이 될 우려가 있다. 이를 방지하기 위해서는 경력경쟁채용의 요건에 대한 엄격한 관리와 규제가 필요하다.

(2) 내부임용 - 재배치

이미 임용된 재직공무원의 수직적 이동이나 수평적 이동(배치전환)이다. 수직적 이동에는 승진과 강임이 있으며, 수평적 이동에는 전보, 전직, 전입, 파견근무가 있다.

① 수직적 이동

승진	하위직급에서 상위직급으로의 이동이다.
강임	상위직급에서 하위직급으로의 이동이다.

② 수평적 이동(배치전환)
- ㉠ **의의**: 보수나 계급의 변동 없이 수평적으로 직위를 옮기는 것이다.
- ㉡ **용도**
  - ⓐ **조직차원**: 배치전환은 인사관리의 융통성을 확보하여 조직의 성과를 높일 수 있다는 점, 조직의 변화에 대한 적응능력을 높여 준다는 점, 부수적으로 부패방지의 효과가 있다는 점, 인간관계의 갈등을 해결하는 수단이 된다는 점, 승진적체를 해결해 준다는 점 등의 효과가 있다.
  - ⓑ **개인차원**: 개인에게 능력발전의 기회를 부여한다는 점, 자신이 원하는 직무를 수행할 수 있다는 점 등의 장점이 있다.

❶ **경력경쟁채용(특별채용)의 종류**
퇴직자의 재임용, 자격증소지자의 특별채용, 연구·근무경력자의 특별채용, 특수학교졸업자의 특별채용, 1급 공무원의 특별채용, 특수지근무자의 특별채용, 이 밖에도 일반직 간의 교환임용, 지방직공무원의 국가직공무원에로의 특별채용, 외국어능통자의 특별채용(4급 이하), 실업계학교졸업자의 특별채용, 과학기술분야 학위소지자의 특별채용, 국비장학생의 특별채용, 한지근무자의 특별채용, 지역인재추천 특별채용(인턴제도) 등이 있다.

ⓒ 종류❶

전보	· 동일한 직급·직렬 내에서의 보직변경(시험 불요)이다. · 제한요건: 전보의 경우 당해 직위에 임용된 날부터 3년 이내(필수보직기간)에 다른 직위에 전보할 수 없다. 다만, 3~4급 공무원과 고위공무원단직위에 재직 중인 공무원은 2년 이내에 다른 직위로 전보할 수 없다. 잦은 전보로 인한 전문성 저하 등의 문제점 때문에 전보요건을 강화하였다.
전직	· 직급은 동일하나 직렬을 달리하는 직위로의 수평적 이동(시험 요)이다. · 제한요건: 법으로 정해지며 일정한 시험을 거쳐야 한다.
전입	다른 인사 관할기관 간의 수평적 이동으로서 국회, 행정부, 법원 간의 인사이동(시험 요)이다.
파견근무	일시적이고 임시적인 부서나 기관 간 이동근무이다. 기관 간 업무의 공동수행이나 업무량이 과다한 타기관의 행정지원 등을 위하여 소속기관을 유지한 채 다른 기관으로 자리를 옮겨 근무하는 것이다. ⑩ 공무원이 교육훈련기관의 교관요원으로 선발되어 근무하는 경우

ⓔ 우리나라 배치전환의 문제점

ⓐ 징계의 수단으로 이용되고 있다.

ⓑ 사임의 강요수단으로 이용되고 있다.

ⓒ 잘못을 덮어 주고 징계를 피하도록 하기 위해서 이용되고 있다.

ⓓ 잦은 보직이동으로 전문성이 저해된다.

2 신규임용의 절차

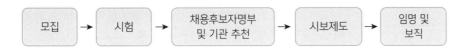

모집 → 시험 → 채용후보자명부 및 기관 추천 → 시보제도 → 임명 및 보직

1. 모집

(1) 의의

① 모집은 공무원을 채용하여야 할 때 지원자를 확보하는 활동이다. 즉, 선발시험에 응할 잠재적 인적자원을 찾아내서 지원하도록 유도하는 행위이다.

② 정부업무의 전문화 수준은 높아지는 데 비해서 정부에 대한 사회적 평가나 처우는 민간부문에 비해 높은 편이 아니다. 이러한 환경변화에 대응하기 위해 적극적 모집이 요구된다.

(2) 적극적 모집

① 의의: 적극적 모집은 젊고 유능한 인적자원이 공직에 대한 매력을 느끼고 지원하도록 유도하는 활동이다. 반대로 소극적 모집은 채용계획을 일반대중에게 공개하고 지원자가 찾아오도록 기다리는 방식이다.

② 적극적 모집방안

㉠ 공직에 대한 사회적 평가의 제고: 공직의 사회적 평가를 향상시키는 것으로서 적극적 모집의 전제조건이 된다.

❶ 겸임(兼任, concurrent position) 한 사람의 공무에게 둘 이상의 직위(職位)를 부여하는 것. 겸임(兼任)은 다른 방법으로 결원을 보충시킬 준비가 미처 되어 있지 않는 경우 임시로 충원(充員)하는 수단으로 흔히 쓰이고 있다. 우리나라 「국가공무원법」 제32조의 3은 "직위 및 직무 내용이 유사하고 담당 직무 수행에 지장이 없다고 인정되는 경우에는 대통령이 정하는 바에 따라 일반직공무원을 대학교수 등 특정직공무원이나 특수 전문분야의 일반직공무원 또는 대통령으로 정하는 관련교육·연구기관, 그 밖의 기관·단체의 임직원과 서로 겸임하게 할 수 있다"라고 규정하고 있는데, 이 경우 사립대학 교수나 공공기관의 임직원과의 겸임은 임기제공무원으로 임용된다.

핵심 OX

01 전보는 등급은 동일하나 직렬을 달리하는 직위로의 수평적 이동으로 시험이 필요하다. (O, X)

01 X 전직에 대한 설명이다.

❶ 모집인원의 확대
모집인원의 확대는 다양한 방법에 의한 채용확대방안이 아니므로 적극적 모집방안이 아니다.

❷ 우리나라 공무원의 모집제한
우리나라는 원칙적으로 학력과 연령제한은 폐지되었다. 외국인은 국가안보 및 보안·기밀 관련분야를 제외하고 임용될 수 있다. 지방공무원은 서울시를 제외하고 대부분 거주지 제한을 두고 있다.

❸ 선고유예가 당연퇴직사유인 경우
「국가공무원법」개정(2010.3.22.)으로 선고유예를 당연퇴직사유에서 제외하던 것을 뇌물수수 및 제공과 횡령 및 배임죄(「형법」제129조~제132조)로 인한 금고 이상의 형의 선고유예를 받는 경우는 당연퇴직사유에 포함된다.

ⓛ 장기적 인력계획의 수립: 과학적이고 합리적인 인적자원계획을 마련하고 그에 따라 정기적인 모집계획을 세워 예측가능성을 높여야 한다.

ⓒ 다양한 방법에 의한 채용확대❶: 특별채용의 확대, 임시고용의 확대, 인턴제도 등 다양한 방식의 모집이 모색되어야 한다.

ⓔ 모집공고방법의 개선: 공직설명회 등 신문 외에 방송매체 등의 적극적인 활용이 필요하다.

ⓜ 채용절차의 간소화: 수시접수나 온라인접수 등 지원절차를 간소화하고 채용과정을 신속히 하여야 한다.

ⓗ 지원자격의 완화❷: 엄격한 자격 요건은 지원을 소극적이게 한다. 우리나라는 학력과 연령제한이 폐지되었다.

ⓢ 사후평가와 환류기능의 강화: 모집정책의 결과를 평가하여 모집방법 개선으로 연계할 필요가 있다.

ⓞ 인력양성기관과의 연계 강화: 인력을 양성하는 교육기관과 정부와의 연계를 강화하고 장기적인 모집정책이 필요하다.

(3) 모집대상자의 자격요건

① 소극적 요건: '~은 안 된다'고 규정하는 것으로 연령, 국적, 학력 등이 있다.

② 적극적 요건: '~를 갖추어야 한다'고 규정하는 것으로 가치관, 태도, 지식과 기술 등이 있다.

(4) 임용 결격사유(「국가공무원법」 제33조)

① 피성년후견인

② 파산선고를 받고 복권되지 아니한 자

③ 금고 이상의 실형을 선고받고 그 집행이 종료되거나 집행을 받지 아니하기로 확정된 후 5년이 지나지 아니한 자

④ 금고 이상의 형을 선고받고 그 집행유예 기간이 끝난 날부터 2년이 지나지 아니한 자

⑤ 금고 이상의 형의 선고유예를 받은 경우에 그 선고유예 기간 중에 있는 자(당연퇴직 사유 아님)❸

⑥ 법원의 판결 또는 다른 법률에 따라 자격이 상실되거나 정지된 자

⑦ 공무원으로 재직기간 중 직무와 관련하여 「형법」 제355조 및 제356조에 규정된 죄를 범한 자로서 300만 원 이상의 벌금형을 선고받고 그 형이 확정된 후 2년이 지나지 아니한 자

⑧ 「성폭력범죄의 처벌 등에 관한 특례법」 제2조에 규정된 죄를 범한 사람으로서 100만 원 이상의 벌금형을 선고받고 그 형이 확정된 후 3년이 지나지 아니한 사람

⑨ 미성년자에 대한 「성폭력범죄의 처벌 등에 관한 특례법」 제2조에 따른 성폭력범죄 또는 「아동·청소년의 성보호에 관한 법률」 제2조 제2호에 따른 아동·청소년대상 성범죄에 해당하는 죄를 저질러 파면·해임되거나 형 또는 치료감호를 선고받아 그 형 또는 치료감호가 확정된 사람(집행유예를 선고받은 후 그 집행유예기간이 경과한 사람 포함)

⑩ 징계로 파면처분을 받은 때부터 5년이 지나지 아니한 자

⑪ 징계로 해임처분을 받은 때부터 3년이 지나지 아니한 자

2. 시험

(1) 의의

시험이란 공직희망자들의 상대적 능력을 가리는 제도로, 그 종류가 매우 다양하다. 형식과 목적으로 종류를 나눌 수 있으며, 시험방법의 평가기준은 타당도, 신뢰도, 객관도, 난이도, 실용도로 다섯 가지가 있다.

(2) 종류

① 형식(방법)에 의한 분류

필기시험	· 가장 오래되고 널리 쓰이는 방법으로 표준화가 용이하고 객관적인 평가를 할 수 있다. · 시험관리가 비교적 간단하며 비용이 적게 든다. · 필기시험에는 객관식과 주관식, 논문형, 자유해답식 등이 있다.
실기시험	· 응시자의 직무수행에 필요한 지식과 기술을 실습이나 실기를 통해 검증하는 방법이다. · 앞으로 담당할 직무의 표본을 실제로 수행해 보게 하여 능력을 평가한다. · 객관적이고 구체적인 작업성과를 보여줄 수 있는 반복적인 업무에 적합하다.
면접시험❶	· 필기시험이나 실기시험으로 측정하기 어려운 경우 직무수행의 적격성을 평가하는 것이다. 즉, 말로 표현한 것을 기초로 능력을 평가하는 방법이다. · 면접시험은 다른 시험에서 알기 어려운 심리적 안정성, 지도력, 주의력, 대인관계에 대한 반응과 같은 행태적 특성을 알아내는 데 도움을 준다.
서류심사	· 응시자의 지원서, 이력서, 추천서, 연구물 등을 통해 평가하는 방법이다. · 다른 시험방법에 비해서 비용이 적게 든다는 장점이 있다.

② 목적(측정대상)에 의한 분류

신체적성검사	직무수행에 필요한 신체적 적격성을 검사하는 것으로 건강진단이라고 부른다.
일반지능검사	· 인간의 일반적인 지능 또는 정신적 능력을 측정하는 것으로 일반능력검사라고 부른다. · 지능의 구성요소에는 추리력, 수리적 능력, 언어이해 및 구사력, 공간파악능력, 기억력 등이 있다.
적성검사	· 업무에 적합한 훈련을 받고 경험을 쌓으면, 일정한 직무를 배울 경우 이를 잘 수행할 수 있는 소질 또는 잠재적 능력이 있는지를 측정하는 시험이다. · 응시자의 잠재능력이나 업무적합성을 측정하기 위한 방법으로 사용된다.
업적검사	응시자의 업적, 즉 교육이나 경험을 통해 얻은 지식 또는 기술을 평가하는 것이다.
흥미검사	응시자의 흥미를 알아내어 직무와의 적합도를 판단하는 것이다.
성격검사	· 응시자의 행태나 성격 등의 특징을 알아내려는 것이다. · 자신감, 정서적 안정성, 사교성, 협조성, 관용성 등을 검사한다.

❶ 면접 평정요소(「공무원임용시험령」)

제5조【시험의 방법】③ 면접시험은 공무원으로서의 자세 및 태도, 해당 직무 수행에 필요한 능력 및 적격성 등을 검정하며, 다음 각 호의 모든 평정요소를 각각 상, 중, 하로 평정한다. 다만, 시험실시기관의 장이 필요하다고 인정하는 경우 평정요소를 추가하여 상, 중, 하로 평정할 수 있다.

1. 소통·공감: 국민 등과 소통하고 공감하는 능력
2. 헌신·열정: 국가에 대한 헌신과 직무에 대한 열정적인 태도
3. 창의·혁신: 창의성과 혁신을 이끄는 능력
4. 윤리·책임: 공무원으로서의 윤리의식과 책임성

핵심 OX

01 적극적 모집이란 잠재능력을 가진 유능한 젊은 인재가 민간부문보다 공직을 지망하도록 적극적으로 유인을 제공하는 인사정책이다. (O, X)

02 공무원 모집의 자격요건 중 적극적 요건으로는 연령, 국적, 학력 등이 있다. (O, X)

01 O
02 X 연령, 국적, 학력은 소극적 요건에 해당한다.

(3) 시험의 요건(효용성)

타당도	· 측정하고자 하는 내용의 정확한 측정여부 · 방법: 근무수행실적과 시험 성적과의 비교
신뢰도	· 시기나 장소에 점수가 영향을 받지 않는 정도(일관성, 일치도) · 방법: 동일한 사람이 동일한 시험을 서로 다른 시기·장소에서 실시
객관도	채점의 공정성(동일한 결과)
난이도	쉬운 문제와 어려운 문제의 조화(변별력)
실용도	시험의 경제성, 집행의 용이성

① **타당도(목적상의 일치):** 타당도란 그 시험이 측정하고자 하는 것을 얼마나 정확하게 측정하고 있느냐의 문제이다. 즉, 정확도가 높을수록 타당도는 높다.❶

  ㉠ **기준타당도**

   ⓐ 직무수행능력의 예측이 얼마나 정확한가에 관한 것이다. 즉, 시험이라는 예측치(predictor)와 직무수행실적이라는 기준(criterion)의 두 요소 간 상관계수로 측정된다.

   ⓑ 여기에서 예측치는 시험점수이고, 직무수행실적을 보여 주는 측정기준치로는 근무실적, 이직률, 결근율 등을 사용하게 된다.

   ⓒ 시험점수를 좋게 받은 사람이 실제 직무수행실적도 좋을 때 기준타당도가 높다고 말할 수 있다.

   ⓓ **검증방법**

동시적 타당도 검증	재직 중에 있는 사람에게 시험을 실시한 후 그들의 업무실적과 시험성적을 비교하는 방법이다.
예측적 타당도 검증	자료수집의 시차에 따라서 합격한 사람의 업무실적을 비교하는 방법이다.

▲ 동시적 타당도 검증   ▲ 예측적 타당도 검증

  ㉡ **내용타당도(논리적 타당도)❷**

   ⓐ 내용타당도는 응시자가 직무수행에 필요한 지식·기술 등 능력요소를 현재 얼마나 가지고 있는가를 측정하는 기준이다.

   ⓑ 직무에 정통한 전문가집단이 시험의 구체적 내용과 항목 등이 직무를 성공적으로 수행하는 것에 있어 얼마나 적합한 것인지를 판단하여 검증한다.

   ⓒ 내용타당도의 확보를 위해서는 직무분석이 필수적이다.

❶ **타당도의 예**
타자능력을 측정하는데 속기시험을 치르게 한다면 이는 시험의 타당도를 잃은 것이다. 반면 분당 몇 자를 치는지, 그 중에 몇 자가 틀렸는지를 기준으로 타자능력을 측정한다면 타당도를 가진 시험이 된다.

❷ **내용타당도와 구성타당도의 예**
법률업무 담당직위에 대한 채용시험에서 업무담당자가 잘 알고 있어야 할 법률에 관한 질문을 정확하게 했으면 내용타당도가 높은 것이며, 법률이론이나 기록과 같은 복잡한 수준의 기록을 읽고 해석하는 능력을 정확하게 측정했으면 구성타당도가 높은 것이다.

핵심 OX

01 측정도구(채용시험)가 어떤 변수의 값(직무수행능력)을 얼마나 정확하게 예측할 수 있는가를 평가하는 것은 기준타당도이다. (O, X)

02 타당도에 관한 개념 중 현직자의 채용시험성적과 채용 후 근무성적을 비교하여 측정하는 것은 예측적 타당도이다. (O, X)

03 시험성적과 직무수행실적을 비교해서 평가할 수 있는 것은 내용타당도와 관련된다. (O, X)

01 ○
02 X 동시적 타당도이다.
03 X 기준타당도와 관련된다.

© 구성타당도(해석적 타당도)

ⓐ 시험이 이론적으로 구성된 능력요소를 얼마나 정확하게 측정할 수 있느냐에 관한 기준이다.

ⓑ 추상적으로 구성된 요소를 제대로 측정하였는지에 관한 타당도이다.

✅ 개념PLUS 타당도의 유형과 검증방법

구분	기준타당도	내용타당도	구성타당도
개념	직무수행능력 예측	직무수행에 필요한 능력요소 측정	이론적으로 구성된 능력요소 측정
검증방법	· 시험성적을 좋게 받은 사람이 실제 근무실적이 좋을 때 기준타당도가 높음 · 방법적으로 동시적 검증과 예측적 검증이 있음	시험이 해당 직무의 수행에 필요한 구체적 항목을 측정하는 데 적합할수록 내용타당도가 높음	추상적 능력을 측정하는 요소와 시험문제의 부합정도가 높을수록 구성타당도가 높음

② **신뢰도(결과의 일관성)**

㉠ 일반적인 신뢰도는 측정도구의 측정결과가 보여 주는 일관성을 의미하고, 시험에서의 신뢰도는 시험결과로 나온 성적의 일관성의 정도를 의미한다. 즉, 시험의 경우 같은 사람에게 여러 번 반복하여 치르더라도 결과가 크게 변하지 않을 때 신뢰도가 높다고 한다.

㉡ 검증방법

재시험법	· 동일한 측정도구를 이용하여 동일한 상황에서 동일한 대상에게 일정기간을 두고 반복 측정하여 최초의 측정치와 재측정치가 동일한지의 여부를 평가하는 방법이다. · 측정도구 자체를 직접 비교할 수 있으며, 적용이 간편하다.
복수양식법 (동질이형법)	동일한 개념에 대해 2개 이상의 상이한 측정도구를 개발하고 각각의 측정치 간의 일치여부를 검증하는 방법이다.
반분법	측정도구를 임의로 반으로 나누어 각각을 독립된 척도로 보고 이들의 측정결과를 비교하는 방법이다.
내적 일관성 분석법	커뮤니케이션 과학에서 가장 자주 사용하는 방법으로 하나의 측정도구 내 문항들 서로 간에 밀접한 연관성이 있는지 측정문항의 신뢰도를 추정하는 것이다. 이 방법은 주로 크론바흐 알파(Cronbach α)라는 통계량을 사용하며, 도출한 통계량이 0.70 이상(일부 문헌에서는 0.60 이상)이면 측정문항들 간에 내적 일관성이 있는 것으로 본다.

㉢ **타당도와의 관계❶**: 타당도가 높으면 신뢰도가 높다고 할 수 있지만, 신뢰도가 높다고 해서 반드시 타당도가 높다고 할 수는 없다.

㉣ 신뢰도 제고방안

ⓐ 채점기준의 객관도를 향상시키고 답안 작성시간을 적절하게 한다.

ⓑ 출제되는 문항수를 늘리거나 측정항목을 늘린다. 즉, 문항 간의 상관관계가 유사한 경우 항목의 수를 늘리면 측정도구의 신뢰도는 높아진다.

❶ 타당도와 신뢰도의 관계

1. 신뢰도는 시험 그 자체의 문제인 반면, 타당도는 시험과 기준과의 관계이다. 즉, 신뢰도는 근무성적이나 근무행태와의 관계가 아니라 시험성적 그 자체의 문제이다. 한편, 타당도는 항상 근무성적, 결근율, 안전사고 등 근무행태의 여러 측면과의 관계에서 나타난다.

2. 신뢰도가 있어야 타당도의 문제를 검토할 의미가 있다.

3. 신뢰도는 타당도의 필요조건이지 충분조건은 아니다. 즉, 타당도가 높으면 신뢰도는 높다고 말할 수 있다(명제: 참). 그러나 신뢰도가 높다고 해서 타당도가 높다고 말할 수는 없다(역: 거짓).

4. 신뢰도가 낮다면 타당도도 낮다고 할 수 있지만(대우: 참), 타당도가 낮다고 신뢰도가 낮은 것은 아니다(이: 거짓).

핵심 OX

01 추상적 요소가 측정도구에 의해서 제대로 측정된 정도를 구성타당도라고 한다. (O, X)

02 내용타당도는 측정도구의 측정결과가 보여주는 일관성을 말하는 것으로 같은 사람에게 여러 번 반복하여 시험을 치르게 하더라도 결과가 크게 변하지 않는 정도를 말한다. (O, X)

01 O
02 X 신뢰도에 대한 설명이다.

ⓒ 측정도구를 구성하는 문항을 분명하게 작성한다.

ⓓ 측정자의 태도와 측정방식의 일관성이 유지되어야 한다.

ⓔ 사전에 신뢰도를 검증받은 표준화된 측정도구를 이용하여 측정하여야 한다.

③ 객관도(채점자의 객관성, 신뢰성의 한 조건)

㉠ 시험결과가 채점자의 주관적인 편견이나 시험의 외적 요인에 의하여 차이를 나타내지 않는 정도이다. 특히 주관식 시험의 경우에 문제가 되는 경우가 많다.

㉡ 여러 명의 채점자가 동일답안을 채점한 결과의 차이가 적을수록 객관도가 높다.

④ 난이도(변별력)

㉠ 시험이 쉽고 어려운 정도로서 쉬운 문제와 어려운 문제의 혼합비율이다.

㉡ 시험의 내용이 적정하여 득점차가 적당하게 분포되도록 하는 것으로서 난이도가 적당해야 시험의 변별력이 생긴다.

⑤ 실용도

㉠ 시험실시의 기능성과 편의에 관한 기준이다. 즉, 시험의 관리비용이 적게 들고 시험의 실시 및 채점이 용이하여야 한다는 것이다.

㉡ 기준: 실시비용의 저렴성, 실시와 채점의 용이성, 이용가치의 고도성, 응시자의 균등한 기회부여 등이 있다.

3. 채용후보자명부 및 기관 추천

(1) 채용후보자명부

① **채용후보자명부에의 등록**: 시험이 끝나고 합격자가 결정되면 시험실시기관은 이들의 등록을 받아 채용후보자명부를 작성한다. 채용후보자명부에는 시험성적 이외에 추천이나 채용에 도움이 되는 정보도 함께 기록한다.

② **유효기간**: 채용후보자명부의 유효기간은 2년의 범위에서 대통령령 등으로 정한다. 다만, 시험실시기관의 장은 필요에 따라 1년의 범위에서 그 기간을 연장할 수 있다.

③ **임용**: 임용권자는 추천된 7급 및 9급 공무원 채용후보 중 최종 합격일부터 1년이 지난 사람은 임용의 유예, 교육훈련 등의 불가피한 사유를 제외하고는 지체 없이 임용하여야 한다.

(2) 기관 추천

① **채용후보자의 추천**: 채용후보자명부가 작성되면 시험실시기관의 장은 각 기관의 결원 및 예상결원을 감안하여 채용후보자명부에 등재된 채용후보자를 시험성적, 훈련성적, 전공분야, 경력이나 적성 등을 고려하여 임용권자나 임용제청권자에게 추천하여야 한다.

② **추천방법**: 단일, 3배수, 5배수 추천제 등이 있다. 우리나라의 경우 단일추천제와 지정추천제(특별추천제)를 채택하고 있는데, 단일추천제가 보다 일반적이다.

4. 시보임용*

(1) 의의
임용권자는 추천받은 신규채용후보자를 바로 정규공무원으로 임명하는 것이 아니라 이들을 시보로 임용하여 시보기간을 거치게 한다.

(2) 목적
① 채용후보자에게 채용예정직무의 업무를 상당기간 동안 실제로 수행할 기회를 주고, 이를 관찰해서 그 적격성을 결정하려는 것으로서 부적격자를 사후에나마 배제하려는 것이다.
② 시험과정의 연장으로서 실적주의의 보완책이며, 미국의 조건부 임용제도와 유사하다.

(3) 시보제도의 기간
5급 공무원 신규채용의 경우에는 1년, 6급 이하 공무원은 6개월로 시보기간을 규정하고 있다.

(4) 신분보장 여부❶
① 시보기간 중에는 신분보장이 제한적이다. 시보기간 동안에 근무성적이 양호한 경우에는 정규공무원으로 임용되며, 불량한 경우에는 면직이 가능하다.
② 휴직기간, 직위해제기간 및 징계에 의한 정직 또는 감봉처분을 받은 기간은 시보임용기간에 산입하지 아니한다.

5. 임명 및 보직부여(배치)

(1) 의의
① 시보공무원은 시보기간 중 근무성적이 양호한 경우에는 시보기간이 끝난 뒤 정규공무원으로 임용된다. 임명이 되면 초임 보직을 부여받는다.
② 우리나라 「국가공무원법」은 소속공무원을 보직함에 있어서 당해 공무원의 전공분야, 훈련, 근무경력, 전문성 및 적성 등을 고려하여 그 적격한 직위에 임용하여야 한다고 규정하고 있다.

(2) 임용권자(국가직공무원)❷
① 5급 이상: 행정기관 소속 5급 이상 공무원 및 고위공무원단에 속하는 일반직공무원은 소속장관의 제청으로 인사혁신처와 협의를 거쳐 국무총리를 경유하여 대통령이 임용한다. 다만, 고위공무원단에 속하는 일반직공무원의 경우 소속장관은 당해 기관에 소속되지 아니한 공무원에 대해서도 임용 제청을 할 수 있다.
② 6급 이하: 소속장관은 6급 이하 나머지 소속공무원에 대한 일체의 임용권을 가진다. 대통령은 5급 이상 임용권의 일부(4·5급의 파면징계권 등)를 소속장관에게 위임할 수 있으며, 소속장관도 6급 이하 임용권의 일부와 대통령으로부터 위임받은 임용권의 일부를 그 보조기관 또는 소속기관의 장에게 위임 또는 재위임할 수 있다.

📖 용어

시보임용*: 시보제도라고도 하는데 초임자의 적응훈련을 주요 목적으로 하며, 주로 신규채용자를 대상으로 실시되는 것을 말한다. 시보제도를 통해 공무원으로서의 적격성 여부를 판단하게 된다.

❶ 시보공무원의 소청제기 여부
시보공무원의 소청제기는 가능하다. 「국가공무원법」상 시보공무원에게 징계처분을 할 수 있도록 되어 있고, 직권면직이나 기타 불이익처분을 줄 수도 있다. 시보제도는 공무원으로서의 자질과 능력 등 적격성을 심사하는 것이므로 시보기간 중 비위를 범하면 당연히 제재를 가하게 된다. 현행 법령상 시보공무원에게 소청심사청구를 제한하는 특별한 근거규정도 없다.

❷ 지방직공무원의 임용
지방직공무원의 임용권자는 지방자치단체의 장 또는 지방자치단체 교육감(교육공무원)이다.

핵심 OX ────────

01 시보공무원은 채용시험의 합격자를 대상으로 실시되기 때문에 정규공무원과 동일하게 신분이 보장된다. (O, X)

01 X 시보공무원에 대해서는 정규공무원과는 달리 신분보장을 받지 못한다.

3 승진

1. 의의 및 효용

(1) 의의
① 승진이란 하위직급에서 직무의 책임도와 곤란도가 높은 상위직급으로의 종적·수직적 이동이다.
② 승진에는 일반승진, 특별승진, 근속승진 등이 있다.
③ 승진은 횡적·수평적 이동인 전직 또는 전보와 구별되며, 동일한 직급 내지 등급에서 호봉만 올라가는 승급과도 구별된다.

(2) 효용
① **유능한 인재의 확보와 양성**: 적재적소에 공무원을 효율적으로 활용할 수 있으며, 개개 공무원의 기대충족을 통해 이직을 방지함으로써 전체 공무원의 질을 확보할 수 있다.
② **사기의 앙양**: 승진을 통해서 공무원의 성공에 대한 기대감이 충족됨으로써 사기를 앙양하고 인간관계를 활성화시킨다.
③ **공무원의 능력발전 도모**: 공무원이 승진을 위하여 제각기 자신의 능력을 발전시킬 동기를 제공해 준다. 이는 승진관리가 공평하게 되어야 함을 전제로 한다.
④ **인적자원의 활용**: 공무원 인적자원의 배분이나 활용에 있어서 능률성을 촉진시킨다.

2. 범위

(1) 승진기회의 발생
① **신규채용비율이 높아지는 경우**: 환경변화로 인한 신규행정수요에 대하여 신속하고 전문적인 대처를 통해서 행정의 전문화 및 공무원의 질 향상을 기할 수 있고 공직의 침체를 방지할 수 있다.
② **재직자의 승진비율이 높아지는 경우**: 재직자의 사기앙양과 신분보장으로 인한 행정의 일관성 유지, 젊은 사람을 채용하여 평생 봉직하게 하는 직업공무원제의 확립에 기여할 수 있다.

(2) 승진의 한계(승진할 수 있는 정도)
① **폐쇄형**: 최하위 계층에만 문호가 개방되어 개방형에 비하여 높이 승진할 수 있다. 즉, 승진의 한계가 높다.
② **개방형**: 모든 계층에 문호가 개방되어 외부인사의 영입 때문에 자체 승진의 제약이 많다. 즉, 승진의 한계가 낮다.
③ 승진의 한계가 높을 경우 사기가 앙양되나, 관료의 권력이 강화되어 민주적 통제가 곤란해지는 문제가 발생한다.

3. 기준

(1) 근무성적평정(주관적 기준)

① 의의: 근무성적평정, 인사권자의 개인적 판단 등을 기준으로 승진·임용하는 것이다.

② 주관적 기준의 장단점

    ㉠ 장점

        ⓐ 경쟁의 원리를 통한 조직의 생산성 향상에 기여한다.

        ⓑ 평가의 타당성을 제고하고 지적 수준이 높은 자의 임용이 가능해진다.

        ⓒ 일한 만큼, 능력만큼 승진을 대가로 받기 때문에 동기부여효과가 크다.

    ㉡ 단점

        ⓐ 주관적 기준을 적용함에 있어 평가를 정확하게 해야 하는 문제점이 있다.

        ⓑ 공동체의식이나 협동정신을 바탕으로 하는 조직의 결속력을 해칠 수 있다.

(2) 경력평정(객관적 기준)

① 의의: 경력으로서의 근무연한, 학력, 경험 등을 기준으로 승진시키는 것이다.

② 객관적 기준의 장단점

    ㉠ 장점

        ⓐ 정실개입이나 인사청탁의 문제를 극복하여 객관성을 확보할 수 있다.

        ⓑ 행정의 안정성과 직업공무원제의 확보에 기여한다.

    ㉡ 단점

        ⓐ 기관장의 부하통솔을 어렵게 만든다.

        ⓑ 선임순위의 중시로 공직사회의 침체 및 관료주의화를 조장할 수 있다.

4. 우리나라의 승진제도

(1) 일반승진과 특별승진

① 일반승진

    ㉠ 근무성적평정

        ⓐ 현 직위에서 과거의 업무수행을 평가한 것이다.

        ⓑ 90%를 반영하되, 95%까지 가산하여 반영할 수 있다.

    ㉡ 경력평정

        ⓐ 직무상의 경험과 그 근무연한을 반영하는 것이다.

        ⓑ 10%를 반영하되, 5%까지 감산하여 반영할 수 있다.❶

    ㉢ 교육훈련성적: 교육훈련의 효과를 확보하기 위하여 반영하는 것으로 우리나라의 경우 이수제이다.

    ㉣ 가점평정: 5급 이하 공무원의 승진후보자명부 작성 시 5% 범위 안에서 가점을 부여하되 가점부여항목과 기준 등에 관한 사항은 소속장관이 정한다.

② 특별승진: 승진후보자명부 순위나 최저승진 소요연수에도 불구하고 승진·임용되는 제도이다.

❶ 승진후보자명부 작성 시 경력평정점의 반영비율 축소
임용권자가 승진후보자명부 작성 시 종전에 5%에서 20%까지 반영할 수 있던 경력평정점의 반영비율을 5%에서 10%까지로 축소하였다(「공무원 성과평가 등에 관한 규정」 제30조 제2항).

핵심 OX

01 승진의 기준 중에서 교육훈련, 근무성적평정은 객관적 기준에 해당한다. (O, X)

02 근무평정, 경력평정과 함께 교육훈련은 승진의 기준으로 적용되어진다. (O, X)

01 X 교육훈련이나 근무성적평정은 승진의 기준 중에 주관적 기준에 해당한다.
02 X 승진은 교육훈련의 한 방안이라고 할 수 있다.

(2) 승진소요 최저연수 및 승진임용의 제한

① **승진소요 최저연수**: 상위직급 승진에 필요한 최소한의 근무기간을 말한다. 우수한 9급 등 하위직 출신 공무원이 보다 빨리 상위계급으로 승진할 수 있도록 승진소요 최저연수를 대폭 단축하였다.

> ✓ **개념PLUS** 계급별 승진소요 최저연수 개선
>
> | 구분 | 계 | 3←4 | 4←5 | 5←6 | 6←7 | 7←8 | 8←9 |
> |------|-----|------|------|--------|------|------|--------|
> | 과거 | 22년 | 5년 | 5년 | 4년 | 3년 | 3년 | 2년 |
> | 현행 | 16년
(-6) | 3년
(-2) | 4년
(-1) | 3.5년
(-0.5) | 2년
(-1) | 2년
(-1) | 1.5년
(-0.5) |

② **승진임용의 제한**: 다음의 경우에는 승진임용이 제한된다.

㉠ 징계의결요구, 징계처분, 직위해제, 휴직, 시보임용기간 중에 있는 경우

㉡ 징계처분의 집행이 종료된 날로부터 일정한 기간❶(금품 및 향응 수수, 공금의 횡령·유용에 따른 징계처분의 경우에 각각 3개월을 더한 기간)이 경과하지 아니한 경우

5. 승진적체

(1) 원인

① 승진지향의 과열과 승진관리의 실책이 원인이다.

② 작은 정부, 여성의 사회진출 확대, 개방형 임용 등은 승진기회를 축소시켰다.

(2) 승진적체의 해소방안

장기적으로는 직위분류제의 확립과 공직구조의 변혁이 필요하다. 단기적으로 현재 추진하고 있는 제도를 살펴보면 다음과 같다.

① **대우공무원제**❷: 공직사회의 승진적체에 따른 사기저하에 대처하기 위해서 소속 공무원 중 당해 계급에서 승진소요 최저연수 이상 근무하고 승진임용의 제한사유가 없으며 근무실적이 우수한 자를 바로 상위직급의 대우공무원으로 선발하여 대우수당을 지급하는 것이다.

② **필수실무관제**

㉠ **지정요건**: 6급 공무원으로서 8년 이상 재직한 5급 대우공무원(경력요건)은 실무수행능력이 우수하고 경험이 풍부한 자로서, 당해 직급에서 계속하여 업무에 정려(精勵)하기를 희망(승진포기)하고 소속장관이 기관운영에 특히 필요하다고 인정한 자(실적요건) 중 48세 이상 53세 미만의 공무원이 그 대상이다. 필수실무관으로 지정된 공무원에게는 예산의 범위에서 월 10만 원을 가산하여 지급할 수 있다.

㉡ **필수실무관에 대한 인사관리**

ⓐ **5급에의 승진제한**: 필수실무관으로 지정된 자는 '당해 직급'에서 계속업무에 정려하기를 희망한 자이기 때문에 5급으로 승진임용할 수 없다.

❶ 일정한 기간
1. 강등·정직: 18개월
2. 감봉: 12개월
3. 견책: 6개월

❷ 대우공무원제의 예
1급(관리관) 대우, 5급(행정사무관) 대우, 7급(행정주사보) 대우 등이며 예산의 범위에서 해당 공무원 월 봉급액의 4.1%를 대우공무원수당으로 지급할 수 있다.

ⓑ **전보의 제한:** 필수실무관에 대하여는 축적된 경험과 실무수행능력을 최대한 발휘할 수 있도록 관련부서 및 직위에 보직하도록 하고 다른 부서로의 전보는 지양한다.

③ **복수직급제:** 조직계층상 동일수준의 직위에 계급이 다른 사람을 배치하는 것이다. 예를 들어 4급 공무원이 3급으로 승진하면서 보직은 과장이라는 직위에 머물러 있는 것이다. 원칙적으로 서기관이 맡게 되어 있는 과장의 직위에 부이사관도 배치할 수 있게 하는 것이다.

④ **통합정원제:** 통합정원제는 7급 이하의 경우 정원을 통합 관리함으로써 직급별 정원에 구애받지 않고 승진할 수 있도록 하는 것이다.

⑤ **근속승진제**

㉠ 근속승진제는 일정기간 복무한 공무원을 자동으로 승진시키는 것이다.

㉡ 승진후보자명부 작성을 단위기관별로 운영하되, 7급은 12년 이상, 8급은 8년 이상, 9급은 7년 이상 재직한 공무원에 대하여 적용한다.

---

3 공무원의 능력발전

1 교육훈련

1. 의의 및 목적

(1) 의의

① 교육훈련은 직무수행능력을 향상시킬 목적으로 지식, 기술, 태도, 가치관의 변화를 촉진하는 계획된 활동으로 이를 통해서 공직자를 일정수준의 지식, 기술, 가치관, 태도 등에 도달하게 하려는 것이다.

② 우리나라의 경우 '선교육·후승진' 원칙을 적용하여 교육훈련과 승진을 직접적으로 연계하고 있었기 때문에 교육훈련이 공직자의 능력개발이라는 본래의 목적보다는 승진을 위한 수단으로 전락하고 있었다. 이러한 문제점에 따라 2007년부터는 교육훈련성적이 승진의 기준에서 빠지며, 따라서 선교육·후승진의 원칙도 적용되지 않게 된다.

(2) 목적 및 필요성

① 공무원의 인적자본을 축적시키는 데 기여한다.

② 직무의 변동과 예방행정의 구현에 필요하며 특수임무에 대한 교육이 가능하다.

③ 가치관과 태도의 변화를 통하여 행정개혁의 성공을 보장할 수 있다.

④ 조직목표나 가치관의 내면화를 기할 수 있다.

⑤ 민간과의 경쟁에서 생존하기 위해서 필요하다.

⑥ 직무에 대한 자신감의 고양으로 공무원의 사기가 앙양될 수 있다.

2. 과정 및 종류

(1) 과정

① **교육훈련의 수요조사**❶: 교육훈련수요는 직무가 요구하는 지식 · 기술 · 능력 · 태도와 공무원이 현재 가지고 있는 직무능력의 차이로 정의된다. 교육훈련을 체계적으로 실시하기 위해서는 교육훈련수요의 파악이 반드시 필요하다.

② **교육훈련프로그램 개발과 실시**: 수요조사가 완료되면 수요를 충족시킬 수 있는 교육훈련프로그램이 개발되거나 수정되어야 한다. 이때 프로그램은 교육훈련대상자의 지식 · 기술 · 능력 · 태도 · 가치관 · 대인관계 등의 변화를 유도하기 위한 계획이다.

③ **개인의 변화**: 교육훈련프로그램에 따라 훈련을 실시하여 개인의 변화를 유도한다.

④ **효과성 평가**: 교육훈련에 대한 평가를 한다.

(2) 종류

① **신규채용자훈련(기본훈련)**: 신규채용된 공무원이 어떤 직위의 직책을 부여받기 전에 받는 훈련이다. 이는 기관의 목적, 구조, 기능 등 일반적 내용과 직책에 대한 내용을 알려 주는 것이다.

② **재직자훈련(보수훈련)**: 새로운 지식, 기술 및 가치관을 습득하고 급변하는 행정환경의 변화를 수용해 그에 적절히 대처하기 위한 훈련이다. 일정한 기간을 정하여 집중적으로 실시되기도 하고, 해외파견 등의 방법이 사용되기도 한다.

③ **감독자훈련**: 행정조직의 감독자는 업무를 감독하고 부하를 관리하며 부서를 총괄하는 책임을 지는데, 이에 대한 훈련이다.

④ **관리자훈련**: 관리자의 정책결정과 기획수립에 필요한 의사결정능력을 함양시키는 훈련이다.

⑤ **특별훈련(정부고유업무 담당자에 대한 훈련)**: 경찰, 소방, 교정, 세무 등의 업무는 정부에만 있는 것이므로, 민간에서 그 경험을 쌓을 수 없어 특별한 훈련이 필요하다.

3. 방법❷

훈련의 목적	훈련방법
지식의 축적	독서, 강의, 토의, 시찰, 사례연구
기술의 연마	시범, 사례연구, 토의, 진보, 연기
태도 · 행동의 변경	연기, 시범, 사례연구, 토의, 회의, 감수성 훈련, 전보, 영화

(1) 현장훈련(OJT; On the Job Training)

① 의의

㉠ 피훈련자가 직무를 수행하는 과정에서 현장에서 직접 감독자 또는 선임자로부터 훈련을 받는 것이다.

㉡ 실무지도에서의 상관과 부하의 관계는 마치 가정교사와 학생과의 관계처럼 아주 우호적인 분위기 속에서 지도 · 조언 · 답변 · 격려를 통하여 부하의 변화를 유도한다. 그러므로 신규채용자훈련이나 재직자훈련(in-servic training)에 흔히 활용되고 있다.

② 유형

실무지도	일상 근무 중 상관이 부하에게 실무능력을 가르치는 것이다.
직무순환	여러 분야의 직무를 경험하도록 순환하는 것이다.
임시배정	앞으로 맡게 될 임무에 대비하여 잠시 배정하는 것이다.
인턴십	전반적인 업무를 간단히 경험하는 것이다.

(2) 현장 외 훈련(교육원훈련)

① 강의

   ⊙ **의의**: 가장 오래되고 널리 활용된 방법으로, 다수의 인원을 대상으로 똑같은 정보를 가장 효율적으로 전달해 줄 수 있는 대표적인 훈련방법이다.

   ⓛ **특징**: 참여자의 질문을 받기도 하지만, 전반적으로 일방적인 정보의 흐름이 특징이다. 교관의 강의방식에 따라 교육효과의 차이가 크다.

   ⓒ **장단점**

      ⓐ **장점**: 한꺼번에 많은 수의 인원을 교육시킬 수는 있다.

      ⓑ **단점**: 창의성이 떨어지고 주입식 교육이 되기 쉽다.

② **토론 및 토의**

   ⊙ **의의**: 쌍방 간의 정보를 직접 주고받는 과정을 거치는 것이다.

   ⓛ **특징**: 진행자가 있어 참여자들에게 주제를 자유롭게 토론할 수 있도록 유도한다. 진행자는 토론결과를 요약하고 토론내용이나 방식에 대하여 비판적 조언을 줄 수 있어야 한다.

   ⓒ **장단점**

      ⓐ **장점**: 정보의 교환이 유리하고 민주적이며 창의력을 높일 수 있다.

      ⓑ **단점**: 참가인원이 제약되고 비경제적인 문제점이 있다.

   ⓔ **토론의 종류**

구분	패널 (panel)	심포지엄 (symposium)	포럼 (forum)
주제	하나의 주제	다수의 주제	없음
토론 방식	발표자 간 토론	발표자 간 토론	공개적 토론
방청객의 참여	없음	제한	있음

③ **사례연구(case study)**

   ⊙ **의의**: 1871년 하버드의 랑델(Langdell) 교수가 확립한 방법으로 일정한 사례를 여러 사람이 사회자의 지도하에 공동으로 연구하여 문제점을 도출하고 그에 대한 대안을 모색하는 것이다. 즉, 실제 조직생활에서 경험한 사례나 또는 가상의 시나리오를 가지고 문제해결방식을 찾는 토론이다.

   ⓛ **특징**

      ⓐ 직접 발표를 듣거나 인쇄된 자료를 통하여 사례를 미리 검토한 후 문제점과 해결방안을 자유롭게 토론하도록 한다.

      ⓑ 참여자들이 실제로 가까이서 경험할 수 있는 사례일수록 토론이 진지해지며, 거기서 얻는 문제해결능력이 실무에 쉽게 활용될 수 있다.

④ **역할연기(role playing)❶**

   ⊙ **의의**: 실제 근무상황을 부여하고 특정 역할을 직접 연기하도록 한다. 보통 자신과 반대되는 입장의 역할을 부여한다.

   ⓛ **특징**

      ⓐ 양자 간 인식의 차이를 발견함으로써 상대방에 대한 이해와 관용을 키울 수 있다.

❶ 역할연기의 예
상관에게 부하의 역할을, 공무원에게 민원인의 역할을 부여하는 것이 있다.

ⓑ 감독자훈련에 적합하고 고객에 대한 태도개선(공무원의 대민친절도 향상)에 효과적이다.

⑤ **감수성훈련❶**

㉠ **의의**: 서로 모르는 10명 내외의 소집단을 만들어 솔직하게 자신의 느낌을 말하고 다른 사람이 자신을 어떻게 생각하는지를 듣게 함으로써, 태도와 행동의 변화를 유도하여 대인관계기술을 향상시키려는 것이다.

㉡ **특징**

ⓐ 훈련을 진행시키는 전문가의 역할이 상당히 중요하다. 인위적인 개입 없이 자연스럽게 감정을 주고받을 수 있는 분위기를 만들어야 한다.

ⓑ 훈련을 통하여 타인에 대한 편견을 줄이고 개방적인 태도를 취하는 효과를 가져 올 수 있기 때문에 성인의 태도와 행동을 변화시키는 가장 효과적 방법으로 본다.

⑥ **신디케이트(syndicate, 분임토의)**

㉠ **의의**: 피훈련자들을 균형이 잡힌 몇 개의 반으로 편성하여, 편성된 반을 중심으로 연구과제를 주고 이에 대한 문제를 토론하고 해결하는 방법이다.

㉡ 우리나라 고위직 공무원의 훈련방식인 분임토의*가 이와 유사하다.

⑦ **모의실험(simulation)**

㉠ **의의**: 피훈련자가 업무를 수행함에 있어 실제와 유사한 가상적 상황을 꾸며 놓고 거기에 대처하도록 하는 훈련방법이다.

㉡ **한계**: 실제상황이 모의실험상황과 완전히 일치하기 어렵다.

◈ 핵심정리   현장훈련과 교육원훈련의 장단점 비교

구분	현장훈련(OJT)	교육원훈련(Off-JT)
장점	· 구체적이고 실제적인 훈련 · 상사나 동료 간 이해와 협동정신의 강화 및 촉진효과 · 훈련으로 학습 및 기술향상을 알 수 있으므로 구성원의 동기유발효과 · 구성원의 습득도·능력에 맞게 훈련	· 현장의 업무수행과는 관계없이 예정된 계획에 따라 체계적인 교육이 가능 · 전문적인 교관이 실시하며, 많은 종업원들에게 동시에 교육이 가능 · 교육생은 업무부담에서 벗어나 훈련에 전념하므로 교육효과가 높음
단점	· 예정계획에 따라 체계적인 훈련 실시 곤란 · 일과 훈련 모두 소홀히 할 가능성 발생 · 우수한 상관이 반드시 우수한 교관은 아님 · 교육훈련의 내용과 수준의 통일 곤란 · 전문적인 고도의 지식과 기능을 가르치기 어려움	· 교육훈련의 결과를 바로 현장에 적용·활용하기 어려움 · 직무수행에 필요한 인력 감소. 즉, 부서에 남아 있는 종업원의 업무부담이 증가 · 방만한 프로그램 운영으로 인한 과다한 훈련비용 발생

(3) 역량기반 교육훈련제도(competency-based curriculum, CBC)

전통적 교육훈련의 한계를 극복하고, 역량진단을 통한 문제 해결 및 현실 적용성을 제고하기 위한 방안으로 도입되었다.

① **멘토링(mentoring)**

㉠ **의의**: 개인 간의 신뢰와 존중을 바탕으로 조직 내 발전과 학습이라는 공통 목표의 달성을 도모하고자 하는 상호 관계를 말한다.

ⓛ **특징**: 조직 내에서 경험과 전문지식이 많은 멘토가 일대일 방식으로 멘티를 지도함으로써 핵심인재의 육성 및 지식 이전, 조직구성원들 간의 학습활동 촉진을 기대할 수 있다.

② **학습조직(learning organization)**

ⓐ **의의**: 조직 내 모든 구성원의 학습과 개발을 촉진시키는 조직형태로 지식의 창출 및 공유와 상시적 관리역량을 갖춘 조직이다.

ⓛ **장단점**

    ⓐ **장점**: 암묵적 지식으로 관리되던 조직의 내부 역량을 구체화시켜 체계적으로 관리할 수 있으며, 조직구성원의 적극적 참여를 통한 새로운 지식 창출을 촉진한다.

    ⓑ **단점**: 학습조직 운영을 위한 구체적인 조직설계의 기준을 제시하기 어렵다.

③ **액션러닝(Action Learning)**

ⓐ **의의**: 이론과 지식 전달 위주의 전통적인 강의식·집합식 교육의 한계를 극복하고 참여와 성과 중심의 교육훈련을 지향하는 대표적인 역량기반 교육훈련방법이다. 교육참가자들이 팀을 구성하여 실제 현안문제를 해결하면서 동시에 문제해결과정에 대한 성찰을 통해 학습하도록 지원하는 행동학습(learning by doing)으로서, 이론과 실제, 교육과 행정을 연결한 적시형 학습(just in time iearning)형태로 떠오르고 있다. 주로 관리자훈련에 사용되는 교육방식으로 우리나라의 경우 고위공무원단의 교육훈련에 사용하고 있다..

ⓛ **절차**: ⓐ 액션러닝을 위한 상황 파악 → ⓑ 액션러닝 팀 선정 및 조직 → ⓒ 브리핑 및 제한범위 설정 → ⓓ 팀의 상호작용 촉진 → ⓔ 해결방안 규명 및 검증권한 부여 → ⓕ 결과평가 → ⓖ 향후 방향설정의 단계 순으로 진행된다.

ⓒ **방향(전통적인 교육훈련 → 액션러닝)**

기준	전통적인 교육훈련	액션러닝
패러다임	공급자 중심의 교수	수요자 중심의 학습
이론과 실천의 관계	이론과 실천의 분리	이론과 실천의 통합
교수-학습전략	주입식	참여적
적합영역	전문적 지식 및 기술의 단기간 집중적 훈련	일반적 경영관리능력 개발
교육생의 역할	수동적 지식의 흡수자	적극적 참여자

④ **워크아웃 프로그램**[1]**(work out program)**

ⓐ **의의**: 조직의 수직적·수평적 장벽을 제거하고, 전 구성원의 자발적 참여에 의한 행정혁신, 관리자의 신속한 의사결정과 문제해결을 도모하는 방식이다.

ⓛ **특징**: 워크아웃 프로그램은 1980년대 후반부터 미국 GE사의 전략적 인적자원개발 프로그램으로 활용되었으며, 정부조직에서도 정책현안에 대한 각종 워크숍의 운영을 통해 집단적 토론과 함께 문제해결방안을 모색하고, 개별 공무원의 업무 역량을 제고하기 위한 목적에서 적극 활용되고 있다.

[1] 워크아웃 프로그램(work out program) 기업의 재무구조 개선작업 포함하는 제너럴일렉트릭의 독창적인 경영체질 강화운동을 말한다. 무의미한 습관을 제거하고(work out) 사원들의 노력(work out)을 통해 업무상 불필요한 부분을 없애고 문제를 제거(work out)하는 것을 말한다. 즉, 업무 속에 배어있는 그릇된 습관을 퇴치하는 것이다.

2 우리나라 교육훈련의 문제점과 대안

1. 형식적인 수요조사

(1) 문제점

교육훈련의 수요조사가 형식적인 경우가 많다. 각 부처에서는 인사담당자가 교육훈련실시계획서를 회람시키지도 않은 상태에서 승진대상자나 미이수자 등을 교육훈련관리의 대상자로 자의적으로 판단하여 결정한다.

(2) 대안

다양한 인센티브를 부여하는 등 정부와 공무원 개인의 노력으로 교육훈련수요의 실질화를 기하여야 한다.

2. 교육훈련프로그램의 문제점과 대안

(1) 프로그램 및 체계의 문제

① 문제점: 교육훈련프로그램의 목표가 불명확한 경우가 많고, 현장훈련이 거의 이루어지지 못하고 있으며, 각급 교육기관이 상호 유기적 관련성이 없는 경우가 많다.
② 대안: 강의 위주의 교육에서 벗어나 다양한 프로그램을 개발하고, 현장훈련을 활성화하여야 한다.

(2) 관리자의 비협조와 피훈련자의 저항

① 문제점: 관리자는 부하직원의 교육훈련으로 인한 업무수행의 지장을 염려하며, 피훈련자는 교육훈련 발령을 자신의 능력에 대한 불신이나 불리한 인사조치로 이해하고 저항하게 된다.
② 대안: 조직 내 교육훈련으로 인한 공백을 최소화하기 위하여 인력배치가 필요하며, 피훈련자의 교육훈련에 대한 충분한 이해와 숙지가 필요하다.

(3) 저조한 교수 확보율

① 문제점: 전문적인 교육훈련을 위해서는 유능한 교수의 확보가 중요하나 전임교수 확보율이 매우 저조하다.
② 대안: 전임교수 확보에 대한 적극적인 투자가 필요하다.

3. 교육훈련평가의 문제점과 대안

(1) 문제점

정형화된 설문지 수집, 낮은 활용도, 강사에게는 평가결과를 통보하지 않는 등의 문제가 있다.

(2) 대안

올바른 교육훈련을 위해서는 반드시 사후적인 명확한 평가가 필요하다.

4 공무원의 직무역량과 유연근무제

1 직무역량

1. 의의

공무원이 직무수행을 위해 필요한 능력이나 조건요소들을 직무역량이라 할 수 있고, 일정한 직위에 필요한 대표적 요소들을 완결성 있게 구축한 형태를 역량모델이라 한다. 이러한 직무역량은 모두 '정부조직에서 하나의 역할을 효과적으로 수행하기 위해 필요한 지식과 기술, 태도의 집합체'라고 할 수 있다.

2. 공무원의 직무역량

(1) 전통적 관료제로부터 신공공관리론을 거쳐 뉴거버넌스가 형성되면서 정부의 역할은 물론 공무원에게 요구되는 역량 또한 달라지고 있다.

(2) 공무원에게 기대되는 주요 직무역량으로 상위직은 리더십(Leadership), 중위직은 전문성(Speciality), 하위직은 서비스(Service)이다.

3. 역량기반 교육

(1) 의의

조직이 목표로 하는 성과를 창출하는데 필요한 역량을 규명하고, 이를 조직구성원들이 인식하고 학습하여 실천하는 과정을 말한다.

(2) 기대효과

① 인재육성차원

㉠ 부서별 특성에 부합하는 인재육성 계획수립 및 실행방안을 제고한다.

㉡ 성과지향적 교육과정개발의 근거를 제공하며, 합리적 평가기준의 개발과 활용이 가능하다.

㉢ 타 부서의 필요역량에 대한 정보습득이 용이하여 경력개발제도(CDP)에 적용할 수 있다.

② 인력관리차원

㉠ 신규인력의 채용 및 선발기준 및 기존인력에 대한 교육·승진·보상의 근거로 활용할 수 있다.

㉡ 부서별 직무역량 보유자의 식별과 적절한 인력배치의 활용이 가능하다.

㉢ 업무수행의 목적이나 가치를 인식하여 업무완결성이 강화된다.

2 경력개발제도(CDP)

1. 의의

(1) 개념

① 조직구성원이 장기적인 경력목표를 설정하여 달성하기 위한 경력계획을 수립하고 능력을 개발해 나가도록 하는 인적자원관리과정을 말한다.

② 광의의 경력개발제도는 조직구성원의 자기발전욕구를 충족시켜 주면서 조직에 필요한 인재를 육성하고, 조직목표달성을 이룩하고자 하는 총체적인 인사관리 활동을 말한다. 협의의 경력개발제도는 조직구성원 개인이 하나의 조직 내에서 거치게 되는 보직경로를 합리적으로 결정·관리해주는 인사관리활동을 말한다.

(2) 연혁

경력개발프로그램은 제2차 후버(Hoover) 위원회의 구상에 따라 1955년 미국 연방정부에 최초로 도입되었으며, 우리나라에서는 2005년 12월 「공무원임용령」을 개정하면서 도입하였다.

2. 구성요소

(1) 경력계획(career planning)

구성원이 경력목표와 추진단계(경력통로) 및 성취수단을 결정하는 활동으로, 경력에 관한 희망과 이를 실현할 수 있는 기회를 조화시키는 과정이다.

(2) 경력관리(career management)

인적자원의 효율적 활용을 통한 조직목표의 성취를 목표로, 조직구성원으로 하여금 입직부터 퇴직 시까지 경력경로를 설계하도록 도와주고 개인의 역량개발 및 성과평가와 연관시켜 관리해줌으로써 조직이 원하는 맞춤형 인재를 육성하는 활동이다.

3. 원칙

적재적소의 원칙	직무적성과 능력에 맞는 직무간의 조화를 추구한다.
승진경로의 원칙	구성원에게 맞는 적합한 승진경로모형을 적용한다.
인재양성의 원칙	인재는 외부영입이 아닌 내부인재양성을 원칙으로 한다.
직무역량의 원칙	직급이 아닌 직무가 요구하는 역량 개발에 중점을 둔다.
공정경쟁의 원칙	구성원들에게 경력개발의 기회를 균등하게 부여한다.
자기주도의 원칙	구성원들이 경력목표와 경력계획을 스스로 수립한다.

4. 효용

(1) 개인적 측면

① 직업생활의 계획적 관리를 통해 구성원의 능력 향상과 적성·소질 계발을 통해서 자기계발을 유도한다.

② 만족스러운 직업생활을 통한 외재적·내재적 보상을 강화시킨다.

(2) 조직적 측면

① 구성원의 좌절과 불만을 해소시키며 적격자를 미리 준비시킬 수 있다.

② 외부로부터의 유능한 인재 영입에 유리하며 조직의 이미지 개선을 통한 생산성 향상에 기여한다.

5. 제도적 방안

자기신고제도	구성원이 직접 직무내용, 적성여부, 능력 활용의 정도, 능력개발에의 희망, 전직희망 등을 기술하여 정기적으로 신고하게 한다.
직능자격제도	직무수행능력의 발휘도·신장도 등을 단계적으로 평가하여 등급화한 자격제도이다.
순환보직제도	담당직무를 순차적으로 이동시켜 직무전반을 이해시키고 경험을 풍부하게 하는 제도이다.
기능목록제도	구성원의 직무수행능력을 평가하는데 필요한 정보를 담은 기초자료를 만드는 것이다.
경력상담과 경력계획 워크숍	· 경력상담: 개인의 경력계획을 세우거나 수정하는 과정에서 보충을 해결해 주는 것이다. · 경력계획 워크숍: 구성원이 경력통로목표를 세우고 능력발전방안을 찾을 수 있도록 2~3일간의 워크숍을 실시한다.
전문보직경로제도	전문화된 일반관리자를 양성하기 위한 인사관리체계로서, 인력을 적재적소에 배치하고 한 분야 및 관련 분야에서의 승진, 보직이동, 교육훈련이 이루어져 전문성을 강화시키는 것이다.

3 유연근무제(柔軟勤務制, flexible work place)

1. 의의

근로자가 개인 여건에 따라 근무시간과 형태를 조절할 수 있는 제도이다. 주5일 전일제 근무 대신 재택근무나 시간제, 요일제 등 다양한 형태로 일을 하게 된다. 이는 개인의 특성에 맞는 다양하고 광범위한 근무제도를 도입하여 조직에 유연성과 탄력성을 부과하려는 전략이다.

2. 특징

(1) 근로자의 복리후생 보장

근로시간이 줄어든 만큼 급여는 덜 받게 되지만 시간당 임금과 4대 보험을 비롯한 복리후생이 현재의 정규직 수준으로 보장된다.

(2) 안정된 고용보장 및 사원복지와 근무 만족도의 향상

일정기간이 지나면 해고가 자유로운 기간제 근로자나 파견 근로자보다는 안정된 고용을 보장받는다.

(3) 탄력적 근로시간제의 적용

일이 많을 때는 근로시간을 늘리고 일감이 적을 때는 줄이는 제도로서 업무의 계절적 변동이 큰 업종에서 활용하기 좋다.

3. 유형

(1) 시간선택제 근무(part time work)❶❷

① 통상적인 근무시간(주 40시간)보다 짧은 시간을 근무하는 제도이다.
② 주 20시간 ± 5시간(최장 35시간)을 일하는 정규직공무원으로 오전·오후·야간·격일제 등 다양한 형태로 근무시간대를 조정할 수 있다.

❶ 시간선택제 공무원
1. 시간선택제 채용공무원: 시간선택제로 신규임용하는 정년보장이 되는 공무원
2. 시간선택제 전환공무원: 통상적인 근무를 하던 공무원이 일시적으로 시간선택제로 전환하는 공무원
3. 시간선택제 임기제공무원: 시간선택제이지만, 정년이 보장되지 않고 일정기간 근무하는 공무원

❷ 공무원의 시간선택제 근무
시간선택제 근무 최초 1년간은 해당 계급에서 100% 재직기간으로 산입하며, 이후부터는 근무 시간에 비례한다.

③ 우리나라의 경우 승진과 보수는 근무시간에 비례해 일반공무원규정을 적용받는다.

(2) 탄력근무제

① 주 40시간을 유지하면서 근무시간을 자율 조정하는 제도이다.

② 출퇴근시간을 각각 오전 6시에서 10시와 오후 3시에서 7시 사이에 각자 알아서 정하도록 하고, 대신 오전 10시까지는 모두가 출근해서 3시까지는 근무하도록 하는 것이다.

③ 종류

시차 출퇴근형	· 출근 시간(7~10시)을 자유로이 조정하는 시차출퇴근제(flex time)이다. · 일과 가정의 양립을 원하는 여성들의 경제활동 참여를 유도하는 방안이다.
근무시간 선택형	주 40시간을 유지하면서 1일의 근무시간을 자유로이 조정하는 선택적 근무시간제(alternative work schedule)이다.
집약근무형	주 40시간을 유지하면서 주 5일보다 짧은 시간을 근무하는 집약근무제(compressed work)이다.
재량근무형	기관과 공무원 개인이 별도 계약에 의해 주어진 프로젝트 완료 시 이를 근무시간으로 인정해주는 재량근무제(discretionary work)이다.
집중근무형	핵심근무시간에는 회의·출장·전화 등을 지양하고 최대한 업무에만 집중하도록 하는 집중근무제(core time)이다.
자율복장형	연중 자유롭고 편안한 복장을 착용하도록 하는 자율복장제(free dress code)이다.

(3) 원격근무제(telework)

① 특정 근무장소를 정하지 않고 정보통신망을 이용하여 근무하는 것을 의미한다.

② 종류

재택근무형	업무를 사무실이 아닌 집에서 수행하는 재택근무제(at-home work)이다.
스마트워크 근무형	주거지 인접지의 원격근무용 사무실(스마트 오피스)에 근무하거나 모바일 기기를 이용하여 사무실이 아닌 장소에서 근무하는 스마트워크근무제(smart work)이다.

4. 사례

(1) 외국

글로벌 선진기업을 중심으로 유연근무제 도입이 확산되고 있다. 미국기업의 유연근무제 도입비율은 1996년 31%였지만 2005년 74%로 확대되었다. 일본의 경우도 최근 저출산고령화에 대한 기업과 정부 차원의 공동 대응으로 재택근무제를 활발히 도입하고 있다.

(2) 우리나라

정부는 일과 가정의 양립(Work-life balance, 워라벨)이 가능하도록 유연근무제도(시간선택제, 탄력근무제, 원격근무제)를 시행하고 있다. 공직사회 유연근무 활성화를 위해 기관별 정부업무평가에 포함하는 등 노력한 결과, 유연근무제 이용비율이 2016년 22%에서 2019년 68.6%로 증가하였으며 공직사회에 유연근무제가 안정적으로 정착되고 있다.

5 공무원의 근무성적평정

1 근무성적평정

1. 의의 및 효용

(1) 의의

① 근무성적평정이란 공무원이 일정기간 동안에 수행한 능력, 근무성적, 가치관, 태도 등을 평가하여 재직, 승진, 훈련수요의 파악, 보수결정 및 상벌에 영향을 주는 인사행정상의 한 과정이다.

② 우리나라의 경우, 조선시대 '도목정사(都目政事)*'와 갑오개혁기의 '고과제(考課制)'가 그 기원이다.

③ 과거의 근무성적평정은 공무원에 대한 징벌적 접근방법이었으나, 현재는 임상적 접근방법으로 전환되고 있다.

(2) 효용

① **인사행정의 기준 제공**: 인력계획의 수립, 채용, 선발, 시험관리 등의 합리화와 공정화에 기여한다.

② **공무원의 능력발전**: 공무원의 실력과 능력의 현재상황을 파악하여 부족한 기술과 지식을 파악·보충할 수 있고 경력발전·배치전환의 기회를 제공한다.

③ **시험의 타당도 측정기준 제공**: 시험은 공직에 적합한 자를 선발하는 하나의 과정이지만 장래의 근무능력을 미리 측정하기란 쉽지 않다. 따라서 이의 적합성 여부를 판단하는 하나의 기준으로써 근무성적평정을 이용할 수 있다.

④ **훈련수요의 파악**: 현재의 능력과 실제 담당업무가 요구하는 능력을 비교함으로써 그에 대한 훈련수요를 파악하여 교육훈련을 실효성 있게 할 수 있다.

⑤ **감독자와 부하의 상호 이해관계 증진**: 근무성적평정의 결과를 공개하면 상급자와 부하직원의 이해를 증진시키는 데 더욱 도움을 준다.

⑥ **상벌의 목적으로 이용**: 승진, 전보, 성과급의 지급, 훈련 및 퇴직 등에서 상벌의 목적으로 이용한다. 우리나라의 경우 승진의 기준으로 활용하고 있으나, 보수표 작성에는 이용하지 않는다.❶

2. 방법

(1) 서열법(ranking method)

① **의의**: 피평정자 간의 근무성적을 서로 비교해서 서열을 정하는 방법이다. 여기에는 종합적 순위법과 분석적 순위법이 있다.

② **장점**: 작은 규모의 집단에 사용할 수 있고 특정 집단 내의 전체적인 서열을 알 수 있다.

③ **단점**: 다른 집단과 비교할 수 있는 객관적인 자료를 제시하지 못한다.

(2) 산출기록법

① **의의**: 일정시간 내에 달성한 일의 양을 기준으로 평정하는 방법이다.

② 업무의 성질이 단순·반복적이고 기계적인 경우에만 적용이 가능하다.

📖 **용어**

도목정사*: 고려·조선시대에 이조와 병조에서 관원의 치적을 조사하여 출척(黜陟)과 이동(異動)을 행하던 인사제도로서 여기에는 1년에 한 번 행하는 단도목(單都目: 12월), 두 번 행하는 양도목(6, 12월), 네 번 행하는 4도목(1, 4, 7, 10월)이 있었다.

❶ 근무성적평정과 보수표 작성
근무성적평정은 직무자체를 평가하여 보수표 작성에 이용하는 직위분류제의 직무평가와는 다르며 근무성적평정을 보수표 작성에 이용하지 않는다.

(3) 체크리스트법(probst method) = 사실표지법

① **의의**: 직무와 관련된 일련의 항목(단어나 문장)을 나열하고 그 중에서 평정대상 자에 해당하는 항목을 체크하여 나가는 방식이다. 이때 항목의 중요성에 따라 가 중치를 부여하는 것이 가중 체크리스트법이다.

② 미국 세인트폴 시의 인사과 직원 프로브스트(Probst)가 1930년 고안한 방법으로 프로브스트법이라고 한다.

③ **장점**: 연쇄효과를 최소화할 수 있다.

④ **단점**: 평정항목이 너무 많아 평정업무의 과중을 가져온다.

예

행태	체크란	가중치
근무시간을 매우 잘 지킨다.		4.5
업무가 많을 때에는 기꺼이 야근을 한다.		5.4
책상 위의 문서가 항상 깨끗이 정돈되어 있다.		3.8
동료의 조언을 경청하기는 하나 따르지는 않는다.		1.7

(4) 대인비교법

① **의의**: 대인비교법은 평정요소를 선정하고 평정요소마다 등급을 정한 후 각 등급 마다 평정대상자에 대한 비교의 기준이 될 대표인물을 정하고, 평정대상자를 한 사람씩 대표인물과 비교하여 유사한 등급에 분류함으로써 평정대상자 간 서열 을 정하는 것이다.

② **장점**: 평정기준으로서 구체적인 인물을 활용한다는 점에서 평정의 추상성을 극 복할 수 있고 평정의 조정이 용이하다.

③ **단점**: 객관적인 표준인물의 선정이 어렵고 계량화가 곤란하다.

예

평정요소	친절성				
등급	수	우	미	양	가
대표인물	박찬호	서재응	이승엽	봉중근	김병현
평정대상자	한아름	김조국, 신혜진	서지은, 최성진	송미경	조인국, 남철진

(5) 쌍쌍비교법(雙雙比較法, paired comparison method)

① **의의**: 비교·평가의 대상이 여럿 있을 경우, 순차적으로 두 개씩 짝을 지어 우열 을 평가한 뒤, 그 성적을 종합하여 평가하는 방법이다.

　예 근무성적평정 시 피평정자를 두 사람씩 짝을 지어 비교를 되풀이하며 평정함

② **장점**: 평정자의 주관적 조작을 방지할 수 있고 평정이 용이하다.

③ **단점**: 피평정자의 수가 많을 경우 활용이 곤란하다.

(6) 목표관리법(MBO; Management By Objectives)

① **의의**: 조직단위 내지 조직구성원이 참여과정을 통하여 업무수행목표를 명확하게 체계적으로 설정하고 그 결과를 평가·환류시키는 목표관리방식을 근무성적평 정에 활용한 것이다.

② MBO방식은 중요사건기록법, 평가센터 설치방법과 함께 근접오류(시간적 오차) 를 방지할 수 있는 평정방법이다.

③ 우리나라는 1995년「공무원 평정규칙」에서 4급 이상 공무원들에게 MBO방식을 적용해왔으나, 2005년부터는 직무성과에 의한 직무성과계약제로 전환되었다.

(7) 도표식평정척도법

① **의의**: 가장 대표적인 평정방법으로, 직무평가에서의 점수법과 기본원리는 유사하다.

② **전형적인 평정양식**: 다수의 평정요소와 각 평정요소마다 실적기준을 평가할 수 있는 등급으로 구성되어 있다.

③ **장점**

   ⊙ 일반적으로 직무분석에 기초하기보다 직관과 선험을 바탕으로 하여 평가요소가 결정되는 것으로, 작성이 빠르고 쉬우며 경제적이다.

   ⓛ 평가요소가 모든 직무 및 사람들에게 일반적으로 나타나는 공통적인 속성에 근거하기 때문에 적용범위가 넓다.

   ⓒ 평가자가 해당하는 등급에 표시만 하면 되기 때문에 간단하다.

   ⓔ 평정의 결과가 점수로 환산되기 때문에 평정대상자에 대한 상대적 비교를 확실히 할 수 있어 상벌결정의 목적으로 사용하는 데 효과적이다.

④ **단점**

   ⊙ 평정요소와 등급의 추상성이 높기 때문에 평정자의 자의적 해석에 의한 평가가 이루어지기 쉽다. 예컨대 창의성, 협조성 등의 평정요소는 개념적 조작화가 되지 않고, 등급의 경우에도 '우수'와 '보통'은 사람마다 다른 기준을 가질 수 있기 때문이다.

   ⓛ **연쇄효과**: 첫 번째 평정요소에 대한 평가가 그 다음 평정요소에까지 파급되어 나타나는 연쇄효과의 오류를 범하기 쉽다.

   ⓒ 평정요소 간 중요성에 따른 가중치 결정이 어려운 경우가 많다.

예	평가요소: 전문지식	평정척도
정의	담당직무수행에 직접적으로 필요한 이론 및 실무지식	5 ------ 4 ------ 3 ------ 2 ------ 1 · 5: 담당직무뿐 아니라 직무수행에 필요한 지식을 충분히 갖고 있다.
착안점	· 직무수행에 필요한 지식과 기술의 정도는? · 직무수행에 필요한 법령이나 지침 등의 숙지도는?	· 4: 담당직무수행에 필요한 지식을 충분히 갖추고 있다. · 3: 필요한 지식의 수준이 적정하며 지식부족에 의한 문제는 없다. · 2: 지식부족으로 직무수행에 지장을 가끔 초래한다. · 1: 지식부족 때문에 직무수행에 문제가 크다.

(8) 중요사건기록법(critical incident method)

① **의의**: 피평정자의 근무실적에 큰 영향을 주는 주요 사건들을 평정자로 하여금 기술하게 하거나, 또는 주요 사건들에 대한 설명을 미리 만들고 평정자로 하여금 해당되는 사건에 표시하게 하는 평정방법이다.

② **장점**: 평정자와 피평정자 간의 상담을 촉진하고 사실에 근거한 평가를 하는 것이 가능하다.

③ **단점**: 이례적인 행동을 지나치게 강조하거나 상호비교를 하는 것은 곤란하다.

(9) 강제배분법

① **의의**: 집단적 서열법으로서 등급별로 인원을 강제배분하는 평점방법이다.

② **장점**: 절대평가의 단점인 집중화나 관대화의 폐단을 방지할 수 있다.

③ **단점**: 우수한 두뇌가 몰려 있는 조직이 있다면 강제배분에 의해 선의의 피해를 보는 사람이 있고, 상대적으로 무능력한 공무원으로 구성된 조직은 득을 보는 사람이 발생하게 된다.

④ **우리나라의 강제배분법**: 우리나라의 경우, 2006년부터 5급 이하 근무성적평가는 3등급 이상으로 평가하되, 최상위 등급은 20%, 최하위 등급은 10%를 강제배분하도록 하고 있다.

(10) 행태기준척도법(BARS; Behaviorally Anchored Rating Scales)

① 주관적 판단을 배제하기 위해 직무분석에 기초하여 직무와 관련된 중요 과업분야를 선정하고, 각 과업분야에 대해서 가장 이상적인 과업행태부터 가장 바람직하지 못한 행태까지를 몇 개의 등급으로 구분하여 각 등급마다 중요 행태를 명확하게 기술하고 점수를 할당하게 하는 평정방법이다.

② **도표식평정척도법 + 중요사건기록법**: 행태기준척도법은 도표식 평정척도법이 가지는 평정요소 및 등급의 모호성과 해석상의 주관적 판단개입 그리고 중요사건기록법이 가지는 상호비교의 곤란성을 보완하기 위해서 두 방법의 장점을 통합시킨 것이다.

③ **장점**: 구체적인 행동패턴을 평가척도로 제시하므로 타당성이 높고 참여를 통한 신뢰성을 확보할 수 있으며 임의적이고 주관적인 평가에서 오는 오류를 최소화할 수 있다.

④ **단점**: 각 직무마다 적절한 행동양식을 정의해야 하며 직무가 다르면 별개의 평정양식이 필요하므로 평정표 개발에 많은 시간과 비용이 소모된다. 또한 복잡하고 정교한 작업이 필요하므로 전문가의 확보도 문제된다.

㉔ **평정요소**: 문제해결을 위한 협조능력

등급	행태유형
( ) 5	부하직원과 상세하게 대화를 나누고 그에 대한 해결방안을 내놓는다.
( ) 4	스스로 해결할 수 없으면 상관에게 자문을 구하여 해결책을 모색한다.
( ) 3	스스로 해결하려는 노력은 하나 가끔 잘못된 결과를 초래한다.
( ) 2	부하직원의 의사를 고려하지 않고 독단적으로 결정을 내린다.
( ) 1	어떤 결정을 내려야 할 상황인데 결정을 회피하거나 계속 머무른다.

(11) 행태관찰척도법(BOS; Behavioral Observation Scales)

① 조직구성원의 관찰 가능한 직무관련 행동을 묘사한 한 개의 행동사례에 대해 빈도로 구성된 주요 행태별 척도를 제시한 뒤, 해당 척도를 선택하게 함으로써 평정하는 근무성적평정의 한 방법이다.

② **행태기준(BARS) + 도표식평정척도법**: 행태기준척도법과 마찬가지로 구체적인 행태의 사례를 기준으로 평정하나, 행태기준척도법의 단점인 바람직한 행동과 바람직하지 않은 행동과의 상호배타성*을 극복하기 위하여 도표식평정척도법과 같이 행태별 척도를 제시한 점이 서로 다르다.

📖 **용어**

상호배타성*: 상호배타성이란 아이들이 하나의 대상은 단지 한 개의 이름만 가진다고 가정하는 경향성이다. 아이들이 새로운 단어를 배울 때, 그 단어의 의미와 그 단어가 가리키는 대상은 아직 이름을 모르는 대상이라고 생각하게 되므로 새로운 단어에 의미를 할당하는 데 도움이 될 수 있다. 여기서는 바람직한 행동과 바람직지 않은 행동과의 명확한 구별을 말한다.

③ **장점:** 직무분석에 근거하고 평정요소가 직무와 관련성이 높기 때문에 피평정자에게 행태변화에 유용한 정보를 환류시켜 줄 수 있어 평정의 주관성과 임의성을 줄일 수 있다.

④ **단점:** 성과와 관련된 주요 행위를 정의해야 하며 각 행동별로 척도를 결정해야 하므로 평가척도를 개발하기 어렵고 등급과 등급 간의 구분이 모호하고 연쇄효과의 오류 가능성이 있다.

㉾ BOS방식의 예

역량명: 갈등관리	하지 않는다	매우 드물게 한다	때때로 한다	자주한다	아주 자주한다
갈등당사자끼리 공유할 수 있는 자리를 만든다			✓		
갈등과 관련된 주요 사례를 검토하고 토론한다		✓			
갈등을 해결할 수 있는 최적의 합의점을 찾는다				✓	

◈ 핵심정리 근무성적평정방법의 비교

구분	개념	단점
서열법	평정대상자간의 근무성적을 서로 비교해서 서열을 정함	대규모 집단에 적용 곤란
산출기록법	일정기간 동안의 생산량(근무실적) 평가	복잡하고 질적 업무 적용 곤란
체크리스트법	4~5개의 체크리스트 항목 중 하나를 강제로 고르는 방법	평정항목 작성 곤란, 항목이 많을 경우 혼란
목표관리법 (MBO)	근무과정이나 태도보다는 목표달성도(효과성) 중심의 평정	지나치게 결과에만 치중
도표식평정 척도법	가장 많이 이용되며 한편에는 실적·능력 등의 평정요소를, 다른 한편에는 우열을 표시	등급 간에 기준 모호, 연쇄효과 발생
중요사건기록법	근무실적에 영향을 주는 중요사건들 평정	이례적 행동 강조 위험
강제배분법	집단적 서열법으로 우열의 등급에 따라 구분한 뒤 분포비율에 따라 강제로 배치	역산식 평정 가능성
행태기준척도법 (BARS)	평정의 임의성·주관성을 배제하기 위해 도표식 평정에 중요사건기록법을 가미	상호배타성의 문제발생
행태관찰척도법 (BOS)	행태기준척도법 + 도표식평정척도법	등급 간에 기준 모호, 연쇄효과 발생

핵심 OX

01 행태관찰척도법(BOS)은 도표식 평정 척도법이 갖는 등급과 등급 간의 모호한 구분과 연쇄효과의 오류가 나타날 수 있다. (O, X)

01 O

3. 근무성적평정상의 오류

(1) 연쇄효과(halo* effect)

① 의의: 평정자가 가장 중요시하는 하나의 평정요소에 대한 평가결과가 성격이 다른 나머지 평정요소에도 연쇄적으로 영향을 미쳐 유사한 수준으로 평가결과가 나타나는 것이다. 주로 도표식평정척도법에서 나타난다.

② 대책

㉠ 체크리스트방법(프로브스트식)이나 강제선택법을 사용하여 평정요소 간의 연쇄효과를 가능한 한 배제한다.

㉡ 하나의 평정용지에 하나의 평정요소만을 배열시키는 방법이 있다.

㉢ 각 평정요소별로 모든 피평정자를 순차적으로 평정한다.

㉣ 평정요소의 의미를 명확하게 하고 유사한 요소의 배치를 멀리 떨어지게 하는 등 요소별 배열 순서에 유의한다.

㉤ "피평정자의 외모가 단정하면 그러한 요소와 무관한 신뢰성·협조성·창의성에 대해서도 우수하다."라고 평가하는 경우

(2) 집중화·관대화·엄격화의 오류

① 의의

㉠ 집중화의 오류: 평정척도상의 중간등급을 중심으로 평가하는 경향이다. 아주 높거나 낮은 평가를 하는 데서 오는 심리적 부담을 줄이고자 나타난다.

㉡ 관대화의 오류: 실제수준보다 관대하게 평가하는 경향이다.

㉢ 엄격화의 오류: 흔한 경우는 아니나 실제수준보다 낮게 평가하는 경향이다.

② 극복방안: 집중화·관대화·엄격화의 오류를 방지하기 위해서 강제배분법을 사용한다.

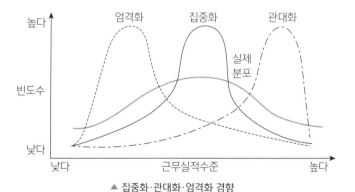

▲ 집중화·관대화·엄격화 경향

(3) 규칙적 오류

관대화 경향과 엄격화 경향으로 인해 평정결과가 언제나 과대 또는 과소 평정으로 나타나는 현상이다.

(4) 총계적 오류

평정자의 평정기준이 일정하지 않아 관대화·엄격화 경향이 불규칙하게 나타나는 현상이다.

(5) 논리적 오류

평정요소 간에 논리적 상관관계가 있다는 관념에 의한 오차이다. 상관관계가 있는 한 요소의 평점점수에 의해 다른 요소의 평정점수가 결정되는 현상이다.

⒩ "IQ가 높은 공무원은 지식수준이 높다."라고 평가하거나, "근무시간이 길었다면 실적이 높다."라고 평가하는 경우

(6) 선입견에 의한 오류[유형화의 오류❶, 고정관념(stereotype), 상동오차]

① **의의**: 평정의 요소와 관계없는 요소(성별 · 출신학교 · 출신지방 · 종교) 등에 대해 평정자가 가지고 있는 편견이 평정에 영향을 미치는 것이다.

② **극복방안**: 이를 방지하기 위해서 피평정자의 신상을 알지 못하게 하는 방안이 고려될 수 있다.

⒩ 직무수행능력과 무관하게 "특정대학 출신자는 일을 더욱 잘한다."라고 평가하는 경우

(7) 시간적 오류(근접효과)

① **의의**: 쉽게 기억할 수 있는 최근의 실적이나 사건을 중심으로 평가하려는 데서 생기는 오류이다. 시간적 오류에는 초기의 업적에 영향을 크게 받는 첫머리 효과(primacy effect)와, 반대로 최근의 실적이나 능력을 중심으로 평가하는 경향을 일컫는 막바지 효과(recency effect)의 오류가 있을 수 있다.

② **극복방안**: 독립된 평가센터의 구축, 중요사건기록법에 의한 기록, 목표관리법(MBO)에 의한 평정 등이 활용된다.

(8) 대비적 오류

평정대상자를 바로 직전의 피평정자와 비교하여 평정하거나 반대로 평정함으로써 나타나는 오차이다.

(9) 유사적 오류(similarity error), 투사 오류(projection error)

평정자가 자신과 유사한 성향을 보이는 피평정자에게 우수한 점수를 주는 오차이다.

(10) 선택적 · 방어적 지각

① **선택적 지각**: 모호한 상황이 있을 때 부분적인 정보만을 받아들여 성급히 판단함으로써 발생하게 되는 오류이다.

② **방어적 지각**: 자신의 고정관념에 어긋나는 정보를 왜곡하거나, 자신에게 불리한 정보를 회피하고 유리한 것만 받아들임으로써 발생하게 되는 오류이다.

(11) 피그말리온 효과(스티그마 효과)

다른 사람들에게 부정적인 낙인이 찍히면 행태가 나쁜 쪽으로 변해 가고, 긍정적인 평가를 받으면 행태가 좋은 쪽으로 변해가는 현상이다.

---

❶ 유형화의 오류
어떤 사물이나 사람을 볼 때 그들이 속한 범주나 집단의 고정관념에 비추어 지각함으로써 부정확하게 판단하는 선입견에 의한 오류이다. 이는 일반적인 분포상의 착오와는 다소 거리가 있는 성질이 다른 오류이다.

핵심 OX

01 유형화의 오류는 어떤 사물이나 사람을 그들이 속한 범주나 집단의 고정관념에 비추어 지각함으로써 부정확하게 판단하는 선입견에 의한 오차를 말하는데, 이는 일반적인 분포상의 착오와는 다소 거리가 있는 성질이 다른 오류이다. (O, X)

02 사물의 일부 속성을 마치 전부 속성인 양 과대평가하는 것을 논리적 오류라고 한다. (O, X)

03 집중화의 오류를 방지하기 위한 방법으로 독립된 평정센터의 설치, 목표관리(MBO), 중요사건 기록법 등이 활용된다. (O, X)

---

01 O
02 X 논리적 오류가 아니라 상동오차(고정관념, 유형화의 오류)이다.
03 X 시간적 오류(근접효과)를 방지하기 위한 방법이다.

연쇄효과(halo effect)	하나의 평정요소가 다른 평정요소에 영향을 미치는 오류
집중화의 오류	무난하게 주로 중간등급을 주는 오류
관대화의 오류	실제수준보다 높게 평가하는 오류
엄격화의 오류	실제수준보다 낮게 평가하는 오류
규칙적 오류	평정자의 가치관 및 평정기준의 차이에 의한 규칙적 오류
총계적 오류	평정자의 피평정자에 대한 불규칙적 오류
논리적 오류	평정요소 간 논리적 상관관계가 있다는 관념에 의한 오류
선입견에 의한 오류	평정자가 갖고 있는 선입견(편견)이 평정에 영향을 미치는 오류
시간적 오류(근접오류)	최근의 실적이나 사건이 평가에 영향을 미치는 것(첫머리/막바지 효과)
대비적 오류	평정대상자를 바로 직전의 피평정자와 비교하여 평정하는 오류
유사적 오류	평정자가 자신과 유사한 피평정자에게 우수한 점수를 주는 오류
선택적 지각	부분적인 정보만을 받아들여 평정하는 오류
방어적 지각	자신에게 불리한 정보를 회피하고 유리한 것만 받아들이는 오류
이기적 착오	잘된 성과는 자신의 내적 요소에 의한 것, 잘못된 성과는 외적 요소에 의한 것으로 평정하는 오류
근본적 귀속의 착오	개인적 요인은 과대평가하고, 상황적 요소는 과소평가하는 경향의 오류
피그말리온(스티그마)효과	자기충족적·미충족적 예언이 긍정적·부정적 효과를 가져오는 오류

☑ **개념PLUS** 귀인이론(Kelly, 1971)

1. 의의

자신이나 다른 사람의 행동의 원인을 찾아내기 위하여 추론하는 과정을 연구하는 이론으로 하이더(Heider)에 의하여 창시되고 켈리(Kelly)에 의하여 공변모형으로 발전되었다.

2. 내부귀인과 외부귀인

귀인이론은 개인의 행동의 원인을 내부귀인(기질·성격·특성·태도 등 개인적 요소)과 외부귀인(외부압력·사회적 규범·우연한 기회·행운 등 상황적 요소)으로 나누고, 각 사건에 대한 합의성·일관성·특이성이 높고 낮은 경우로 나누어서 원인을 설명한다.

3. 행동특성과 귀인과의 관계

행동특성	개념	행동의 원인	
		내면적	외면적
합의성 (consensus)	여러 사람이 동일한 상황에서 동일하게 행동하는 정도 ㉎ 부하직원 여러 명이 같은 방식으로 소란스럽게 일을 하는 경우 → 외적 요인	낮음	높음
일관성 (consistency)	개인이 다른 사건(상황)에도 동일하게 행동하는 정도 ㉎ 부하직원이 매주 여러 번 일관되게 소란스럽게 일을 하는 경우 → 내적 요인	높음	낮음
특이성 (distinctiveness)	개인이 다른 상황에서 다르게 행동하는 정도 ㉎ 부하직원이 업무와 회식에서 다르게 행동하는 경우 → 외적 요인	낮음	높음

2 우리나라의 공무원 평정제도(근무성적평정제도)

1. 의의

(1) 우리나라의 근무성적평정은 「공무원 성과평가 등에 관한 규정」에 근거하여 시행되고 있다.

(2) 4급 이상의 성과계약평가와 5급 이하의 근무성적평가가 있다.

2. 종류

(1) 성과계약평가❶(4급 이상 및 고위공무원단)

① 의의: 성과계약평가란 성과계약에 의한 목표달성도의 평가이다. 당해 연도의 '직무성과계약'에 의한 개인의 성과를 평가한다. 상·하급자 간에 정량적 지표 외에 정성적 평가지표까지 계약함으로써 질적인 측면까지 고려하여 성과계약의 달성도를 평가한다.

② 평가대상: 4급 이상 공무원 및 연구관·지도관이다. 다만, 소속장관이 성과계약평가가 적합하다고 인정하는 경우에는 예외적으로 5급 이하 공무원도 가능하다.

③ 평가시기: 정기평정의 경우 12월 31일을 기준으로 하여 실시한다.

④ 평가자 및 확인자

㉠ 평가자: 평가대상 공무원의 업무수행과정 및 성과를 관찰할 수 있는 상급 또는 상위감독자 중에서 소속장관이 지정한다.

㉡ 확인자: 평가자의 상급 또는 상위감독자 중에서 각각 소속장관이 지정한다. 단, 평가자의 상급감독자가 없을 경우에는 확인자를 지정하지 아니할 수 있다.

⑤ 성과계약의 체결

㉠ 소속장관은 평가대상 공무원과 평가자 간에 1년 단위로 성과계약을 체결하도록 하여야 한다.

❶ 고위공무원단의 근무성적평정
고위공무원단에 속하는 자는 5등급(매우우수, 우수, 보통, 미흡, 매우미흡)으로 상대평가를 실시한다.

용어

성과계약*: 평가대상자와 평가자 간에 이루어지는 성과목표·평가지표 및 평가결과의 활용 등에 대한 합의를 말한다.

성과목표*: 평정대상기간의 종료시점까지 공무원 개인의 업무가 도달되어야 하는 바람직한 상태를 말한다.

ⓛ 기관장 또는 부기관장과 실·국장급 간, 실·국장급과 과장급 간 등 직근상하급자 간에는 개별적으로 체결한다.

⑥ **평가의 방법**: 성과계약평가는 성과계약*의 성과목표* 달성도를 감안하여 평가대상 공무원별로 평가하되, 평가등급의 수는 3개 이상으로 하여야 한다.

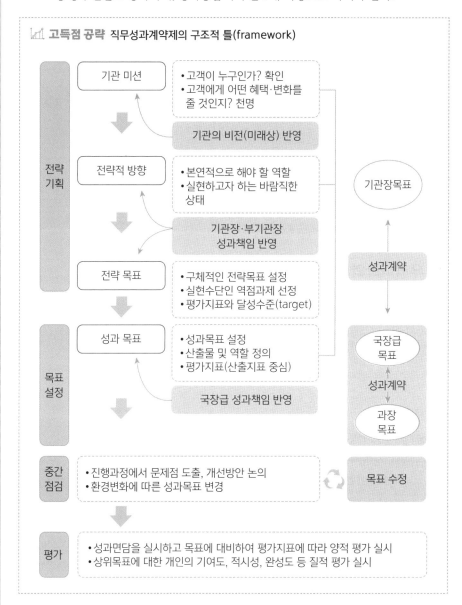

고득점 공략 직무성과계약제의 구조적 틀(framework)

(2) **근무성적평가(5급 이하)**

① **의의**: 근무성적평가란 근무실적 및 직무수행능력에 대한 평가이다.

② **평가대상**: 5급 이하 공무원, 연구사 및 지도사이다.

③ **평가시기**: 평가시기가 자율화되어 있는 편이다.

ⓧ 정기평정은 6월 30일과 12월 31일을 기준으로 연 2회의 근무성적평가를 원칙으로 하되, 필요한 경우 각급 기관의 장이 평가기준일을 달리 정할 수 있다.

ⓛ 부처별 상황에 맞춰 적시에 성과평가를 실시할 수 있어 성과평가제도의 현장적합성 강화에 기여할 수 있다.

④ 평가자 및 확인자

　㉠ **평가자**: 평가대상 공무원의 업무수행과정 및 성과를 관찰할 수 있는 상급 또는 상위감독자 중에서 소속장관이 지정한다.

　㉡ **확인자**: 평가자의 상급 또는 상위감독자 중에서 소속장관이 지정한다. 단, 평가자의 상급감독자가 없을 경우에는 확인자를 지정하지 아니할 수 있다.

⑤ 평가항목❶

　㉠ **평가항목**: 근무실적 및 직무수행능력을 평가항목으로 하되, 소속장관이 필요하다고 인정하는 경우에는 직무수행태도를 평가항목에 추가할 수 있다.

　㉡ **평가항목별 평가요소**: 소속장관이 직급별·부서별 또는 업무분야별 직무의 특성을 반영하여 정한다.

근무실적	업무난이도, 완성도, 적시성 등
직무수행능력	기획력, 의사전달력, 협상력, 추진력, 신속성, 팀워크, 성실성, 고객지향성 등

⑥ 성과목표의 선정

　㉠ 소속장관은 평가대상기간 동안의 당해 기관의 임무 등을 기초로 하여 평가대상 공무원이 평가자 및 확인자와 협의하여 성과목표 등을 선정하도록 하여야 한다.

　㉡ 단순 반복적인 업무로서 성과목표 등을 선정하기에 적합하지 아니하는 경우는 제외한다.

⑦ 평가의 방법

　㉠ 평가자는 확인자와 협의하여 평가대상 공무원의 근무실적 및 직무수행능력을 고려하여 평가단위별로 평가대상 공무원의 성과목표달성도 등을 고려하여 평가한다.

　㉡ 평가등급의 수는 3개 이상으로 하며 최상위 등급의 인원은 상위 20%, 최하위 등급의 인원은 하위 10%의 비율로 분포하도록 평가한다(소속장관이 분포비율을 달리 정할 수 있다).

　㉢ 평가자 및 확인자는 근무성적평가의 결과를 근무성적평가위원회에 제출하여야 한다.

⑧ 근무성적평가위원회

　㉠ 근무성적평가결과를 참작하여 평가대상 공무원에 대한 근무성적평가 점수를 정하고 근무성적평가결과의 조정·이의신청 등에 관한 사항을 처리한다.

　㉡ 위원회는 근무성적평가결과를 기초로 하여 직급별 또는 계급별로 3개 등급 이상으로 구분하여 근무성적평가점수를 부여하되, 근무성적평가점수의 총점은 80점을 만점으로 하며, 동일한 등급 내에서는 근무성적평가점수 간의 차이가 균등하도록 하여야 한다.

⑨ **근무성적평가제도의 자율적 설계·운영**: 소속장관은 기타 근무성적평가제도의 설계·운영 등에 관한 사항에 대하여는 당해 기관의 직무특성 등을 감안하여 이를 따로 정할 수 있다.

❶ 평가항목별 비중
각 부처가 자율적으로 정하되, 하나의 항목이 70%를 넘지 못한다.

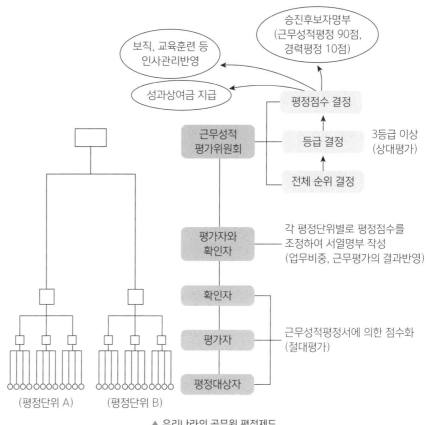

▲ 우리나라의 공무원 평정제도

3. 특징

(1) 기본적으로 도표식평정척도법과 강제배분법에 따라 시행한다.

(2) 이중평정제가 도입되고 있으며(평가자와 확인자 평정), 다면평가는 각 기관에 따라 자율적으로 실시하고 있다.

(3) 5급 이하 근무성적평정의 경우 최상위 20%와 최하위 10%를 정하여 3등급 이상으로 나누어 평정한다.

(4) 근무성적평정결과 공개 및 이의신청, 소청심사 가능 여부❶

근무성적평정결과는 원칙적으로 공개하여야 하며, 이의신청(확인자)과 조정신청(근무성적평정위원회)은 가능하지만 소청심사의 대상은 되지 않는다.

(5) 평가시기

4급 이상은 직무성과계약제로 연 1회(12월 31일) 평가하고, 5급 이하는 근무성적평가로 원칙적으로 연 2회(6월 30일, 12월 31일) 실시하되 기관의 특성을 고려하여 자율적으로 실시하는 것이 가능하다.

4. 절차(공통)

(1) 성과면담*

① 평가자는 근무성적평정대상 공무원과 성과면담을 실시하여야 한다.

---

❶ 근무성적평정의 소청 여부

1. 「공무원 성과평가 등에 관한 규정」에는 근무성적평정 결과에 대한 '소청심사'를 규정하고 있지는 않다.

2. 중앙인사위원회는 소청심사가 인정되는 것으로 유권해석하였으나 담당기관인 소청심사위원회는 근무성적평정이 독립된 처분이 아니고 승진 등 인사자료로 활용하기 위한 내부행위에 불과하다는 등의 이유로 소청심사에서 제외하고 있다.

3. 결론적으로 각종 문헌의 검토 및 담당기관인 소청심사위원회의 의견에 따라 근무성적평정 결과에 대한 소청은 인정되지 않는 것으로 본다.

📖 용어

성과면담*: 평가대상자와 평가자 간에 성과목표의 설정, 성과목표의 수행과정 및 결과의 평가와 평가결과의 환류 등에 관하여 상호의견을 나누는 행위이다.

② 평가자는 피평가자의 성과목표 수행과정 등을 점검하여야 하며, 이를 정기 또는 수시로 기록·관리하여 이를 성과면담 시에 활용하여야 한다.

③ 평가자가 평가를 실시하는 때에는 성과목표 추진결과 등에 관하여 근무성적평정대상 공무원과 상호의견을 교환하여야 한다.

(2) 근무성적평정결과의 공개 및 이의신청 등

① 공개: 근무성적평가결과를 본인에게 공개하는 것을 원칙으로 하되, 기관별 사정을 고려하여 기관의 장이 달리 정할 수 있도록 한다. 이를 통해 평가자의 평가에 대한 책임성이 강화되고 평가대상자의 역량개발에 기여할 수 있다.

② 이의신청

ⓐ 근무성적평정대상 공무원은 평가자의 근무성적평정 결과에 이의가 있는 경우에는 확인자에게 이의를 신청할 수 있다.

ⓑ 이의신청을 받은 확인자 또는 평가자는 신청한 내용이 타당하다고 판단하는 경우에는 당해 공무원에 대한 근무성적평정결과를 조정할 수 있으며, 이의신청을 받아들이지 아니하는 경우에는 그 사유를 당해 공무원에게 설명하여야 한다. 이 경우 확인자가 이의신청에 대한 결정을 하는 때에는 평가자와의 협의를 거쳐야 한다.

ⓒ 이의신청결과에 불복하는 공무원은 근무성적평가위원회에 근무성적평정결과의 조정을 신청할 수 있다.

(3) 평가결과의 활용

소속장관은 성과계약평가 및 근무성적평가의 결과를 평가대상 공무원에 대한 승진임용, 교육훈련, 보직관리, 특별승급 및 성과상여금 지급 등 각종 인사관리에 반영하여야 한다.

③ 다면평가제(360도 평가)

1. 의의

근무성적평정은 평정자가 누구인가에 따라 감독자평정법과 다면평가제로 나눌 수 있다. 이 중 다면평가❶(집단평정)란 피평정자의 능력과 직무수행을 관찰할 기회가 있는 여러 방면의 사람(상관, 부하, 동료, 민원인 등)이 평정에 가담한다는 뜻이다. 즉, 기존 상관 위주의 일방적인 평가에서 벗어나 동료나 하위자, 민원인까지 평가의 주체로 참여하는 것으로서 이른바 '360도 평가'라고 한다.

2. 설계 및 실시

(1) 평가자 구성

① 피평정자 1인에 대해서 상관, 동료, 부하, 고객(민원인)까지 포함하는 평가자를 대략 7~15인을 선정하고 직급에 따라 점수를 차등화한다.

② 평정자별 가중치는 상관 50%, 동료 30%, 부하 20%이고, 민원인은 가중치를 부여한다.

❶ 공공부문의 다면평가 도입
공공부문에 다면평가가 도입된 것은 1992년 근무성적평정 시 동료의 의견을 직무수행태도평정에 반영할 수 있도록 한 것이 시초이다.

핵심 OX

01 우리나라는 평정상의 오차나 편파적 평정을 시정하기 위하여 이중평정제를 실시한다. (O, X)

02 현재 근무성적평정을 함에 있어 강제배분법을 따르고 있으며, 결과에 대해서 공개가 이루어지지 않고 있다. (O, X)

03 근무성적평정결과는 공개하는 것이 원칙이지만 소청의 대상은 되지 않는다. (O, X)

04 4급 이상 및 고위공무원단에 속하는 자는 성과계약에 의한 목표달성도를 연 1회 평가한다. (O, X)

01 O
02 X 근무성적평정의 경우 강제배분법을 따르고 있으나, 원칙적으로 공개가 이루어지고 있다.
03 O
04 O

(2) 평가요소

평가요소는 평가의 목적, 피평가자의 직급, 부서별 특성 등을 고려하여 실적·능력 등으로 구성한다.

(3) 평가방법

온라인평가를 원칙으로 하는데 다면평가 실시 이전에 피평정자 본인이 업무실적기록을 제출하게 한다. 또한 다면평가를 실시하는 과정에서 평정의 객관성과 공정성을 유지하기 위하여 평가자를 대상으로 인사담당자의 사전교육이 필요하다.

3. 우리나라의 다면평가제(「공무원 성과평가 등에 관한 규정」)^❷

(1) 소속장관은 소속공무원에 대한 능력개발 및 인사관리 등을 위하여 해당 공무원의 상급 또는 상위공무원, 동료, 하급 또는 하위공무원 및 민원인 등에 의한 다면평가를 실시할 수 있다(임의규정).

(2) 소속장관은 다면평가의 방법 및 절차 등에 관한 구체적인 사항을 직무의 특성 등을 고려하여 설계·운영하여야 한다.

(3) 다면평가의 평가자 집단은 다면평가 대상 공무원의 실적·능력 등을 잘 아는 업무 유관자로 구성하되, 소속공무원의 인적 구성을 고려하여 공정하게 대표되도록 구성하여야 한다.

(4) 다면평가의 결과는 해당 공무원에게 공개할 수 있으며 승진이나 성과급 지급에는 반영하지 않고 교육훈련, 보직관리 등에 활용할 수 있다.

4. 운영원칙

(1) 평가자가 부여한 개별 점수에 대하여 비밀을 유지하여야 한다.

(2) 객관적이고 공정한 평가를 유도하기 위하여 평가자의 구성이 노출되지 않도록 하여야 한다.

(3) 평가자에게 피평정자의 실적 등에 관한 세부적인 정보를 제공하여야 한다.

(4) 활용목적에 따라 다면평가방식을 신축적으로 설계·운영하여야 한다.

(5) 포괄적인 근무성적에 관한 질문보다는 실적과 능력의 세부개념을 구체화한 질문이어야 한다.

5. 장단점

(1) 장점

① 행정서비스에 대한 다양한 의견을 수렴함으로써 공무원의 능력과 행정발전을 위하여 활용할 수 있다.

② 여러 사람을 평정자로 활용함으로써 보다 공정하고 객관적인 평가가 가능하고 평가결과에 대한 당사자들의 승복을 받아내기가 쉽다.

③ 감독자 이외에도 동료, 부하, 고객 등 다양한 사람들의 참여를 통하여 평정에의 관심도와 지지도를 높일 수 있다.

④ 공무원들의 교육훈련이나 능력개발에 다면평가결과를 활용한다.

⑤ 상관 한 사람에게만 복종하고 책임지는 데에서 빚어지는 관료적 행태의 병폐를 시정하며 충성심의 방향을 다원화하고 국민 중심적·고객 중심적 행정을 강화하는 데 기여할 수 있다.

⑥ 행정 분권화와 부하직원들에 대한 힘 실어주기에 유리한 조건을 형성할 수 있다.

⑦ 관리자가 부하의 의견을 토대로 잘못된 행태를 개선할 수 있어 민주적인 리더십 향상에 기여한다.

⑧ 직무수행과 능력에 대한 공정한 평가 및 환류는 구성원에게도 자기개발을 위한 동기유발 효과가 있다.

(2) 단점

① 다면평가제의 관리업무는 매우 복잡하며 평가자들의 유동이 심한 경우 평가의 신뢰성을 확보하기가 어렵다.

② 평가자들이 평가의 취지와 방법을 잘 모르고 평가를 할 경우 평가의 신뢰성이 저하될 수 있다.

③ 포퓰리즘(populism)적 행태가 나타난다. 즉, 업무목표의 성취보다는 원만한 대인관계의 유지에 치중하는 모습을 보인다.

④ 근무성적평정을 둘러싸고 감시자가 늘고 통제의 망이 확대된다면 평정상의 불쾌감이나 스트레스가 커질 수 있다.

⑤ 평가참여자들의 범위가 지나치게 확대될 경우 피평가자에 대한 정확한 정보를 모르는 상태에서 평가가 이루어질 가능성이 많기 때문에 평가의 정확성을 저해하게 된다.

◎ 핵심정리 **다면평가제의 장단점**

장점	단점
· 평가의 공정성과 객관성 향상을 기할 수 있음 · 평가방향의 다원화를 통해 민주적 리더십을 향상시킴 · 피평정자들의 자기개발에 대한 동기부여가 됨 · 조직 상하 간에 의사소통을 원활하게 하여 장기적으로 권위주의적 행정문화 타파에 기여함	· 평가자들의 유동성에 따른 신뢰성 문제가 제기됨 · 대인관계에 급급한 인기 위주의 행정과 상관의 업무추진력 약화가 우려됨 · 근무성적평정과 관련하여 감시자가 늘고 통제의 망이 확대되면서 평정상의 불쾌감이나 스트레스가 증가하여 재직자의 사기 저하가 우려됨 · 다수의 인원이 평가에 참여하게 되므로 시간이나 비용이 많이 소요됨

4 경력평정

1. 의의

(1) 경력(career)이란 직업상의 경험과 근무연한으로서, 학력이나 경험 등을 의미한다. 경력평정은 인사행정 중에서 가장 객관적이고 수치화된 제도로서 지난 경력을 그대로 점수화하는 것이다.

(2) 우리나라의 경우 5급 이하 공무원의 승진임용 시 20점 만점의 경력평정점을 반영하도록 되어 있다.

2. 원칙

(1) 근시성
실효성이 있는 최근의 경력을 중시하며 초과경력보다 기본경력의 배점비율이 높다.

(2) 습숙성
직무에 대한 숙련도가 높은 상위직급의 경력은 하위직급의 경력보다 높은 배점을 준다.

(3) 친근성
과거의 경력이 담당예정인 직무와 관련성·유사성이 있으면 높은 배점을 준다. 경력의 유사성에 따라 갑·을·병·정경력이 있다.
① **갑(甲)경력:** 동일직렬의 동일계급 이상의 경력이다(10할).
② **을(乙)경력:** 동일직군의 동일계급 이상의 경력이다(8할).
③ **병(丙)경력:** 직군이 다른 동일계급 이상의 경력이다(2할).
④ **정(丁)경력:** 직군이 다른 바로 하위계급의 경력이다(1.5할).

(4) 발전성
학력 또는 직무와 관련성이 있는 훈련경력을 참작하여 장래의 발전가능성을 평가한다.

3. 장단점

(1) 장점
① 정실개입이나 인사 청탁의 문제를 극복하여 객관성을 확보할 수 있다.
② 행정의 안정성과 직업공무원제의 확보에 기여한다.

(2) 단점
① 기관장의 부하통솔을 어렵게 만든다.
② 선임순위의 중시로 공직사회의 침체 및 관료주의화를 조장할 수 있다.

4. 우리나라의 경력평정제도

(1) 대상 및 시기
① **대상❶:** 평정기준일 현재 승진소요 최저연수에 도달한 5급 이하 공무원·연구사·지도사에 대하여 실시한다.
② **시기:** 정기평정은 6월 말과 12월 말에 연 2회 실시한다.

(2) 평정자 및 확인자
① **평정자:** 경력평정 확인자의 소속 인사담당관이다.
② **확인자:** 평정대상 공무원이 소속하고 있는 4급 이상 공무원을 장으로 하는 기관의 장이다.

❶ 경력평정대상이 아닌 경우
4급 이상 및 고위공무원단에 속하는 자는 경력평정을 하지 않고 근무성적평정(성과계약평가)만 실시한다.

핵심 OX

01 승진의 경력평정과 관련한 원칙에서 숙련도가 높은 상위직급의 경력에 높은 배점을 주는 것은 근시성의 원칙이다. (O, X)

01 X 근시성이 아니라 습숙성에 관한 설명이다.

(3) 경력평정점의 산정

경력평정점 = 경력(근속연월) × 경력의 종류별 적용비율 × 월경력 환산점수

(4) 가점평정

소속장관은 승진후보자명부 작성 시 직무관련자격증의 소지여부, 특정직위 및 특수지역에서의 근무경력, 근무성적평정기간 중의 업무혁신 등 공적 사항, 그 밖에 직무의 특성 및 공헌도 등을 고려하여 5점의 범위 안에서 가점을 부여할 수 있다.

(5) 경력평정결과 등의 제출 및 열람

① 평정자 및 확인자는 경력 등 평정표의 부본을 승진후보자명부 작성권자에게 제출하여야 하며, 평정대상 공무원의 요구가 있을 때에는 당해 공무원의 경력 등 평정표를 보여 주어야 한다.

② **소청대상여부**: 경력평정결과는 소청대상이 되지 아니한다.

---

6 공무원의 사기와 보수 및 복지

1 공무원의 사기

1. 의의

(1) 사기란 공무원이 자발적으로 조직목표를 달성하려는 집단적인 근로의욕을 의미한다.

(2) 자발적 협력성에 기인한 지속적인 근무의욕이며, 단순한 개인적 만족감의 총합이 아닌 그 이상의 단체성과 협동성을 가진 창의적인 근무의욕이다.

(3) 이는 건전한 근무상황의 지표인 동시에 조직목표를 달성하기 위하여 개인적 관심을 집단적 충성심으로 통합시킬 수 있는 적극적 수단이다.

2. 성격

(1) 개인적 성격

개인이 직무와 근무환경에 대하여 가지는 심리상태로서 개인의 적극적 · 자발적인 근무의욕이다.

(2) 집단적 · 조직적 성격

조직구성원이 조직목표를 달성하기 위하여 열의와 관심을 가지고 상호 협력적 활동을 수행하는 것이다.

(3) 사회적 성격

사회적 가치와 역할로서 사회발전에 공헌하는 것이다.

3. 효용

(1) 목표달성에 기여

사기가 높으면 조직활동과 직무에 대한 관심이 높아지고 자기의 직무·역할을 수행함으로써 목표달성에 기여한다.

(2) 조직과의 일체감 형성

사기가 높으면 조직에 대하여 긍지를 가지며, 조직과 지도자에 대하여 충성심을 가진다.

(3) 조직의 창의성·쇄신성 강화

사기가 높으면 조직구성원의 창의성과 쇄신성을 강화시킬 수 있다.

(4) 조직의 위기극복능력 증대

사기가 높으면 조직이 위기에 처할 경우 조직의 위기를 극복할 수 있는 능력이 증대된다.

4. 사기와 생산성과의 관계

(1) 사기실재론

사기는 생산성과 직접적인 관계가 있다고 생각하는 것으로 사기가 높으면 생산성이 높다는 이론이다(내용이론; Mayo, Herzberg).

(2) 사기명목론

실제 연구결과에 따르면, 사기는 생산성에 영향을 미치는 직접적인 요인은 아니고 간접적인 영향을 미치는 요인 중의 하나라는 것이다(과정이론; Vroom, Coser, Schachter).

5. 사기측정방법

(1) 태도조사법

조직의 관리방침, 상사의 감독방법, 동료관계와 급여, 후생복지, 작업환경 등에 대한 직원의 의견과 태도를 조사한다.

(2) 사회측정법

모레노(Moreno)가 창안한 것으로 구성원 간 심리적 호오(好惡)의 관계를 파악하여 집단구성원 간의 심리적 응집력이 높을 때에는 그 집단의 사기가 높고, 구성원 간 심리적 응집력이 낮을 때에는 그 집단의 사기가 낮다고 평가하는 것이다.

(3) 투사법

구성원도 모르는 사이에 나타나는 어떤 자극에 대한 반응상태를 관찰하거나 파악하는 투영법으로 가장 객관적인 방법이다.

(4) 외현행위관찰법(사례나 근무관계의 관련기록에 의한 측정방법)

① 생산성(작업성과) 또는 작업능률에 대한 기록: ㉠ 시간당 생산량, ㉡ 표준시간에 대한 실제작업량, ㉢ 인건비나 생산물의 품질조사 등이 이에 해당된다.
② 이직률 조사: 행정기관의 경우 대체로 연 10~12%의 비율이 적절하다.

③ 출퇴근 상황기록 또는 안전사고율 기록 등이 있다. 하지만 경력기록은 5급 이하의 승진임용 시 반영하는 것으로 사기측정과는 무관하다.

6. 사기관리의 수단

공직자의 사기제고를 위해서는 고충처리제도와 제안제도, 이 밖에도 공직에 대한 사회적 평가의 제고, 신분보장, 연금제도의 확충, 인간관리의 민주화, 참여의 확대 및 권한의 위임, 포상제도의 활성화, 공무원단체의 인정, 직무확충 등 다양한 방안이 고려될 수 있다.

2 공무원의 보수

1. 의의

(1) 보수(pay)는 공무원이 근로에 대한 대가로 받는 금전적 보상으로, 이로 인해 공무원이 직무만족을 느끼고 근무성과가 향상되기도 하며, 국민경제나 사회전반에 미치는 영향 등이 크기 때문에 거시적으로 판단하여야 한다.

(2) **우리나라의 보수관리**

상대적으로 일률적 보수기준을 적용하기 때문에 다른 나라에 비하여 덜 복잡한 편이다. 다만, 최근에 성과관리체제의 도입이 강조되면서 보수관리에 있어서도 많은 변화가 발생하고 있다.

2. 특징

(1) **경직성**

공무원의 보수는 사기업의 임금과 비교해 볼 때 시장변화에 따른 탄력성을 반영하기 어렵고 법정화되어 있는 등 보수의 비신축성으로 인하여 다양한 변화를 반영하기가 어렵다.

(2) **비시장성**

공무원의 근로대가나 경제적 가치는 행정의 질적 가치추구 때문에 정확하게 화폐로 표현하기가 곤란하므로 시장원리를 엄격하게 적용하는 것이 어려운 경우가 많다.

(3) **합리적 보수체계의 곤란성**

직종의 다양성과 분산성으로 인해 합리적인 보수체계를 마련하기가 쉽지 않다.

(4) **노동 3권의 제약**

단결권, 단체교섭권 및 단체행동권의 노동 3권, 특히 단체행동권의 제약으로 인해 보수결정에 불리한 영향을 받는다.

3. 공무원 보수수준의 결정요인

(1) **보수표 작성의 기본원칙**

① **직무급의 원칙**: 직무가 가지는 곤란도 및 책임도에 상응하여야 한다.

② **비교균형의 원칙**

㉠ **대외적 비교성의 원칙**: 사기업의 보수와 공정하게 비교·결정함으로써 대외적 균형이 확립되어야 한다.

ⓒ **대내적 상대성의 원칙:** 조직 내에서의 보수액은 그 상대적 관계를 나타내는 격차요인을 명확히 함으로써 대내적 균형이 이루어져야 한다.

③ **보수법정주의:** 공무원의 보수는 법에 의해서 정해진다.

④ **중복보수금지의 원칙:** 직무를 겸임하는 경우 보수액이 높은 직위의 것만 지급한다.

⑤ **정세적응의 원칙:** 내외환경에 적응하기 위하여 보수가 적절히 조정되어야 한다.

(2) 보수수준의 일반적 고려사항

① **하한선으로서의 생계비❶:** 공무원으로서 생활유지에 필요한 적정한 수준으로 보수의 하한선은 정부가 직접 챙겨 주어야 할 사회윤리적 요인이다. 국가는 대규모의 모범적 고용주로서 공무원의 건강·품위유지를 위한 생활급의 지급의무를 지닌다.

② **상한선으로서의 정부의 지불능력:** 정부의 재정능력은 경제적 요인으로서 보수수준의 상한선을 결정할 때 중요한 요인이다.

③ **민간부문의 임금수준:** 민간기업과 채용경쟁을 해야 하기 때문에 우수한 인적자원을 확보·유지하기 위해 고려해야 한다.

④ **물가수준 및 물가에 미치는 영향:** 국민경제에 있어서 보수가 물가에 미치는 영향을 고려해야 한다. 또한 지난해의 물가수준에 의하여 영향을 받기도 한다.

⑤ **인사관련정책:** 정부 내의 자원배분이나 정부의 생산성 고려와 같은 인사관련정책을 고려해야 한다.

⑥ **기타 요인:** 보수 이외에 공무원이 받는 신분보장이나 연금제도 등을 고려해야 한다.

4. 종류

(1) 보수❷의 구성

① **기본급(봉급):** 기본급은 기본근무시간에 대하여 지급되는 고정급 또는 항상적 보수를 의미한다. 보수구성의 핵심부분으로서 각종 수당이나 연금 등 다른 보수항목의 산정기준이 된다.

② **부가급(수당)**

ⓐ 직무내용이나 근무환경 등이 고려된 부가급으로 수당과 상여금을 포함한다. 이때 수당은 직무내용·근무환경·생활여건 등과 관련하여 기본급에 담지 못하는 특수한 차이를 의미하며, 상여금은 남들보다 특별히 우수한 성과를 거둔 경우 이를 보상하기 위하여 지급하는 추가급으로 보너스(bonus)가 대표적인 예이다.

ⓑ 보수행정의 합리화 정도가 낮거나, 계급제를 채택하고 있는 나라의 경우 수당의 종류가 많은 것이 일반적이다. 계급제는 직책에 따라 보수액을 결정하는 것이 아니라 능력·자격에 따라 보수를 결정하기 때문이다.

(2) 기본급의 체계

① **생활급**

ⓐ 공무원과 그 가족의 기본적인 생활 내지 생계유지에 필요한 경비를 중심으로 보수를 결정하는 것이다. 주로 계급제와 관련된다.

ⓛ 보수에 대한 불만을 예방하기 위해서 반드시 충족되어야 할 부분이지만, 생활급은 직무의 특성이나 개인의 노력·능력과는 무관하게 지급되는 것이기 때문에 조직의 유지 및 발전을 위한 생산성 향상에 크게 기여하지 못한다.

② 연공급(근속급)

ⓖ 근속연수·경력·학력 등 속인적 요소의 차이에 따라 보수의 격차를 두는 보수체계이다. 특히 근속연수만을 기준으로 하는 경우 근속급이라는 용어를 사용한다.

ⓛ 폐쇄적인 노동시장이나 계급제하에서 강조되며 동양적 정서에 적합하지만, 노쇠할수록 생산성이 저하된다는 점을 감안하기 곤란하므로 임금피크제❶가 대안이 될 수 있다.

③ 직무급

ⓖ 직무의 난이도와 책임의 정도에 따라 직무의 가치를 결정하고 그 가치를 보수와 연결시킨 보수체계이다. 이는 '동일직무에 대한 동일보수'에 근거한다.

ⓛ 직무급을 도입하기 위해서는 직무분석과 직무평가를 실시하여 각 직무에 대한 상대적 가치를 평가하는 것이 선행되어야 한다.

④ 직능급(능력급): 공무원의 직무수행능력(노동력의 가치)을 측정하여 그 능력이 우수할수록 보수를 우대하는 보수체계이다.

⑤ 성과급(실적급)

ⓖ 개인의 능력과 상관없이 실제로 개인에 의하여 수행된 결과를 기준으로 보수를 지급하는 형태이다.

ⓛ 근무실적과 보수를 연계시킴으로써 근로자의 동기를 유발시킬 수 있다는 점이 가장 큰 장점이나, 객관성과 신뢰성이 확보되어야 하는 전제조건이 필요하다.

✅ 개념PLUS   보수구조

기본급	기준	관련 이론	관련 원칙
생활급	연령, 가족	계급제, 인간관계론, 직업공무원제	생활보장의 원칙
연공급	근무연한	계급제	
직무급	노동의 가치	과학적 관리론, 실적주의, 직위분류제	근로대가의 원칙
직능급	노동력의 가치	신공공관리론	
성과급	싱과가치		

5. 공무원의 성과급제도❷

(1) 의의

성과급제도는 공무원들의 직무수행의 실적을 보수결정의 기준으로 삼는 것으로, 측정이 가능한 직무수행실적이나 결과를 보수와 연계하는 제도이다.

---

❶ 임금피크제(salary peak)

1. 개념: 일정연령이 되면 임금을 삭감하는 대신 정년을 보장하는 제도이다. 워크셰어링(work sharing)의 한 형태로 미국·유럽·일본 등 국가에서 공무원과 일반 기업체 직원들을 대상으로 선택적으로 적용하고 있으며, 우리나라에서는 2001년부터 금융기관을 중심으로 도입해 운용하고 있다.

2. 유형(정년의 연장 여부 및 대상자의 고용형태)

정년 보장형	기업에서 정해놓은 정년을 보장하는 것을 전제로 정년 이전 일정시점부터 임금을 동결하거나 삭감하여 임금 수준을 조정하는 형태
정년 연장형	현재 기업의 정년을 더 연장하는 것을 전제로 임금 수준을 조정하는 형태로서, 정년이 늦어짐에 따라 정년퇴직자가 감소하여 신규 채용이 어려워진다는 단점이 있음
고용 연장형	일단 정년이 된 종업원이 퇴직하고 계약직 등의 신분으로 고용이 연장되는 형태

❷ 인센티브 프로그램

1. 성과보너스제도: 탁월한 성과를 거둔 구성원에게 금전적 보상을 지급하는 제도이다.

2. 작업량보너스제도: 작업량에 따라 금전적 보상을 제공하는 제도이다.

3. 수익분배제도: 특정집단이 가져온 수익 또는 절약분을 구성원들에게 나누어 주는 제도이다.

4. 제안상제도: 자원을 절약할 수 있는 우수제안을 한 구성원에게 인센티브를 제공하는 제도이다.

5. 행태보상제도: 관리계층이 권장하는 특정행동에 대해 인센티브를 제공하는 제도이다.

6. 종업원인정제도: '이 달의 사원' 등과 같이 특정 구성원 또는 집단의 특수한 기여를 인정하여 동기를 유발하는 제도이다.

(2) 종류

개인성과급	· 의미: 목표를 초과달성할 경우 이윤창출에 대해서 개인에게 지급되는 성과급이다. · 장단점 　- 장점: 개인적인 경쟁을 통해서 능률성을 높일 수 있다. 　- 단점: 상호협조와 공동노력에 의한 조직기여도를 약화시킬 가능성이 있다.
집단성과급	· 의미: 어떠한 성과가 개인의 노력이기보다는 집단의 협동노력이라는 전제하에 성과의 측정단위를 집단으로 하여 지급되는 성과급이다. · 장단점 　- 장점: 개인성과급과 마찬가지로 금전적 보상과 연결되기 때문에 동기부여의 효과가 있고 개인주의보다 집단 공동체의식의 제고를 기대할 수 있다. 　- 단점: 집단 내 개인 간의 차별성을 구분하지 않기 때문에 무임승차의 동기가 생길 가능성이 높다.

(3) 효용

① **생산성**: 동기부여와 생산성 향상에 기여한다.

② **경쟁촉진**: 공직사회 내부에 경쟁을 촉진시킨다.

③ **형평성**: 조직공헌도가 아니라 업무공헌도에 대한 보수는 공무원들에게 형평성에 대한 인식을 실질적으로 느끼게 한다.

(4) 한계

① 조직의 위화감과 개인의 심리적 불안을 가져올 수 있다.

② 정부업무에 대한 정확한 측정이 어렵다.

③ 권위주의적이고 위계적인 행정문화와의 상충가능성이 크다.

④ 무능과 나태에 대한 소극적 · 처벌적 요인으로 작용할 수 있다.

⑤ 성과지표의 개발 등 성과측정상의 문제가 제기될 수 있다.

6. 공무원 보수체계의 관리❶

(1) 등급의 수❷

① 등급이란 한 보수표 내에서의 직무의 가치로서, 이들 단계의 합을 등급의 수라고 한다.

② 일반적으로 계급제를 적용하는 경우가 직위분류제를 적용하는 경우보다 등급의 수가 적다(우리나라의 일반직은 9등급, 미국의 GS는 18등급이다).

(2) 등급의 폭과 승급

① 등급의 폭이란 등급 내의 보수의 차를 규정하는 개념으로 일반적으로 호봉이란 용어를 사용한다.

② 동일등급에서 근무하더라도 근무연한에 따라 공무원의 능력이 향상되어 근무능률도 올라갈 것이기 때문에 이를 봉급에 반영시켜 장기근속의 유인을 제공하려는 것이다.

③ 우리나라 정무직의 경우에는 호봉이 없다.

---

❶ 베이스-업(base-up) 제도
연봉협상 시 전년도 연봉을 인정해 주거나, 연봉제가 적용되지 않는 공무원의 보수 조정률에 따라 연봉도 동일하게 조정해 주는 제도를 말한다. 우리나라의 연봉제는 1999년부터 3급 국장급 이상에 도입한 이후 2005년 이후에는 4급 또는 5급의 복수직급 과장급 이상에 적용하고 있다.

❷ 호봉의 수
등급의 수가 많을수록 호봉의 수는 적어지며, 평균승진 소요연수가 길수록, 능력발전에 소요되는 기간이 길수록 호봉의 수가 많아진다.

핵심 OX

01 생활급제도는 직위분류제보다는 계급제와 관련이 깊다. (O, X)

01 O

(3) 등급 간의 중첩

① 어느 등급의 보수표 상단이 바로 상위등급의 보수표 하단과 겹치는 부분을 말한다. 예를 들면 6급 10호봉은 3,121,300원으로서 바로 상위등급의 5급 1호봉(2,606,400원)에서 6호봉(3,170,300원)까지 중첩되는 부분을 등급 간의 중첩이라고 한다.

② 이는 동일등급 내의 상하 호봉 간의 보수액의 폭을 크게 함으로써 장기근무자에 대한 보상과 유인을 제공하고, 등급의 수가 너무 많아지는 것을 막기 위함이다.

③ 상위등급 간의 중첩은 적어지고, 하위등급 간의 중첩은 많아진다. 이는 하위직일수록 장기근무자가 많고, 승급도 능력발전에 따르는 것보다는 생계비 지원의 의미로 시행되기 때문이다.

✅ 개념PLUS 우리나라의 일반직공무원 봉급표(기본급)

(2024년 기준, 단위: 원)

구분	1급	2급	3급	4급	5급	6급	7급	8급	9급
1호봉	4,367,600	3,931,900	3,547,400	3,040,400	2,717,000	2,241,500	2,050,600	1,913,400	1,877,000
최고 호봉	23호봉 7,505,600	25호봉 6,901,700	27호봉 6,363,500	28호봉 5,682,900	30호봉 5,269,100	32호봉 4,660,000	31호봉 4,217,900	31호봉 3,822,100	31호봉 3,499,900

---

(4) 보수곡선

① 봉급표 작성에서 호봉 간의 금액차를 연속적으로 표시한 것을 의미한다.

② J자와 유사한 보수곡선이 나타나는데, 이는 고위직에 오를수록 보수액이 급속도로 상승하기 때문이다. 고위공무원의 경우 그 수는 하위직에 비해 적지만, 조직에의 기여도가 높으며 승진에의 유인으로서의 의미가 크기 때문에 상후하박형(오목형)을 나타낸다.

③ 미국이나 일본은 상·하위직 간의 보수차가 크나, 우리나라의 경우는 상대적으로 격차가 작은 편이다. 우리나라도 상위직으로 갈수록 호봉 간 보수차이가 크므로 오목형(J자형)에 속한다고 보고 있다.

7. 우리나라 공무원 보수체계의 문제점

(1) 보수액의 비현실성

우리나라 공무원의 보수는 민간의 대기업과 심한 격차를 보인다.

(2) 비합리적 보수체계

수당 중심의 보수체계와 낮은 투명성이 문제된다. 즉, 기본급만으로는 보수의 전체를 짐작하기가 곤란하고 수당과의 성격구분이나 균형이 상당히 왜곡되어 나타나고 있다.

8. 우리나라 공무원 보수제도❶

우리나라의 경우, 공무원 보수에 대한 사항은 인사혁신처에서 관장하는데 일반적으로 기본급(봉급)과 부가급(수당)으로 구성되어 있다.

---

❶ 우리나라 공무원 보수제도

구분		적용대상	구성	
연봉제	고정급적 연봉제	정무직	기본연봉 (직책, 계급, 성과)	
	직무 성과급적 연봉제	고위 공무원단	기본 연봉	기준급
				직무급 (2등급)
	성과급적 연봉제	과장급 이상	기본연봉	
호봉제		과장급 미만	봉급(직급과 근무연한)	

핵심 OX

01 성과급제도의 정착을 위해서는 조직문화와의 조화와 평가지표의 개발이 중요한 과제이다. (O, X)

02 우리나라의 경우 수당보다는 기본급 위주의 비합리적인 보수체계를 가지고 있다. (O, X)

03 직무성과급적 연봉제에서 기본연봉은 기준급과 직무급으로 구성된다. (O, X)

---

01 O
02 X 수당 위주의 비합리적 보수체계를 가지고 있다.
03 O

(1) 고정급적 연봉제

장·차관급(정무직) 이상에 해당한다.

(2) 직무성과급적 연봉제

고위공무원단에 속하는 공무원(단, 연구직·지도직공무원 등은 종전과 같이 호봉제 계속 적용)에 해당한다.

(3) 성과급적 연봉제

5급 상당(과장급 이상), 임기제공무원에 해당한다.

(4) 성과상여금제(봉급 + 수당)

과장급 미만(상여금은 기타수당에 포함됨)에 해당한다.

지급등급 (인원비율)	S등급 (상위 20%)	A등급 (20% 초과 60% 이내)	B등급 (60% 초과 90% 이내)	C등급 (하위 10%)
성과상여금 지급률	172.5% 이상	125%	85%	지급하지 않음

9. 총액인건비제도(집중형 인적자원관리 → 분권형 인적자원관리)

(1) 의의 ❶

① 중앙행정기관[기획재정부(예산), 인사혁신처(보수), 행정안전부(조직, 정원)]이 총정원과 정원 상한 및 인건비예산의 총액만을 정해주면, 각 부처는 그 범위 안에서 재량권을 발휘하여 인력운영(정원규모와 직급별 정원 및 보수) 및 기구설치에 대한 자율성과 책임성을 보장받는 제도이다.

② 참여정부는 분권화정책 로드맵의 일환으로 2005년도부터 행정자치부(현 행정안전부), 인사위원회, 기획예산처 등의 주관부처와 책임운영기관 중심으로 시범실시되어 오던 총액인건비제를 2007년 1월 1일부터 전 부처로 전면 확대실시하였다. 지방자치단체도 2007년 1월부터 행정자치부(현 행정안전부)가 자치단체별로 적정 인건비총액을 산정·권고해주는 총액인건비제도를 전면 실시하였다가 2014년 2월부터 기준인건비제도로 변경하였다.

(2) 도입목적 및 기대효과

① **인적자원관리의 분권화 실현:** 총액인건비 내에서 조직·정원관리 및 인건비 배분을 기관특성에 맞게 운영할 수 있도록 각 기관에 조직·정원·보수·예산상의 자율권을 부여함으로써 기관의 자율성을 높인다.

② **성과중심의 정부조직 운영:** 각 기관은 업무특성을 고려하여 성과향상을 위한 효율적 인센티브로 조직·보수제도를 활용하게 된다.

③ **각 부처에 자율성 부여:** 총액인건비제도는 배정된 인건비 총액의 한도 내에서 각 부처가 개인 간, 부서 간 인건비 배분의 수준과 방식을 자율적으로 결정할 뿐만 아니라 활용할 수 있는 인력의 규모와 종류 및 기구의 설치를 자율적으로 결정한다.

❶ 지방자치단체 기준인건비제 도입, 정원 자율성 확대(2014)

1. 지방자치단체에 기준인건비제도가 도입됨에 따라 지역별 여건과 특정 행정수요에 맞게 조직을 운영할 수 있도록 정원관리의 자율성이 대폭 확대되며 총정원관리제도는 폐지된다.
2. 인건비의 추가자율범위를 허용하였다가 행정안전부의 통제나 지방교부세 산정문제 등의 이유로 폐지되었다 (2018.2).

④ **최소한의 규제 및 부처의 책임성 확보:** 최소한의 규제로 자율성을 부여함으로써 각 부처가 인적자원관리의 효과성을 담보하도록 한다. 하지만 이로 인해 각 부처의 도덕적 해이 현상이 나타날 수 있기 때문에 각 부처의 책임성을 확보하기 위한 장치도 동시에 도입될 필요가 있다.

(3) 주요 내용❶

① **예산분야**

   ㉠ 인건비와 운영경비를 총액인건비 대상경비로 하여 이들 경비의 세부항목 간 '전용'은 각 기관장에게 위임한다.

   ㉡ 총액인건비 대상경비 내에서 발생한 여유재원의 사용에 대해 각 기관에 재량권을 부여하며, 예산 절감액을 성과상여금으로도 지급할 수 있도록 한다.

② **보수분야:** 인건비를 기본항목(인사위원회 종합관리)과 자율항목으로 구분하고 자율항목은 부처가 자율적으로 그 지급대상이나 요건을 정한다.

③ **조직정원분야:** 공무원 총정원 및 부처별 정원의 상한은 행정안전부가 관리(「정부조직법」 제34조 제1항)하고, 정원규모 및 계급별·직급별 정원은 부처에서 자율적으로 결정한다.

   ㉠ **총정원:** 행정안전부가 대통령령으로 정하며, 필요시 각 부처가 자율범위 이내에서 정원을 총리령 또는 부령(직제 시행규칙)으로 추가 운영할 수 있다.

   ㉡ **직급별 정원:** 실무인력의 직급별 배정은 각 부처가 자율적으로 조정할 수 있도록 하되, 상위직의 무분별한 증설방지 및 계급 간 적정비율 유지를 위해 상위직은 상한비율만 설정한다.

     ⓐ **3·4급 정원:** 4급 정원의 3분의 1 상한을 설정한다.

     ⓑ **4·5급 정원:** 5급 정원의 3분의 1 상한을 설정한다.

   ㉢ **조직관리:** 국 아래 두는 보조기관(과 단위기구)은 각 부처가 정원범위 안에서 총리령 또는 부령으로 자율적으로 설치·운용한다(부서의 총수 제한 폐지).

   ㉣ **총액인건비제도 도입 전과 도입 후 조직정원관리**

구분	도입 전	도입 후
부처 정원 규모	정원 1인 증감에도 행정자치부 (현 행정안전부)의 승인 필요	· 행정안전부는 각 부처 정원 상한 관리 · 상한 범위 내 실제 정원규모는 부처 자율적으로 결정
계급별 정원	행정자치부(현 행정안전부) 승인	부처 자율 결정
기구 설치	· 국단위 이상의 기구는 직제로 규정 · 과단위 기구는 총수 통제	· 국장급 이상의 기구는 직제로 규정(현행 유지) · 과단위 기구는 부처 자율 설치
한시기구 및 정원	행정자치부(현 행정안전부) 승인	· 한시기구: 과단위 기구 자율 설치 · 한시정원: 총액인건비 내 증원

❶ 보수등급통합제도와 총괄경상경비제도

1. **보수등급통합제도(미국의 보수제도 개혁)**
   · 보수등급통합제도(broadbanding)는 각 부처에 더 많은 재량과 더 넓은 보수범위를 허용함으로써, 상관이 현저한 성과를 낸 피고용인에게 보상할 수 있도록 해줌으로써 조직의 성과를 극대화하도록 보수자원을 융통성 있게 사용할 수 있도록 해주는 제도이다.
   · 특정 보수등급 또는 특별한 호봉을 가지는 보수범위 내에서 어떤 직위의 보수가 지급되도록 한 전통적인 보수시스템과는 반대다. 이러한 보수등급통합제도는 1990년대 초반에 몇몇 연방기구에서 실험적으로 실행되고 있지만 공공분야에서는 아직 실질적인 정도로 실행되고 있지는 못하다.
2. **총괄경상경비제도(영국의 재정관리 개혁):** 총괄경상경비제도는 중앙의 일괄적이고 강력한 예산통제를 완화하여 각 부처가 정원상한(staff ceiling) 및 총괄운영예산(total running costs)의 한도 내에서 자율적으로 정원관리와 인건비 운영을 하는 제도이다.

핵심 OX

01 우리나라는 총액인건비 내에서 조직·보수제도를 성과향상을 위한 인센티브제로 활용하여 성과중심의 조직을 운영할 수 있다. (O, X)

02 총액인건비제도는 표준정원제 운영에 적합하고, 지방자치단체장의 무분별한 기구와 정원관리의 폐해를 막을 수 있다. (O, X)

01 O
02 X 표준정원제는 총액인건비제도가 도입되기 전 사용되던 표준정원에 의한 통제제도를 의미한다.

❶ 「공무원연금법」 적용대상

적용대상	경력직 공무원, 국무총리, 장·차관
비적용 대상	· 군인(「군인연금법」) · 선출직 공무원(대통령, 국회의원, 지자체장·의원, 교육감 등)

3 공무원연금제도

1. 의의❶

(1) 공무원이 스스로 대비할 수 없는 퇴직 또는 사망과 공무로 인한 부상·질병·폐질에 대하여 적절한 급여를 줌으로써, 공무원 및 그 유족의 생활 안정과 복리 향상에 기여함을 목적으로 하는 제도이다.

(2) 직업공무원을 대상으로 하는 특수직역연금제도로서 사회보험원리와 공무원에 대한 정부의 부양원리가 혼합된 최초의 공적연금제도이다.

2. 연금의 본질

생활보장설	퇴직 후의 생활보장으로 공무원의 사기를 고양한다는 입장이다.
공로보장설 (은혜설)	재임 중의 공로를 보상한다는 입장으로서 독일과 영국의 경우, 재원을 국가가 전액 부담하는 비기여제이다.
거치보수설 (보수후불설)	유보된 보수를 나중에 지급하는 것으로 퇴직연금은 공무원의 당연한 권리로 본다. 한국과 미국의 경우, 공무원과 국가가 연금재원(연금기금)을 공동으로 조성하는 기여제를 취한다.

3. 연금의 조성방식(재원조달방식)

(1) 기금제(적립방식)와 비기금제(부과방식)

기금제 (적립방식, funded system)	개념	· 공직기간 중 보수의 일부를 갹출하고 여기에 정부의 부담금을 합하여 적립한다. · 연금지급시기가 되면 갹출된 보험료와 적립금인 기금의 운용에 의한 이자 및 사업수익, 국고의 부담 등에 의해 연금급여를 지급한다. · 한국, 미국의 방식에 해당한다.
	장점	각 세대가 독립하여 세대 간 소득재분배를 인정하지 않기 때문에 고령화와 같은 인구 구성 변화에 대해 영향을 받지 않으므로 후세대의 부담이 증가되지 않는다.
	단점	· 연금수혜자가 계속 누적되고 평균수명의 연장에 따라 기금고갈의 위기가 발생하게 된다. · 인플레이션, 임금수준의 변동과 같은 경제적 위험에 대처하기 어렵다.
비기금제 (부과방식, pay-as-you-go system)	개념	· 현재 재직 중인 공무원으로부터 갹출한 수입과 당해 정부예산에서 연금급여 지출에 소요되는 재원을 충당하여 당해 연도의 연금급여를 조달하는 방식이다. · 기금의 적립아 없어 비상시를 대비한 지불준비금만을 보유한다. · 프랑스, 독일 등 유럽국가의 방식에 해당한다.
	장점	· 세대 간 부양을 기초로 하기 때문에 인플레이션, 임금수준의 변동과 같은 위험에 대해서도 충분히 대응할 수 있다. · 연금수혜자의 누적 증가, 평균수명의 연장 등이 발생하더라도 당초 예정되었던 연금수준의 유지가 가능하게 된다.
	단점	인구구성에 의존하기 때문에 고령화가 진전되는 상황에서 후세대의 부담을 증가시켜 소득재분배의 불합리성을 초래할 수 있다.

(2) 기여제(거치보수설)와 비기여제(공로보장설)

기여제 (거치보수설)	정부(부담금)와 공무원(기여금)이 공동으로 재원조성의 비용을 부담하는 제도이다(한국, 일본, 미국). 우리나라의 경우 정부와 공무원 개인의 비용부담률이 동등하며(5:5), 기여비율은 기준소득월액의 8%(2016년)~9%(2020년)로 단계적으로 인상된다. 다만, 일본과 미국은 정부부담률이 공무원 부담률보다 훨씬 높다.
비기여제 (공로보장설)	재원 조성에 필요한 비용을 공무원에게 부담시키지 않고 정부가 전액 부담하는 제도이다(영국, 독일).

4. 종류

공무원연금은 일반적으로 '퇴직연금'을 말하지만, 연금의 종류는 단기급여와 장기급여로 나누어진다.

(1) 단기급여

① 공무상 요양비, 공무상 요양일시금, 재해부조금, 사망조위금이 있다.

② 단기급여청구권의 소멸시효: 3년이다.

(2) 장기급여❶

① **퇴직급여**: 정부와 공무원이 공동으로 조성한다(기여제).

  ㉠ **퇴직연금**: 퇴직할 때 연금기금에서 받는 공식 퇴직금이다. 10년 이상 재직하고 퇴직한 경우 65세가 되었을 때, 강제퇴직의 경우 퇴직 시부터 지급된다.

  ㉡ **퇴직일시금**: 10년 미만 재직하고 퇴직하는 경우 지급된다.

  ㉢ **퇴직급여 감액사유**

    ⓐ 재직 중의 사유로 금고 이상의 형을 받은 때에 감액된다.

    ⓑ 탄핵 또는 징계에 의하여 파면된 때에 감액된다.

    ⓒ 금품 및 향응수수, 공금의 횡령·유용으로 징계 해임된 때에 감액된다.

② **퇴직수당**: 공무원이 1년 이상 재직하고 퇴직 또는 사망한 때 국가예산으로부터 지급받는 단순한 수당으로 정부가 조성한다(비기여제).

  ㉠ 1년 이상 재직하고 퇴직 또는 사망한 때에 지급된다.

  ㉡ **퇴직수당 감액사유**: 퇴직급여 감액사유와 동일하다.

(3) 연금 외에 근로소득금액 등이 있고, 그 소득월액이 전년도 평균임금월액을 초과한 때에 그 초과한 소득월액에 일정한 비율을 곱한 금액에 해당하는 퇴직연금 또는 조기퇴직연금의 지급을 정지한다.

(4) 우리나라의 공무원연금 조성방식

공무원이 스스로 미래에 대비할 거치보수설의 입장에서 기금제와 기여제[기준소득월액의 8%(2016년)~9%(2020년)]를 적용한다.

❶ 「공무원연금법」개정사항(2016)

구분	과거	개정 후
기여율	기준소득 월액의 7%	9% (2020년)
지급률	기준소득 월액의 1.9%	1.7% (2035년)
지급개시 연령	만 60세	만 65세 (2033년)
유족연금 지급률	퇴직연금의 70%	퇴직연금의 60%
기여금 납부기간	33년	36년
연금수령 조건	가입기간 20년	가입기간 10년
퇴직수당	민간의 39%	
기존수급자 연금액	물가에 연동 지급	향후 5년간 동결

핵심 OX

01 거치보수설(보수후불설)에 따르면 퇴직연금은 공무원의 당연한 권리이다.
(O, X)

02 「공무원연금법」 적용대상자에는 선거에 의해 취임하는 공무원이 포함된다.
(O, X)

01 O

02 X 「공무원연금법」의 적용대상인 공무원은 「국가공무원법」, 「지방공무원법」, 그 밖의 법률에 의한 공무원으로 하되, 다만 군인과 선거에 의하여 취임하는 공무원을 제외한다(「공무원연금법」 제3조).

4 고충처리제도와 제안제도

1. 고충처리제도

(1) 의의

① 고충처리는 공무원이 근무생활과 관련하여 제기하는 고충을 심사하고 그 해결책을 강구하는 활동이다. 심사대상은 근무조건, 인사관리 및 기타 신상문제이다.

② 고충처리는 감독자에 의한 비공식적 고충처리와 고충처리위원회를 통한 공식적 고충처리로 나눌 수 있다.

(2) 우리나라의 고충처리제도

① 공무원이면 누구나 할 수 있으며 이로 인하여 불이익한 처분이나 대우를 받지 아니한다.

② 중앙고충심사위원회의 기능은 소청심사위원회에서 담당하며, 고충심사는 30일 이내에 결정하여 통보하여야 한다.

③ **고충처리제도의 한계**: 고충처리위원회의 고충심사에 대한 결정은 구속력이 없다.

2. 제안제도

(1) 의의

제안제도는 공무원의 창의적 의견과 고안을 장려하고 개발하여 행정과 정부시책에 반영함으로써 행정의 능률화와 경비의 절약을 기하며, 공무원의 참여의식과 과학적인 문제해결능력의 증진 및 사기앙양을 목적으로 시행되는 제도이다. 이에 주민제안은 포함되지 않는다.

(2) 효용과 한계

① **효용**: 제안제도는 1차적으로 행정의 능률화, 예산절약에 기여하고, 공무원의 근무의욕을 고취시킬 수 있으며, 창의력 개발에도 도움이 된다. 2차적으로는 하의상달을 통한 사기앙양으로 연결되며 행정의 민주화를 제고할 수 있다.

② **한계**: 제안제도는 동료들 간의 경쟁심리를 자극할 수 있다. 또한 합리적이고 공정한 심사가 뒷받침되어야 하는 전제조건이 필요하다.

(3) 우리나라의 제안제도

① **공무원제안의 범위·대상 확대**: 연중 상시 제안할 수 있으며 자신의 업무와 관련한 제도개선사항도 제안으로 제출할 수 있다. 공동제안의 경우에는 소속기관장의 허가 없이 3인 이상이 공동으로 제안이 가능하다.

② **공무원제안의 처리절차 개선과 우수한 제안의 보상 확대**: 제출된 제안은 1월 이내에 채택 여부를 결정하고 우수한 제안을 제출한 자에 대해서는 최고 800만 원까지의 부상금과 최고 3,000만 원까지의 상여금을 각각 지급할 수 있다.

핵심 OX

01 제안은 연중 상시 제안할 수 있으며 자신의 업무와 관련한 제도개선사항도 제안으로 제출할 수 있도록 하고, 공동제안의 경우 소속기관장의 허가 없이 3인 이상이 공동으로 제안이 가능하도록 한다. (O, X)

01 O

7 공무원의 신분보장

1 신분보장

1. 의의 및 법률규정

(1) 의의

공무원이 잘못이 없는 한 자신의 의사에 반하는 신분상의 불이익한 처분을 당하지 않는 것으로, 이는 공무원의 면직·징계·정년제도와 관련된다.

(2) 「국가공무원법」 제68조(의사에 반한 신분 조치)의 규정

'공무원은 형의 선고, 징계처분 또는 이 법에서 정하는 사유에 따르지 아니하고는 본인의 의사에 반하여 휴직·강임 또는 면직을 당하지 아니한다. 다만, 1급 공무원과 직무등급이 가장 높은 등급의 직위에 임용된 고위공무원단에 속하는 공무원은 그러하지 아니하다'고 규정하고 있다.

2. 필요성과 한계

(1) 필요성

① 공직자의 신분보장을 통한 행정의 안정성과 계속성을 확보할 수 있다.

② 부당한 압력에 굴복하지 않도록 하는 정치적 중립성을 확보하는 데 필요하다.

③ 인사권자의 자의성을 방지하고 행정의 능률성과 전문성을 확보하여 공직자의 심리적 안정감과 사기증진에 기여한다.

(2) 한계

신분보장이 지나치게 되면 관료에 대한 민주통제가 어려워지며 무사안일과 도덕적 해이를 가져오는 문제점이 발생할 수 있으므로 적절한 신분보장이 필요하다.

2 공무원의 면직(퇴직)제도

1. 강제퇴직제도

(1) 의의

강제퇴직은 조직의 구성원이 비자발적으로 퇴직하게 되는 것이다.

(2) 종류

① **당연퇴직**: 임용권자의 처분에 의한 것이 아닌 재직 중에 법률규정에 일정한 사유의 발생으로 공무원관계가 소멸하는 경우이다.

② **직권면직**: 공직자가 일정한 사유에 해당하였을 때 본인의 의사와는 무관하게 임용권자의 일방적 의사와 직권에 의하여 공직으로부터 배제되는 면직행위이다.

③ **징계면직**: 파면이나 해임 등 징계처분에 의하여 공직자가 신분을 상실하는 경우이다.

2. 임의퇴직제도

(1) 의의
임의퇴직은 조직의 구성원이 자발적으로 퇴직하는 것이다.

(2) 종류
① 의원면직
- ㉠ 공직자의 퇴직의사를 임용권자가 받아들여 면직행위를 함으로써 조직구성원으로서의 신분이 소멸되는 것이다.
- ㉡ 우리나라의 공무원 퇴직인원 중 가장 많은 비율을 차지하는 의원면직은 현실적으로 임용권자 및 감찰조직 등의 요구에 의한 강제퇴직인 경우가 많다.

② 명예퇴직❶
- ㉠ 20년 이상 근속한 공무원이 정년퇴직일을 1년 이상 남겨 놓고 자진 퇴직하는 것이다.
- ㉡ 조기퇴직제도와 유사하나 명예퇴직은 20년 이상 근속자에만 해당되고 정부의 감축관리와는 관련 없는 퇴직이라는 점에서 조기퇴직과는 구별된다.

3 정년제도

1. 의의
정부의 역량과 행정의 효율성을 높이고 신진대사를 촉진시키기 위해서 정해진 법정시기에 자동적으로 공무원의 직위를 정지시키는 제도이다.

2. 목적
(1) 인건비 절감과 고용증대 효과가 있다.

(2) 공직의 신진대사를 활발하게 하여 행정이 효율성이 증대될 수 있다.

(3) 직업공무원제도의 안정적 실시를 위해 정년제도가 운영된다.

3. 종류

(1) 연령정년제❷
일정연령에 달하면 자동 퇴직하게 하는 제도이다.

(2) 계급정년제❸
① 일정한 직급에서 일정기간 동안에 승진하지 못하면 퇴직하게 하는 제도이다.

② 단일 기능적 조직에서 계급질서 유지가 중요한 경우(외교, 경찰, 군인 등)에 적용되는 정년제도로서 일반 행정업무에서 활용되기 어려운 문제가 있다.

(3) 근속정년제
공직 근속연한이 일정기간에 달하면 자동 퇴직하게 하는 제도이다.

---

❶ 명예퇴직제도
1. 목적: 장기근속 공무원에 대한 명예로운 사회진출기회 부여 및 경제적 보상과 공직사회의 신진대사 촉진 및 조직 활성화를 위함이다.
2. 대상공무원: 일반직, 검사, 치안정감 이하 경찰, 소방직공무원, 교육공무원, 군무원, 국가정보원 직원, 1급 이하 외무공무원이 대상이다.
3. 요건: 20년 이상 근속자로서 정년 잔여기간이 1년 이상인 자 중 자진하여 퇴직하는 자이다. 공무원으로서 20년 이상 근속한 자가 정년 전에 자진하여 퇴직하는 경우를 의미하고, 이 경우 예산의 범위 안에서 명예퇴직수당을 지급할 수 있다.

❷ 공무원 연령별 정년
다른 법률에 특별한 규정이 있는 경우를 제외하고는 60세로 한다.

❸ 계급정년제도의 장단점

장점	단점
· 퇴직률 제고로 공직참여기회 확대 · 유동률의 적정화로 공직침체 방지 · 무능력자의 도태 · 공무원능력발전 유도 · 정실개입 방지	· 이직률 조정곤란 · 숙련공무원의 인위적 배제로 인한 손실 · 공무원의 신분불안 및 사기저하 · 직업공무원 및 실적주의 저해 · 행정의 안정성·계속성 저해

핵심 OX

01 계급정년제는 현재 일반직공무원에 광범위하게 실시되고 있다. (O, X)

01 X 군인이나 경찰공무원 등 특수한 특정직공무원에만 도입되고 있다.

4 공무원의 불이익처분

1. 징계제도

(1) 의의

공무원의 의무위반에 대한 제재이다. 이는 단순한 범법행위나 직무태만의 결과를 처벌만 하자는 것이 아니고 그러한 사유가 발생하게 된 원인을 파악하고 그것을 시정하는 목적도 동시에 가진다.

(2) 사유(「국가공무원법」 제78조)

① 「국가공무원법」이나 이에 의한 명령을 위반한 경우

② 직무상의 의무를 위반하거나 직무를 태만히 하였을 경우

③ 직무의 내·외를 불문하고 그 체면 또는 위신을 손상하는 행위를 한 경우

(3) 종류

징계의 종류는 경징계와 중징계로 나눌 수 있다. 경징계에는 견책과 감봉, 중징계에는 정직, 강등, 해임, 파면이 속한다.

① 경징계

견책	전과에 대하여 훈계하고 회개하는 등 주의를 주는 것으로 인사기록에 남긴다(6개월간 승급 정지).
감봉	직무수행은 가능하나 1~3개월 동안 보수의 1/3을 감한다(12개월간 승급 정지).

② 중징계

정직	공무원의 신분은 보유하나 1~3개월 동안 직무를 정지시키고 보수는 전액을 감한다(18개월간 승급 정지).
강등	공무원의 신분은 보유하나 1계급 아래로 직급을 내리고 3개월간 직무에 종사하지 못하게 하며 보수는 전액을 감한다(18개월간 승급 정지).
해임	· 강제퇴직의 한 종류로서 공무원직이 박탈된다. 퇴직급여에는 영향을 주지 않으며(원칙) 3년간 공무원 재임용이 불가하다. · 단, 공금횡령 및 유용 등으로 해임된 경우에는 퇴직급여의 1/8 내지는 1/4을 지급제한한다.
파면	강제퇴직의 한 종류로서 공무원직이 박탈된다. 5년간 재임용자격이 제한되고 퇴직급여의 1/4 내지는 1/2을 지급제한한다.

(4) 징계기구·절차 및 권리구제❶

① 징계기구

  ㉠ 중앙징계위원회: 국무총리 소속하에 설치되어 있다.

  ㉡ 보통징계위원회: 각 행정기관에 설치되어 있다.

② 징계의결요구서를 접수하면 중앙징계위원회는 60일 이내, 보통징계위원회는 30일 이내에 징계에 관한 의결을 하여야 한다.

③ 징계에 대한 불복 시 소청심사위원회에 소청의 제기가 가능하다. 또한 소청심사를 거치지 않고서는 행정소송의 제기가 불가능하다.

❶ 징계의 소멸시효(「국가공무원법」 제83조의2)

1. 10년
  · 「성매매알선 등 행위의 처벌에 관한 법률」 제4조에 따른 금지행위
  · 「성폭력범죄의 처벌 등에 관한 특례법」 제2조에 따른 성폭력범죄
  · 「아동·청소년의 성보호에 관한 법률」 제2조 제2호에 따른 아동·청소년대상 성범죄
  · 「양성평등기본법」 제3조 제2호에 따른 성희롱

2. 5년
  · 금전, 물품, 부동산, 향응 또는 그 밖에 대통령령으로 정하는 재산상 이익을 취득하거나 제공한 경우
  · 예산, 기금, 물품 등을 횡령(橫領), 배임(背任), 절도, 사기 또는 유용(流用)한 경우

3. 3년
  그 밖의 징계 등 사유에 해당하는 경우

2. 직위해제와 직권면직

(1) 직위해제

① 의의

    ㉠ 공무원 신분은 보존시키되 직위를 부여하지 않는 임용행위를 말한다.

    ㉡ 직위해제가 된 경우에는 직무에 종사하지 못하며, 출근의 의무도 없다. 봉급의 8할(연봉월액의 7할)을 지급하며 경력인정은 되지 않는다.

    ㉢ 직위해제 사유 소멸 시 임용권자는 지체 없이 직위를 부여하여야 한다.

② 사유(「국가공무원법」 제73조의3)

    ㉠ 직무수행능력이 부족하거나 근무성적이 극히 나쁜 자

    ㉡ 징계의결이 요구 중인 자(중징계)

    ㉢ 형사사건으로 기소된 자(약식명령*이 청구된 자는 제외한다)

    ㉣ 고위공무원단에 속하는 일반직공무원으로서 「국가공무원법」 제70조의2(적격심사) 제1항 제2호~제5호의 사유로 적격심사를 요구받은 자❶

    ㉤ 금품비위, 성범죄 등 대통령령으로 정하는 비위행위로 인하여 감사원 및 검찰·경찰 등 수사기관에서 조사나 수사 중인 자로서 비위의 정도가 중대하고 이로 인하여 정상적인 업무수행을 기대하기 현저히 어려운 자

(2) 대기명령

① 임용권자는 '직무수행능력이 부족하거나 근무성적이 극히 불량한 자'에 해당하여 직위해제된 자에 대하여 3월 이내의 기간 동안 대기를 명한다.

② 대기명령을 받은 자에 대하여는 임용권자 또는 임용제청권자는 능력회복이나 근무성적의 향상을 위한 교육훈련 또는 특별한 연구과제의 부여 등 필요한 조치를 하여야 한다.

③ 대기명령을 받은 자가 그 기간 중 능력 또는 근무성적의 향상을 기대하기 어렵다고 인정되어 보직을 부여받지 못하면 징계위원회의 동의를 얻어 공무원직을 박탈(직권면직)할 수 있다.

(3) 직권면직❷

① 의의: 공무원이 일정한 사유에 해당되었을 경우에 본인의 의사와 관계없이 임용권자가 일방적으로 공무원의 신분을 박탈하는 것이다.

② 사유

    ㉠ 직제·정원의 개폐, 예산의 감소 등에 의하여 폐직 또는 과원이 되었을 때

    ㉡ 휴직기간의 만료 또는 휴직사유가 소멸된 후에도 직무에 복귀하지 아니하거나 직무를 감당할 수 없을 때

    ㉢ 직위해제에 따른 대기명령을 받은 자가 그 기간 중 능력 또는 근무성적의 향상을 기대하기 어렵다고 인정될 때

    ㉣ 전직시험에 3회 이상 불합격한 자로서 직무수행능력이 부족한 자로 인정될 때

    ㉤ 병역기피·군무이탈

    ㉥ 당해 직급에서 직무를 수행하는 데 필요한 자격증의 효력이 상실되거나 면허가 취소되어 담당직무를 수행할 수 없게 된 때

    ㉦ 고위공무원단에 속하는 일반직공무원이 적격심사 결과 부적격결정을 받은 때

용어

약식명령(略式命令)*: 정식의 공판절차를 거치지 않고 서면심리(書面審理)만으로 지방법원에서 벌금·과료 또는 몰수형을 과하는 명령이다.

❶ 적격심사 요구사유(「국가공무원법」 제70조의2 제1항)
1. 근무성적평정에서 최하위 등급의 평정을 총 2년 이상 받은 때(제2호)
2. 대통령령으로 정하는 정당한 사유 없이 직위를 부여받지 못한 기간이 총 1년에 이른 때(제3호)
3. 근무성적평정에서 최하위 등급을 1년 이상 받은 사실이 있고 정당한 사유 없이 6개월 이상 직위를 부여받지 못한 사실이 있는 경우(제4호)
4. 조건부 적격자가 교육훈련을 이수하지 아니하거나 연구과제를 수행하지 아니한 때(제5호)

❷ 직권면직의 성격
직권면직을 할 때에는 징계위원회의 동의나 의견청취를 필요로 하나, 징계의 종류에는 해당하지 않는다.

01 「지방공무원법」상 공무원 인사이동에 대한 설명으로 옳지 않은 것은? 2024년 지방직 9급

① 전직은 직렬을 달리하는 임명을 말한다.

② 전보는 같은 직급 내에서 보직변경을 말한다.

③ 강임의 경우, 같은 직렬의 하위 직급이 없는 경우 다른 직렬의 하위 직급으로는 이동할 수 없다.

④ 지방자치단체의 장 또는 지방의회의 의장은 공무원을 전입시키려고 할 때에는 해당 공무원이 소속된 지방자치단체의 장 또는 지방의회의 의장의 동의를 받아야 한다.

02 평상시 근무하면서 일을 배우는 직장 내 교육훈련방법으로 가장 옳지 않은 것은? 2015년 서울시 7급

① 실무지도   ② 인턴십

③ 직무순환   ④ 감수성훈련

정답 및 해설

01 「지방공무원법」상 공무원 인사이동

강임은 같은 직렬 내에서 하위 직급에 임명하거나 하위 직급이 없어 다른 직렬의 하위 직급에 임명하는 것을 말한다.

❗ 「지방공무원법」상 공무원 인사이동

> 제5조【정의】이 법에서 사용하는 용어의 뜻은 다음과 같다.
> 　4. "강임(降任)"이란 같은 직렬 내에서 하위 직급에 임명하거나 하위 직급이 없어 다른 직렬의 하위 직급에 임명하는 것을 말한다.
> 　5. "전직(轉職)"이란 직렬을 달리하여 임명하는 것을 말한다.
> 　6. "전보(轉補)"란 같은 직급 내에서의 보직변경을 말한다.
> 제29조의3【전입】지방자치단체의 장 또는 지방의회의 의장은 공무원을 전입시키려고 할 때에는 해당 공무원이 소속된 지방자치단체의 장 또는 지방의회의 의장의 동의를 받아야 한다.

02 현장훈련과 교육원훈련

감수성훈련은 조직구성원들의 행태변화훈련기법으로 직장 내에서 이루어지는 현장훈련(OJT; On the Job Trainig)과는 직접적 관계가 없다.

❗ 현장훈련의 유형

실무지도	일상 근무 중 상관이 부하지도
직무순환	여러 분야의 직무를 경험하도록 순환
임시배정	맡게 될 임무에 대비한 잠시 배정
인턴십	전반적인 업무를 간단히 경험하는 것

정답 01 ③ 02 ④

03 교육참가자들이 팀을 구성하여 실제 현안문제를 해결하면서 동시에 문제해결과정에 대한 성찰을 통해 학습하도록 지원하는 행동학습(learning by doing)으로서, 주로 관리자훈련에 사용되는 교육방식은? 2015년 지방직 7급

① 멘토링(mentoring)

② 감수성훈련(sensitivity training)

③ 액션러닝(action learning)

④ 워크아웃 프로그램(work-out program)

04 다음 설명에 해당하는 공무원 교육훈련 방법은? 2024년 국가직 9급

> 교육 참가자들을 소그룹 규모의 팀으로 구성해 개인, 그룹 또는 조직에 중요한 의미가 있는 실제 현안 문제를 해결하면서 동시에 문제 해결 과정에 대한 성찰을 통해 학습하도록 지원하는 교육방식이다. 우리나라 정부 부문에는 2005년부터 고위공직자에 대한 교육훈련 방법으로 도입되었다.

① 액션러닝

② 역할연기

③ 감수성훈련

④ 서류함기법

05 다음 설명에 해당하는 교육훈련방법은? 2019년 국가직 9급

> 서로 모르는 사람 10명 내외로 소집단을 만들어 허심탄회하게 자신의 느낌을 말하고 다른 사람이 자신을 어떻게 생각하는지를 귀담아듣는 방법으로 훈련을 진행하기 위한 전문가의 역할이 요구된다.

① 역할연기

② 직무순환

③ 감수성훈련

④ 프로그램화 학습

06 유연근무제도에 대한 설명으로 옳지 않은 것은?

① 유연근무제도에는 시간선택제 전환근무제, 탄력근무제, 원격근무제가 포함된다.

② 원격근무제는 재택근무형과 스마트워크 근무형으로 구분된다.

③ 심각한 보안위험이 예상되는 업무는 온라인 원격근무를 할 수 없다.

④ 재택근무자의 재택근무일에도 시간 외 근무수당 실적분과 정액분을 모두 지급하여야 한다.

정답 및 해설

03 액션러닝

액션러닝(action learning)이란 정책현안에 대한 현장방문, 사례조사, 성찰미팅 등을 통해 실제 현안문제를 해결하면서 동시에 문제해결과정에 대한 성찰을 통해 학습하도록 지원하는 행동학습으로서 최근 우리나라 등 각국의 고위공무원단의 교육훈련기법으로 많이 활용되고 있다.

| 선지분석 |

① 멘토링(mentoring)은 풍부한 경험과 지혜를 겸비한 신뢰할 수 있는 사람이 1 : 1로 지도와 조언을 하는 것이다.

④ 워크아웃 프로그램(work-out program)은 효율성 없이 속도를 저하시켜 버리는 복잡한 일(work)은 업무에서 완전히 아웃(out)시켜 버리는 프로그램으로, 모든 절차와 방법을 이해하기 쉽게 단순화(simplicity)시키고, 신속성(speed) 있게 처리해야 하며, 자신감(self-confidence)을 가지고 추진해야 하는 것이다.

04 역량기반 교육훈련방법

액션러닝(action learning)은 조직구성원이 팀을 구성하여 동료와 촉진자(facilitator)의 도움을 받아 실제 현장조사를 통한 현안문제해결과 이를 통한 학습과정을 중시하는 교육훈련방법이다. 우리나라 정부 부문에는 2005년부터 고위공직자(고위공무원단)에 대한 교육훈련 방법으로 도입되었다.

| 선지분석 |

④ 서류함기법은 미래에 발생할 수 있는 다양한 형태의 모의업무상황을 미리 준비해 놓고 하나의 업무상황을 임의적으로 선택하게 하고 이를 실제 수행하게 하는 방법이다.

05 교육훈련방법

제시문은 교육훈련방법 중 하나인 감수성훈련에 대한 설명이다. 감수성훈련은 15명 내외의 인원으로 구성된 소집단(small group)을 통해서 이루어진다. 훈련은 외부와 격리된 장소(실험실)에서 1~2주일 동안 실시되며, 대체로 심리학을 전공한 사람이 훈련을 지도한다.

06 유연근무제도

재택근무자는 원칙적으로 초과근무를 할 수 없으나 예외적으로 기관장의 사전승인을 얻어 가능하며 시간 외 근무수당 정액분(초과근무시간기준 지급수당)은 지급가능하나 실적분(근무성과기준 지급수당)은 지급할 수 없도록 규정되어 있다(「국가공무원 복무·징계 관련 예규」).

07 공무원의 근무방식과 형태에 대한 설명으로 옳지 않은 것은? 2019년 국가직 9급

① 유연근무제는 공무원의 근무방식과 형태를 개인·업무·기관특성에 따라 선택할 수 있는 제도이다.

② 시간선택제 근무는 통상적인 전일제 근무시간(주 40시간)보다 길거나 짧은 시간을 근무하는 제도이다.

③ 탄력근무제는 전일제 근무시간을 지키되 근무시간, 근무일수를 자율 조정할 수 있는 제도이다.

④ 원격근무제는 직장 이외의 장소에서 정보통신망을 이용하여 근무하는 제도이다.

08 근무성적평정상의 오류 중 평가자가 일관성 있는 평정기준을 갖지 못하여 관대화 및 엄격화 경향이 불규칙하게 나타나는 것은? 2018년 국가직 9급

① 연쇄 효과(halo effect)

② 규칙적 오류(systematic error)

③ 집중화 경향(central tendency)

④ 총계적 오류(total error)

09 근무성적평정방법 중 강제배분법에 대한 설명으로 옳지 않은 것은? 2023년 국가직 7급

① 역산식 평정이 불가능하며 관대화 경향을 초래한다.

② 평가의 집중화 경향을 억제하는 효과가 있다.

③ 평정대상 다수가 우수한 경우에도 일정한 비율의 인원은 하위 등급을 받을 수 있다는 단점이 있다.

④ 등급별 할당 비율에 따라 피평가자들을 배정하는 것이다.

10 근무성적평정상의 오류에 대한 설명으로 옳지 않은 것은?

① 평정자가 피평정자를 잘 모르는 경우 집중화 경향이 발생할 수 있다.

② 평정자의 평정기준이 일정하지 않은 경우 총계적 오류(total error)가 발생할 수 있다.

③ 연쇄효과(halo effect)는 초기 실적이나 최근의 실적을 중심으로 평가함으로써 발생하는 시간적 오류를 의미한다.

④ 관대화 경향의 폐단을 막기 위해 강제배분법을 활용할 수 있다.

정답 및 해설

07 공무원의 근무방식과 형태

시간선택제 근무는 통상적인 근무시간(주 40시간)보다 짧은 시간을 근무하는 제도이다. 주 20시간 ± 5시간(최장 35시간)을 일하는 정규직공무원으로 오전·오후·야간·격일제 등 다양한 형태로 근무시간대를 조정할 수 있다. 우리나라의 경우 승진과 보수는 근무시간에 비례해 일반공무원 규정을 적용받는다.

08 근무성적평정상의 오류

평정자의 평정기준이 일정하지 않아, 관대화 경향과 엄격화 경향이 불규칙하게 나타나는 것은 총계적 오류(total error)이다.

09 강제배분법의 한계

강제배분법은 근무성적평정의 관대화와 엄격화를 막기 위한 방법으로 성적분포의 비율을 미리 정해놓고 피평가자를 각 등급에 강제적으로 분포하게 하는 역산식 평정의 문제점이 발생할 수 있다.

10 근무성적평정상의 오류

초기 실적이나 최근의 실적을 중심으로 평가함으로써 발생하는 시간적 오류는 근접오류라고 하며, 연쇄효과는 하나의 평정요소가 다른 요소에 과도하게 영향을 미치는 것을 말한다.

❶ 근무성적평정상의 오류

연쇄효과 (Halo effect)	하나의 평정요소가 다른 평정요소에 영향을 미침
관대화(엄격화)의 오류	하급자와의 인간관계를 의식하여(의식하지 않아) 평정등급이 높게(낮게) 나타남
집중화의 오류	무난하게 주로 중간등급을 주는 현상
규칙적 오류	언제나 좋은 점수 또는 나쁜 점수를 줌으로써 체계적으로 나타나는 오류
총계적 오류	때로는 좋게 때로는 나쁜 점수를 주어 그 평가가 불규칙함으로써 생기는 오류
논리적 오류	논리적 과정이 바르지 못하여 생긴 잘못된 추리나 판단에 의한 오류
상동오차 (고정관념)	상동오차(고정관념)
근접 오류 (시간적 오류)	최근의 실적이나 사건이 평정에 영향을 미치는 오류
대비적 오류	평정대상자를 바로 직전의 피평정자와 비교하여 평정하는 오류
피그말리온 (스티그마)효과	자기충족적(미충족적) 예언이 긍정적(부정적) 효과를 가져오는 오류

11 근무성적평정에서 나타나기 쉬운 집중화 경향과 관대화 경향을 시정하기 위한 방법으로 적절한 것은? 2019년 국가직 9급

① 자기평정법 　　　　　　　　　　　② 목표관리제 평정법

③ 중요사건기록법 　　　　　　　　　④ 강제배분법

12 국내 최고 대학을 졸업했기 때문에 일을 잘했을 것이라고 생각하여 피평정자에게 높은 근무성적평정 등급을 부여할 경우 평정자가 범하는 오류는? 2020년 지방직 9급

① 선입견에 의한 오류 　　　　　　　② 집중화 경향으로 인한 오류

③ 엄격화 경향으로 인한 오류 　　　　④ 첫머리 효과에 의한 오류

13 근무성적평정 과정상의 오류와 완화방법에 대한 설명으로 옳지 않은 것은? 2021년 국가직 9급

① 일관적 오류는 평정자의 기준이 다른 사람보다 높거나 낮은 데서 비롯되며 강제배분법을 완화방법으로 고려할 수 있다.

② 근접효과는 전체 기간의 실적을 같은 비중으로 평가하지 못할 때 발생하며 중요사건기록법을 완화방법으로 고려할 수 있다.

③ 관대화 경향은 비공식 집단적 유대 때문에 발생하며 평정결과의 공개를 완화방법으로 고려할 수 있다.

④ 연쇄효과는 도표식평정척도법에서 자주 발생하며 피평가자별이 아닌 평정요소별 평정을 완화방법으로 고려할 수 있다.

14 다면평가제도에 대한 설명으로 가장 옳지 않은 것은?

① 다수의 평가자가 참여해 합의를 통해 평가결과를 도출하는 체계이며, 개별평가자의 오류를 방지하고 평가의 공정성을 확보할 수 있다.

② 개인을 평가할 때, 직속상사에 의한 일방향의 평가가 아닌 다수의 평가자에 의한 다양한 방향에서의 평가이다.

③ 조직구성원들에게 조직 내외의 모든 사람과 원활한 인간관계를 증진시키려는 강한 동기를 부여함으로써 업무수행의 효율성을 제고할 수 있다.

④ 능력보다는 인간관계에 따른 친밀도로 평가가 이루어져 상급자가 업무추진보다는 부하의 눈치를 의식하는 행정이 이루어질 가능성이 높다.

정답 및 해설

11 근무성적평정의 오류와 대응방안
근무성적평정 시 중간점수로 몰리는 집중화 경향과 너그럽게 후한 점수를 주는 관대화 경향을 시정하려면 등급의 분포비율을 강제로 배분하는 강제배분법을 활용한다.

12 근무성적평정상의 오류
설문은 평정요소와 관계없는 성별·학교·지역·종교·연령·피부색 등에 대해 평정자가 갖고 있는 편견이 평정에 크게 영향을 미치는 현상으로 선입견에 의한 오류(상동오차)에 해당한다.

| 선지분석 |
② 집중화 경향으로 인한 오류는 평정자가 피평정자에게 중간 정도의 점수를 주는 경향이다.
③ 엄격화 경향으로 인한 오류는 평정자가 피평정자에게 나쁜 점수를 주는 경향이다.
④ 첫머리 효과에 의한 오류는 평정자가 전체 기간의 근무성적을 평가하기보다는 근무성적평정 초기의 업적에 영향을 크게 받는 경향이다.

13 근무성적평정상의 오류와 완화방법
관대화 경향은 비공식 집단적 유대 등의 이유로 인해서 피평정자에게 좋은 점수를 주는 현상으로, 평정결과의 공개가 아닌 비공개를 완화방법으로 고려할 수 있다. 평정결과를 공개할 경우 피평정자와 불편한 관계에 놓일 것을 우려하여 관대화 경향은 더욱 심화될 수 있으며 이를 막기 위해서 강제배분법을 활용하는 방식이 보다 효과적이다.

14 다면평가제도
다면평가제도는 다수의 평가자가 참여하는 것은 맞지만 합의를 통하여 평가결과를 도출하는 것이 아니며, 주로 온라인평가(익명)를 원칙으로 한다.

| 선지분석 |
② 주로 상급자, 동료, 부하, 민원인에 의한 다방향적 평가를 실시한다.
③ 팀워크와 소통을 통하여 원활한 인간관계를 증진시키고 업무의 효율성을 제고할 수 있다.
④ 평가자에 부하도 포함되므로 상급자가 부하들의 눈치를 의식하는 소신 없는 행정이나 평정상의 스트레스가 발생하는 문제점이 있다.

정답 11 ④ 12 ① 13 ③ 14 ①

15 공무원 보수에 대한 설명으로 옳지 <u>않은</u> 것은?

① 직능급이란 직무의 난이도와 책임에 따라 결정되는 보수이다.

② 실적급(성과급)은 개인이나 집단의 근무실적과 보수를 연결시킨 것이다.

③ 생활급은 생계비를 기준으로 하는 보수로서 공무원과 그 가족의 기본적인 생활을 보장하기 위한 것이다.

④ 연공급(근속급)은 근속연수와 같은 인적 요소를 기준으로 하는 보수이다.

16 「국가공무원법」상 징계에 대한 설명으로 옳은 것은?

① 징계는 파면·해임·정직·감봉·견책으로 구분한다.

② 정직은 1개월 이상 3개월 이하의 기간으로 하고, 정직 처분을 받은 자는 그 기간 중 공무원의 신분은 보유하나 직무에 종사하지 못하며 보수의 3분의 2를 감한다.

③ 감봉은 1개월 이상 3개월 이하의 기간 동안 보수의 3분의 1을 감한다.

④ 감사원에서 조사 중인 사건에 대하여는 조사개시 통보를 받은 후부터 징계 의결의 요구나 그 밖의 징계 절차를 진행할 수 있다.

17 공무원 신분의 변경과 소멸에 대한 설명으로 옳지 <u>않은</u> 것은?

① 직권면직은 법률상 징계의 종류로 규정되어 있지 않다.

② 정직은 징계처분의 일종으로, 정직 기간 중에는 보수의 1/2을 감하도록 되어 있다.

③ 임용권자는 사정에 따라서는 공무원 본인의 의사에도 불구하고 휴직을 명해야 한다.

④ 임용권자는 직무수행 능력 부족을 이유로 직위해제를 받은 공무원이 직위해제 기간에 능력의 향상을 기대하기 어렵다고 인정된 때에 직권면직을 통해 공무원의 신분을 박탈할 수 있다.

18 공무원의 직위해제에 대한 설명으로 옳은 것은?

① 직위해제는 공무원 징계의 한 종류이다.

② 직위해제 처분을 받은 공무원은 잠정적으로 공무원 신분이 상실된다.

③ 직무수행 능력이 부족하거나 근무성적이 극히 나쁜 자에 대해서도 직위해제가 가능하다.

④ 직위해제의 사유가 소멸된 경우 임용권자는 인사위원회의 심의를 거쳐 3개월 이내에 직위를 부여하여야 한다.

정답 및 해설

15 공무원의 기본급체계

직무의 난이도와 책임에 따라 결정되는 보수는 직급급이 아니라 직무급에 해당한다.

❶ 공무원의 기본급체계

기본급	주요 가치	기준	관련 원칙
생활급	연령·가족관계	생계비	생활보장의 원칙
연공급	근무연한·근속연한	연공 또는 근속기간	
직무급	노동(업무)의 가치	직무(난이도와 책임도)	근로대가의 원칙
직능급	노동력(능력)의 가치	직무능력	
성과급	노동성과(업적)의 가치	실적 또는 성과	

16 징계의 유형과 효력

감봉은 경징계로 직무수행은 가능하나 1개월 이상 3개월 이하의 기간 동안 보수의 3분의 1을 감하며, 12개월간 승급이 정지된다.

| 선지분석 |

① 징계는 파면·해임·강등·정직·감봉·견책으로 구분한다.

② 정직 처분을 받은 자는 그 기간 중 공무원의 신분은 보유하나 직무에 종사하지 못하며 보수의 전액을 감한다.

④ 감사원에서 조사 중인 사건에 대하여는 조사개시 통보를 받은 날부터 징계 의결의 요구나 그 밖의 징계 절차를 진행하지 못한다.

❶ 징계의 종류

견책	전과에 대하여 훈계하고 회개하게 하고 6개월간 승급 정지
감봉	1~3개월간 보수의 1/3을 감하는 처분으로 1년간 승급 정지
정직	1~3개월간 공무원의 신분은 보유, 직무수행 정지, 보수의 전액을 감함, 1년 6개월간 승급 정지
강등	1계급 하향조정(고위공무원단은 3급으로), 신분은 보유, 3개월간 직무수행 정지, 보수의 전액을 감함. 1년 6개월간 승급 정지
해임	강제퇴직, 3년간 공무원 재임용 불가, 퇴직급여에 영향 없음
파면	강제퇴직, 5년간 재임용 제한, 퇴직급여의 1/4~1/2 지급 제한

17 공무원의 신분변경과 소멸

정직은 1개월 내지 3개월 동안 보수의 전액을 삭감하고 1년 6개월간 승급과 승진이 제한되는 징계처분의 일종이다.

| 선지분석 |

① 직권면직은 일정한 사유에 의하여 직권으로 면직시키는 처분으로 「국가공무원법」상 징계의 종류에는 포함되지 않는다.

③ 본인 의사에 관계없이 임용권자가 직권으로 휴직을 명령하는 경우로서 직권휴직에 해당하는데 공무원노조전임자나 신병치료자에 대한 휴직명령이 그 예이다.

❶ 「국가공무원법」상 공무원의 휴직

> **제71조【휴직】** ① 공무원이 다음 각 호의 어느 하나에 해당하면 임용권자는 본인의 의사에도 불구하고 휴직을 명하여야 한다.
> 1. 신체·정신상의 장애로 장기 요양이 필요할 때
> 3. 「병역법」에 따른 병역 복무를 마치기 위하여 징집 또는 소집된 때
> 4. 천재지변이나 전시·사변, 그 밖의 사유로 생사(生死) 또는 소재(所在)가 불명확하게 된 때
> 5. 그 밖에 법률의 규정에 따른 의무를 수행하기 위하여 직무를 이탈하게 된 때
> 6. 「공무원의 노동조합 설립 및 운영 등에 관한 법률」 제7조에 따라 노동조합 전임자로 종사하게 된 때
> ④ 직무수행 능력 부족을 이유로 직위해제를 거쳐 대기명령을 거쳐서 직권면직처분을 내리는 경우이다.

18 공무원의 직위해제

직무수행 능력이 부족하거나 근무성적이 극히 나쁜 자는 「국가공무원법」의 규정에 따라 직위해제 대상이다.

| 선지분석 |

① 직위해제는 공무원 징계의 종류가 아니라 신분상의 불이익한 처분이다.

② 직위해제 처분을 받더라도 공무원 신분이 상실되지는 않는다.

④ 직위해제의 사유가 소멸된 경우 임용권자는 인사위원회의 심의를 거쳐 지체없이 직위를 부여하여야 한다.

❶ 「국가공무원법」상 직위해제

> **제73조의3【직위해제】** ① 임용권자는 다음 각 호의 어느 하나에 해당하는 자에게는 직위를 부여하지 아니할 수 있다.
> 2. 직무수행 능력이 부족하거나 근무성적이 극히 나쁜 자
> 3. 파면·해임·강등 또는 정직에 해당하는 징계 의결이 요구 중인 자
> 4. 형사 사건으로 기소된 자(약식명령이 청구된 자는 제외한다)
> 5. 고위공무원단에 속하는 일반직공무원으로서 적격심사를 요구받은 자
> 6. 금품비위, 성범죄 등 대통령령으로 정하는 비위행위로 인하여 감사원 및 검찰·경찰 등 수사기관에서 조사나 수사 중인 자로서 비위의 정도가 중대하고 이로 인하여 정상적인 업무수행을 기대하기 현저히 어려운 자
> ② 제1항에 따라 직위를 부여하지 아니한 경우에 그 사유가 소멸되면 임용권자는 지체 없이 직위를 부여하여야 한다.

정답 15 ① 16 ③ 17 ② 18 ③

1 공무원의 정치적 중립과 공무원단체

1 정치적 중립

1. 의의[1]

공무원이 정치에 개입하지 않는다는 의미가 아니고, 어느 정당이 집권하든 공평하게 여·야 간에 차별 없이 봉사하여야 한다는 것이다. 즉, 부당하게 정파적 특수이익과 결탁하여 공평성을 상실하거나 정쟁에 개입하지 않는 견지이다.

2. 필요성

(1) 공익증진을 목적으로 하는 국민의 봉사자로서의 기능을 수행하기 위하여 필요하다.

(2) 행정의 능률성 및 안정성과 계속성의 확보를 위하여 필요하다.

(3) 국가기강의 문란, 부정부패 등을 방지하기 위하여 필요하다.

3. 한계

(1) 공무원의 정치적 자유 제한

현대 국가에서 공무원의 자율적 책임을 강조하면서 정치적 활동을 제한하는 것은 모순이다.

(2) 참여적 관료제 발전 저해

참여적 관료제란 공무원들의 정책형성 참여기회 및 대내외적 의사표명의 기회를 보장해 주는 정부관료제이다. 공무원의 정치적 중립은 이러한 참여적 관료제의 발전을 저해한다.

(3) 대표관료제와의 상충가능성

실적주의나 공개경쟁채용시험에 의한 정치적·중립적 충원방식은 관료제를 특권집단화함으로써 관료제의 대표성을 상실하게 하여 대표관료제와 상충할 수 있다.

2 공무원단체

1. 의의

(1) 개념

공무원들이 자주적으로 단결하여 근로조건의 유지·개선과 복리증진, 기타 경제적·사회적 지위향상을 위한 목적으로 조직하는 단체이다.

(2) 활동내용(노동 3권)

단결권	노동조합을 결성하여 가입하고 활동할 수 있는 권리이다. 오늘날 대부분의 국가에서는 단결권을 인정하고 있다.
단체교섭권	근로자의 대표로서의 노동조합과 사용자 측의 양 당사자가 근로자의 근로조건에 대하여 합의를 도출해 가는 협상과정이다.
단체행동권	단체교섭이 실패하는 경우 이때 노동자 측이 그들의 주장을 관철시키기 위하여 행하는 실력행사이다.

2. 필요성과 한계

(1) 필요성(찬성 논거)

① 행정환경의 변화에 따라 노동자의 이익요구 증진과 WTO 등의 노동조건 선진화의 압력이 증가하고 있다.

② 관리의 민주성과 효율성을 증진시킬 수 있다.

③ 공무원의 권익보호에 기여하여 공무원의 사기를 높인다.

④ 공무원노조를 통해서 공직부패를 방지할 수 있다.

⑤ **실적주의 강화**: 실적제는 공무원단체와 대립되는 측면이 있지만, 공무원단체를 인정하고 있는 많은 경우에 실적제가 약화되기보다는 오히려 강화된 것으로 나타나고 있어 공무원단체는 실적제를 강화하는 요소로 작용한다(Nigro).

(2) 한계(반대 논거)

① 공복(公僕)으로서의 공무원의 역할이 중요하다. 즉, 공무원은 국민 다수의 이익을 추구하여야 하므로 정치적으로 중립성이 요구된다는 것이다.

② 노조원들의 신분보장 요구로 행정관리가 비능률화될 수 있다.

③ 우리나라 행정문화가 공무원노조를 수용하기 곤란하다는 입장이 있다.

④ **실적주의 저해**: 노조는 개인의 능력이나 실적, 성과급적 보수보다는 경력이나 연공서열만을 요구하므로 개인주의나 실적주의를 저해한다(Mosher).

⑤ 행정의 지속성과 안정성을 저해하게 된다.

3. 우리나라의 동향

(1) 헌법의 규정

헌법 제33조에 의하면 '공무원인 근로자는 법률로 인정된 자에 한하여 단결권, 단체교섭권, 단체행동권을 가진다'고 규정하고 있다.

(2) 집단 행위의 금지(「국가공무원법」 제66조)

공무원은 노동운동이나 그 밖에 공무 외의 일을 위한 집단 행위를 하여서는 아니 된다. 다만, 사실상 노무에 종사하는 공무원은 예외로 한다. 사실상 노무에 종사하는 공무원의 범위는 대통령령 등으로 정한다.

(3) 사실상 노무에 종사하는 공무원(「국가공무원 복무규정」제28조)

사실상 노무에 종사하는 공무원은 과학기술정보통신부 소속 현업기관의 작업현장에서 노무에 종사하는 우정직공무원(일반 임기제공무원 및 시간선택제 일반 임기제공무원 포함)만 단체행동권이 보장되고 있다(서무, 인사 및 기밀업무, 경리 및 물품출납, 노무자 감독사무, 국가보안시설의 경비 업무, 승용자동차 및 구급차의 운전 등에 종사하는 공무원은 제외).

(4) 교원[「교원의 노동조합 설립 및 운영 등에 관한 법률」(1999)]

교원(국공립 및 사립)은 시·도 및 전국단위로 노조설립이 가능하며 학교단위로는 설립이 금지된다. 교원노조에 단결권과 단체교섭권은 부여하되 파업 등 단체행동권은 행사하지 못하도록 규정하고 있다.

(5) 일반직공무원[「공무원의 노동조합 설립 및 운영 등에 관한 법률」(2006)]

공무원 노조에 단결권과 제한적인 단체교섭권은 허용하고 단체행동권은 금지하고 있다.

3 공무원 노동조합(「공무원의 노동조합 설립 및 운영 등에 관한 법률」)

1. 법 제정이유 및 설립근거

(1) 법 제정이유

공무원의 노동기본권을 보장하기 위하여 공무원의 노동조합 설립 및 운영, 단체교섭, 분쟁조정절차 등에 관한 사항을 정함으로써 공무원의 근무조건의 개선과 사회적·경제적 지위의 향상을 기하려는 것이다.

(2) 설립근거

헌법의 규정(제33조 제2항)과 「노동조합 및 노동관계조정법」제5조 제1항 단서에 따라 공무원의 노동조합 설립 및 운영 등에 관한 사항을 정한 법(「공무원의 노동조합 설립 및 운영 등에 관한 법률」)이 2004년 12월 국회에서 통과되어 2005년 1월 공포되었으며, 1년의 유예기간을 거쳐 2006년 1월부터 시행되었다.

2. 주요 내용

(1) 설립의 최소단위(제5조 제1항)

국회·법원·헌법재판소·선거관리위원회·행정부·특별시·광역시·특별자치시·특별자치도·도·시·군·자치구 및 특별시·광역시·특별자치시·특별자치도·도의 교육청을 최소단위로 하여 공무원이 노동조합을 설립할 수 있도록 하였다.

(2) 가입범위(제6조 제1항)

① 일반직공무원

② 특정직공무원 중 외무영사직렬·외교정보기술직렬 외무공무원, 소방공무원 및 교육공무원(다만, 교원은 제외)

③ 별정직공무원

④ ①부터 ③까지의 어느 하나에 해당하는 공무원이었던 사람으로서 노동조합 규약으로 정하는 사람

(3) 가입금지대상(제6조 제2항)^❶

① 업무의 주된 내용이 다른 공무원에 대하여 지휘·감독권을 행사하거나 다른 공무원의 업무를 총괄하는 업무에 종사하는 공무원

② 업무의 주된 내용이 인사·보수 또는 노동관계의 조정·감독 등 노동조합의 조합원 지위를 가지고 수행하기에 적절하지 아니한 업무에 종사하는 공무원

③ 교정·수사 등 공공의 안녕과 국가안전보장에 관한 업무에 종사하는 공무원

(4) 노동조합 전임자의 지위(제7조)^❷

공무원은 임용권자의 동의를 받아 노동조합으로부터 급여를 지급받으면서 노동조합의 업무에만 종사할 수 있다. 그 전임기간은 휴직으로 하고, 전임자임을 이유로 신분상 불이익을 받지 아니하도록 한다.

(5) 대표자의 교섭 및 단체협약 체결권(제8조)

① 노동조합의 대표자는 그 노동조합에 관한 사항 또는 조합원의 보수·복지, 그 밖의 근무조건에 관하여 국회사무총장·법원행정처장·헌법재판소사무처장·중앙선거관리위원회사무총장·인사혁신처장(행정부를 대표한다)·특별시장·광역시장·특별자치시장·도지사·특별자치도지사·시장·군수·구청장(자치구의 구청장을 말한다) 또는 특별시·광역시·특별자치시·도·특별자치도의 교육감 중 어느 하나에 해당하는 자(이하 '정부교섭대표'라 한다)와 각각 교섭하고 단체협약을 체결할 권한을 가진다.

② 정부교섭대표는 법령 등에 따라 스스로 관리하거나 결정할 수 있는 권한을 가진 사항에 대하여 노동조합의 교섭을 요구할 때 정당한 사유가 없으면 그 요구에 따라야 한다.

③ 정부교섭대표는 효율적인 교섭을 위하여 필요한 경우 다른 정부교섭대표와 공동으로 교섭하거나, 다른 정부교섭대표에게 교섭 및 단체협약 체결 권한을 위임할 수 있다.

④ 정부교섭대표는 효율적인 교섭을 위하여 필요한 경우 정부교섭대표가 아닌 관계 기관의 장으로 하여금 교섭에 참여하게 할 수 있고, 다른 기관의 장이 관리하거나 결정할 권한을 가진 사항에 대하여는 해당 기관의 장에게 교섭 및 단체협약 체결 권한을 위임할 수 있다.

(6) 단체협약의 효력 등(제10조)

단체협약의 내용 중 법령·조례 또는 예산에 의하여 규정되는 내용은 단체협약으로서의 효력을 인정하지 아니하고, 이 경우 정부 측 교섭대표에 대하여 단체협약의 내용이 이행될 수 있도록 성실히 노력할 의무를 부과한다.

(7) 정치활동 및 쟁의행위의 금지(제4조 및 제11조)^❸

공무원 노동조합과 그 조합원은 다른 법령에서 금지하는 정치활동을 할 수 없으며, 파업·태업 등 업무의 정상적 운영을 저해하는 일체의 행위를 할 수 없다.

❶ 수사업무 공무원의 노조 가입제한
「공무원의 노동조합 설립 및 운영 등에 관한 법률」은 국가정보원에 근무하는 공무원, 검찰총장이나 검사장의 지명을 받아 조세범칙 사건 조사를 전담하는 공무원 등 수사업무에 주로 종사하는 공무원도 노조에 가입할 수 없도록 규정하고 있다.

❷ 공무원 노동조합 전임자 '타임오프제'
공무원 및 교원 노동조합 전임자의 노사 교섭 등 노조 활동에 쓴 시간을 유급 근무 시간으로 인정하는 '타임오프제'가 시행된다. 근무시간 면제 한도와 사용 인원 등은 대통령 속인 경제사회노동위원회 산하에 심의위원회를 두고 조합원 수와 노사관계 특성 등을 고려해 결정하도록 하였다. 다만 예산집행의 투명성을 확보하기 위해 노조별 근무시간 면제 시간과 사용 인원, 보수 등의 정보를 공개하도록 규정하였다. (2023.12. 시행)

❸ 공무원의 정치활동 금지대상
「국가공무원법」제65조【정치 운동의 금지】
② 공무원은 선거에서 특정 정당 또는 특정인을 지지 또는 반대하기 위한 다음의 행위를 하여서는 아니 된다.
1. 투표를 하거나 하지 아니하도록 권유 운동을 하는 것
2. 서명운동을 기도·주재하거나 권유하는 것
3. 문서나 도서를 공공시설 등에 게시하거나 게시하게 하는 것
4. 기부금을 모집 또는 모집하게 하거나, 공공자금을 이용 또는 이용하게 하는 것
5. 타인에게 정당이나 그 밖의 정치단체에 가입하게 하거나 가입하지 아니하도록 권유운동을 하는 것

핵심 OX

01 일반직공무원은 공무원노동조합에 가입할 수 있다. (O, X)

01 ○

❶ 주요 국가의 노동 3권

1. **단결권**: 미국은 1912년 「로이드-라폴레트법」을 통해 연방정부가 공무원 노동조합의 결성을 승인하고 단결권을 허용하였다.

2. **단체교섭권**: 영국의 경우 1919년 휘틀리(Whitley) 협의회가 설치되면서 공무원의 조직화가 급속히 확대되었다. 이는 노사동수의 교섭기관으로서 인사행정의 모든 문제를 토론하고 대립적 이해관계를 조정한다.

3. **단체행동권**: 가장 진보적인 프랑스를 제외하고 거의 모든 국가가 단체행동권을 인정하지 않고 있으며, 미국은 「태프트-하틀리법」(1947)에서 단체행동권을 인정하지 않는 규정을 두고 있다.

❷ 가입제외

1. 업무의 주된 내용이 지휘·감독권을 행사하거나 다른 공무원의 업무를 총괄하는 업무에 종사하는 공무원

2. 업무의 주된 내용이 인사, 예산, 경리, 물품출납, 비서, 기밀, 보안, 경비 및 그 밖에 이와 유사한 업무에 종사하는 공무원

📊 **고득점 공략** 우리나라와 각국의 노동 3권 비교❶

구분		단결권	단체교섭권	단체행동권
우리나라	공무원 노조	○	○	×
	교원 노조	○	○	×
미국	공무원 노조	○	○	×
영국	공무원 노조	○	○	○ (파업 금지 명문규정 없음)
프랑스	일반공무원 노조	○	○	○
	경찰공무원 노조	○	○	×

4 공무원 직장협의회

1. 의의 및 설립조건

(1) 의의

공무원의 근무환경 개선, 업무능률 향상 및 고충처리 등을 위한 노사협의체이다.

(2) 설립조건

① 기관장이 4급 이상 공무원 및 이에 상당하는 공무원인 기관은 설립할 수 있다.

② 기관단위의 설립을 원칙으로 한다.

③ 본부의 실·국·과·담당관 등 보조기관단위로는 설립할 수 없고, 설립기관단위 내에서 복수의 협의회를 설립할 수 없다. 즉, 전국단위의 연합협의회 결성은 금지되고 하나의 협의회만을 설립할 수 있다.

2. 가입범위❷

(1) 일반직공무원

(2) 특정직공무원 중 다음 어느 하나에 해당하는 공무원

① 외무영사직렬·외교정보기술직렬 외무공무원

② 경찰공무원

③ 소방공무원

(3) 별정직공무원

3. 기능

(1) 당해 기관 고유의 근무환경 개선에 관한 사항을 협의한다.

(2) 업무능률향상에 관한 사항을 협의한다.

(3) 소속공무원의 공무와 관련된 일반 고충사항을 협의한다.

(4) 기타 기관의 발전에 관한 사항을 협의한다(기관의 인사나 재무에 관한 사항은 제외).

> **📊 고득점 공략** 연합협의회의 구성과 활동
>
> **1. 협의회의 구성**
> ① 협의회는 다음의 국가기관 또는 지방자치단체 내에 설립된 협의회를 대표하는 하나의 연합
>   협의회를 설립할 수 있다.
>   · 국회 · 법원 · 헌법재판소 · 선거관리위원회
>   ·「정부조직법」제2조에 따른 중앙행정기관과 감사원 및 그 밖에 대통령령으로 정하는 기관
>   · 특별시 · 광역시 · 특별자치시 · 도 · 특별자치도 및 특별시 · 광역시 · 특별자치시 · 도 · 특별자
>   치도의 교육청
> ② 연합협의회를 설립한 경우 그 대표자는 위의 각 기관의 장(국회사무총장 · 법원행정처장 ·
>   헌법재판소사무처장 · 중앙선거관리위원회사무총장, 중앙행정기관의 장, 특별시장 · 광역시
>   장 · 특별자치시장 · 도지사 · 특별자치도지사 · 교육감 등을 말한다. 이하 같다)에게 설립 사
>   실을 통보하여야 한다.
>
> **2. 협의회의 활동**
> 협의회 및 연합협의회의 활동은 근무시간 외에 수행하여야 한다. 다만, 다음의 사항은 근무시간
> 중에 수행할 수 있다.
> ① 협의회 및 연합협의회와 기관장 또는 각 기관의 장과의 협의
> ② 그 밖에 대통령령으로 정하는 사항

2 | 공무원의 행정윤리와 공직부패

1 공무원의 행정윤리

1. 행정윤리(공직윤리)의 의의

(1) 의의

① **개념**: 행정윤리(administrative ethics)란 정부조직에 종사하는 공무원들이 지켜
   야 할 행동규범(code of conduct)을 의미한다.

② **민주사회 공직윤리의 규범적 기준**

   ㉠ 공무원은 전체 국민에 대하여 동등하고 공평하게 봉사하여야 한다.

   ㉡ 공무원은 대의제도(representative institutions)에 의존하고 이를 존중하는 민
      주체제에서 국민의 의사를 존중하여야 한다.

   ㉢ 행정기관의 운영은 구성원의 인격과 존엄성 · 가치를 존중하는 민주주의의 신
      념에 기초를 두어야 한다.

(2) 행정윤리의 두 가지 측면

① **소극적 측면 - '하지 말아야 할 것'**

   행정윤리는 행정책임을 확보하기 위한 통제방안 중에서 가장 적은 비용이 들고
   외재적 강제가 불필요하여 가장 효율적인 부패방지와 행정통제의 방안이 된다.

② 적극적 측면 - '해야 할 것'

행정윤리는 공무원들이 해야 할 행동(⑩ 능률적·민주적 형평성 있는 행동 등)들이 내면화된 상태이므로 적극적으로 어떤 일을 하여야 할 것인가에 대한 행동규범을 제시한다.

2. 판단기준

(1) 근원주의적 윤리론

행동 자체가 윤리적 원칙을 준수하는지 여부에 따라 윤리성을 판단한다. 즉, 결과에 따라 윤리성이 판단되는 것이 아니라 행위 자체와 행위과정의 최선을 기준으로 윤리성을 판단한다.

① **의무론적 윤리론**: 선험적으로 주어진 명령에 충실한 행동이 윤리적이라고 보았으며, 행동이 가져올 결과에 대해서는 전혀 고려하지 않았다(Kant). 롤스(Rawls)의 정의론은 배분적 정의에 기초한 보편적 법칙에서 도출한 윤리원칙이라는 점에서 신칸트주의*에 속한다고 볼 수 있다.

② **목적론적 윤리론**: 행동의 목적에 대한 윤리적 판단을 하는 것이다. 즉, 목적이 정당하다면 수단은 상관없다는 입장이다. 공익을 달성하는 행위이면 윤리적이라는 주장으로, '최대다수의 최대행복'을 주는 대안선택이 윤리적이라는 입장이다(Bentham).

(2) 반근원주의적 윤리론

① **문화적 상대주의**: 보편적인 도덕적 규칙은 존재하지 않으며, 사회·문화적 맥락이 다름에 따라 사람들이 중시하는 가치가 달라진다는 입장이다. 상대주의하에서는 그 사회에서 다수가 옳다고 생각하는 의무만을 행하면 윤리적이라고 한다.

② **공동체 윤리론**: 인간윤리는 선험적으로 도출되는 것이 아니라 공동체 생활 속에서 도출된다. 즉, 공동체 속에서 사람들이 인정하는 행동원리가 곧 윤리라고 보는 입장이다. 이들은 공동체의 유지를 위해서 사람들의 덕성이 중요하다고 보았다.

③ **탈현대주의적 윤리론**: 탈현대주의자들이 강조하는 윤리는 그냥 내버려 두는 것이다. 왜냐하면 기존의 사회 윤리는 지배계급(계층, 집단, 지역, 이념)을 구체화하고 정당화하는 수단에 불과하다고 보기 때문이다.

3. 내용(공무원윤리 관련 법규)

(1) 헌법상 의무 및 지위(제7조)

① 공무원은 국민에 대한 봉사자이며 국민에 대해 책임을 진다.

② 공무원의 정치적 중립과 신분은 법률로 보장된다.

(2) 「국가공무원법」상 의무(공무원의 14대 의무)❶

선서 의무	공무원은 임용 시 기관장 앞에서 선서를 하여야 한다.
성실 의무	모든 공무원은 법령을 준수하며 성실히 직무를 수행하여야 한다.
법령준수의무	모든 공무원은 법령에 정한 규정을 준수하여야 한다.
명령복종 의무	공무원은 직무를 수행함에 있어서 소속상관의 직무상의 명령에 복종하여야 한다.

📖 **용어**

신칸트주의*: 19세기에 발전한 칸트 사상에 준거를 두고 있는 서로 다른 여러 사상의 흐름을 통칭하는 용어이다. 낭만적 형이상학이 유행하고 있을 무렵, 비판적 사고의 가치를 되찾기 위하여 '칸트로 돌아가자'는 구호와 함께 일어난 신칸트주의는 칸트(Kant)의 순수이성비판의 토대에서 인식이론의 근거를 찾고자 하였다.

❶ 공무원의 의무의 구분
1. 선서의 의무 대신 법령준수의 의무를 포함하는 입장과 선서의 의무, 법령준수의 의무를 각각 나누어 보는 입장도 있다.
2. 공무원의 의무를 다음과 같이 분류하기도 한다.
   · 기본적 의무: 성실의 의무
   · 신분상 의무: 선서 의무, 영예나 증여의 허가 의무, 품위 유지 의무, 영리 업무 및 겸직 금지 의무, 정치 운동 금지 의무, 집단 행동 금지 의무, 비밀 엄수 의무
   · 직무상 의무: 법령 준수 의무, 성실 의무, 명령에 복종할 의무, 직장 이탈 금지 의무, 친절·공정 의무, 종교중립 의무, 영리 및 겸직 금지 의무, 청렴의 의무

직장 이탈 금지 의무	공무원은 소속상관의 허가 또는 정당한 이유 없이 직장을 이탈하지 못한다.
친절·공정 의무	공무원은 국민 전체의 봉사자로서 친절·공정히 집무하여야 한다.
종교중립 의무	공무원은 종교에 따른 차별 없이 직무를 수행하여야 한다. 소속상관이 종교중립에 위배되는 직무상 명령을 한 경우에는 이에 따르지 아니할 수 있다.
비밀 엄수 의무	공무원은 재직 중은 물론 퇴직 후에도 직무상 알게 된 비밀을 엄수하여야 한다.
청렴 의무	공무원은 직무와 관련하여 직접 또는 간접을 불문하고 사례·증여 또는 향응을 수수할 수 없다.
영예나 증여의 허가의무	공무원이 외국정부로부터 영예 또는 증여를 받을 경우에는 대통령의 허가를 얻어야 한다.
품위 유지 의무	공무원은 직무의 내외를 불문하고 그 품위를 손상하는 행위를 하여서는 아니 된다.
영리행위 및 겸직금지	공무원은 공무 이외의 영리를 목적으로 하는 업무에 종사하지 못하며 소속기관의 장의 허가 없이 다른 직무를 겸할 수 없다.
정치 운동 금지	공무원은 정당 기타 정치단체의 결성에 관여하거나 이에 가입할 수 없으며 선거에 있어서 특정정당 또는 특정인의 지지나 반대를 하기 위한 행위를 하여서는 아니 된다.
집단 행위 금지	공무원은 노동운동 기타 공무 이외의 일을 위한 집단적 행위를 하여서는 아니 된다.

(3) 「공직자윤리법」상 의무

① 이해충돌 방지의무: 국가, 지방자치단체 또는 공직자는 공직자가 수행하는 직무가 공직자의 재산상 이해와 관련되어 공정한 직무수행이 어려운 상황이 일어나지 않도록 노력하여야 하는 의무가 있다(제2조의2).

② 재산등록 및 공개제도❶

㉠ 재산등록의무: 대상자는 대통령, 지방자치단체장 등 정무직공무원과 4급 이상(고위공무원단 포함)의 일반직공무원과 별정직공무원 등이 이에 해당한다(제3조).❷

㉡ 재산공개의무: 대상자는 1급 이상(고위공무원단 포함)의 일반직공무원과 정무직공무원 등이 이에 해당한다(제10조).

③ 주식백지신탁제도

㉠ 의의: 고위공직자의 직무와 관련된 보유주식을 매각하거나 수탁기관에 위탁하여 관리하는 제도이다. 즉, 고위공직자가 직무상 알게 된 정보를 이용하여 주식거래를 하거나, 주가에 영향을 미쳐 재산을 늘리는 것을 막기 위해 보유주식을 신탁기관에 맡게 하는 것이다.

㉡ 대상: 주식백지신탁 대상자는 국회의원과 장·차관을 포함한 1급 이상 고위공직자이며, 기획재정부·금융위원회 등 주식 관련 공무원은 별도 규정으로 정하고 있다(제14조의4).

❶ 재산등록대상자와 공개대상자

구분	등록대상자	공개대상자
정무직	전원	전원
일반직 및 별정직	4급 이상 (예외, 7급 이상) (상당 별정직)	1급 이상 (상당 별정직)
법관 및 검사	모든 법관 및 검사, 헌법재판소 헌법연구관	고법 부장판사급 이상, 대검 검사급 이상
군인	대령 이상	중장 이상
경찰	총경 이상	치안감 이상
소방	소방정 이상	소방정감 이상
교육 공무원	총장, 학장, 교육감, 교육장 등	총장, 학장, 교육감 등
공공 기관	공기업의 장·부기관장, 상임이사·상임감사	공기업의 장·부기관장 및 상임감사

❷ 재산등록의무 대상자

대통령, 지방자치단체장 등 정무직공무원과 4급 이상(고위공무원단 포함)의 일반직·별정직 공무원, 법관 및 검사, 대령 이상 장교, 총경(자치총경) 이상 경찰, 소방정 이상 소방 공무원, 교육장, 학장, 공직유관단체의 임원, 한국토지주택공사 등 부동산 관련 업무나 정보를 취급하는 대통령령으로 정하는 공직유관단체의 직원이고, 예외적으로 권력이나 금전 관련부처는 7급 이상, 경찰은 「공직자윤리법 시행령」에 따라 경사(자치경사) 이상이다.

핵심 OX

01 「부패방지 및 국민권익위원회의 설치와 운영에 관한 법률」에서 4급 이상 고위공무원에 대한 재산등록을 의무화하고 있다. (O, X)

01 X 「공직자윤리법」에서 규정하고 있는 내용이다.

ⓒ **내용**: 주식백지신탁 하한선은 본인·배우자·직계존비속 등이 보유한 주식을 모두 합친 금액을 기준으로 1~5천만 원 사이에서 대통령령으로 정한다. 신탁 하한선이란 이 금액을 넘으면 반드시 매각 또는 백지신탁을 하여야 한다는 것을 의미한다.

ⓔ **처벌**: 주식백지신탁 대상자가 정당한 사유 없이 주식의 매각·백지신탁을 하지 않거나, 대상자가 신탁자와 해당 주식 관련 정보를 교환한 경우, 1년 이하의 징역 또는 1천만 원 이하의 벌금에 처하도록 한다.

④ **선물수령신고제도**: 공무원 또는 공직유관단체의 임·직원이 외국 또는 그 직무와 관련하여 외국인(외국단체를 포함)으로부터 10만 원 또는 $100 이상의 선물을 받은 때에는 지체 없이 소속기관·단체의 장에게 신고하고 당해 선물을 인도하여야 한다. 이때 신고된 선물은 신고 즉시 국가나 지방자치단체에 귀속된다(제15조, 제16조).

⑤ **퇴직공직자의 취업제한과 행위제한제도**

　ⓐ **취업제한제도**: 공무원과 공직유관단체의 임·직원은 퇴직일로부터 3년간, 퇴직 전 5년 이내에 소속하였던 부서의 업무와 밀접한 관련이 있는 일정규모 이상의 영리를 목적으로 하는 사기업체 등에 취업할 수 없다. 다만, 관할 공직자윤리위원회의 승인을 얻은 때에는 그러하지 아니하다(제17조).

　ⓑ **행위제한제도**: 퇴직한 모든 공무원과 공직유관단체의 임직원은 본인 또는 제3자의 이익을 위하여 퇴직 전 소속 기관의 공무원과 임직원에게 법령을 위반하게 하거나 지위 또는 권한을 남용하게 하는 등 공정한 직무수행을 저해하는 부정한 청탁 또는 알선을 해서는 아니 된다(제18조의4).

(4) 「공직자의 이해충돌 방지법」상 의무 ❶

① **국가의 공정하고 청렴한 직무수행여건 조성의무**: 국가는 공직자가 공정하고 청렴하게 직무를 수행할 수 있는 근무 여건을 조성하기 위하여 노력하여야 한다(제3조 제1항).

② **공공기관의 이해충돌방지의무**: 공공기관은 공직자가 사적 이해관계로 인하여 공정하고 청렴한 직무수행에 지장을 주지 아니하도록 이해충돌을 효과적으로 확인·관리하기 위한 조치를 하여야 한다(제3조 제2항).

③ **공직자의 의무**

　ⓐ **공정하고 청렴한 직무수행의무**: 공직자는 사적 이해관계에 영향을 받지 아니하고 직무를 공정하고 청렴하게 수행하여야 한다(제4조 제1항).

　ⓑ **이해충돌방지의무**: 공직자는 사적 이해관계로 인하여 공정하고 청렴한 직무수행이 곤란하다고 판단하는 경우에는 직무수행을 회피하는 등 이해충돌을 방지하여야 한다(제4조 제3항).

　ⓒ **직무 관련 부동산 보유·매수 신고의무**: 부동산을 직접적으로 취급하는 대통령령으로 정하는 공공기관의 공직자는 다음의 어느 하나에 해당하는 사람이 소속 공공기관의 업무와 관련된 부동산을 보유하고 있거나 매수하는 경우 소속 기관장에게 그 사실을 서면으로 신고하여야 한다(제6조).

ⓐ 공직자 자신, 배우자

ⓑ 공직자와 생계를 같이하는 직계존속·비속(배우자의 직계존속·비속으로 생계를 같이하는 경우를 포함)

ⓔ **고위공직자의 민간 부문 업무활동 내역 제출 및 공개의무:** 고위공직자는 그 직위에 임용되거나 임기를 개시하기 전 3년 이내에 민간 부문에서 업무활동을 한 경우, 그 활동 내역을 그 직위에 임용되거나 임기를 개시한 날부터 30일 이내에 소속기관장에게 제출하여야 한다(제8조).

ⓜ **직무관련자와의 거래 신고의무:** 공직자는 자신, 배우자 또는 직계존속·비속 또는 특수관계사업자(자신, 배우자 또는 직계존속·비속이 대통령령으로 정하는 일정 비율 이상의 주식·지분 등을 소유하고 있는 법인 또는 단체)가 공직자 자신의 직무관련자와 금전이나 부동산 거래 행위를 한다는 것을 사전에 안 경우에는 안 날부터 14일 이내에 소속기관장에게 그 사실을 서면으로 신고하여야 한다(제8조).

ⓗ **직무상 비밀 등 이용 금지의무:** 공직자(공직자가 아니게 된 날부터 3년이 경과하지 아니한 사람을 포함)는 직무수행 중 알게 된 비밀 또는 소속 공공기관의 미공개정보를 이용하여 재물 또는 재산상의 이익을 취득하거나 제3자로 하여금 재물 또는 재산상의 이익을 취득하게 하여서는 아니 된다(제14조).

ⓢ **퇴직자 사적 접촉 신고의무:** 공직자는 직무관련자인 소속 기관의 퇴직자(공직자가 아니게 된 날부터 2년이 지나지 아니한 사람만 해당)와 사적 접촉(골프, 여행, 사행성 오락을 같이 하는 행위)을 하는 경우 소속기관장에게 신고하여야 한다. 다만, 사회상규에 따라 허용되는 경우에는 그러하지 아니하다(제15조).

ⓞ **위반행위의 신고기관:** 누구든지 이 법의 위반행위가 발생하였거나 발생하고 있다는 사실을 알게 된 경우에는 다음 각 호의 어느 하나에 해당하는 기관에 신고할 수 있다(제18조).

ⓐ 이 법의 위반행위가 발생한 공공기관 또는 그 감독기관

ⓑ 감사원 또는 수사기관

ⓒ 국민권익위원회

(5) 「부패방지 및 국민권익위원회의 설치와 운영에 관한 법률」상 의무❶

공직자가 공무원의 공직내부비리를 발견할 경우, 부패방지의무에 따라 이를 국민권익위원회에 반드시 신고하여야 한다.

(6) 공무원 행동강령(code of conduct)❷ – 2003년 참여정부 때 대통령령으로 규정

① **공정한 직무수행:** 불공정한 지시 거부, 특혜의 배제 등이 있다.

② **부당이득의 수수 금지:** 이권개입, 알선·청탁 금지, 직무관련 정보 남용 금지 등이 있다.

③ **건전한 공직풍토 조성:** 외부강의 신고, 금전차용 금지 등이 있다.

❶ **부패의 신고 의무의 성격**
공직자의 경우에는 의무사항이고, 공직자가 아닌 경우에는 임의사항이다.

❷ **국가공무원 및 지방공무원 복무규정**
1. 특정 정책의 주장 또는 반대 등의 금지: 공무원이 직무수행과 관계없이 정치적 목적으로 특정정책을 주장 또는 반대하거나 국가기관의 정책결정 및 집행을 방해하지 못하도록 하였다.
2. 근무여건을 해할 수 있는 복장 착용 금지: 근무여건을 해할 수 있는 정치적 구호 등이 담긴 복장(머리띠·완장·리본·조끼·스티커 등 포함) 등의 착용을 금지하고자 하였다.

❷ 행정권 오용의 사례가 아닌 경우

법률 중심의 융통성 없는 인사나 재량권의 행사는 행정권 오용의 예가 아니다.

📈 **고득점 공략** 공무원 헌장❶ (2016년 개정)

우리는 자랑스러운 대한민국의 공무원이다.
우리는 헌법이 지향하는 가치를 실현하며 국가에 헌신하고 국민에게 봉사한다.
우리는 국민의 안녕과 행복을 추구하고 조국의 평화 통일과 지속 가능한 발전에 기여한다.
이에 굳은 각오와 다짐으로 다음을 실천한다.

1. 공익을 우선시하며 투명하고 공정하게 맡은 바 책임을 다한다.

2. 창의성과 전문성을 바탕으로 업무를 적극적으로 수행한다.

3. 우리 사회의 다양성을 존중하고 국민과 함께 하는 민주 행정을 구현한다.

4. 청렴을 생활화하고 규범과 건전한 상식에 따라 행동한다.

4. 행정권의 오용(비윤리적 행정행태)❷

공무원이 행정윤리를 벗어나 업무를 처리하는 행위를 뜻한다(Nigro).

부정·부패행위	공무원이 과다 징수된 세금을 착복하고 공금을 횡령하는 행위 등
비윤리적 행위	공무원이 특혜의 대가로 금전을 수수하진 않았더라도 자신과 관계있는 자 또는 특정집단을 후원하거나 이득을 주기 위한 행위
법규의 경시	법규를 무시하거나 자신의 행위를 정당화하려는 방안으로 법규를 해석하는 경우 ⑩ 예산 등 현실적 제약 등을 이유로 법규정대로 시행하기를 거부하는 경우
입법의도의 편향된 해석	법규를 위반하지 않는 합법적 범위 안에서 특정이익을 옹호하는 경우 ⑩ 환경보호론자들의 의견을 무시한 채 개발업자의 편을 들어 법규에 의한 개발을 허용하는 경우
불공정한 인사	능력과 성적을 무시하고 편파적인 인사를 하는 경우
무능	맡은 업무에 대한 전문지식이나 능력이 부족할 경우
실책의 은폐	관료가 자신의 실책을 은폐하거나 국회 또는 시민과의 협력을 거부하는 경우
무사안일	부여된 재량권이나 의무를 행사하지 않고 적극적인 조치를 취하지 않는 직무유기행위

5. 행정윤리의 확립방안

(1) 행정윤리확보의 전제조건

① **소극적·수동적 문화성의 극복:** 우리나라의 유교문화 등과 같은 소극적이고 수동적인 문화로 인하여 부패가 발생한다는 의식을 극복하여야 한다(Huntington).

② **정책에 대한 오류의 인식:** 당장 효과가 발생하는 정책에만 집착하지 않아야 한다.

③ **법과 제도에 대한 신뢰:** 개인의 도덕적 양심보다는 법과 제도에 의한 신뢰 시스템을 구축하여야 한다.

④ **지속성과 신뢰성의 확보:** 부패척결과 공직윤리의 확보에 대한 지속적인 노력이 있어야 한다.

⑤ **체념과 냉소주의의 극복:** 만연한 부패주의에 대한 적극적 개선과 의지가 강화되어야 한다.

⑥ **사소한 부패에 대한 엄중한 대응:** 사소한 부패에 대한 관용의 분위기를 지양하고 '뜨거운 난로의 법칙*'이 적용되어야 한다.

📖 **용어**

뜨거운 난로의 법칙*: 뜨거운 난로에 손을 대면 화상을 입듯이, 징계나 부패근절의 효과를 거두기 위해서는 잘못된 사람을 뜨거운 난로처럼 대해야 한다는 것이다.

핵심 OX

01 법률 중심의 융통성 없는 인사는 행정권의 오용(誤用)에 해당된다. (O, X)

01 X 법규대로 행정행위를 하는 것은 행정권의 오용(誤用)이 아니다.

(2) 윤리정부❶

① **의의**: 공무원의 부적절한 행동을 발견하여 억제하고, 도덕적 분위기를 증진시키는 유리온실과 같은 개방된 정부를 의미한다.

② **윤리정부와 비윤리정부의 비교**

윤리정부	비윤리정부
· 행정정보의 공개	· 행정정보의 비공개
· 정부접근에 대한 저렴한 비용	· 정부접근에 대한 높은 비용
· 정부와 시민의 상호관계	· 정부의 일방성
· 기준과 원칙의 명확성	· 기준과 원칙의 불명확성
· 행정체제의 안정성	· 행정체제의 불안정성

2 공직부패

1. 의의

(1) 공직부패(corruption)란 행정권 오용의 대표적인 형태로서, '공무원이 자신의 직무와 직접적·간접적으로 관련된 권력을 부당하게 행사하여 사익을 추구하거나 혹은 공익을 침해하는 행위'를 의미한다. 즉, 부패는 독점적 권력이나 재량권의 자의적 행사에 비례하고 적절한 통제장치나 윤리의식에 반비례한다.

(2) 공직부패는 의식적인 행동이다. 즉, 사익추구를 위한 의식적 행동이 있으면 사익획득의 결과가 없더라도 부패는 성립한다.

(3) 부패는 그 자체로서 비윤리적이며 행정의 병폐로서 여러 가지 손실을 초래한다. 이러한 공직부패척결은 공직윤리의 확립을 위한 소극적 측면(필요조건)이다.

2. 원인과 접근법

(1) 일반적 원인❷

① 낮은 보수수준이 행정부패를 야기한다.

② 인사관리의 비합리성이 원인이 된다.

③ 행정절차의 복잡성은 청탁을 가져오기도 한다.

④ 정부주도의 경제발전이 부패의 원인이 되기도 한다.

(2) 이론적 접근법

① **기능주의적 접근법❸(수정주의자)**: 무능한 것이 부패한 것보다 더 나쁘다는 입장으로서, 공직부패가 어느 정도 국가발전에 긍정적 역할을 할 수 있다는 입장이다.

② **후기 기능주의적 접근법**: 부패는 자기영속적인 것이며, 다양한 원인을 먹고 사는 하나의 괴물로서 반드시 근절하여야 한다는 입장이다.

③ **도덕적 접근법**: 부패의 원인을 이러한 행위에 참여한 개인들의 윤리·자질의 탓으로 돌리는 입장이다.

④ **사회·문화적 접근법**: 공무원사회의 독특한 인사문화나 선물관행이 부패를 가져온다는 입장이다.

❶ 공직사회에 타당한 일곱 가지 원칙
(Nolan Committee)

1995년 로드 놀란(Lord Nolan)이 이끈 놀란 위원회(Nolan Committee)가 수립한 공직자 선임 과정상의 일곱 가지 원칙이다. 영국의 BBC의 경영위원들을 선임하는 근거로서도 활용된 바 있으며, 공공기관에 책임자를 선임할 경우에 영국 정부가 보편적으로 따르는 규정이다. 이 원칙에 상응하는 능력(merit) 위주로 후보자 군을 압축해 나감으로써 영국 공직사회의 투명성을 제고시킬 수 있다.

1. **공평무사**: 사익이 아닌 공익에 의한 의사결정을 해야 한다.
2. **청렴성(selflessness)**: 공정한 공직수행을 위한 외부의 금전적 이익과 의무를 배제해야 한다.
3. **책임성**: 공직자의 행동에 대한 책임과 직무조사에 응할 의무가 있다.
4. **정직성**: 공직과 관련된 사적 이익을 신고해야 한다.
5. **객관성**: 실적에 근거해 공직업무를 수행해야 한다.
6. **개방성**: 의사결정의 근거를 제시하고 정보공개에 대한 제한을 최소화해야 한다.
7. **지도력**: 조직에 대한 리더십과 원칙에 대해 모범적으로 준수해야 한다.

❷ 부패의 발생
독점적 권력 + 재량권의 자의적 행사
- 적절한 통제장치나 윤리의식

❸ 부패에 대한 기능주의의 입장
공직부패에 대해 기능주의는 부패를 개발도상국의 성숙과정에서 나타나는 보편적 현상으로 파악한다.

⑤ **체제론적 접근법**: 공무원 부패는 어느 하나의 변수에 의해 설명되는 것이 아니라, 그 나라의 문화적 특성, 제도의 결함, 구조상의 모순 그리고 공무원의 부정적 행태 등 다양한 요인에 의하여 복합적으로 나타난다고 보는 입장이다.

⑥ **제도적 접근법**: 사회의 법과 제도상의 결함이나 또는 이러한 것들에 대한 관리기구들과 그 운영상의 문제들이 부정부패의 원인으로 작용한다는 입장이다.

⑦ **구조적 접근법**: '공직사유관' 등 공무원들의 잘못된 의식구조 등에 의한 구조적 요인을 부패의 원인으로 보는 입장이다.

⑧ **시장·교환적 접근법**: 부패행위를 경제적 자원을 획득하는 하나의 수단으로 보는 입장이다. 부패한 관료는 자신의 공직을 사적 이익을 창출하는 하나의 수단으로 여기고 경제적 지대(economic rent)를 창출하므로 부정부패의 원인을 제공한다는 접근방법이다.

⑨ **권력문화적 접근법**: 공권력의 남용이나 독재 등 미분화된 권력문화를 부패의 원인으로 보는 것이다.

3. 특징

(1) 직무관련성
관료부패는 주로 직무와 관련한 행위를 이용하는 경우가 많다.

(2) 부당한 이득 획득
위법행위뿐만 아니라 비위행위, 부당한 행위 등이 모두 다 포함될 수 있다.

(3) 의식적 행동
자신의 비위행위의 그릇됨을 알면서 하는 고의적인 행위이다.

(4) 비윤리성과 손실 발생
비윤리적인 행위로 말미암아 행정에 손실을 발생시킨다.

4. 유형❶

(1) 부패 발생수준에 따른 분류

개인부패	개인수준에서 발생하는 부패로 대부분의 부패가 이에 해당한다. 예 금품수수, 공금횡령 등
조직(집단)부패	한 부패사건에 여러 사람이 조직적(집단적)으로 연루되어 있는 경우로, 외부로 잘 드러나지 않는다. 예 경찰조직의 부패 등

(2) 부패의 제도화 정도에 따른 분류

일탈형(우발적) 부패	개인적 수준에서 많이 발생하며, 부정적인 관행이나 구조보다는 개인의 윤리적 일탈에 의해 많이 발생한다. 예 금품을 제공하는 특정업소의 단속을 눈감아 주는 것 등
제도화된(체제적) 부패	부패가 일상화 되어 부패를 저지르는 사람이 죄의식을 느끼지 못하면서 조직의 보호를 받도록 제도화된 것을 말한다. 예 인·허가와 관련된 급행료, 대출과 관련된 커미션 등

❶ 공직부패의 유형
1. **거래형 부패**: 가장 전형적인 부패유형, 뇌물을 받고 혜택 부여(외부부패)
2. **사기형 부패**: 상대가 없는 부패, 공금횡령, 회계부정(내부부패)
3. **일탈형 부패**: 개인적 부패(돈 받고 단속 눈감아주기)
4. **제도화된 부패**: 급행료, 커미션이 당연시되는 문화(체제적 부패)
5. **권력형 부패**: 상층부의 정치권력을 이용한 막대한 부패
6. **생계형 부패**: 하급관료(민원부서)들의 작은 부패

(3) 부패의 형태에 의한 분류

거래형 부패	가장 전형적인 부패유형으로 관료와 기업이 뇌물을 매개로 이권이나 특혜 등을 불법적으로 받는 경우이다(외부부패).
사기형 부패	관료자신이 공금을 유용하거나 횡령하는 것으로 상대방이 없는 부패(비거래형부패)로 형법상 사기죄에 해당한다(내부부패).
직무유기형 부패	관료가 자신의 직무를 게을리 하는 데에서 오는 부작위적 부패로, 복지부동(伏地不動)*도 광의로는 직무유기형 부패라 할 수 있다.
후원형 부패	관료가 정실이나 학연 등을 토대로 불법적으로 특정단체나 개인을 후원하는 형태이다.
권력형 부패	고위층의 정치권력을 이용한 막대한 규모의 부패이다.
생계형 부패	적은 보수 때문에 발생하는 하급관료(민원부서)들의 작은 규모의 부패이다.

(4) 사회구성원의 관용도에 따른 분류(Heidenheimer)

흑색부패 (악성화된 부패)	사회체제에 아주 명백하고 심각한 해를 끼치는 부패로서, 사회구성원 모두가 인정하고 처벌을 원하는 부패이다(법률에 규정가능). ⑩ 공금횡령, 뇌물수수, 불법행위 등
백색부패 (경미한 부패)	사회에 심각한 해가 없거나 관료의 사익을 추구하려는 의도가 없는 선의의 부패로서, 사회구성원들이 어느 정도 용인할 수 있는 관례화된 부패이다(처벌을 원하지 않음). ⑩ 미사여구형(선의의 거짓말) 부패 등
회색부패 (일상화된 부패)	사회체제에 파괴적인 영향을 미칠 수 있는 잠재성을 지닌 부패로서, 사회구성원 가운데 일부집단은 처벌을 원하지만 다른 일부집단은 처벌을 원하지 않는 부패이다(법률보다는 윤리강령 등에 규정). ⑩ 과도한 선물수수 등

5. 순기능과 역기능

순기능(Nye, Leff)	역기능(Myrdal, Mauro)
· 자본형성 촉진을 통한 경제발전 도모	· 행정의 투명성 저하와 신뢰의 추락
· 관료적 번문욕례의 회피	· 자본의 유출이나 자원의 낭비
· 기업인들의 사업의욕 자극	· 공무원의 사기 저하
· 정당의 육성과 국가적 통합에의 기여	· 행정의 공평성 저하
· 공무원의 자질과 능력 향상	· 비능률과 낭비 초래
· 관료제의 경직성 완화와 대응성 제고	· 정책의 왜곡 등을 초래
· 정책결정의 불확실성 감소	· 사회적 부패의 확대

6. 우리나라의 반부패 정책의 문제점과 개선방안

(1) 문제점

① 제도적이고 근본적인 처방보다는 사람 중심의 통제정책을 추진한다.

② 단기적이고 대중적인 부패통제를 추진한다.

③ 사정기구의 독립성과 전문성이 미약하다.

④ 지나치게 정치적 동기를 고려하여 문제가 되는 경우가 많다.

📖용어

복지부동(伏地不動)*: 땅에 엎드려 움직이지 않는다는 뜻으로, 주어진 일이나 업무를 처리하는 데 몸을 사리는 공무원들의 '무사안일주의'를 비유적으로 이르는 말이다.

핵심 OX

01 행정규제의 완화는 대표적인 공직부패의 원인이 된다. (O, X)

02 행정제도의 결함과 미비 및 행정통제의 부적합성으로 인해 공직부패가 발생한다고 보는 것은 기능론적인 측면에서 부패를 보는 것이다. (O, X)

03 체제적 접근법은 문화적 특성, 제도상 결함, 구조상 모순 그리고 공무원의 부정적 행태 등 다양한 요인에 의해 공무원 부패가 발생한다고 보는 접근방법이다. (O, X)

04 사회구성원들이 부패가 처벌의 대상이 된다고 보는 부패는 회색부패이다. (O, X)

05 일탈형 부패는 부패의 제도화 정도에 따른 유형구분으로서 개인부패에서 많이 발생한다. (O, X)

06 부패의 역기능으로 인해서 엄격한 관료제의 완화가 나타난다. (O, X)

01 X 행정규제의 완화는 공직부패를 감소시킨다.
02 X 제도적 접근법이다.
03 O
04 X 흑색부패에 해당한다.
05 O
06 X 엄격한 관료제의 완화는 바람직하며 부패의 순기능이다.

(2) 개선방안

① 사정기관의 자율성·전문성의 향상이 필요하다.

② 사후적 통제에서 사전적 통제로, 단기적 관점에서 장기적 관점으로 전환되어야 한다.

③ 제도적·근본적 통제정책의 수립이 필요하다.

④ 부패의 여러 가지 동기를 고려한 반부패 정책을 수립하여야 한다.

3 「부패방지 및 국민권익위원회의 설치와 운영에 관한 법률」의 주요 내용

1. 목적

부패발생의 예방과 청렴한 공직풍토의 확립을 위해서 제정되었다. 이는 행정에서의 부패 근절을 위한 단호한 의지의 표현으로 볼 수 있는데 실질적으로 부패방지를 위한 공직분위기의 유도가 중요하다.

2. 국민권익위원회

(1) 설치

① 2005년 7월 '부패방지'라는 소극적인 목표보다 '국가 청렴도 제고'라는 적극적인 목표달성을 위하여 국가청렴위원회로 출범하였다가 이명박 정부 때 국민고충처리위원회, 행정심판위원회와 통합되어 국무총리소속의 국민권익위원회가 되었다.

② 국민권익위원회 위원장과 위원의 임기는 각각 3년으로 하되, 1차에 한하여 연임할 수 있다.

(2) 기능

① 공공기관의 부패방지를 위한 시책 및 제도개선사항을 수립·권고한다.

② 공공기관의 부패방지시책 추진상황에 대한 실태조사와 평가를 실시한다.

③ 부패행위에 대한 신고의 접수 등을 수행한다.

④ 신고자의 보호 및 보상을 처리한다.

3. 주요 내용

(1) 부패행위의 신고

① 누구든지 부패행위를 알게 된 때에는 이를 위원회에 신고할 수 있다.

② 공직자는 그 직무를 행함에 있어 다른 공직자가 부패행위를 한 사실을 알게 되었거나 부패행위를 강요 또는 제의받은 경우에는 지체 없이 이를 수사기관·감사원 또는 위원회에 신고하여야 한다.

(2) 부패행위의 신고자(내부고발자, whistle blower) 보호 ❶

① 의의

㉠ 조직의 구성원이 조직의 개인이나 집단이 불법·부당한 행위를 하는 것을 대외적으로 폭로하는 것을 보호해 주는 제도를 의미한다.

㉡ 행정의 투명성 향상과 외부통제의 보완책, 즉 통제의 효율화의 일환으로 제시되고 있다.

---

❶ 내부고발(whistle blowing)
1. 의의: 조직구성원인 개인 또는 집단이 불법·부당·부도덕한 것이라고 보는 조직 내의 일을 대외적으로 폭로하는 행위이다.
2. 특징
  · 윤리적 신념에 바탕을 둔 공익추구적·이타주의적인 외형이다.
  · 실질적 동기의 다양성: 공익 외에 사익추구성향으로 나타나기도 한다.
  · 고발자의 위상: 일반적으로 고발자의 지위가 피고발자의 지위보다 낮다.
  · 비통상적 통로: 상관의 권위에 대한 불복종에 해당한다.

ⓒ 내부고발자는 이타적인 외형을 지니나 실질적인 동기는 매우 다양하며, 고발자의 위치는 상대적으로 약자인 경우가 대부분이다. 따라서 통상적인 방법이 아니라 대외적인 폭로를 이용한 방식을 사용한다.

② **신고주체:** 국민은 누구나 부패행위를 발견하였을 때 국민권익위원회에 신고할 수 있으며, 특히 공직자는 부패행위를 발견하였을 경우 이를 반드시 수사기관, 감사원 또는 국민권익위원회에 신고하여야 한다.

③ **신고의 성실 의무:** 부패행위신고를 한 자가 신고의 내용이 허위라는 사실을 알았거나 알 수 있었음에도 불구하고 신고한 경우에는 「부패방지 및 국민권익위원회의 설치와 운영에 관한 법률」의 보호를 받지 못한다.

④ **신고절차:** 신고를 하려는 자는 본인의 인적사항과 신고취지 및 이유를 기재한 기명의 문서로서 하여야 하며, 신고대상과 부패행위의 증거 등을 함께 제시하여야 한다.

⑤ **신변보호 및 신분보장**

ⓐ 신고자가 불이익을 당할 경우 해당 기관장에게 신분보장조치를 요구할 수 있다.

ⓑ 국민권익위원회에 부패를 신고한 자에 대해 소속기관·단체·기업 등이 신고를 이유로 징계조치 등 어떤 신분상 불이익이나 근무조건상의 차별을 할 수 없다.

ⓒ 신고공무원뿐만 아니라 민간인 공직비리제보자도 신분보장의 대상이다.

ⓓ 신고사항을 이첩받은 조사기관의 종사자는 신고자의 동의 없이 그 신분을 밝히거나 암시하여서는 아니 된다.

ⓔ 신고자는 신고를 한 이유로 자신과 친족 또는 동거인의 신변에 불안이 있는 경우에는 위원회에 신변보호조치를 요구할 수 있다. 이 경우 위원회는 필요하다고 인정한 때에는 경찰청장, 관할 지방경찰청장, 관할 경찰서장에게 신변보호조치를 요구할 수 있다.

ⓕ 위원회는 신분보장조치 위반자에 대해 징계권자에게 징계요구를 할 수 있으며, 1천만 원 이하의 과태료에 처한다.

⑥ **형사처벌:** 신고자의 인적사항 공개 등 금지 위반의 죄를 범한 경우나 조치요구에 대한 불이행의 죄를 범한 경우에는 3년 이하의 징역 또는 3천만 원 이하의 벌금에 처한다.

⑦ **정상참작:** 「부패방지 및 국민권익위원회의 설치와 운영에 관한 법률」에 의한 신고를 함으로써 그와 관련된 자신의 범죄가 발견된 경우 그 신고자에 대하여 형을 감경 또는 면제할 수 있다.

⑧ **포상 및 보상:** 부패행위의 신고로 인하여 공익을 증진시킬 경우 포상할 수 있으며, 공공기관의 수입을 원상회복 또는 증대시켰거나 비용절감 등을 가져온 경우, 일정범위(20억 원) 내의 보상금을 지급하여야 한다.

(3) 국민감사청구제도 도입

18세 이상의 국민은 공공기관의 사무처리가 법령 위반 또는 부패행위로 인하여 공익을 현저히 해하는 경우 대통령령이 정하는 일정한 수(300명) 이상의 국민의 연서*로 감사원에 감사를 청구할 수 있다.

용어

연서(連署)*: 같은 문서에 두 사람 이상이 나란히 서명함(이름을 적음) 또는 그 서명(적어 놓은 이름)을 뜻한다. 즉, 하나의 문서에 여러 사람이 줄줄이 이름을 적는 것이다.

핵심 OX

01 부패행위를 목격했을 경우 공직자는 반드시 신고를 하여야 한다. (O, X)

01 O

(4) 비위면직자의 취업제한제도 도입❶

① 공직자가 재직 중 직무와 관련된 부패행위로 면직된 경우에는 공공기관, 대통령령으로 정하는 부패행위 관련기관, 퇴직 전 5년간 소속하였던 부서 또는 기관의 업무와 밀접한 관련이 있는 영리사기업체에 퇴직일부터 5년간 취업할 수 없다.

② **취업자의 해임요구**: 위원회는 비위면직자의 취업제한제도를 위반하여 공공기관에 취업한 자가 있는 경우 당해 공공기관의 장에게 그의 해임을 요구하여야 하며, 해임요구를 받은 공공기관의 장은 정당한 사유가 없는 한 이에 응하여야 한다.

(5) 검찰고발 및 재정신청

차관급 이상의 고위공직자의 비위행위에서 혐의대상자의 부패혐의가 「형법」상 처벌사유가 되어 위원회가 직접 검찰에 고발한 경우, 사건에 대하여 위원회가 검사로부터 공소를 제기하지 아니한다는 통보를 받았을 때에는 위원회는 상응하는 고등법원에 그 당부에 관한 재정을 신청할 수 있다.

4. 문제점

(1) 신고자의 신변이나 신분보장 미흡

내부고발자의 보호시점을 국민권익위원회의 신고 이후로 규정하고 있기 때문에 신고 이전에 대한 보호장치가 미흡하다.

(2) 보상의 미흡

내부고발자에 대한 보상방법의 경직성과 보상액의 비현실성이 문제되며 내부고발자에 대한 정신적 피해보상(조직으로부터의 소외)에 대한 규정이 없다.

❹ 「부정청탁 및 금품 등 수수의 금지에 관한 법률」의 주요 내용

1. 목적❷

공직자 등에 대한 부정청탁 및 공직자 등의 금품 등의 수수(收受)를 금지함으로써 공직자 등의 공정한 직무수행을 보장하고 공공기관에 대한 국민의 신뢰를 확보하는 것을 목적으로 한다.

2. 「부정청탁 및 금품 등 수수의 금지에 관한 법률 시행령」상 금품수수 허용 범위

구분	음식물	선물	경조사비
원칙	3만 원	5만 원 [백화점상품권(금액상품권) 제외한 물품상품권, 용역상품권 포함]	5만 원
예외	–	농·수산물(가공품) 15만 원	화환·조화 10만 원

📊 고득점 공략 인사정책지원시스템(PPSS)과 인사행정개혁

1. 인사정책지원시스템의 의의
정책결정자와 인사권자들의 의사결정을 지원하고 효율적인 업무처리를 위해서 공무원 인사 데이터베이스를 구축하고 이를 운용하는 시스템이다.

2. 인사정책지원시스템의 특징
① **통합 측면의 특징**: 채용 · 승진 · 급여 · 교육훈련 · 복지 등 공무원 인사전반의 업무가 단일 데이터베이스와 관리시스템으로 통합됨으로써 업무의 이중 작업이나 불일치 등의 문제를 해소하고 정보의 최신성과 정확성을 확보할 수 있게 된다.

② **연계 측면의 특징**: 각 기관의 서버와 중앙의 서버가 네트워크로 연계됨으로써 정부 전체적으로 균형 있는 인사운영을 가능하게 할 것이고, 인사의 형평성이나 적재적소 구현 등에 기여할 것이다.

③ **관리 측면의 특징**: 업무를 처리하는 과정에서 데이터가 자연스럽게 입력 또는 갱신되며 별도로 봉급표나 업무처리규정 등이 변경되었을 때에는 각 기관의 시스템이 네트워크로 신속하게 업그레이드됨으로써 관리비용이 크게 줄어들 것이다.

④ **서비스 측면의 특징**: 종전에는 인사시스템을 인사실무자들만 쓸 수 있도록 제한하는 경우가 많았다. PPSS는 인사실무자만이 아니라 인사권자, 정책결정자, 일반공무원, 나아가 국민들에 대해서도 권한별로 일정범위 내에서 사용할 수 있도록 하고 고품질의 인사행정서비스를 제공한다.

3. 우리나라 인사행정의 개혁
① 직무분석 및 성과평가체제를 확립하여야 한다. 즉, 체계적인 직무분석에 기초한 과학적인 성과평가지표의 개발이 필요하다.

② 실적주의의 정착 · 발전이 좀 더 진전되어야 한다. 그렇지 않을 경우 개방형 임용제 등이 정실인사의 도구로 활용될 수 있다.

③ 인사행정의 전문성이 제고되어야 한다. 즉, 전문직 · 기술직 등의 임용을 확대하여야 한다.

④ 적극적인 모집을 통한 채용과 능력발전 · 사기앙양 정책 등이 필요하다.

⑤ 공무원의 행태개선과 공직윤리의 확립이 더욱 강화되어야 한다.

핵심 OX

01 비위로 인하여 면직된 공직자에 대해서는 재임 당시 퇴직 전 5년간 업무와 유관한 공 · 사기업체에 퇴직일로부터 5년간 취업을 제한하였다. (O, X)

02 정책결정자와 인사권자들의 의사결정을 지원하고 효율적인 업무처리를 위해서 공무원 인사 데이터베이스를 구축하고 이를 운용하는 시스템은 전문가시스템(ES)이다. (O, X)

01 O
02 X ES(전문가 시스템)가 아니라 PPSS (인사정책지원시스템)이다.

학습 점검 문제

01 공무원의 정치적 중립의 정당화 근거로 옳지 않은 것은? 2022년 국가직 9급

① 엽관주의의 폐해를 극복하여 행정의 안정성과 전문성을 제고할 수 있다.

② 공무원은 국민 전체의 이익을 위해 공평무사하게 봉사해야 하는 신분이다.

③ 공무원의 정치적 기본권을 강화하여 공직의 계속성을 제고할 수 있다.

④ 공명선거를 통해 민주적 기본질서를 제고할 수 있다.

02 공무원에게 정치적 중립이 요구되는 근거로 가장 미약한 것은? 2012년 국가직 9급

① 정치적 무관심화를 통한 직무수행의 능률성 확보를 위해 필요하다.

② 정치적 개입에 의한 부정부패를 방지하기 위해 필요하다.

③ 행정의 계속성과 전문성을 확보하기 위해 필요하다.

④ 공무원 집단의 정치세력화를 방지하기 위해 필요하다.

03 「공무원의 노동조합 설립 및 운영 등에 관한 법률」상 단체교섭대상은? 2017년 국가직 7급(8월 시행)

① 기관의 조직 및 정원에 관한 사항

② 조합의 보수에 관한 사항

③ 예산·기금의 편성 및 집행에 관한 사항

④ 정책의 기획 등 정책결정에 관한 사항

04 「국가공무원법」에 명시된 공무원의 의무에 해당하지 않는 것은? 2021년 국가직 9급

① 부패행위 신고의무　　　　　　　　② 품위 유지의 의무

③ 복종의 의무　　　　　　　　　　　④ 성실 의무

05 다음 ㄱ과 ㄴ에 들어갈 내용으로 옳은 것은?

> 「공직자윤리법」에서는 퇴직공직자의 취업제한 및 행위제한 등을 규정하고 있는데, 취업심사대상자는 퇴직일부터 (ㄱ)간 퇴직 전 (ㄴ) 동안 소속하였던 부서 또는 기관의 업무와 밀접한 관련성이 있는 취업제한기관에 취업할 수 없다.

	ㄱ	ㄴ		ㄱ	ㄴ
①	3년	5년	②	5년	3년
③	2년	3년	④	2년	5년

정답 및 해설

01 공무원의 정치적 중립

공무원의 정치적 중립은 불평부당하고 공평무사한 행정으로 이를 지나치게 강조할 경우 공무원의 정치적 기본권을 제한할 수 있다. 따라서 공무원의 정치적 기본권을 강화하면 정치적 중립이 약화될 수 있기 때문에 공직의 계속성이나 안정성을 저해할 수 있다는 비판도 있다.

| 선지분석 |

①, ②, ④는 모두 공무원의 정치적 중립을 정당화하는 근거로 옳은 설명이다.

02 정치적 중립

공무원에게 정치적 중립이 요구되는 이유는 공무원의 정치적 무관심을 조장하기 위한 것이 아니라 공무원이 정치적 고려를 하더라도 당파성 없이 불편부당하게 국민에게 봉사하게 하기 위함이다.

03 단체교섭대상

공무원 노동조합의 단체교섭대상은 그 노동조합에 관한 사항 또는 조합원의 보수·복지, 그 밖의 근무조건에 관한 사항이다(「공무원의 노동조합 설립 및 운영 등에 관한 법률」 제8조).

| 선지분석 |

①, ③, ④는 법률에 규정되지 않은 사항으로 단체교섭의 대상이 될 수 없다.

ⓘ 「공무원의 노동조합 설립 및 운영 등에 관한 법률」상 단체교섭대상

> **제8조【교섭 및 체결 권한 등】**① 노동조합의 대표자는 그 노동조합에 관한 사항 또는 조합원의 보수·복지, 그 밖의 근무조건에 관하여 국회사무총장·법원행정처장·헌법재판소사무처장·중앙선거관리위원회사무총장·인사혁신처장(행정부를 대표한다)·특별시장·광역시장·특별자치시장·도지사·특별자치도지사·시장·군수·구청장(자치구의 구청장을 말한다) 또는 특별시·광역시·특별자치시·도·특별자치도의 교육감 중 어느 하나에 해당하는 사람(이하 "정부교섭대표"라 한다)과 각각 교섭하고 단체협약을 체결할 권한을 가진다. 다만, 법령 등에 따라 국가나 지방자치단체가 그 권한으로 행하는 정책결정에 관한 사항, 임용권의 행사 등 그 기관의 관리·운영에 관한 사항으로서 근무조건과 직접 관련되지 아니하는 사항은 교섭의 대상이 될 수 없다.

04 공무원의 의무

부패행위 신고의무는 「부패방지 및 국민권익위원회의 설치와 운영에 관한 법률」에 규정되어 있다.

ⓘ 「부패방지 및 국민권익위원회의 설치와 운영에 관한 법률」상 공무원의 의무

> **제56조【공직자의 부패행위 신고의무】**공직자는 그 직무를 행함에 있어 다른 공직자가 부패행위를 한 사실을 알게 되었거나 부패행위를 강요 또는 제의받은 경우에는 지체 없이 이를 수사기관·감사원 또는 위원회에 신고하여야 한다.

05 퇴직공직자 취업제한

「공직자윤리법」에 따르면 퇴직공직자는 퇴직일부터 3년간 퇴직 전 5년 동안 소속하였던 부서 또는 기관의 업무와 밀접한 관련성이 있는 취업제한기관에 취업할 수 없다.

ⓘ 공직자 취업제한 의무

대상자	퇴직 전	퇴직 후	대상기관	근거법률
등록의무자	5년 이내	3년간	사기업체	「공직자윤리법」
비위면직자	5년 이내	5년간	공·사기업체	「부패방지 및 국민권익위원회의 설치와 운영에 관한 법률」

정답 01 ③ 02 ① 03 ② 04 ① 05 ①

06 「공직자윤리법」에서 규정하고 있는 것만을 모두 고르면? 2024년 지방직 9급

ㄱ. 이해충돌방지 의무   ㄴ. 등록재산의 공개
ㄷ. 종교중립의 의무   ㄹ. 품위유지의 의무

① ㄱ, ㄴ

② ㄱ, ㄹ

③ ㄴ, ㄷ

④ ㄷ, ㄹ

07 공직윤리와 관련한 설명으로 가장 옳지 않은 것은? 2018년 서울시 9급

① 정무직공무원과 일반직 4급 이상 공무원은 재산등록의무가 있다.

② 공무원이 직무와 관련하여 외국인으로부터 10만 원 또는 100달러 이상의 선물을 받은 때에는 소속 기관·단체의 장에게 신고하고 그 선물을 인도하여야 한다.

③ 세무·감사·건축·토목·환경·식품위생분야의 대민업무 담당부서에 근무하는 일반직 7급 이상의 경우 재산등록대상에 해당한다.

④ 4급 이상 공무원과 공직유관단체 임직원은 퇴직일로부터 2년간, 퇴직 전 5년간 소속 부서 또는 기관 업무와 밀접한 관련이 있는 사기업체에 취업할 수 없다.

08 공직자의 이해충돌에 대한 설명으로 옳지 않은 것은? 2023년 국가직 9급

① 우리나라는 2021년 5월 「공직자의 이해충돌 방지법」을 제정하였다.

② 이해충돌은 그 특성에 따라 실제적, 외견적, 잠재적 형태로 분류할 수 있다.

③ 이해충돌 회피에 있어서는 '어느 누구도 자신이 연루된 사건의 재판관이 되어서는 안 된다'라는 원칙이 적용된다.

④ 「공직자의 이해충돌 방지법」의 위반행위는 감사원, 수사기관, 국민권익위원회 등에 신고할 수 있으나 위반행위가 발생한 기관은 제외된다.

09 「공직자의 이해충돌 방지법」상 '사적이해관계자'로 규정하고 있는 대상이 아닌 것은? 2024년 국가직 9급

① 공직자 자신 또는 그 가족

② 공직자의 직무수행과 관련하여 이익 또는 불이익을 직접적으로 받는 다른 공직자

③ 공직자로 채용·임용되기 전 2년 이내에 공직자 자신이 재직하였던 법인 또는 단체

④ 공직자 자신 또는 그 가족이 임원·대표자·관리자 또는 사외이사로 재직하고 있는 법인 또는 단체

06 「공직자윤리법」의 규정사항

「공직자윤리법」에서 규정하고 있는 공무원의 의무는 ㄱ. 이해충돌방지의무(「공직자윤리법」 제2조의2)와 ㄴ. 등록재산의 공개의무(「공직자윤리법」 제3조)이다.

| 선지분석 |

ㄷ. 「국가공무원법」 제59조의2의 규정이다.

ㄹ. 「국가공무원법」 제63조의 규정이다.

❶ 공무원의 의무

> 「공직자윤리법」 제2조의2 【이해충돌방지 의무】 ① 국가 또는 지방자치단체는 공직자가 수행하는 직무가 공직자의 재산상 이해와 관련되어 공정한 직무수행이 어려운 상황이 일어나지 아니하도록 노력하여야 한다.
>
> 제3조 【등록의무자】 ① 다음 각 호의 어느 하나에 해당하는 공직자는 이 법에서 정하는 바에 따라 재산을 등록하여야 한다.
>
> 「국가공무원법」 제59조의2 【종교중립의 의무】 ① 공무원은 종교에 따른 차별 없이 직무를 수행하여야 한다.
>
> 제63조 【품위유지의 의무】 공무원은 직무의 내외를 불문하고 그 품위가 손상되는 행위를 하여서는 아니 된다.

07 「공직자윤리법」의 내용

「공직자윤리법」에 따르면 재산등록의무자로 퇴직하는 4급 이상 공무원과 공직유관단체 임직원은 퇴직 후 3년간, 퇴직 전 5년간 소속 부서 또는 기관 업무와 밀접한 관련이 있는 사기업체에 취업할 수 없다.

| 선지분석 |

① 「공직자윤리법」상 정무직과 4급 이상 공무원은 재산등록의무가 있다.

② 「공직자윤리법」상 공무원이 직무와 관련하여 외국인으로부터 10만 원 또는 100달러 이상의 선물을 받은 때에는 소속 기관·단체의 장에게 신고하고 그 선물을 인도하여야 한다.

③ 「공직자윤리법」상 재산등록 의무자는 원칙적으로 4급 이상 공무원이고 예외적으로 동법 시행령에 따르면 세무·회계·감사·건축·토목·환경·식품위생분야의 대민업무 담당부서에 근무하는 일반직공무원은 7급 이상도 재산등록대상에 포함된다.

08 공직자의 이해충돌

「공직자의 이해충돌 방지법」의 위반행위는 감사원, 수사기관, 국민권익위원회뿐만 아니라 위반행위가 발생한 기관도 포함된다.

❶ 「공직자의 이해충돌 방지법」상 위반행위의 신고

> 제18조 【위반행위의 신고 등】 ① 누구든지 이 법의 위반행위가 발생하였거나 발생하고 있다는 사실을 알게 된 경우에는 다음 각 호의 어느 하나에 해당하는 기관에 신고할 수 있다.
> 1. 이 법의 위반행위가 발생한 공공기관 또는 그 감독기관
> 2. 감사원 또는 수사기관
> 3. 국민권익위원회

| 선지분석 |

① 「공직자의 이해충돌 방지법」은 2021.5.18.에 제정되었고, 1년의 유예기간 후 2022.5.19.에 시행되었다.

② 이해충돌의 유형은 다음과 같다.

㉠ 실제적 이해충돌: 과거에도 발생하였고 현재에도 발생하고 있는 이해충돌

㉡ 외견적 이해충돌: 공무원의 사익이 부적절하게 공적 의무의 수행에 영향을 미칠 가능성이 있는데 부정적 영향이 현재 발생한 것은 아닌 상태

㉢ 잠재적 이해충돌: 공무원이 미래에 발생할 공적 책임에 관련되는 일에 연루되는 경우

③ 이해충돌 회피의 기본적인 원칙은 '누구도 자신의 사건에 대해 판결할 수 없다.'는 것이다.

09 「공직자의 이해충돌 방지법」상 사적이해관계자

공직자의 직무수행과 관련하여 이익 또는 불이익을 직접적으로 받는 다른 공직자는 '사적이해관계자'가 아니라 '직무관련자'이다.

❶ 「공직자의 이해충돌 방지법」상 주요 내용

> 제2조 【정의】 이 법에서 사용하는 용어의 뜻은 다음과 같다.
>
> 5. "직무관련자"란 공직자가 법령(조례·규칙을 포함한다. 이하 같다)·기준(제1호 라목부터 바목까지의 공공기관의 규정·사규 및 기준 등을 포함한다. 이하 같다)에 따라 수행하는 직무와 관련되는 자로서 다음 각 목의 어느 하나에 해당하는 개인·법인·단체 및 공직자를 말한다.
>
>   라. 공직자의 직무수행과 관련하여 이익 또는 불이익을 직접적으로 받는 다른 공직자. 다만, 공공기관이 이익 또는 불이익을 직접적으로 받는 경우에는 그 공공기관에 소속되어 해당 이익 또는 불이익과 관련된 업무를 담당하는 공직자를 말한다.
>
> 6. "사적이해관계자"란 다음 각 목의 어느 하나에 해당하는 자를 말한다.
>
>   가. 공직자 자신 또는 그 가족(「민법」 제779조에 따른 가족을 말한다. 이하 같다)
>
>   나. 공직자 자신 또는 그 가족이 임원·대표자·관리자 또는 사외이사로 재직하고 있는 법인 또는 단체
>
>   다. 공직자 자신이나 그 가족이 대리하거나 고문·자문 등을 제공하는 개인이나 법인 또는 단체
>
>   라. 공직자로 채용·임용되기 전 2년 이내에 공직자 자신이 재직하였던 법인 또는 단체
>
>   마. 공직자로 채용·임용되기 전 2년 이내에 공직자 자신이 대리하거나 고문·자문 등을 제공하였던 개인이나 법인 또는 단체
>
>   바. 공직자 자신 또는 그 가족이 대통령령으로 정하는 일정 비율 이상의 주식·지분 또는 자본금 등을 소유하고 있는 법인 또는 단체
>
>   사. 최근 2년 이내에 퇴직한 공직자로서 퇴직일 전 2년 이내에 제5조 제1항 각 호의 어느 하나에 해당하는 직무를 수행하는 공직자와 국회규칙, 대법원규칙, 헌법재판소규칙, 중앙선거관리위원회규칙 또는 대통령령으로 정하는 범위의 부서에서 같이 근무하였던 사람
>
>   아. 그 밖에 공직자의 사적 이해관계와 관련되는 자로서 국회규칙, 대법원규칙, 헌법재판소규칙, 중앙선거관리위원회규칙 또는 대통령령으로 정하는 자

정답 06 ① 07 ④ 08 ④ 09 ②

10 공무원 부패의 접근방법에 대한 설명으로 옳지 않은 것은? 2019년 국회직 8급

① 권력문화적 접근법은 공직자들의 잘못된 의식구조를 공무원 부패의 원인으로 본다.

② 사회문화적 접근법은 특정한 지배적 관습이나 경험적 습성 등이 공무원 부패와 밀접한 관련이 있다고 본다.

③ 제도적 접근법은 행정통제 장치의 미비를 대표적인 공무원 부패의 원인으로 본다.

④ 체제론적 접근법은 문화적 특성, 제도상 결함, 구조상 모순, 공무원의 행태 등 다양한 요인들에 의해 복합적으로 공무원 부패가 나타난다고 본다.

⑤ 도덕적 접근법은 개인의 성격 및 습성과 윤리 문제가 공무원 부패와 밀접한 관련이 있다고 본다.

11 공무원 부패의 사례와 그 유형을 바르게 연결한 것은? 2018년 국가직 9급

> ㄱ. 무허가 업소를 단속하던 공무원이 정상적인 단속활동을 수행하다가 금품을 제공하는 특정 업소에 대해서는 단속을 하지 않는다.
> ㄴ. 금융위기가 심각함에도 불구하고 국민들의 동요나 기업활동의 위축을 방지하기 위해 금융위기가 전혀 없다고 관련 공무원이 거짓말을 한다.
> ㄷ. 인·허가와 관련된 업무를 담당하는 공무원의 대부분은 업무를 처리하면서 민원인으로부터 의례적으로 '급행료'를 받는다.
> ㄹ. 거래당사자 없이 공금 횡령, 개인적 이익 편취, 회계부정 등이 공무원에 의해 일방적으로 발생한다.

	ㄱ	ㄴ	ㄷ	ㄹ
①	제도화된 부패	회색부패	일탈형 부패	생계형 부패
②	일탈형 부패	생계형 부패	조직부패	회색부패
③	일탈형 부패	백색부패	제도화된 부패	비거래형 부패
④	조직부패	백색부패	생계형 부패	비거래형 부패

12 「부정청탁 및 금품 등 수수의 금지에 관련 법률 시행령」의 개정내용 중 음식물·경조사비 등의 가액 범위로 옳지 않은 것은? (단, 합산의 경우는 배제한다)

2018년 지방직 9급

	내용	종전(2016. 9. 8.)	개정(2018. 1. 17.)
①	유가증권	5만 원	5만 원
②	축의금, 조의금	10만 원	5만 원
③	음식물	3만 원	5만 원
④	농수산물 및 농수산 가공품	5만 원	10만 원

정답 및 해설

10 공직부패의 접근방법

공직자들의 잘못된 의식구조를 공무원 부패의 원인으로 보는 것은 구조적 접근이다. 권력문화적 접근은 공권력의 남용이나 독재 등 장기집권의 병폐를 포함한 미분화된 권력문화를 부패의 원인으로 본다.

❶ 공직부패의 접근방법

기능주의적 접근법(순기능)	무능이 부패보다 나쁘다는 입장
후기 기능주의적 접근법 (역기능)	부패는 자기영속적, 근절대상
도덕적 접근법	개인들의 윤리, 자질의 탓
사회문화적 접근법	공직사회의 독특한 인사문화, 선물관행
체제론적 접근법	모든 요인(구조, 기술, 행태, 제도)의 문제
제도적 접근법	사회의 법과 제도상의 결함
구조적 접근법	공무원들의 잘못된 의식구조
권력문화적 접근법	공권력의 남용이나 독재 등 미분화된 권력문화가 원인

11 공무원 부패의 사례와 그 유형

ㄱ은 일탈형 부패, ㄴ은 백색부패, ㄷ은 제도화된 부패, ㄹ은 비거래형 부패이다.

❶ 공직부패의 유형

거래형 부패	뇌물을 받고 혜택 부여(외부부패), 가장 전형적인 부패
사기형 부패	공금횡령, 회계부정의 비거래형 부패(내부부패)
일탈형 부패	공직자의 개인적 부패(돈 받고 단속 눈감아주기)
제도화된 부패	급행료·커미션이 당연시되는 문화(체제적 부패)
권력형 부패	상층부의 정치권력을 이용한 막대한 부패
생계형 부패	하급관료(민원부서)들의 작은 부패

12 「부정청탁 및 금품 등 수수의 금지에 관련 법률 시행령」의 내용

「부정청탁 및 금품 등 수수의 금지에 관련 법률 시행령」에 따르면, 선물의 범위에서 ① 유가증권은 포함하지 않는 것으로 개정되었고, ③ 음식물(식사 등)은 개정 후에도 개정 전과 마찬가지로 3만 원 이하로 규정되어 있으므로 복수정답이다.

❶ 「부정청탁 및 금품 등 수수의 금지에 관련 법률 시행령」상 금품수수 허용범위

구분	음식물	선물	경조사비
원칙	3만 원	5만 원	5만 원
예외	–	농·수산가공물 15만 원	화환·조화 10만 원

※ 선물: 금전, 유가증권, 제1호의 음식물 및 제2호의 경조사비를 제외한 일체의 물품, 그 밖에 이에 준하는 것은 5만 원. 다만, 「농수산물 품질관리법」 제2조 제1항 제1호에 따른 농수산물 및 같은 항 제13호에 따른 농수산가공품(농수산물을 원료 또는 재료의 50퍼센트를 넘게 사용하여 가공한 제품만 해당한다)은 15만 원으로 한다.

정답 **10** ① **11** ③ **12** ①, ③(복수정답)

⏱ 10초만에 파악하는 **5개년 기출 경향**

▌최근 5개년(2024~2020) 출제율

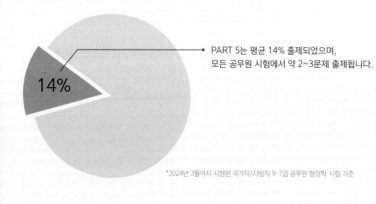

PART 5는 평균 14% 출제되었으며,
모든 공무원 시험에서 약 2~3문제 출제됩니다.

14%

*2024년 3월까지 시행된 국가직/지방직 9·7급 공무원 행정학 시험 기준

▌CHAPTER별 출제율

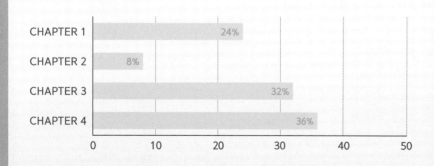

CHAPTER	출제율
CHAPTER 1	24%
CHAPTER 2	8%
CHAPTER 3	32%
CHAPTER 4	36%

PART 5

재무행정론

① 예산(Budget)의 유래
예산(Budget)은 영국 재무장관이 매년 의회에 가지고 다니던 가죽주머니(bougette)에서 유래된 것으로서 그 가죽주머니에서 재정서류를 꺼냈다는 데서 기원한 것이다. 샤칸스키(Sharkansky)는 "예산이 정부를 움직이는 혈액이라면 예산과정은 그 심장이다."라고 하였다.

② 예산의 의의
국가재정의 핵심은 예산이다. 예산은 국가의 수입과 지출에 관한 계획이 담겨진 문서로서, 실질적으로는 '일정기간에 있어서 국가의 세입과 세출의 예정적 계산'이며, 형식적으로는 민주주의 국가에 있어서 입법부가 행정부에 대하여 재정적 활동을 허용하고 통제하는 형식이다.

1 예산의 본질과 기능

1 예산과 재정

1. 의의①②

(1) 예산이란 정부가 일정기간 동안에 거두어들일 수입(세입)과 공공서비스를 공급하기 위하여 지출(세출)할 경비내역과 규모에 대한 예정적 수치(계획)이다.

(2) 공공재정은 예산보다 광범위한 개념으로서 일반회계와 특별회계, 기금과 조세 등을 포함하는 개념이다. 공공재정을 광의로 보면 다음과 같다.

공공재정의 기본구조			적용법규	관리책임자	국회승인	회계검사
국가재정	예산	일반회계	「국가재정법」	기획재정부장관	필요	대상
		특별회계 기업특별회계	「정부기업예산법」	중앙관서의 장		
		특별회계 기타특별회계	개별법			
	기금	비금융성 기금	「국가재정법」			
		금융성 기금				
지방재정	예산	일반회계	「지방재정법」	지방자치단체의 장	불요	
		특별회계				
	기금					
공공기관의 재정			「공공기관의 운영에 관한 법률」	공공기관의 장	불요	

2. 구성

(1) 세입예산
① 세입이란 한 회계연도에 있어서 국가 또는 지방자치단체의 지출의 원인이 되는 모든 현금적 수입이다.
② 조세가 주된 세입이며 공채, 국유재산 매각, 정부기업 수입, 사용료, 수수료 등이 재원이 된다.

(2) 세출예산
① 세출이란 한 회계연도에 있어서 국가 또는 지방자치단체가 일정한 목적을 수행하기 위한 일체의 지출이다.
② 세출예산은 국회의 심의를 거쳐 확정된 것으로 구속력을 갖는다.

3. 재무행정 패러다임의 변화

(1) 투입 중심에서 성과 중심으로의 변화

① 재정개혁의 핵심은 재정지출의 가치(value for money)를 극대화하는 방향으로의 제도개혁을 단행하는 것이다.

② 투입 중심에서 성과 중심으로의 변화는 예산과목체계에도 반영된다. 세출과목의 경우 '장 – 관 – 항 – 세항 – 세세항 – 목 – 세목'의 체계가 '분야 – 부문 – 프로그램 – 단위사업 – 목 – 세목'의 분류체계로 바뀌는 프로그램예산제도가 근간이 된다.

③ 프로그램예산은 전략적 자원배분 및 성과관리체계를 강화할 수 있는 하부 인프라의 역할을 하게 된다. 결국 성과 중심의 예산체계는 예산운영 조직의 자율성과 책임성을 강화해 주며, 사전적 통제보다는 성과평가에 근거한 사후적 평가에 초점을 맞추게 된다.

(2) 유량(flow) 중심에서 유량 및 저량(stock) 중심으로의 변화

① 선진국 예산개혁의 대표적인 흐름 중의 하나는 정부회계가 현금주의에서 발생주의로 전환되는 것이다. 이것은 재정운영이 유량(flow) 중심에서 유량과 저량(stock) 중심으로 전환됨을 의미한다.

② 현금주의에 의한 재정운영은 예산의 수입과 지출이라는 유량이 주요 관리의 대상이 된다. 반면에 발생주의 기준에서는 유량 개념인 예산의 수익과 비용뿐만 아니라, 저량 개념의 자산과 부채 및 순자산도 중요시된다. 전자는 재정운영표(손익계산서*)에 해당하며, 후자는 재정상태표(대차대조표*)에 해당한다.

(3) 아날로그 정보시스템에서 디지털 정보시스템으로의 변화

정보통신기술(ICT)의 급속한 발전은 기존의 조직단위 간 관계를 아날로그방식에서 디지털방식으로 변화시키고 있다. 디지털 정보는 자유로운 이동, 반복적 활용, 무한정 복제가 가능하며, 네트워크 개념은 재정정보의 통합적 운용 및 관리를 가능하게 해준다.

(4) 관리자 중심에서 납세자 주권으로의 변화

① 시민사회부문의 성장으로 재정운영의 관점이 기존 관리자 중심에서 납세자인 시민들이 주체가 되는 방향으로 전환되고 있다.

② 재정민주주의

ⓐ 과거에는 협의의 개념으로서 국가의 재정활동이 국민의 대표 기관인 국회의 의결에 의해 행해져야 한다는 한정적 의미로 이해되었다(대표 없이 과세 없다).

ⓑ 현재에는 광의의 개념으로서 납세자 주권으로 해석된다. 즉, 민주주의가 주권이 국민에게 있음을 선언한 제도이듯이, 재정민주주의의 개념도 재정주권이 납세자인 국민에게 있다는 것을 의미한다.

(5) 몰성인지적 관점에서 성인지적 관점으로의 변화

성인지 예산은 예산과정에서 성 주류화(gender mainstreaming)*의 적용을 의미한다. 성 중립적인 것이 반드시 양성평등적 시각은 아니라고 보며, 정치·경제·사회적 정책을 통합적 차원에서 기획·실행 및 평가함으로써 여성과 남성이 동등한 혜택을 누리고 불평등이 발생하지 않도록 하는 관점이다.

용어

손익계산서(income statement)*: 기업의 경영성과를 밝히기 위하여 일정기간 내에 발생한 모든 수익과 비용을 대비시켜 당해 기간의 순이익을 계산·확정하는 보고서이다.

대차대조표(balance sheet)*: 일정 시점에서 기업의 자산과 부채 및 자본을 일정한 구분·배열·분류에 따라서 기재함으로써 기업의 재무상태를 총괄적으로 표시하는 재무제표이다. 손익계산서와 함께 재무제표의 중심을 이룬다.

성 주류화(gender mainstreaming)*: 여성이 사회 모든 중심 영역에 참여해 목소리를 내고 의사결정권을 가지는 형태로 사회 시스템 운영 전반이 전환되는 것을 말한다.

핵심 OX

01 예산이란 1회계연도 동안 국가의 수입과 지출에 관한 확정적 수치로서 정부가 일정기간 동안에 거두어들일 수입과 공공서비스를 공급하기 위해 지출할 경비내역과 규모에 대한 계획이다. (O, X)

02 예산은 주로 일반회계 중심의 개념이고 넓게 보면 여기에 특별회계가 포함되나, 재정은 일반회계나 특별회계에다가 기금 등을 포함하는 관리활동이다. (O, X)

01 X 예산이란 1회계연도 동안 국가의 수입과 지출에 관한 예정적 수치이다.

02 O

2 예산의 기능과 성격

1. 기능

(1) 정치적 기능

① 예산을 당사자 간의 다양한 이해관계를 조정하는 과정으로 본다. 점증주의적 성격을 지니며, 윌다브스키(Wildavsky) 등이 중요하게 생각하였다.

② 국가예산은 한정되어 있기 때문에 예산을 사용하고자 하는 주창자와 예산을 지키고자 하는 옹호자의 상호관계적 관점에서 파악할 수 있다.

(2) 법적 기능

예산은 법률에 근거하여 지출이 이루어졌는가를 파악하는 기능을 하며, 입법부가 행정부에 대하여 재정권을 부여하는 형식이다.

① **세출예산의 효력:** 세출예산은 승인된 예산의 범위 안에서만 지출이 가능하다. 정부는 예산금액을 초과하여 지출할 수 없으며, 정해진 목적에 대해서만 지출할 수 있다.

② **세입예산의 효력:** 세입예산은 세입의 추계이기 때문에 구속력이 없는 참고자료에 불과하며 강제성이 없다.

(3) 행정적 기능(Schick) ❶

통제	· 재정민주주의를 실현하려는 것으로서 담당공무원으로 하여금 국회나 상사가 결정한 정책이나 계획에 따르도록 하는 과정이다. · 품목별예산에서 강조된다.
관리	· 관리는 이미 승인된 목표를 세부적인 사업계획으로 나누어 작성하고, 이를 집행하기 위하여 조직단위를 설계하며, 인사배치를 하고, 필요한 자원을 획득하는 것이다. 특히 편성의 과정에서 유용한 기능이다. · 성과주의예산에서 강조된다.
기획	· 정부의 장기적 목표와 정책은 무엇이며, 그를 달성할 대안으로서의 사업계획은 무엇이고, 예산의 지출결정과 어떻게 연계되는가를 밝히는 것이다. · 계획예산제도에서 강조된다.
감축 및 참여	감축지향적 또는 참여지향적 예산의 기능이 강조되고 있다.

❶ 예산의 행정적 기능
시크(Schick)는 예산의 행정적 기능으로 통제, 관리, 기획기능을 강조하였으며, 이후에 다른 학자들이 감축 및 참여기능을 추가하였다.

📊 고득점 공략 재정민주주의와 국민참여예산제도

1. 재정민주주의

① **의의와 개념:** 재정민주주의(fiscal democracy)란 스웨덴의 경제학자인 빅셀(Wicksell)이 연구한 것으로서, 재정주권이 납세자인 국민에게 있다는 것을 의미하며 시민의 예산감시나 국민의 알 권리를 충족시키는 고객 중심의 이념을 말한다.

· **협의의 개념:** "대표 없는 곳에 과세 없다."라는 관점으로 국가의 재정활동이 국민의 대표기관인 국회의 의결에 의해 행해지도록 해야 한다는 의미이다. 이는 재정민주주의를 입법부의 예산통제에 국한시키고 있으며 지나치게 협의의 의미로 해석하고 있다고 볼 수 있다.

· 최근 논의되고 있는 예산감시 시민운동도 재정민주주의의 실현을 위한 것이라고 할 수 있으며, NGO의 예산감시를 통한 민주성 확보방안도 중요시되고 있다.

- **광의의 개념:** 재정주권이 납세자인 국민에게 있다는 것을 의미한다. 이렇게 확대해서 해석할 때 국민은 이제 공공서비스 수혜의 대상이라는 수동적 객체에서 벗어나, 예산 과정에 국민의 의사를 반영하고 예산운영을 감시하며 잘못된 부분의 시정을 요구할 수 있어야 하는 능동적 주체가 된다. 이러한 광의의 관점에서는 시민에 의한 예산통제의 필요성이 증대되는 것이다.

② **조세반란(tax revolt)과 미국 캘리포니아 주의 주민발안 13(Proposition 13)**
- **배경:** 납세자의 권리를 회복하려는 일종의 납세자혁명으로 1978년 미국 캘리포니아 주의 주민발안 13(Proposition 13)이 대표적 사례이다. 보수주의 운동가인 하워드 자비스(Howard Jarvis)가 주민발의에 의한 주민투표를 통해 조세를 제한하는 주헌법안 수정안을 성공적으로 이끌어 낸 것을 말한다. 결국 캘리포니아에서 일어난 조세반란은 세입 감소를 초래하게 되었고 나아가 작은 정부를 추진하는 배경이 되었다.
- **의의:** "정부실패를 해결하기 위해서는 정부가 서비스를 독점적으로 제공할 것이 아니라 정부규모와 예산을 줄이고, 고객인 시민이 자유롭게 서비스 공급주체를 선택할 수 있도록 정부 독점권을 타파하는 것이 필요하며, 공무원은 철저한 공복(公僕)의식에 바탕을 두고 고객인 시민을 존중하여야 한다."라는 '납세자 주권주의'가 있다.

2. 국민참여예산제도

① **의의**
- **개념:** 국민참여예산제도는 국민이 예산사업을 제안하고, 심사·우선순위 결정과정에도 참여함으로써 재정운영의 투명성과 예산에 대한 관심도를 높이기 위한 제도이다.
- **시행:** 2017년에 2018년 예산을 편성하면서 국민참여예산제도를 시범 도입하여 6개의 참여예산사업(총 422억 원)을 반영하였다. 대표 사업으로는 교통편리지역의 원룸·오피스텔을 매입하여 저소득 1인 여성 가구 전용 임대주택으로 공급하는 '여성 안심용 임대주택 지원' 사업(356억 원)이 있다. 기획재정부는 국민참여예산제도의 본격 시행을 하기 위해 연구용역, 민간전문가와 주민참여예산 시행 지방자치단체 등과의 간담회, 정부 관계 부처와의 협의 등을 거쳐 제도의 운용방안을 마련하였다. 또한 「국가재정법」상 국민참여에 관한 근거조항(제16조)에 기초하여 「국가재정법 시행령」에 국민참여를 위한 기구(예산국민참여단) 운영 등 절차적 사항을 규정하였다.

② **기존 제안제도와 다른 점**
- 기존에는 국민들이 제안한 사항에 대해 관계 부처가 답변하는 방식이었다면, 국민참여예산제도는 제안 이후 사업심사나 우선순위 결정과정에도 국민들이 참여함에 따라 참여의 폭이 넓다.
- 지방자치단체의 주민참여예산제도와 달리 중앙정부가 재정을 지원하는 예산사업에 대한 국민제안이 가능하다.

③ **국민참여예산제도 일정**

사업제안 및 관리(3~5월)	· 국민 사업제안 · 제안사업 적격성 점검
각 부처의 제안사업 숙성 및 예산안 요구(4~5월)	각 부처는 제안사업 숙성 후, 후보사업을 포함하여 기획재정부에 예산안 요구
제안사업 논의(6~7월)	· 예산국민참여단 발족 · 참여단, 참여예산 후보사업 압축
사업선호도 조사(7월)	· 일반국민 설문조사 · 예산국민참여단 투표
정부예산안 반영(8월)	· 재정정책자문회의에서 논의 · 국무회의에서 정부예산안 확정
국회의 예산안 심의·확정(9~12월)	국회에서 정부예산안 심의·확정

❶ 재정의 경제적 3대 기능
머스그레이브(Musgrave)는 예산의 경제적 기능을 강조하여 재정의 3대 기능으로 자원배분기능, 소득재분배기능, 경제안정기능을 들고 있다. 이 중 지방재정의 기능으로 가장 적합한 것은 효율성(수익자 부담주의)을 추구하는 자원배분기능이다.

(4) 경제적 기능(Musgrave)❶

자원배분기능	기회비용의 관점에서 예산에 의한 자원배분이 이루어지는 것이다.
소득재분배기능	사회계층 간의 형평성 증대를 위한 세율조정이나 사회보장적 지출이 대표적이다.
경제안정기능	예산이 국민경제생활의 균형을 유지하는 기능을 한다. 케인즈(Keynes)가 총수요확장정책을 통해서 이 기능을 강조하였으며, 경기불황 시 적자재정이 정당화되는 근거가 된다.
경제성장기능	경제성장이나 발전에 있어서 주도적인 역할을 하는 것으로서 개발도상국 등에서의 자본형성의 기능이다.

2. 성격

(1) 예산의 본질은 정책이나 사업에 대한 재정적 뒷받침이다.

(2) 예산은 희소한 공공재원의 배분에 대한 계획이기 때문에 정치적 타협과 협상(정치원리) 또는 사업의 우선순위 분석(경제원리)이 필요하게 된다.

(3) 예산에는 다양한 형태의 정보들이 집적되고 다양한 주체들 간의 상호작용이 발생한다.

(4) 예산은 일반적으로 약간의 증감을 가져오므로 정부정책 중 가장 보수적인 영역이다.

(5) 예산은 정부정책의 회계적 표현이며 정부자금 지출의 통로로서, 부여된 자금을 사용하는 관료들의 책임성을 확보하기 위한 도구로 작용한다.

3 예산의 형식

1. 법률주의

(1) 의의
예산이 법률의 형태로 성립하는 것이다.

(2) 대표적인 국가
영국, 미국 등이 있다. 예컨대 미국 헌법은 "국고로부터의 지출은 모두 법률로 정해지는 세출예산에 의해서만 행하여진다."라고 규정하고 있다. 이 법률에 해당하는 것이 세출예산법이다.

2. 예산주의

(1) 의의
① 예산을 법률과 구별하여 예산의 형식으로 성립하는 것이다.

② 세출예산은 법적인 구속을 받지만, 세입예산은 법적 구속력이 없다. 세입은 별도의 조세법에 따라서 징수되므로 영구세주의*가 된다.

(2) 대표적인 국가
우리나라, 일본 등이 있다.

📖 용어

영구세주의*: 현재 시행되고 있는 조세는 법률의 개정 또는 폐지에 의하지 않는 한 현행 법률의 규정 내용이 그대로 장래에 효력이 지속된다는 것이다.

핵심 OX _____

01 머스그레이브(Musgrave)가 주장한 재정의 3대 기능은 소득재분배기능, 경제안정화기능, 제도운영실현성기능이다. (O, X)

02 예산은 정부정책 중 가장 보수적인 영역이며, 전년도를 고려하는 점증주의적 성격이 강하다. (O, X)

01 X 자원배분기능, 소득재분배기능, 경제안정화기능이다.
02 O

기준	예산	법률
제출권자	정부	정부와 국회
심의범위	정부의 동의 없이 증액 및 새 비목설치 불가	자유로운 수정 가능
거부권 행사 (대통령)	거부권 행사 불가	거부권 행사 가능
공포여부	공포 불요, 의결로 확정	공포 요함, 효력 발생
대인적 효력	국가기관만 구속	국가기관·국민 모두 구속
시간적 효력	회계연도에 국한	계속적 효력 발생
형식적 효력	예산으로 법률 개폐 불가	법률로 예산 변경 불가

2 예산회계의 법적 기초

1 헌법

1. 국회의 예산심의·확정(제54조 제1항·제2항)

예산심의·확정권	국회는 국가의 예산안을 심의·확정한다.
제출·의결시한	정부는 회계연도마다 예산안을 편성하여 회계연도 개시 90일 전까지 국회에 제출하고, 국회는 회계연도 개시 30일 전까지 이를 의결하여야 한다.❶

2. 준예산(제54조 제3항)

새로운 회계연도가 개시될 때까지 예산안이 의결되지 못한 때에는 정부는 국회에서 예산안이 의결될 때까지 다음의 목적을 위한 경비를 전년도 예산에 준하여 집행할 수 있다.

(1) 헌법이나 법률에 의하여 설치된 기관 또는 시설의 유지·운영

(2) 법률상 지출의무의 이행

(3) 이미 예산으로 승인된 사업의 계속

3. 계속비(제55조 제1항)

한 회계연도를 넘어 계속하여 지출할 필요가 있을 때에는 정부는 연한을 정하여 계속비로서 국회의 의결을 얻어야 한다.

❶ 정부의 예산안 제출시한
헌법상으로는 회계연도 개시 90일 전까지이고, 「국가재정법」상으로는 회계연도 개시 120일 전까지 국회에 제출하여야 한다.

핵심 OX

01 일반적으로 예산은 정부의 동의 없이 증액이 불가능하다. (O, X)

02 법률로써 예산을 수정할 수 있으나 예산으로 법률을 개폐할 수는 없다. (O, X)

01 O
02 X 양자는 독립되어 있다. 즉, 법률로써 예산을 수정할 수 없고 예산으로 법률을 개폐할 수 없다.

4. 예비비(제55조 제2항)

예비비는 총액으로 국회의 의결을 얻어야 한다. 예비비의 지출은 차기국회의 승인을 얻어야 한다.

5. 추가경정예산(제56조)

정부는 예산에 변경을 가할 필요가 있을 때에는 추가경정예산안을 편성하여 국회에 제출할 수 있다.

6. 예산 증액 및 새 비목 설치 제한(제57조)

국회는 정부의 동의 없이 정부가 제출한 지출예산 각 항의 금액을 증가하거나 새 비목을 설치할 수 없다.

7. 국채 및 국고채무부담행위(제58조)

국채를 모집하거나 예산 외에 국가의 부담이 될 계약을 체결하려 할 때에는 정부는 미리 국회의 의결을 얻어야 한다.

8. 감사원의 세입·세출결산 검사(제99조)

감사원은 세입·세출의 결산을 매년 검사하여 대통령과 차년도 국회에 그 결과를 보고하여야 한다.

2 예산 관련 법률

1. 「국가재정법」

(1) 제정이유와 목적

① 「국가재정법」은 종래 국가의 예산과 회계를 규정하였던 「예산회계법」과 기금에 관한 「기금관리기본법」을 통합하여 일반적인 정부예산과 기금의 관리를 위해 제정된 국가재정운영에 관한 기본법이다.

② 「국가재정법」은 국가재정에 관한 총칙으로 국가의 예산·기금·결산·성과관리 및 국가채무 등 재정에 관한 사항을 정함으로써, 효율적이고 성과지향적이며 투명한 재정운용과 건전재정의 기틀을 확립하는 것을 목적으로 한다(제1조).

③ 국가재정운용의 기본법을 제정함으로써 새로운 재정운용의 틀을 마련하고, 국가재정운용계획의 수립, 성과관리제도·예산총액배분 및 자율편성제도의 도입 등을 통하여 재정의 효율성을 도모하며, 재정정보의 공표 확대 및 조세지출예산제도의 도입 등으로 재정의 투명성을 제고하고, 추가경정예산편성요건의 강화 및 국가채무관리계획의 수립 등을 통하여 재정의 건전성을 확보하려는 것이다.

(2) 기본방향

① **재정운용의 효율성 제고:** 성과 중심의 재정운용과 선진 재정운용방식 등을 도입한다.

② **재정의 투명성 제고:** 재정정보의 공개를 확대하고, 불법 재정지출에 대한 국민감시제도를 도입한다.

③ **재정의 건전성 유지:** 추가경정예산편성의 요건을 강화하고, 세계잉여금*을 통해 일정비율의 공적자금·국채·차입금 상환을 의무화하며, 국가채무관리계획을 수립하고, 국세감면한도제를 도입한다.

(3) 주요 내용

① **국가재정운용계획의 수립:** 정부는 재정운용의 효율화와 건전화를 위하여 매년 당해 연도를 포함한 5회계연도 이상의 기간에 대한 국가재정운용계획을 수립하고 회계연도 개시 120일 전까지 국회에 제출하여야 한다.

② **주요 재정정보의 공표:** 예·결산, 통합재정수지 등 국가와 지방자치단체의 중요한 재정정보를 정부로 하여금 매년 1회 이상 공표하도록 함으로써 재정활동의 투명성을 제고한다.

③ **회계 및 기금 간 여유재원의 신축적인 운용:** 국가재정의 효율적인 운용을 위하여 회계 및 기금 간 여유재원의 전·출입을 허용하되, 그 내용을 예산안 또는 기금운용계획안에 반영하여 국회에 제출하여야 한다.

④ **성인지 예·결산(gender budget)제도 도입:** 예산이 여성과 남성에게 미치는 효과를 평가하고, 예산편성에 반영하기 위하여 이를 예산의 원칙에 명문화하였다. 성인지 예산서와 예산이 성차별을 개선하는 방향으로 집행되었는지 평가하는 성인지 결산서를 예·결산 첨부서류로 국회에 제출하여야 한다(2010).

⑤ **예비비의 계상한도 설정:** 사용목적이 지정되지 않은 일반예비비 규모를 일반회계 예산총액의 1% 이내로 그 한도를 설정하고, 목적예비비를 공무원의 보수인상을 위한 인건비충당에는 사용할 수 없도록 하였다.

⑥ **예산총액배분 및 자율편성제도의 도입:** 각 중앙관서의 장으로 하여금 매년 1월 31일까지 5회계연도 이상의 중기사업계획서를 1월 31일까지 기획재정부장관에게 제출하도록 하는 한편, 기획재정부장관은 중앙관서별로 지출한도를 포함한 예산안편성지침을 3월 31일까지 통보할 수 있도록 하였다.

⑦ **국가채무관리계획의 국회 제출:** 국가채무에 대한 체계적인 관리를 위해 기획재정부장관에게 매년 국채·차입금의 상환실적 및 상환계획, 증감에 대한 전망 등을 포함하는 국가채무관리계획을 수립하여 회계연도 90일 전까지 국회에 제출하도록 의무화하였다.

⑧ **총사업비관리제도 및 예비타당성조사 등의 도입:** 대규모사업에 대한 총사업비관리제도를 도입하여 각 중앙관서의 장으로 하여금 그 사업규모·총사업비 및 사업기간에 대하여 미리 기획재정부장관과 협의하도록 하고, 기획재정부장관은 대규모사업에 대하여 예비타당성조사를 실시하고, 그 총사업비가 일정규모 이상 증가하는 경우 타당성 재조사를 실시하도록 하였다.

⑨ **예산 총계주의 원칙의 예외:** 국가의 현물출자, 외국차관의 전대(轉貸), 수입대체경비의 초과수입 등에 대하여 예산 총계주의 원칙의 예외를 인정하여 예산에 계상하지 아니하도록 하였다.

⑩ **결산의 국회 조기제출:** 예·결산의 심의를 분리하여 결산심의에 내실화를 기하기 위하여 회계연도 개시 120일 전(9월 2일)까지 국회에 제출하던 결산을 다음 연도 5월 31일까지 제출하도록 하였다.

🔖용어

세계잉여금*: 회계연도에 수납된 세입액에서 지출된 세출액을 차감한 잔액을 말한다. 정부예산을 초과한 세입과 예산 가운데 쓰고 남은 세출불용액(歲出不用額)을 합한 금액이다.

핵심 OX

01 「국가재정법」의 세 가지 기본방향은 재정운용의 효율성 제고, 재정의 투명성 제고, 재정의 건전성 유지이다. (O, X)

02 「국가재정법」은 성(性)인지 예·결산서 작성 및 국회제출제도를 도입하였다. (O, X)

01 O
02 O

① 추가경정예산안 편성사유

1. 전쟁이나 대규모 재해가 발생한 경우

2. 경기침체, 대량실업, 남북관계의 변화, 경제협력과 같은 대내외 여건에 중대한 변화가 발생하였거나 발생할 우려가 있는 경우

3. 법령에 따라 국가가 지급해야 하는 지출이 발생하거나 증가하는 경우

※ 대규모 재해는 「재난 및 안전관리 기본법」 제3조에서 정의한 자연재난과 사회재난의 발생에 따른 피해가 발생한 경우이다.

⑪ **기금운용계획의 변경 가능 범위 축소**: 기금운용계획변경 시 국회에 제출하지 아니하고 정부가 자율적으로 변할 수 있는 주요 항목 지출금액의 범위를 비금융성기금은 현행 30퍼센트에서 20퍼센트 이하로, 금융성기금은 현행 50퍼센트에서 30퍼센트 이하로 축소하였다.

⑫ **성과 중심의 재정운용**: 중앙관서의 장과 기금관리주체에게 예산(기금)요구 시 성과계획서 및 성과보고서 제출을 의무화함으로써 성과관리제도를 도입한다.

⑬ **추가경정예산안 편성사유의 제한❶**: 국가재정의 건전성을 제고하기 위하여 추가경정예산의 편성사유를 제한하였다.

⑭ **세계잉여금 일정비율의 공적자금, 국채, 차입금 상환 의무화**: 세입세출의 결산상 잉여금 중 법률에 따른 지출과 이월액을 공제한 금액인 세계잉여금의 사용 순서를 일반적 처리용도에 사용하고 난 다음 ㉠ 지방교부세 및 지방교육재정교부금의 정산, ㉡ 공적자금상환기금에의 출연, ㉢ 국가 채무상환, ㉣ 추가경정예산의 편성 순으로 하고, 사용 시기는 정부결산에 대한 대통령의 승인 이후로 정하였다.

⑮ **불법 재정지출에 대한 국민감시제도의 도입**: 예산 및 기금의 불법지출에 대하여 일반 국민들이 집행에 책임 있는 중앙관서의 장 또는 기금관리주체에게 시정을 요구할 수 있도록 하고, 시정요구에 대한 처리결과 예산절약 등에 기여한 경우 시정요구를 한 자에게 예산성과금을 지급할 수 있도록 하였다.

⑯ **국세감면한도제 도입(조세감면의 엄격한 관리)**: 재정의 건전성 및 효율성 제고를 위하여 개별적 필요성에 따라 이루어지고 있는 비과세감면제도를 종합 관리한다. 국세감면비율을 대통령령이 정하는 비율 이하가 되도록 관리하여야 하고 기획재정부장관의 조세지출예산서 작성 및 국회제출이 의무화되었다.

2. 「국가회계법」

(1) 제정이유와 목적

① 국가회계의 투명성과 신뢰성을 높이고 재정에 관한 유용한 정보를 생산·제공하도록 하기 위하여 중앙관서 등에 복식부기 및 발생주의 기반의 회계방식을 도입하는 근거를 마련하고, 국가회계의 처리기준과 재무보고서의 작성 등에 관한 사항을 정하려는 것이다.

② 각 중앙관서별로 재무책임관을 임명하여 소속 중앙관서의 새로운 회계에 관한 사무를 총괄적으로 수행하도록 하고, 회계·결산의 결과가 국가재정의 운용과정에 적극적으로 활용될 수 있도록 회계·결산 결과를 분석하는 근거를 마련하였다.

③ 국가자산·국가부채가 체계적이고 총괄적으로 관리됨에 따라 국가재정의 현황이 한눈에 파악되고 재정건전성 여부에 대한 분석이 가능하며, 국가가 수행한 사업별로 투입된 원가가 파악됨에 따라 사업별 성과평가의 토대가 마련되었다.

(2) 주요 내용

① **회계책임관의 임명**: 중앙관서의 장은 그 소관에 속하는 회계업무를 총괄적으로 수행하도록 하기 위하여 회계책임관을 임명하도록 하고, 회계책임관은 소속 중앙관서의 내부통제 등 회계업무에 관한 사항과 소속 중앙관서의 회계·결산 및 분석에 관한 사항 등을 담당하도록 하였다.

② **국가회계제도 심의위원회 설치:** 국가회계업무의 수행과 관련하여 기획재정부장관의 자문에 응하도록 하기 위하여 기획재정부에 국가회계제도심의위원회를 설치하도록 하고, 국가회계제도심의위원회는 국가의 회계제도와 그 운영 및 국가회계의 처리 등에 관한 사항을 심의하도록 하였다.

③ **국가회계의 처리기준 마련:** 중앙관서의 장과 기금관리주체는 회계업무 처리의 적정을 기하고, 재정상태 및 재정운영의 내용을 명백히 하기 위하여 기획재정부령으로 정하는 회계에 관한 세부 처리기준에 따라 회계업무를 처리하도록 하였다.

④ **복식부기 및 발생주의 회계방식의 도입:** 국가의 재정활동에서 발생하는 경제적 거래 등은 그 발생사실에 따라 복식부기방식으로 기록하도록 하였다.

⑤ **중앙관서재무보고서의 작성 및 제출:** 중앙관서의 장은 회계연도마다 그 소관에 속하는 일반회계·특별회계 및 기금을 통합하여 해당 중앙관서의 재무보고서를 작성하고, 다음 회계연도 2월 말일까지 기획재정부장관에게 제출하도록 하였다.

⑥ **국가재무보고서의 작성 및 제출:** 기획재정부장관은 회계연도마다 중앙관서재무보고서를 통합하여 국가의 재무보고서를 작성하고, 국무회의의 심의를 거친 후 대통령의 승인을 받아 다음 회계연도 4월 10일까지 기획재정부장관 및 감사원에 제출하도록 하며, 감사원은 기획재정부장관이 제출한 국가재무보고서를 검사하고, 그 보고서를 다음 회계연도 5월 20일까지 기획재정부장관에게 송부하도록 하며, 정부는 감사원의 검사를 거친 국가재무보고서를 다음 회계연도 5월 31일까지 국회에 제출하도록 하였다.

3. 「정부기업예산법」

(1) 의의

① 정부기업의 능률성 향상을 목적으로 1961년에 제정되었다. 정부부처형 공기업(우편사업·우체국예금사업·양곡관리사업·조달사업)에 적용된다.

② 책임운영기관 특별회계기관의 사업은 정부기업으로 본다. 특별회계의 예산 및 회계에 관하여 이 법에 규정된 것 외에는 「정부기업예산법」을 적용한다.

(2) 주요 내용

① **발생주의 원칙:** 특별회계의 예산 및 회계에 관하여는 사업의 경영성과 및 재정상태를 명백히 하기 위하여 재산의 증감 및 변동을 그 발생의 사실에 따라 계리한다.

② **원가계산제도:** 각 특별회계는 사업능률의 증진, 경영관리 및 요금결정의 기초를 제공하기 위하여 대통령령이 정하는 바에 의하여 원가계산을 하여야 한다.

③ **감가상각제도:** 고정자산 중 감가상각을 필요로 하는 자산(상각자산)에 대하여는 매 회계연도마다 감가상각을 하여야 한다.

④ **복식부기의 적용:** 특별회계는 대차대조표계정인 자산, 자본 및 부채계정과 손익계산서계정인 수익 및 비용계정을 설정하여 계리한다.

⑤ **예산의 신축성**

㉠ **예산의 전용:** 각 중앙관서의 장은 「국가재정법」 규정에도 불구하고 예산집행상 특히 필요한 경우에는 대통령령이 정하는 바에 의하여 세출예산의 각 세항 또는 각 목 비용을 전용할 수 있다.

   ⓛ **예산의 이월:** 각 특별회계는 연도 내에 지출원인행위를 마친 것으로서 부득이
    한 사유로 인하여 그 연도 내에 지출하지 못한 경비와 지출원인행위를 하지
    아니한 그 부대경비의 금액은 다음 연도에 이월하여 사용할 수 있다.

  ⑥ **예비비와 수입금마련지출제도**
   ㉠ **예비비:** 특별회계는 예측할 수 없는 예산 외의 지출과 예산초과지출에 충당하
    기 위하여 예비비로서 상당하다고 인정되는 금액을 예산에 계상할 수 있다.
   ⓛ **수입금마련지출제도:** 특별회계는 그 사업을 합리적으로 운영하기 위하여 수요
    의 증가로 인한 예산초과수입 또는 초과할 것이 예측되는 수입(초과수입)을
    그 초과수입에 직접적으로 관련되는 비용에 사용할 수 있다.

  ⑦ **국회의 예산심의와 결산:** 특별회계로 운영하며 국회의 예산심의와 결산을 받는다.

  ⑧ 엄격한 의미의 독립채산제도는 도입하고 있지 않으며, 특별회계와 일반회계 간의
   전입·전출이 가능하다. 단, 책임운영기관의 경우 일반회계로부터 전입을 받을 수
   는 있으나 책임운영기관특별회계의 잉여금을 일반회계로 전출할 수는 없다.

4.「공공기관의 운영에 관한 법률」

(1) 공공기관의 의의와 범위

  ① **의의:** 공공기관의 자율책임경영체제 확립을 통하여 공공기관의 대국민 서비스
   증진에 기여할 수 있도록 하며, 공공기관의 범위 설정과 유형 구분 및 평가·감독
   시스템 등 공공기관의 운영 전반에 관하여 필요한 사항을 체계적으로 규정하기
   위하여「공공기관의 운영에 관한 법률」을 제정하였다.

  ② **범위:** 공공기관은「공공기관의 운영에 관한 법률」에 따라 직접 설립되고 정부가
   출연한 기관과 정부지원액이 총수입액의 1/2을 초과하는 기관 중에서 정부가 공
   공기관으로 지정한 기관을 말한다.

(2) 주요 내용

  ① 자율적 운영을 보장하고 기업회계원칙을 확립한다.

  ② **경영목표의 설정과 경영실적 평가제도의 확립:** 기획재정부장관은 투자기관이 제출
   한 경영실적보고서와 체결한 계약의 이행에 관한 보고서를 토대로 투자기관의
   경영실적을 평가한다.

  ③ 예산의 이사회 의결로 확정되고, 주무부장관의 승인과 국회의 심의는 필요로 하
   지 않는다.

  ④ **경영조직의 이원화:** 이사회와 사장으로 분리하고 이사회는 경영목표·예산·자금
   계획 및 운영계획, 예비비의 사용 및 예산의 이월·결산 등을 의결한다.

  ⑤ **예산의 집행:** 예비비의 사용, 예산의 이월 등은 주무부장관의 승인을 필요로 하지
   않는다.

  ⑥ **감사:** 투자기관의 감사는 내부감사와 외부감사로 구분한다.
   ㉠ **내부감사:** 기획재정부장관이 정하는 바에 따라 당해 투자기관의 감사가 이를
    실시한다.
   ⓛ **외부감사:** 투자기관의 업무와 회계처리에 관한 외부감사는「감사원법」이 정
    하는 바에 따라 감사원이 이를 실시함으로써 외부감사를 일원화하였다.

⑦ **독립채산제**❶: 공기업 스스로 수입과 지출을 적합하도록 하며, 자금을 스스로 조달하고 이익금도 스스로 처분할 수 있는 것을 의미한다.

5. 「지방재정법」과 「지방공기업법」

(1) 「지방재정법」

① **의의**: 지방자치단체의 재정 및 회계에 관한 기본법으로 1963년에 제정되었으며, 이에 관한 기본원칙을 정하여 지방재정의 건전한 운영과 엄정한 관리를 도모함을 목적으로 한다.

② **지방정부예산의 특징**: 중앙정부예산과 비교할 때 지방정부예산은 다음과 같은 특징을 갖는다.

ㄱ 중앙예산보다 지방예산은 예산결정의 불확실성이 높다.

ㄴ 중앙정부보다 지방정부는 추가경정예산의 편성빈도수가 높다.

ㄷ 지방예산은 중앙정부의 지원금에 대한 의존도가 높다.

ㄹ 광역자치단체 예산안은 회계연도 개시 50일 전까지 의회에 제출하고 의회는 15일 전까지 의결하여야 한다.

ㅁ 기초자치단체 예산안은 회계연도 개시 40일 전까지 의회에 제출하고 의회는 10일 전까지 의결하여야 한다.

ㅂ 기초의회의 경우 상임위원회가 설치되어 있지 않은 경우도 있으므로 예비심사 없이 예산결산특별위원회의 종합심사만 실시되는 경우가 있다.

ㅅ 지방의회의 예산결산특별위원회는 중앙정부와 달리 상설화되어 있지 않으며, 예산결산특별위원회의 임기는 예산·결산안의 심사가 본회의에서 끝날 때까지이다.

핵심정리 중앙정부예산과 지방정부예산의 비교

구분	중앙정부예산	지방정부예산
제출시한	회계연도 개시 120일 전	광역: 50일 전, 기초: 40일 전
의결시한	회계연도 개시 30일 전	광역: 15일 전, 기초: 10일 전
예산결정의 불확실성	낮음	높음
추가경정예산 편성빈도	보통 연 1~2회	보통 연 3~4회
상임위원회 예비심사	필수	일부 기초의회의 경우 생략
예산결산특별위원회	상설	비상설

(2) 「지방공기업법」

① **의의**: 지방자치단체가 직접 설치·운영하거나 법인을 설립하여 경영하는 지방공기업의 운영에 관하여 필요한 사항을 규정한 법률이다.

② **적용**: 수도사업, 공업용수사업, 궤도사업, 주택사업, 의료사업 등의 사업과 지방공사 및 지방공단에 적용된다.

③ **주요 내용**: 「정부기업예산법」과 유사하게 독립채산제의 원칙, 발생주의 원칙과 원가계산, 수입금마련지출제도 등을 규정하고 있다.

구분	적용법규	관리책임	국회승인 여부	감사원의 회계감사
일반회계 (일반예산)	「국가재정법」	기획재정부장관	필요	필요
특별회계 (기업, 기타)	「정부기업예산법」	중앙관서의 장	필요	필요
기금	「국가재정법」	중앙관서의 장 (기획재정부 협의)	필요 (의회의 심의·의결)	필요
공공기관 (공기업)	「공공기관의 운영에 관한 법률」	공공기관 사장 (기획재정부 지침)	불요 (이사회 승인)	필요
지방재정	「지방재정법」	지방자치단체 (행정안전부 지침)	불요 (지방의회 승인)	필요

❶ 자산과 부채

1. 유동자산과 고정자산
· 유동자산: 1년 이내에 현금으로 바꿀 수 있는 자산으로서 당좌자산과 재고자산으로 분류된다.
· 고정자산: 1년 이내에 현금화가 불가능한 자산으로서 투자자산, 유형자산, 무형자산으로 구분된다.

2. 유동부채와 고정부채
· 유동부채: 1년 이내에 지급기한이 도래하는 부채(단기부채)이다.
· 고정부채: 1년 이내에 지급기한이 도래하지 않는 부채(장기부채)이다.

❷ 복식부기와 발생주의
복식부기와 발생주의는 반드시 논리 필연적인 것은 아니며, 복식부기하에서 현금주의로 운용이 가능하다. 단식부기에서는 자산·부채·자본을 별도로 인식하지 않으므로 단식부기하에서 발생주의에 의한 기장은 불가능하다. 따라서 발생주의의 도입은 복식부기제도의 도입을 전제로 한다.

❸ 복식부기의 이해
복식부기는 단식부기와 달리 어떤 거래가 발생하더라도 양변에 동일한 금액이 이중으로 기재되므로 대차평균의 원리에 의해 자기검증이 가능하다.

구분	차변	대변
자산	+ (증가)	− (감소)
부채	− (감소)	+ (증가)
자본	− (감소)	+ (증가)
비용·수익	+ (비용 발생)	+ (수익 발생)

3 정부회계제도

1 회계제도의 의의

1. 회계의 개념❶

회계는 예산의 집행결과를 기록·분류·평가 및 해석하여 정보이용자들이 합리적인 의사결정을 하는 데 필요한 재무정보를 제공하는 일련의 과정이나 체계이다.

2. 회계방식의 분류

회계의 처리는 기장방식에 따라 단식부기와 복식부기로 구분되고, 거래의 인식기준에 따라 현금주의와 발생주의로 구분된다.

(1) 기장방식에 따른 분류❷
① 단식부기: 현금, 특정 재산, 채무 등을 중심으로 거래의 일면만을 기록하는 방식이다. 현금이 수입되면 현금출납장에 기재하고 수입에 대한 반대급부내역은 장부의 비고란에 기재한다.
② 복식부기❸: 하나의 거래를 대차평균의 원리에 따라 왼쪽(차변)과 오른쪽(대변)에 이중기록하고, 차변의 합계와 대변의 합계를 반드시 일치(대차평균의 원리)시켜 자기검증기능을 가지는 기장방식이다.

◈ 핵심정리　단식부기와 복식부기

구분	단식부기	복식부기
장점	단순하고 작성과 관리가 용이	발생주의에 용이, 자기검증기능
단점	· 이익과 손실 원인의 명확한 파악 곤란 · 오류의 자기검증 곤란	· 회계처리비용 과다 · 전문적 회계지식 요구
적용	소규모 기업 및 비영리 기업에 용이	채무 및 대규모 기업에 용이

(2) 인식기준에 따른 분류

① **현금주의**: 현금의 유입과 유출시점을 기준으로 수입과 지출을 인식한다. 즉, 현금 변동시점에 따라 거래를 인식하는 기준이다.

　㉮ 민간과 재화의 구입계약을 하는 경우 계약한 뒤 실제로 현금이 유출되는 때를 비용으로 기록하는 것

② **발생주의**: 현금의 유입과 유출에 관계없이 거래가 발생한 시점에 따라 인식하는 방식이다. 정부회계의 경우 수입을 납세고지 시점으로, 지출을 지출원인행위 시점으로 계산한다.

　㉮ 민간과 구입계약을 체결하는 경우 계약시점을 기준으로 인식하는 것

③ **수정현금주의**: 수정현금주의는 회계기간 중 마치지 못한 지출 또는 수입에 대해 출납정리기간의 현금수수를 당해 회계연도의 수지에 반영하는 인식기준이다. 우리나라의 경우 출납정리기한이 있기 때문에 엄밀한 의미로 본다면 수정현금주의가 적용되고 있다고 볼 수 있다.

④ **수정발생주의**: 수입은 현금주의로 처리하고, 지출은 발생주의로 처리하는 방식이다.

◈ 핵심정리　현금주의와 발생주의

구분	현금주의	발생주의
장점	· 절차 간편 · 이해 · 통제 용이 · 현금흐름 파악 용이 · 회계처리의 객관성	· 자산 · 부채 파악으로 재정의 실질적 건전성 확보 · 비용 · 편익 등 재정성과 파악 용이 · 예산의 자율성 제고 · 자기검증기능으로 회계오류 시정 · 재정의 투명성 · 신뢰성 · 책임성 제고 · 출납폐쇄기한 불필요
단점	· 경영성과 파악 곤란 · 단식부기에 의한 조작 가능성 · 자산 · 부채 파악 곤란(비망기록으로 관리) · 감가상각 등 거래의 실질 및 원가 미반영	· 자산평가 및 감가상각의 주관성 · 채권 · 채무의 자의적 추정 · 절차복잡 및 현금흐름 파악 곤란 · 의회통제 회피의 악용 가능성 · 회계담당자의 주관적 판단 개입

(3) 우리나라 정부부문의 회계제도❶

중앙정부의 일반회계, 기타특별회계, 기업특별회계, 기금과 지방정부의 일반회계, 기타특별회계, 공기업특별회계, 기금 모두 발생주의 및 복식부기를 적용한다.

❶ 지방자치단체의 회계처리기준
2007년 1월부터 지방자치단체는 발생주의와 복식부기 원리에 따라 회계처리를 하여야 한다. 「지방재정법」 제54조에 의하면 지방자치단체의 장은 당해 지방자치단체의 재정상태 및 운용결과를 명백히 하기 위하여 발생주의와 복식부기 회계원리를 기초로 하여 행정안전부장관이 정하는 회계기준에 따라 거래의 사실과 경제적 실질을 반영하여 회계처리하고 재정보고서를 작성하여야 한다.

핵심 OX

01 거래발생시점을 기준으로 인식하여 회계를 계리하는 방법은 복식부기에 해당한다. (O, X)

02 회계의 자기검증기능으로 부정과 비리에 대한 통제가능성을 높여 주는 것은 단식부기와 관련된다. (O, X)

03 재정성과에 대한 투명성을 높여 주고 성과측정을 용이하게 할 수 있는 회계제도는 복식부기이다. (O, X)

01 X 발생주의 회계를 의미한다.
02 X 복식부기의 장점에 해당한다. 복식부기는 대차균형의 원리에 따라 회계의 건전성을 확보할 수 있다.
03 O

2 정부회계의 재무제표

1. 재무제표 작성의 원칙

(1) 회계연도 비교의 원칙

재무제표는 당해 회계연도분과 전년 회계연도분을 비교하는 형식으로 작성한다.

(2) 계속성의 원칙

두 회계연도의 재무제표는 비교가 가능하도록 회계기준 등을 계속 적용하여 작성하며, 「국가회계법」에 따른 적용범위, 회계정책 또는 이 규칙 등이 변경된 경우에는 그 내용을 주석으로 공시한다.

(3) 중요성의 원칙

재무제표의 과목은 해당 항목의 중요성에 따라 별도의 과목으로 표시하거나 다른 과목으로 통합하여 표시할 수 있다.

2. 재무제표

(1) 재정상태표

① **의의**: 기업의 대차대조표에 대응하는 것으로서 '일정시점'의 자산과 부채의 명세 및 상호관계 등의 재정상태를 나타내는 표로, '순자산 = 자산 - 부채'의 형태로 표시한다.

② **목적**: 자산, 부채 및 순자산으로 구성되며 실질적인 공공서비스 공급능력을 보여주는 데 목적이 있다.

③ **표시방식❶**: 계정식과 보고식이 있는데, 우리나라는 보고식으로 표시한다.

④ **배열방식**: 유동성 배열법, 즉 현금으로의 전환가능성을 기준으로 유동항목으로부터 고정항목의 순으로 배열하고 있다.

> ❶ 계정식과 보조식
> 1. 계정식: 차변과 대변으로 구분한다.
> 2. 보고식: 차변과 대변을 구분하지 않고 자산, 부채, 순자산 순으로 연속 표시한다.

(2) 재정운영표

① **의의**: 기업의 손익계산서에 대응하는 것으로서 '일정기간' 재정운영결과(수익 - 비용)를 나타내는 표로, '순이익 = 수익 - 비용'의 형태로 표시한다.

② **목적**: 일정기간 동안 정부운영의 이익과 손실의 산정이 아니라 수익과 비용의 내역을 일정기준에 따라 체계적으로 보여주는 데 목적이 있다.

③ **작성기준**: 재정운영표의 모든 수익과 비용은 발생주의 원칙에 따라 거래나 사실이 발생한 기간에 표시한다.

차변	대변
비용	수익
운영차액	

(3) 순자산변동표(순자산변동보고서)

① **의의**: '일정기간' 동안 순자산의 증감내역을 보여주는 표로서, '순자산 = 자산 - 부채'의 형태로 표시한다.

② **내용**: 기초순자산, 재정운영표의 수익과 비용의 차액인 재정운영결과(운영차액), 재원조달 및 이전, 조정항목, 기말순자산으로 구분하여 표시한다.

우리나라 정부회계의 재무제표

기업	정부
대차대조표(stock)	재정상태표
손익계산서(flow)	재정운영표
현금흐름표	-
이익잉여금처분계산서	순자산변동표
주석 및 부속명세서	주석

3 정부회계의 문제점 및 개선방향

1. 정부회계의 문제점(단식부기, 현금주의의 경우)

(1) 총괄적이고 체계적인 재정의 현황파악 곤란

통합재정상태표 등이 없기 때문에 재정상황들이 연계성 없이 단편적으로 구분·관리되어 재정에 대한 총괄적·체계적 인식이 곤란하다.

(2) 자산·부채에 대한 명확한 인식 곤란

예를 들면 단식부기하에서는 상당액의 부채(미지급)가 존재해도 현금으로 지출되지 않은 경우 세입세출 결산서상에는 재정이 건전한 상태인 것처럼 결산될 수 있다.

(3) 오류의 자기검증 및 회계 간의 연계성 분석기능 결여

자산과 부채, 현금수지 등이 각각의 대장에 독립적으로 기록되므로 체계적으로 회계 상호 간의 연계성을 파악하는 것이 곤란하다.

2. 발생주의에 따른 복식부기 도입 시 기대효과[1]

(1) 정부 재정활동의 효율성 및 투명성 제고

자산에 대한 평가와 재평가를 통해서 자원을 효율적으로 이용할 수 있고, 회계의 자기검증기능과 재정상태에 대한 재무보고서를 일목요연하게 정리하여 부정과 비리에 대한 통제의 가능성을 높여 준다.

(2) 장기적·미래지향적 재정관리 기반의 조성

통제 중심의 회계에서 탈피하여 미래의 채권·채무에 대한 명확한 인식과 조기관리체제를 통하여 재정의 건전성을 확보한다.

(3) 공공부문의 생산성 향상을 위한 유용한 회계정보 제공

성과주의예산, 성과감사 등 성과주의 개념에 입각한 정부개혁 작업의 지속적 추진이 가능해진다.

1 중앙예산기관

1. 의의

각 부처의 사업계획을 검토하고, 정부의 예산안을 편성·집행하는 중앙행정기관이다. 대내외 경제여건을 전망하고 정책의 우선순위를 판별하여 예산정책을 수립할 뿐만 아니라, 정부의 각 부처가 요구한 예산액을 조정하여 정부예산안을 편성하고 이를 입법부에 제출한다.

2. 기능

(1) 예산편성 및 집행의 관리기능을 담당한다.

(2) 재정계획 및 사업을 검토·조정하는 기능을 한다.

(3) 국민과 입법부의 의사를 반영하는 기능을 한다.

3. 유형

(1) 행정수반 직속형

① **의의**: 행정수반 직속형은 행정수반의 정책수립 및 행정관리기능을 강화할 목적으로 행정수반의 참모조직형태로 운영하는 유형이다.

② **주요 국가**: 미국의 관리예산처(OMB), 필리핀의 예산위원회 등이 있다.

(2) 재무부 소속형

① **의의**: 재무부 소속형은 재정정책의 수립 및 집행과 수입·지출업무가 연계되는 데 역점을 두고 설치한 유형이다. 이 유형은 중앙예산기관과 수입·지출 총괄기관을 통합한 형태이다.

② **주요 국가**: 우리나라의 기획재정부, 영국의 재무성(예산국), 일본의 재무성(주계국 중심), 프랑스, 독일 등 주로 내각제 국가에서 채택하고 있다.

(3) 기획부처형(개발도상국형)

① **의의**: 기획과 예산을 일치시킬 목적으로 중앙예산기관을 중앙기획기관에 소속시키는 유형이다. 국가의 중·장기계획과 예산을 연계시킬 수 있다.

② **주요 국가**: 과거 경제기획원 예산실, 캐나다 내각 예산국 등이 있다.

4. 예산관련 조직의 기본체제

(1) 중앙예산기관

① **의의**: 행정수반의 기본정책과 정부의 재정·경제정책에 입각하여 각 부처의 예산요구를 사정·조정하고 사업별로 예산을 배분·결정한 다음, 정부 전체의 예산안을 편성하여 국회에 제출하며, 정부예산의 전반적인 관리를 담당하는 기관이다.

② **우리나라의 중앙예산기관❶**: 기획재정부 예산실이다.

❶ 우리나라의 중앙예산기관의 변천
1. 1948(정부수립 당시): 기획처 예산국 (삼원체제)
2. 1954: 재무부 예산국(이원체제)
3. 1961: 경제기획원 예산실(삼원체제)
4. 1994.12.: 재정경제원 예산실(경제기획원 폐지, 이원체제)
5. 1998.2.: 기획예산위원회와 예산청(삼원체제)
6. 1999.5.: 기획예산처(기획예산위원회와 예산청을 통폐합, 삼원체제)
7. 2008.2.~: 기획재정부(기획예산처와 재정경제부 통폐합, 이원체제)

(2) 국고수지총괄기관

① **의의**: 중앙정부의 징세·재정·금융·회계·결산·자금관리 및 국고금 지출 등 국가의 수입과 지출을 총괄하는 기관이다.

② **우리나라의 국고수지총괄기관**

   ⊙ 경제정책을 총괄·조정하는 기획재정부로서 중앙예산기관과 통합되어 있다. 국고금의 총괄, 결산, 회계제도의 연구, 조세정책 등을 담당한다.

   ⓛ 하부조직으로 국가재정운용계획을 총괄하는 재정기획실, 예산을 편성·관리하는 예산실 및 조세정책을 입안·결정하는 세제실 등이 있다. 또한 기획재정부 소속 외청으로서 정부재원을 직접 조달하는 세입징수기관으로는 국세청과 관세청이 있으며, 이 밖에 계약·회계전담부서로서 조달청이 있다.

(3) 중앙은행(한국은행)

① **의의**: 중앙은행으로서 국가의 재정대행기관이다. 국가의 모든 국고금의 예수(豫受) 및 출납업무를 대행한다(「한국은행법」).

② **우리나라의 중앙은행**: 한국은행이 여기에 속하는데 정부의 은행, 정부의 대행기관, 은행의 은행, 정부의 조언자 등의 기능을 담당한다.

(4) 국회예산정책처

① **의의**

   ⊙ 국가의 예산·결산·기금 및 재정운용과 관련된 사항에 관하여 연구·분석·평가하고 의정활동을 지원하기 위하여 2003년에 신설된 기관이다.

   ⓛ 국회의 재정통제권을 강화하여 행정부에 대한 견제와 감시를 효율적으로 수행하기 위한 것이다. 이를 통해 국가재정운용의 효율성을 높이고, 국회의 재정통제권을 실효성 있게 행사할 수 있다.

   ⓒ 예산정책처는 국회의장의 직속기관으로서 처장은 정무직 차관급이다. 예산정책처의 처장은 국회의장이 국회운영위원회의 동의를 얻어 임명하며, 국회의장의 허가를 받아 국가기관 및 그 밖의 기관과 단체에 필요한 자료를 요청할 수 있고 국회 내 위원회 및 국회의원에게 필요한 정보를 제공하는 지원업무도 담당한다.

② **예산정책처의 사무**

   ⊙ 예산안·결산·기금운용계획안·기금결산에 대한 연구와 분석을 한다.

   ⓛ 예산 또는 기금상의 조치가 수반되는 법률안 등 의안에 대한 소요비용을 추계한다.

   ⓒ 국가재정운용 및 거시경제동향을 분석 및 전망한다.

   ⓔ 국가의 주요 사업에 대한 분석·평가 및 중·장기 재정소요를 분석한다.

   ⓜ 국회의 위원회 또는 국회의원이 요구하는 사항을 조사 및 분석한다.

2 재무행정조직

국가의 재무행정조직에는 국가의 세출예산을 결정·배분·총괄하는 중앙예산기관, 세입·결산 및 회계를 총괄하는 국고수지총괄기관, 중앙은행이 있다. 이 중 중앙예산기관과 국고수지총괄기관이 분리되어 있느냐 아니면 통합되어 있느냐에 따라 삼원체제(분리형)와 이원체제(통합형)로 구분된다.

1. 삼원체제(분리형)

(1) 의의

① 예산기구가 행정수반 직속형인 대통령중심제형에서 주로 나타난다.

② 세출예산을 담당하는 중앙예산기관과 재정·회계·징세·금융 등을 관장하는 국고수지총괄기관이 분리된 형태이다.

③ 주요 국가

     ⊙ **미국**: 재무행정조직이 재무부, 관리예산처(OMB), 연방준비은행으로 구분되며, 관리예산처의 경우 예산관리뿐만 아니라 행정관리 및 법제업무까지 관장하는 대통령에 대한 막강한 종합막료기관이다.

     ⓛ **우리나라(2008. 2. 이전)**: 기획예산처, 재정경제부, 한국은행으로 구분된다.

(2) 장단점

① 장점

     ⊙ 중앙예산관리기능의 효과적인 행정관리수단을 제공한다.

     ⓛ 강력한 행정력을 발휘한다.

     ⓒ 각 부처로부터의 초월적 입장으로서 분파주의를 방지한다.

② **단점**: 세입과 세출의 관장기관이 달라 양자 간 유기적 관련성이 저하된다.

2. 이원체제(통합형)

(1) 의의

① 예산기관이 국고수지를 총괄하는 재무성에 속하는 내각책임제형이다.

② **주요 국가**: 영국의 재무성과 일본의 재무성이 전형적이며, 과거 우리나라의 재정경제원과 현재(2008. 3. 이후)의 기획재정부도 이와 유사하다.

(2) 장단점

① **장점**: 세입과 세출 간 유기적 관련성을 증대시킬 수 있다.

② **단점**: 분파주의가 발생할 수 있으며, 강력한 행정력을 발휘하기가 곤란하다.

◎ **핵심정리**   삼원체제와 이원체제의 장단점

구분	삼원체제(분리형)	이원체제(통합형)
장점	· 효과적인 행정관리수단 · 강력한 행정력 발휘 · 초월적 입장 견지 · 분파주의 방지	세입과 세출 간 유기적 관련성 증대
단점	세입과 세출 간 유기적 관련성 저하	· 분파주의의 발생가능성 · 강력한 행정력 발휘 곤란

5 예산의 원칙

1 예산원칙의 의의

1. 의의

예산의 원칙이란 예산과정에서 지켜야 할 준칙으로서 예산운영의 기본적 규범이다. 이러한 예산원칙은 예산의 편성·심의·집행·결산의 모든 과정에서 적용되며, 예산제도 및 운영의 전반에 영향을 미친다.

2. 예산원칙의 변천

입법국가시대에서는 행정부에 대한 국회의 통제를 강조하여 전통적 예산원칙이 제시되었고, 현대의 행정국가시대에서는 행정부의 재량과 환경변화에 따른 융통성을 강조하여 현대적 예산원칙이 강조된다. 최근에는 투명성, 책임성, 정보, 참여 등이 반영된 예산원칙이 강조되고 있다.

◎ 핵심정리   예산의 원칙

전통적 예산원칙과 현대적 예산원칙은 상호보완적 관계이다.

전통적 원칙(Neumark)	현대적 원칙(Smith)
· 통일성의 원칙 · 사전의결(승인)의 원칙 · 정확성(엄밀성)의 원칙 · 한정성의 원칙 · 명확성(명료성)의 원칙 · 단일성의 원칙 · 공개성의 원칙 · 완전성(포괄성)의 원칙	· 행정부 계획의 원칙(사업계획의 원칙) · 행정부 책임의 원칙 · 행정부 재량의 원칙 · 보고의 원칙 · 적절한 수단구비의 원칙 · 다원적 절차의 원칙 · 시기 신축성의 원칙 · 예산기구 상호성의 원칙

2 전통적 예산원칙과 현대적 예산원칙

1. 전통적 예산원칙(통제지향)

노이마르크(Neumark)에 의해 주장된 전통적 예산원칙은 19세기 입법국가시대의 예산원칙으로서 통제지향적인 성격을 띤다.

(1) 통일성(non-affection)의 원칙

① 특정한 수입과 특정한 지출이 연계되어서는 안 된다는 원칙이다. 즉, 국가의 모든 수입은 일단 국고에 편입되고 여기서부터 모든 지출이 이루어져야 한다. 목적구속금지의 원칙(non-affection)에 해당하며, 직접사용금지의 원칙과도 관련된다. 1787년 영국의 「통일국고법(Consolidate Fund Act)」에서 유래한 원칙이다.

② **예외**: 특별회계, 기금, 목적세❶, 수입대체경비 등이 있다.

❶ 목적세
1. **국세**: 교육세, 교통·에너지·환경세, 농어촌특별세
2. **지방세**: 지역자원시설세, 지방교육세

핵심 OX

01 미국의 경우 중앙예산기관이 재무부 소속형에 해당하고, 영국은 행정수반 직속형에 해당한다. (O, X)

02 우리나라의 중앙재무행정기관은 이원형으로 이러한 이원형은 예산과 결산의 유기적 연계가 가능하다는 것이 장점이다. (O, X)

03 재무행정체제 중 이원체제는 각 부처로부터의 초월적 입장으로 분파주의를 방지할 수 있다는 장점이 있다. (O, X)

01 X 미국의 경우에는 행정수반 직속형이고, 영국의 경우는 재무부 소속형이다.
02 O
03 X 이는 삼원체제의 장점에 해당한다. 이원체제는 세입과 세출을 유기적으로 연결시킬 수 있다는 장점이 있다.

(2) 사전의결의 원칙

① 예산은 '미리' 국회의 의결을 얻어 회계연도가 시작되면 바로 집행할 수 있도록 하여야 한다는 원칙이다. 헌법 제54조는 이를 명확히 규정하고 있다.

② **예외**: 전용, 사고이월, 예비비의 지출, 준예산, 이체, 대통령의 긴급재정명령, 지방 자치단체장의 선결처분권 등이 있다.

(3) 정확성(엄밀성)의 원칙

① 예산과 결산이 가능한 한 일치하도록 하여야 하는 원칙이다. 즉, 예산의 추계는 가능한 정확하고 엄밀하여야 한다.

② **예외**: 적자예산, 흑자예산, 불용액 등이 있다.

(4) 한정성의 원칙

① 예산은 주어진 목적, 규모, 시간에 따라 집행되어야 한다는 원칙이다.

② **예외**

　㉠ **양(금액)적 한정성의 예외**: 예비비, 추가경정예산이 있다.

　㉡ **질(목적·용도)적 한정성의 예외**: 이용과 전용이 있다.

　㉢ **시간의 한정성 예외**: 이월, 계속비, 국고채무부담행위, 앞당기어 충당·사용* 등이 있다.

(5) 명확성의 원칙❶

① 예산구조나 과목은 단순하여 국민들이 쉽게 이해할 수 있도록 명확하여야 한다는 원칙이다. 이는 예산공개의 전제조건이 되는 것이다.

② **예외**: 총액(총괄)예산 등이 있다.

(6) 단일성의 원칙

① 예산은 가능한 단일의 회계 내에서 정리되어야 한다는 원칙이다. 회계장부가 너무 많으면 재정구조를 이해하기 어렵기 때문이다.

② **예외**: 특별회계, 기금, 추가경정예산 등이 있다.

(7) 공개성의 원칙

① 모든 예산은 공개되어야 한다는 원칙이다. 우리나라는 매년 『예산개요』를 발간하고 인터넷에 공개한다. 다만, 국가안보를 위한 예산은 공개하지 않는다.

② **예외**: 신임예산, 국방비, 국가의 중요한 정보관련 예산 등이 있다.

(8) 완전성(포괄성)의 원칙❷

① '예산총계주의'로서 모든 세입과 세출은 예산에 명시적으로 나열되어 있어야 한다는 원칙이다.

② **예외❸**: 기금, 현물출자, 전대차관, 수입대체경비의 초과수입, 순계예산*(예산순계* 가 아님에 주의)이 있다. 이때 순계예산은 예산을 계상하는 데 있어서 경비를 공제한 순세입 또는 순세출만을 계상한 예산을 말하는 것이다.

✓ 개념PLUS | 전통적 예산원칙의 예외

통일성의 원칙	특별회계, 기금, 목적세, 수입대체경비
사전의결의 원칙	전용, 사고이월, 예비비의 지출, 준예산, 이체, 긴급재정명령, 선결처분권
정확성(엄밀성)의 원칙	적자예산, 과년도 이월, 불용액
한정성의 원칙	· 양(금액)적 한정성의 예외: 예비비, 추가경정예산 · 질(목적 · 용도)적 한정성의 예외: 이용과 전용 · 시간의 한정성 예외: 이월, 계속비, 국고채무부담행위 등
명확성의 원칙	총액예산, 신임예산
단일성의 원칙	특별회계, 기금, 추가경정예산
공개성의 원칙	신임예산, 국방비
포괄성(완전성)의 원칙	기금, 현물출자, 전대차관, 순계예산, 수입대체경비의 초과수입

2. 현대적 예산원칙(관리지향)

스미스(Smith)가 제시한 원칙으로, 20세기 행정국가시대에 예산의 신축성과 관리 및 기획기능을 강조하는 예산의 원칙이다.

(1) 행정부 계획의 원칙

사업계획과 예산편성을 유기적으로 연계하기 위해서 행정부의 계획이 필요하다는 원칙이다.

(2) 행정부 책임의 원칙

행정부는 예산을 합목적적 · 경제적 · 효과적으로 집행하여야 할 책임이 있다는 의미의 원칙이다. 특히 재정의 국민경제적 역할들이 중요해지면서 계획된 예산을 경제적으로 집행해야 할 책임이 강조되고 있다.

(3) 행정부 재량의 원칙

상황변화에 잘 적응할 수 있도록 행정부에 예산집행의 재량을 부여하여야 한다는 원칙이다. 이는 특히 총괄예산제도를 도입하는 것과 관련이 있다.

(4) 보고의 원칙

예산의 편성 · 심의 · 집행은 업무보고 및 재정보고에 기초하여야 한다는 원칙이다. 근거자료에 기초하지 않는 무제한식의 예산사정을 하는 것은 바람직하지 않다.

(5) 수단구비의 원칙

정부가 그 책임을 다하기 위해서는 중앙예산기관이 있어야 할 뿐만 아니라, 월별 또는 분기별 예산을 배정할 권한과 적절한 예산제도 등을 구비하여야 한다는 원칙이다.

핵심 OX

01 특정한 수입으로 특정한 사업에 연계하여 지출하지 말라는 것은 '통일성의 원칙'과 관련된다. (O, X)

02 기금과 특별회계는 예산 통일성 원칙의 예외에 해당한다. (O, X)

03 양(금액)적 한정성의 예외로 예비비, 추가경정예산이 있다. (O, X)

04 특별회계는 예산 단일성의 원칙과 예산 통일성의 원칙의 예외가 된다. (O, X)

05 예산순계는 예산 완성성 원칙의 예외에 해당한다. (O, X)

01 O
02 O
03 O
04 O
05 X 예산순계가 아니라 순계예산이 예산 완전성 원칙의 예외에 해당한다.

(6) 다원적 절차의 원칙

사업의 성격에 따라 예산의 절차를 다르게 하는 다원적인 절차가 필요하다는 원칙이다. 즉, 공공기관 등에 있어서는 일반행정기관과는 달리 자율성을 부여해 줄 수 있는 예산절차가 존재하여야 한다.

(7) 시기 신축성의 원칙[●]

사업실시의 시기를 행정부가 신축적으로 조정하여 예산은 경제상황 등 정세의 변동에 적응할 수 있어야 한다는 원칙이다.

(8) 예산기구 상호성의 원칙

중앙예산기관과 각 부처 예산기구 간의 의사전달협력체계를 구축하여 의사소통이 원활하여야 한다는 원칙이다.

❶ 시기 신축성의 원칙의 예
계속비, 이월제도 등의 도입이 있다.

📊 고득점 공략 예산의 원칙

1. 「국가재정법」상 예산의 원칙
   ① 재정건전성의 원칙: 정부는 재정건전성의 확보를 위하여 최선을 다하여야 한다.
   ② 국민부담 최소화의 원칙: 정부는 국민부담의 최소화를 위하여 최선을 다하여야 한다.
   ③ 재정성과의 원칙: 정부는 재정을 운용함에 있어 재정지출의 성과를 제고하여야 한다.
   ④ 투명성과 참여성의 원칙: 정부는 예산과정의 투명성과 예산과정에의 국민참여를 제고하기 위하여 노력하여야 한다.
   ⑤ 성인지 예산의 원칙: 정부는 예산이 여성과 남성에게 미치는 효과를 평가하고, 그 결과를 정부의 예산편성에 반영하기 위하여 노력하여야 한다.

2. 세계은행이 제시한 건전재정의 원칙
   최근 재정적자의 누적으로 재정위기가 주요 이슈로 등장하면서 건전재정 운영에 대한 관심이 높아지고 있다. 이에 대해 세계은행(1988)은 다음 여덟 가지의 원칙을 제시하였다.
   ① 포괄성(comprehensiveness)과 규율(discipline)
   ② 정당성(legitimacy)
   ③ 신축성(flexibility)
   ④ 예측가능성(predictability)
   ⑤ 경쟁가능성(contestability)
   ⑥ 정직성(honesty)
   ⑦ 투명성(transparency)과 책임성(accountability)
   ⑧ 정보(information)

핵심 OX

01 보고의 원칙은 고전적 예산의 원칙인 통제위주의 원칙에 해당한다. (O, X)

01 X 보고의 원칙은 재량위주의 현대적 예산원칙에 해당한다.

6 예산의 분류

1 예산분류의 의의

1. 의의

(1) 개념

① 예산의 분류란 국가의 세입과 세출을 일정한 기준에 따라서 유형별로 구분하여 이를 체계적으로 배열한 것이다.

② 예산을 이용하는 목적이 상이하여 단일의 분류방법으로는 모두의 욕구를 충족시켜 주기 어렵기 때문에 다양한 분류방법이 사용된다.

(2) 목적

① 정부의 사업계획의 수립에 도움이 되고 예산집행의 효율화에 기여한다(기능별, 성과주의예산).

② 예산분류를 체계적으로 하여 의회 예산심의에 도움이 된다(조직별, 기능별).

③ 회계검사와 회계책임을 명확하게 파악할 수 있다(품목별, 조직별).

④ 국민경제에 대한 영향을 분석하는 데 도움이 된다(경제성질별, 통합예산).

2. 예산항목의 구조

예산의 분류를 논하기 전에 예산항목의 분류체계를 알아야 한다. 예산항목이 예산분류에 이용되기 때문이다. 여기서 예산항목이란 예산의 내용을 명백히 하기 위하여 일정한 기준에 의하여 구분해 놓은 것이다.

(1) 세입예산

① 의의: 세입예산은 경제적 · 재정적 여건을 고려한 수입의 추정치이다.

② 세입예산항목의 구조

관	항	목
입법과목		행정과목

(2) 세출예산

① 의의: 세출예산은 정부가 1회계연도 동안 지출하는 예산액이다.

② 세출예산항목의 구조❶

구분	입법과목			행정과목	
소관	장(章)	관(款)	항(項)	세항(細項)	목(目)
중앙관서	분야	부문	프로그램 (정책사업)	단위사업	편성비목
조직별(소관별) 분류	기능별 분류		사업별 · 활동별 분류		품목별 분류
변경과 제한	이용대상(국회의결 필요)		전용대상(국회의결 불요)		

❶ 세출예산구조의 예
  – 과학기술정보통신부 예산

부문	경제개발
장	과학기술
관	연구활동지원
항	연구개발지원
세항	과학진흥 … (5,000억 원)
세세항	과학산업단지 조성사업 … (2,000억 원)
목	시설비 … (500억 원), 시설부대비 … (200억 원)

핵심 OX

01 세출예산 중 입법과목으로는 세항과 목이 있다. (O, X)

01 X 세항과 목은 행정과목에 해당한다.

(3) 세입·세출예산의 효력

① **세입예산**: 추정에 바탕을 둔 임의적 성격으로 인하여 구속력을 가지지 않는다. 따라서 실제 세입이 예산을 초과하는 경우에도 그 차액을 지불해 주지 않으며, 반대의 상황에서도 마찬가지이다.

② **세출예산**: 입법부의 심의를 거쳐 확정된 것으로서 구속력을 갖는다. 강제적 성격을 가지는 세출예산의 효력은 지출목적·지출금액·지출시기 면에서 발생한다.

2 예산분류의 방법

1. 품목별(성질별) 분류

(1) 의의

① 예산을 지출대상 품목별로 분류하는 방식이다. 지출대상 품목이란 예산과목이 '목(目)'에 해당하는 것으로서 예산으로 구입할 품목들의 목록이다.

② 세입세출예산 모두 품목별 분류방식을 이용할 수 있는데, 주로 세출예산에 적용되며 가장 널리 이용되고 있다.

(2) 특징

① **통제 중심의 분류**: 지출대상별로 예산액의 한계를 명확히 배정하는 것으로서, 관료의 권한과 재량을 제한하고 회계책임을 명확히 할 수 있는 통제 중심의 예산제도이다.

② 예산분류의 기초가 되며 다른 분류방식과 자유롭게 결합될 수 있다.

③ 품목별 분류는 투입요소를 말하는데 이 중 경상이전비의 비중이 가장 높고 정부 내부거래, 인건비 순으로 비중이 낮아진다.

(3) 장단점

① 장점

　㉠ 예산액을 지출대상별로 한계를 명확히 정하여 배정함으로써 관료의 권한과 재량권을 제한하고, 회계책임의 명확화를 기할 수 있으며, 행정부 통제가 용이하다.

　㉡ 인건비가 별도의 항목으로 구성되기 때문에 이를 통해 공무원의 정원에 대한 자료를 확보하여 인사행정을 위한 정보제공에 도움이 된다.

② 단점

　㉠ 투입 측면에만 초점을 맞추어 편성되므로 정부가 투입을 통해 달성하고자 하는 사업과 지출에 따른 성과나 효과에 대해서는 파악하기 어렵다.

　㉡ 정책이나 사업계획의 수립에 도움을 주지 못하며 예산집행의 신축성을 저해한다.

　㉢ 사업 간의 비교가 불가능하고 국민들이 이해하기에도 어렵다.

　㉣ 총괄계정에 적합하지 못하며, 예산집행의 신축성을 저해한다.

(4) 우리나라 예산의 품목별 분류❶

우리나라의 세출예산은 ① 인건비, ② 물건비, ③ 경상이전비(보조금, 출연금, 배상금, 보상금 등), ④ 자본지출경비, ⑤ 융자금 및 출자금, ⑥ 보전지출, ⑦ 정부내부거래, ⑧ 예비비 및 기타의 8개 영역에 49개 목과 102개 세목으로 구성되어 있다.

2. 기능별 분류

(1) 의의

① 기능별 분류는 정부가 수행하는 기능을 중심으로 예산을 분류하는 방식이다. 정부의 활동영역별 예산배분현황을 보여 주는 예산정보로서 정책의 우선순위를 보여 주는 주요 사업의 목록표와 같다.

② 정부의 광범위한 목표에 대한 비용을 계산한 것이며, 세출예산에만 해당하는 예산분류방식이다.

③ 미국의 관리예산처(OMB)에서 매년 발간되는 『연방예산개요』나 과거 우리나라의 경제기획원이 발간하였던 『나라의 예산』, 현재의 『예산개요』 등은 기능별 분류를 적용한 것이다.

(2) 특징

① 공공활동의 주요 영역별로 분류하기 때문에 총괄계정, 즉 총괄적 분류에 적합하다.

② 일반국민들이 정부예산을 통해 정부활동 및 정책의 우선순위를 파악할 수 있는 유용한 예산정보이다. 따라서 이를 '시민을 위한 분류(citizen's classification)'라고 부른다.

③ 행정수반의 사업계획수립과 입법부의 예산심의에 도움이 되는 것으로서 2022년 현재 보건·복지·고용비(217조 7천억 원)가 가장 많은 비중을 차지한다.

(3) 장단점

① 장점

ⓐ 정책의 수립에 도움이 되고 총괄계정에 적합하다.

ⓑ 국회의 예산심의에 용이하다.

ⓒ 정부활동을 쉽게 알 수 있으므로 국민의 이해를 증진시킨다(시민을 위한 분류).

② 단점

ⓐ 회계책임을 확보하기 곤란하다.

ⓑ 기관별 예산의 흐름을 파악하기 곤란하고, 예산이 국민경제에 미치는 영향을 파악하기 힘들다.

ⓒ 둘 이상의 기능에 속하는 사업을 분류하는 것이 곤란하다. 예컨대 일반행정비가 국토교통부나 행정안전부에 모두 속하는 사업일 수 있다.

(4) 우리나라 예산의 기능별 분류

① 우리나라의 예산과목 체계에서 장(章)과 관(款)이 기능별 분류에 해당한다(윤영진). 또한 프로그램예산의 분야와 부문이 이에 해당하며, 「국가재정법」상으로는 장(章)이 기능별 분류에 해당한다고 볼 수 있다.

❶ 우리나라 예산의 품목별 분류

구분	영역	금액
인건비	기본급, 수당, 비정규직 보수	1,000억 원
물건비	관서운영비, 여비,특수활동비, 복리후생비	750억 원
경상이전비	보상금, 배상금, 출연금	2,000억 원
자본지출경비	기본조사설계비, 실시설계비, 토지매입비	100억 원
융자금 및 출자금	–	50억 원
보전지출	차입금 상환	5억 원
정부내부거래	전출금 등	70억 원
예비비 및 기타	–	20억 원

① 12대 분야별 재원배분
 - 기획재정부 발표

(2023년 예산안 기준)

구분	예산
총 지출	638.7조 원
1. 보건·복지·고용	226.0조 원
2. 교육	96.3조 원
3. 문화·체육·관광	8.6조 원
4. 환경	12.2조 원
5. R&D	30.7조 원
6. 산업·중소기업·에너지	26.0조 원
7. SOC	25.0조 원
8. 농림·수산·식품	24.4조 원
9. 국방	57.0조 원
10. 외교·통일	6.4조 원
11. 공공질서·안전	22.9조 원
12. 일반·지방행정	112.2조 원

❷ 「국가재정법」상 중앙관서
「국가재정법」상 중앙관서와 「정부조직법」상 중앙행정기관이 일치하는 것은 아니다.

② 중앙정부와 지방정부의 예산을 비교할 때 장과 관이 서로 일치하지 않는다는 문제점이 있다. 이러한 문제점은 프로그램예산제도를 도입하는 과정에서 해결되었다. 중앙정부와 지방정부의 기능별 분류체계를 프로그램예산제도를 통해서 통일시킬 수 있었다.

③ 우리나라는 매년 기능별로 분류된 『나라살림 예산개요』를 작성·발표하고 있다.❶

3. 조직별(소관별) 분류

(1) 의의

① 조직별 분류는 예산을 부처별·기관별로 분류하는 방식으로 조직단위를 중심으로 한다. 이때의 정부 조직단위는 독립적인 예산편성 및 집행의 단위이다. 이는 가장 오래되고 기본적인 분류이다.

② 우리나라는 세입 및 세출예산 모두 조직별, 즉 중앙관서별로 분류하되(「국가재정법」), 여기에 입법부와 사법부를 포함한다. 이를 '소관별 분류'라고 한다.

③ 모든 중앙관서는 세출예산을 가지고 있으나, 세입예산은 가지고 있지 않은 중앙관서(예 국민권익위원회, 식약청, 국가정보원 등)도 있다. 따라서 세출예산과 세입예산의 소관의 수는 다르다.❷

(2) 장단점

① 장점
  ㉠ 의회의 상임위원회가 거의 부처별로 구성되어 있어 예산심의에 가장 적합하다.
  ㉡ 회계책임의 확보에 유리하고, 예산의 전체 윤곽 파악에 유리하다.
  ㉢ 주체별 구분으로 되어 있어 예산집행이 용이하다.
  ㉣ 분류범위가 크고 융통성이 있어 총괄계정에 적합하다.

② 단점
  ㉠ 예산의 분류가 주체별로 이루어졌기 때문에 경비지출의 목적을 파악하는 것이 어렵다.
  ㉡ 국민경제에 미치는 영향을 파악하기 어렵다.
  ㉢ 조직 활동의 전반적인 효과나 사업의 우선순위를 결정하기 곤란하다.
  ㉣ 사업 중심이 아니므로 예산의 전체적인 성과를 파악할 수 없다.

4. 경제성질별 분류

(1) 의의

① 경제성질별 분류는 정부예산이 국민경제에 미치는 영향을 파악하기 위한 예산분류이다. 구체적으로 국가의 예산편성이 국민소득의 기본요소인 소비·저축·투자에 어떠한 영향을 미치게 되고, 재정정책이 국민경제의 구조에 어떠한 영향을 미치는가를 파악하는 예산의 분류방법이다.

② 우리나라는 『UN 편람』에 의거하여 분류·작성되다가 1979년 통합예산에 흡수되어 IMF의 재정통계 작성기준에 따라 작성되고 있다.

(2) 분류방식❶

① **경상계정과 자본계정으로 분류하는 방식**: 경상적 수입·지출 및 자본적 수입·지출 간에는 국민경제에 미치는 영향이 다르기 때문에 분리한다.

② **국민소득계정과 연계하는 방식**: 국민소득을 소비·저축·투자로 구분하고 이에 따라서 예산을 분류하는 방식이다. 예산의 경제적 성질이란 결국 국민소득 중 어느 부분에 귀착되는가의 문제이다.

(3) 장단점

① 장점

㉠ 국민소득이나 자본형성에 대한 정부의 기여도 등 국민경제에 미치는 재정의 역할을 알 수 있게 해 준다.

㉡ 정부거래의 경제적 효과분석이 용이하다.

㉢ 국가의 경제·재정정책의 수립에 도움을 준다.

㉣ 국가 간의 예산경비의 비중을 비교할 수 있다.

② 단점

㉠ 정책결정을 담당하는 고위공무원에게는 유용한 정보가 되지만, 일선관료들에게는 별로 도움이 안 된다.

㉡ 너무 포괄적이어서 그 하나만으로는 완전하지 못하므로 실제 운영을 위해서는 언제나 다른 예산분류방법과 함께 사용되어야 한다.

㉢ 경제성질별 분류 자체가 경제정책이 될 수 없고 정부예산의 경제적 영향의 일부만을 측정할 수 있을 뿐이다.

㉣ 소득의 배분이나 산업부문별 분석 등에 미치는 영향을 분석하는 것이 불가능하다.

◎ 핵심정리　예산분류의 초점

품목별 분류	정부가 무엇을 구입하는 데 얼마를 쓰느냐?
기능별 분류	정부가 무슨 일을 하는 데 얼마를 쓰느냐?
조직별 분류	누가 얼마를 쓰느냐?
경제성질별 분류	정부예산이 국민경제에 미치는 총체적인 효과가 어떠한가?

5. 우리나라의 예산분류

(1) 「국가재정법」상 분류체계(제21조)

세입세출예산은 독립기관 및 중앙관서의 소관별로 구분한다.

① **세입예산**: 세입예산은 성질별로 관·항으로 구분한다. 여기에서 성질이란 경비의 성질을 말하는 것으로 '품목'에 해당한다.

② **세출예산**: 세출예산은 기능별·성질별 또는 기관별로 장·관·항으로 구분한다.

(2) 실제의 분류체계

실제로 세입예산은 소관·관·항·목으로, 세출예산은 소관·장·관·항·세항·목으로 각각 나눈다.

PART 5 재무행정론 해커스공무원 현 행정학 기본서

❶ **우리나라의 경제성질별 분류요소**

1. **국민경제예산**: 정부의 수입·지출이 국민경제나 국민소득의 기본적 구성요소인 소득·소비·저축·투자 등에 어떠한 영향을 미치고 있는가를 파악하려는 예산이다.

2. **완전고용예산**: 경제가 완전고용상태에 도달할 경우 세수가 얼마나 되고 예산 적자가 얼마나 될 것인가를 보여 주는 예산이다.

3. **재정충격지표**: 거시경제에 미치는 영향을 파악하려는 지표이다.

4. **통합예산**: 일반회계·특별회계·기금을 포괄하여 경상수지, 자본수지, 융·출자수지, 보전수지의 분류방식을 취하는 예산이다.

핵심 OX

01 과거에 우리나라는 『UN 편람』에 의거하여 세입 및 세출예산을 경제성질별로 분류하였다. (O, X)

02 경제성질별 분류는 중간관리층 이하를 위한 분류방식이다. (O, X)

01 O
02 X 경제성질별 분류는 상위계층을 위한 분류제도이며 다른 분류와 함께 쓰인다.

(3) 우리나라 예산분류의 문제점과 방향

① 문제점

ㄱ **성과지향적 예산운용 곤란**: 품목별 기준이 너무 세분화되어 있어 성과 중심의 예산운용을 저해한다.

ㄴ **예산과목체계의 복잡성**: 여러 분류기준이 다양하게 혼합적으로 사용되고 있어 분류의 일관성이 없다.

ㄷ **자원배분의 총체적 효율성 미흡**: 예산회계별로 독립적인 재정운용을 하므로 칸막이식 재정이 이루어질 수 있다. 이로 인해 총체적 관점에서 자원배분의 효율성이 저하된다.

ㄹ **정부 간 예산의 연계 미흡**: 중앙정부와 지방정부 간 예산의 연계가 미흡하다.

② 방향과 과제

ㄱ 행정과목의 통폐합을 통해 사업과 성과 중심의 예산과목체계로 개편하는 것이 필요하다.

ㄴ 프로그램예산제도의 도입을 통해 통제 중심의 재정운영에서 프로그램 중심의 성과·자율·책임 중심의 재정운영을 실현하여야 한다.

ㄷ 「국가회계법」의 시행 등 예산의 제도적 개혁을 통해 재정집행의 투명성과 효율성을 제고한다.

ㄹ 프로그램예산제도를 통해 중앙정부와 지방정부 간 예산의 연계가 필요하다.

7 예산의 종류

1 일반회계와 특별회계(세입·세출의 성질에 따른 유형)

1. 일반회계

(1) 의의

일반회계는 통제지향적 원칙을 전제로 하여 일반적인 정부의 활동에 적용되는 회계이다. 즉, 일반적 국가활동에 관한 총세입과 총세출을 망라하여 편성한 예산이다.

(2) 특징

① 일반회계는 국가의 고유기능, 즉 순수한 공공재를 생산하는 재원이다.

② 재원조달은 주로 조세수입(90% 이상)에 의존하고 전년도 이월, 차관 및 기타 세외수입으로 구성된다.

③ 운용계획의 확정 및 집행은 행정부가 담당하여 편성하며, 국회가 심의하고 의결한다.

④ **예산 통일성의 원칙**: 수입(세입)과 지출(세출)의 연계가 배제된다.

2. 특별회계(「국가재정법」 제4조 제3항)

(1) 의의

특정한 세입으로 특정한 세출에 충당하기 위하여 일반회계와 별도로 구분하여 경리하는 예산으로서 약 18개의 특별회계가 설치·운영되고 있다.

(2) 설치요건

특별회계는 사업적 성격이 농후하거나 일반회계와 분리하는 것이 예산운영에 능률성이 있을 것으로 판단되는 경우 설치한다.

① **국가에서 특정한 사업을 운영할 때:** 우정사업, 우체국예금, 양곡관리, 조달 등 4개의 기업특별회계와 책임운영기관특별회계

② **특정한 자금을 보유하여 운용할 때:** 자금관리특별회계, 재정융자특별회계(폐지) 등

③ **기타 특정한 세입으로 특정한 세출에 충담함으로써 일반회계와 구분하여 경리할 필요가 있을 때:** 국가균형발전특별회계, 국유재산관리특별회계, 농어촌구조개선특별회계, 교통시설, 등기특별회계 등

(3) 특징

① 예산 단일성과 예산 통일성의 원칙의 예외가 된다.

② 정부기업 특별회계의 경우에는 「정부기업예산법」이 적용되고, 기타 특별회계의 경우에는 개별법이 적용된다.

③ 발생주의 원칙에 의한 회계처리가 이루어진다.

④ 정부사업의 능률성과 경영합리화를 위해서 원가계산과 감가상각이 이루어진다.

⑤ 초과수입은 그 수입에 관련된 직접비에 사용이 가능하다.

⑥ 일반회계보다 신축성과 자율성이 높다.

⑦ 세입은 주로 자체수입, 일반회계로부터의 전입금으로 구성된다.

(4) 장단점

장점	· 일반회계와 별도로 운영되기 때문에 정부기업의 수지를 명백히 한다. · 행정기관의 재량범위를 확대한다. · 안정된 자금을 확보하여 안정적인 사업운영을 기할 수 있다. · 행정기능의 전문화·다양화에 기여한다.
단점	· 특별회계의 수가 많아지면 예산구조를 복잡하게 한다. · 국가재정의 전체적인 관련성이 불명확해지고 통합성이 저해된다. · 입법부의 예산통제 또는 국민의 행정통제에 어려움이 있다.

3. 일반회계와 특별회계의 전입과 전출

(1) 특별회계가 일반회계로부터 전입금을 받는 경로와 특별회계에서 발생한 잉여금을 일반회계에 전입시키는 경로의 두 가지가 있다.

(2) 예산은 일반회계와 특별회계 간 또는 회계 내 계정 간에 전입금 또는 전출금 등의 형태로 이전되는 경우가 많다.

(3) 이때 이전된 금액은 양쪽에서 중복 계산되는데, 이 중 계산된 규모로 예산을 파악한 것을 예산총계라고 하고, 중복 부분을 제외한 것을 예산순계라고 한다.

핵심 OX

01 프로그램 중심의 예산으로 일반국민들이 예산사업을 쉽게 이해할 수 있게 되며, 프로그램예산 체계에서 기능별 분류를 중앙정부와 지방정부 간에 통일시킴으로써 중앙정부와 지방정부 예산의 연계가 가능해진다. (O, X)

02 특별회계의 세입은 주로 조세수입으로 이루어진다. (O, X)

03 특별회계는 일반회계와는 달리 국회의 심의를 받지 않는다. (O, X)

04 특별회계는 국가에서 특정사업을 운영할 때 대통령령으로 설치한다. (O, X)

05 특별회계는 일반회계로부터 전입금을 받을 수 있고 특별회계에서 발생한 잉여금은 일반회계로 전입시킬 수도 있다. (O, X)

01 O
02 X 특별회계는 조세 이외의 특정한 세입으로 충당한다.
03 X 특별회계도 국회의 심의와 결산을 받는다.
04 X 특별회계나 기금은 법률에 의하지 아니하고는 설치할 수 없다.
05 O

2 정부기금

1. 의의

(1) 기금이란 국가가 특정한 목적을 위하여 특정한 자금을 운용할 필요가 있을 때 법률로써 특별히 설치할 수 있는 자금으로, 세입세출예산 외로 운영된다(예산통일성·단일성 원칙의 예외).

(2) 국무회의의 심의를 거쳐 대통령의 승인을 얻은 기금운용계획에 따라서 중앙관서의 장의 책임하에 운용된다.

(3) 기금은 행정부의 재량성을 높여 신축적인 행정을 가능하게 하나, 국회의 통제를 약화시킬 우려가 있다.

2. 유형

(1) 기금(비금융성 기금)

① **사업성 기금**: 특정한 목적의 사업을 수행하는 데 필요한 자금을 관리·운용하는 기금이다. ⑩ 정보화촉진기금, 직업훈련촉진기금 등

② **적립성 기금**: 장래의 지출에 대비하여 원금을 증식하는 등 자금을 적립하는 기금이다. ⑩ 국민연금기금, 공무원연금기금, 군인연금기금❶ 등

(2) 금융성 기금❷

금융적 성격을 지니는 기금으로 신용보증기금, 수출보험기금, 부실채권정리기금 등 10개로 적시되어 있다(「국가재정법」 별표3).

3. 정부기금의 운용과정

(1) 기금의 수지체계(기금의 운용과 조성)

기금은 정부예산과는 상이한 수지체계를 가지고 있는데, 일정기간 동안의 운영상황인 '운용'과 일정시점의 재산상태인 '조성'으로 나누어 수립된다.

(2) 기금운용계획안의 수립(「국가재정법」 제66조)

① **중기사업계획서의 제출**: 기금관리주체(중앙관서의 장)는 매년 1월 31일까지 당해 회계연도부터 5회계연도 이상의 기간 동안의 신규사업 및 주요 계속사업에 대한 중기사업계획서를 기획재정부장관에게 제출하여야 한다.

② **기금운영계획안 작성지침의 통보와 예산결산특별위원회에의 보고**: 기획재정부장관은 자문회의의 자문과 국무회의의 심의를 거쳐 대통령의 승인을 얻은 다음 연도의 기금운용계획안 작성지침을 매년 3월 31일까지 기금관리주체에게 통보하고 국회 예산결산특별위원회에 보고하여야 한다.

③ **기금별 지출한도의 통보**: 기획재정부장관은 국가재정운용계획과 기금운용계획 수립을 연계하기 위하여 기금운용계획안 작성지침에 기금별 지출한도를 포함하여 통보할 수 있다.

④ **기금운용계획안의 제출과 협의·조정**

㉠ 기금관리주체는 다음 연도의 기금운용계획안을 작성하여 매년 5월 31일까지 기획재정부장관에게 제출한다(다음 연도 기금의 성과계획서 및 전년도 기금의 성과보고서를 포함).

---

❶ 군인연금
군인연금의 경우, 지금까지 기금과 특별회계로 중복 운용되어 왔으나 특별회계가 폐지되고 기금으로 통합 운용되었다. 따라서 군인연금특별회계가 폐지되고, 군인연금기금으로 통폐합되었다.

❷ 금융성 기금의 종류(「국가재정법」 별표3)
1. 「금융회사부실자산 등의 효율적 처리 및 한국자산관리공사의 설립에 관한 법률」에 따른 부실채권정리기금 및 구조조정기금
2. 「기술보증기금법」에 따른 기술보증기금
3. 「농림수산업자 신용보증법」에 따른 농림수산업자신용보증기금
4. 「농어가 목돈마련저축에 관한 법률」에 따른 농어가목돈마련저축장려기금
5. 「사회기반시설에 대한 민간투자법」에 따른 산업기반신용보증기금
6. 「무역보험법」에 따른 무역보험기금
7. 「신용보증기금법」에 따른 신용보증기금
8. 「예금자보호법」에 따른 예금보험기금채권상환기금
9. 「한국장학재단 설립 등에 관한 법률」에 따른 국가장학기금
10. 「한국주택금융공사법」에 따른 주택금융신용보증기금

ⓛ 기획재정부장관은 기금관리주체와 협의·조정하여 기금운용계획안을 마련한 후 국무회의의 심의를 거쳐 대통령의 승인을 얻어야 한다.

⑤ **기금운용계획의 국회제출과 의결**: 정부는 주요 항목단위로 마련된 기금운용계획안을 회계연도 개시 120일 전까지 국회에 제출하고 국회는 회계연도 개시 30일 전까지 의결하여야 한다(예산과 동일).

(3) 기금의 결산 – 성과 중심의 재정운영(「국가재정법」제73조)❶

① 기금관리주체는 회계연도마다 기금결산보고서를 작성하여 다음 연도 2월 말까지 기획재정부장관에게 제출하여야 한다.

② 기획재정부장관은 결산보고서에 의하여 기금결산을 작성하여 국무회의의 심의를 거쳐 대통령의 승인을 얻은(기금성과보고서 첨부) 후 이를 다음 연도 4월 10일까지 감사원에 제출하여야 한다.

③ 감사원은 기금결산을 검사하고 그 보고서를 다음 연도 5월 20일까지 기획재정부장관에게 송부하여야 한다.

④ 정부는 감사원의 검사를 거친 기금결산을 다음 연도 5월 31일까지 국회에 제출하여야 한다.

4. 「국가재정법」의 기금 관련 주요 내용

(1) 지출사업의 이월

기금관리주체는 매 회계연도의 지출금액을 다음 연도에 이월하여 사용할 수 없다. 다만, 연도 내에 지출원인행위를 하고 불가피한 사유로 연도 내에 지출하지 못한 금액은 다음 연도에 이월하여 사용할 수 있다.

(2) 기금운용심의회

기금관리주체는 기금의 관리·운용에 관한 중요한 사항을 심의하기 위하여 기금별로 기금운용심의회를 설치하여야 한다.

(3) 자산운용위원회

① 기금관리주체는 자산운용에 관한 중요한 사항을 심의하기 위하여 다른 법률에서 따로 정하는 경우를 제외하고는 심의회에 자산운용위원회를 설치하여야 한다.

② 다만, 「외국환거래법」 제13조에 따른 외국환평형기금이나 기획재정부장관과 협의하여 자산운용위원회를 설치할 필요가 없다고 인정되는 기금의 경우에는 자산운용위원회를 설치하지 아니할 수 있다.

(4) 기금운용계획안의 수립 및 기금변경 가능범위 축소

기금운용 계획안의 수립	· **중기사업계획서 제출**: 매년 1월 31일까지 5회계연도 이상의 중기사업계획서를 기획재정부장관에게 제출 · **기금운용계획안 작성지침**: 기획재정부장관은 기금운용계획안 작성지침을 매년 3월 31일까지 기금관리주체에게 통보 · **기금운용계획안 제출**: 기금관리주체는 기금운용계획안을 수립하여 매년 5월 31일까지 기획재정부장관에게 제출
금융성 기금	주요 항목 지출금액의 3/10 이하
비금융성 기금	주요 항목 지출금액의 2/10 이하

❶ 우리나라의 기금
1. 우리나라의 경우, 1990년대 100여 개를 넘었다가 기금 통·폐합으로 인해서 최근 약 60여 개의 기금이 설치·운영되고 있다.
2. 기금은 예산 외로 운영되는 특별재원으로 최근 운영규모가 커지면서 일반회계, 특별회계와 함께 '제3의 예산'이라고도 불린다.

구분	일반회계	특별회계	기금
설치사유	국가고유의 일반적 재정활동	· 특정사업 운영 · 특정자금 운용 · 특정세입으로 특정세출 충당	· 특정목적을 위해 특정자금을 운용 · 일정자금을 활용하여 특정사업을 안정적으로 운영
성격	소비성	주로 소비성	주로 적립성 또는 회전성
재원조달 및 운용형태	공권력에 의한 조세수입과 무상급부원칙	일반회계와 기금의 운용형태 혼재	출연금, 부담금 등 다양한 수입원으로 융자사업 등 기금고유사업 수행
확정절차	· 부처의 예산요구 · 기획재정부가 정부예산안 편성 · 국회 심의 · 의결로 확정	· 부처의 예산요구 · 기획재정부가 정부예산안 편성 · 국회 심의 · 의결로 확정	· 기금관리주체가 계획(안) 수립 · 기획재정부장관과 협의 · 조정 · 국회 심의 · 의결로 확정
집행절차	· 합법성에 입각하여 엄격히 통제 · 예산의 목적 외 사용금지원칙	· 합법성에 입각하여 엄격히 통제 · 예산의 목적 외 사용금지원칙	합목적성 차원에서 상대로 자율성과 탄력성 보장
계획 변경	추가경정예산 편성	추가경정예산 편성	주요 항목 지출금액의 20%(금융성 기금은 30%) 이상 변경 시 국회 의결 필요
수입과 지출의 연계	특정한 수입과 지출의 연계 배제	특정한 수입과 지출의 연계	특정한 수입과 지출의 연계
결산	국회의 결산심의와 승인	국회의 결산심의와 승인	국회의 결산심의와 승인

3 통합재정(예산)

1. 의의❶

(1) 한 나라의 정부부문에서 1년 동안 지출하는 재원의 총체적인 규모이다.

(2) 공공활동을 수행하는 국가의 모든 예산과 기금을 망라하여 이를 적절하게 구분하고 명확하게 표시함으로써, 국가재정규모와 재원조달내용을 통해 재정이 국민경제 · 통화 · 국제수지에 미치는 효과를 파악하고자 하는 예산분류체계이다.

(3) 세계 각국은 IMF의 권고에 따라 매년 통합재정*편제의 재정통계를 작성 · 제출함으로써 각국 재정운용결과의 국제적인 비교가 가능해졌다.

(4) 우리나라는 IMF의 권고에 따라 1979년부터 연도별 통합재정수지를 작성하였고, 1994년부터는 분기별로, 1999년 7월부터는 월별로 작성 · 공표하고 있다.

(5) 통합재정은 정부의 공식회계가 아닌 재정통계이므로 현금주의로 작성한다. 정부의 공식회계는 발생주의 · 복식부기방식인 기업회계방식이다.

2. 포괄범위 및 기대효과

(1) 포괄범위

① 비금융공공부문: 통합재정의 포괄범위는 금융공공부문을 제외한 비금융공공부문을 의미한다. 비금융공공부문은 일반회계와 특별회계 외에 기금과 세입세출 외 자금을 포함한다. 금융공공부문이란 민간금융적 성격을 띠는 공공부문으로 금융성 기금과 공기업 등 공공기관을 말한다.

❶ 통합재정과 일반회계의 차이
1. 전출금 및 전입금 등 회계 간의 내부거래*와 국채 발행, 차입, 채무상환 등 수지차 보전을 위한 보전거래*를 통합재정규모 및 수지집계 시 제외한다.
2. 융자거래도 융자지출에서 융자회수를 차감한 순융자를 통합재정규모에 포함한다.

📖 용어
통합재정*: IMF가 정한 국제기준에 따라 회계 · 기금 간, 각급 정부 간 내부거래를 상계하여 예산순계 개념으로 순수한 재정 활동규모와 재정수지를 분석하는 것이다.

내부거래*: 회계 간 전출입 등 정부 내부거래이다.

보전거래*: 국채발행, 수입금, 차입금, 채무상환 등 정부의 수지차(수입과 지출의 차)를 보전해 주기 위한 거래이다.

보전재원: 재정적자를 메꾸어 주는 내부자금 또는 재정흑자가 생겼을 때 남은 자금이다.

② 정부는 2004년부터 국가전체의 재정현황을 종합적으로 파악할 수 있도록 그동안 중앙정부만을 대상으로 하였던 통합재정❶의 범위를 처음으로 지방정부(지방재정 + 지방교육재정)까지 확대하여 통합재정통계를 작성하고 있다.

③ 2005년부터는 예산기준뿐만 아니라 결산기준에 대해서도 국가전체의 통합재정을 작성·공개하였다.

④ **기금**: 기금은 금융성 기금과 비금융성 기금으로 나누어지는데, 다만 기금 중 금융활동을 수행하는 외국환평형기금과 금융성 기금은 통합예산의 포괄범위에서 제외되고 있었다. 그런데 IMF(2001 GFSM)의 재정통계편람이 변경됨에 따라 공기업을 제외한 모든 일반정부부문이 통합재정에 포함되고 있다. 따라서 그동안 제외되어왔던 금융성기금, 외국환평형기금 및 공공비영리기관 등도 현재는 통합재정에 포함되고 있다고 봐야 한다.

⑤ 세입·세출 외의 전대차관* 도입분 또는 세계잉여금 등이 포함된다.❷

📊 **고득점 공략** 2001 IMF GFSM의 통합재정 변경사항

1. 회계단위에서 제도단위로 변경
2. 현금주의에서 발생주의로 변경
3. 금융성 기금, 외국환평형 기금도 포함
4. 공공비영리기관(준정부기관)도 포함

☑ **개념PLUS** 재정준칙(fiscal rules)

1. 의의
재정수입, 재정지출, 재정수지, 국가채무 등 총량적 재정규율에 대한 법적 구속력을 부여함으로써 구체적인 재정운용목표로 재정규율을 준수하는 것을 말한다. 이러한 재정준칙을 통하여 재정정책 당국의 재량적 재정운용에 제약을 가하는 재정정책수단이다.

2. 연혁
2020년 문재인 정부가 한국형 재정준칙을 마련했고, 윤석열 정부는 2025년 시행을 목표로 「국가재정법」 개정을 추진 중이며, 도입할 준칙은 재정수지준칙과 국가채무준칙이다.

3. 유형

재정수입준칙	재정수입에 대한 구체적인 기준을 정하는 것으로, 적절한 재정수입을 통해서 재정지출에 사용하도록 하는 준칙
재정지출준칙	총지출 한도, 분야별 명목·실질지출 한도, 명목·실질지출 증가율 한도를 설정하는 준칙
재정수지준칙	매 회계연도마다 또는 일정 기간 재정수지를 균형이나 일정 수준으로 유지하도록 하는 준칙
국가채무준칙	국가채무의 규모에 상한선을 설정하는 준칙으로, 한도 설정은 절대규모가 아니라 GDP 대비 국가채무의 비율로 설정

❶ **통합재정과 보전거래**
통합재정은 보전거래와 내부거래를 차감한 예산순계개념으로 내용을 명시한다. 보전거래와 내부거래를 차감하지 않는다면 정부재정활동의 규모파악에 한계가 있으므로 보전거래와 내부거래를 차감하고 어떻게 차감되었는지를 명시하기 때문에 정부의 재정활동규모를 잘 파악할 수 있게 된다.

📖**용어**

전대차관*: 민간 대출을 전제로 하여 기획재정부장관을 차주로 외국의 금융기관에서 외화자금을 차입하는 것을 말한다.

❷ **통합예산의 포괄범위(비금융 공공부문)**

일반정부	• 중앙정부: 일반회계, 기타 특별회계, 기금, 세입세출 외 자금 • 지방정부: 일반회계, 기타 특별회계, 기금, 교육비특별회계
비금융공기업	• 중앙정부: 기업특별회계 • 지방정부: 공기업특별회계

4. 장단점

구분	장점	단점
재정수입 준칙	· 정부규모의 조정에 용이 · 세입정책의 향상에 도움이 됨	· 경기안정화 기능 미약 · 지출제약이 없어 부채건전성과 직접적인 관련이 없음
재정지출 준칙	· 명확한 운용지침이 되며, 정부규모 조정에 용이 · 다른 변수에 영향을 받지 않고 독립적으로 통제가 가능 · 경제성장률이나 재정적자규모의 예측에 의존하지 않고 자율적으로 정할 수 있음 · 감독 및 의사소통이 용이하게 이루어짐	· 세입제약이 없어 부채건전성과 직접적인 관련이 없음 · 지출한도를 맞추려다 지출배분에 불필요한 변화가 발생할 가능성 있음 · 조세지출을 우회적으로 활용함으로써 재정건전성이 훼손될 가능성 있음
재정수지 준칙	· 명확한 운용지침으로 부채건전성과 직접적인 관련이 있음 · 감독 및 의사소통이 용이하게 이루어짐	· 경기변동과는 무관하게 설정되는 것이므로 실질적인 효과를 파악하기 어렵기 때문에 경제 안정화를 저해할 수 있음 · 기초재정수지는 통제불능요인에 해당하여 채무가 가중될 우려가 있음
국가채무 준칙	· 명확한 운용지침으로 부채건전성과 직접적인 관련이 있음 · 감독 및 의사소통이 용이하게 이루어짐	· 경기안정화 기능 미약 · 한시적 조치가 될 가능성이 크며, 단기에 대한 명확한 운영지침이 미비 · 통제불능요인(의무지출 등)에 의한 채무증대 우려

5. 실천방안

① 페이고(Paygo, Pay as You Go)제도: 의무지출이나 세입감소 등 비용이 수반되는 정책을 만들 때에는 재원 확보방안을 함께 마련해야하는 제도로 대표적인 재정건전성 확보방안이다. 우리나라의 경우 비용을 수반하는 정부 입법은 「국가재정법」에 따라 최소한의 재원 조달 방안을 함께 제출해야 하나, 의원 입법은 국회 예산정책처에서 작성한 비용추계서만 첨부하면 가능하다.

② 재정지출총량제: 재정지출증가율의 최대한도가 세입증가율의 범위 안에 묶는 제도로서 재정건전성을 유지하는 방안의 하나이다.

(2) 기대효과

통합재정범위에 지방정부가 포함되어 선진국 수준의 통합재정통계의 이용이 가능해짐에 따라 다음과 같은 긍정적인 효과가 기대된다.

① **전략적 정책 수립**: 국가전체의 분야별 재정지출의 규모 및 재정수지의 파악이 가능해졌다. 이를 통해 국가전체 재원의 배분모습과 국민경제에 미치는 영향 등의 분석이 가능해져 전략적 재정정책 수립에 기여할 수 있다.

② **재정의 효율성 제고**: 외국과 동일한 기준으로 통합재정을 작성함에 따라 재정의 정확한 국제비교가 가능해지고, 이를 통해 선진국의 경험 등을 향후 우리나라 재정운용에 참고함으로써 재정정책의 효율성을 제고할 수 있다.

③ **전체 지방재정현황 파악 용이**: 기존의 지방재정분석은 지방자치단체의 일반회계와 특별회계만을 대상으로 해왔으나, 기금도 분석대상에 포함됨에 따라 전체 지방재정현황을 파악할 수 있게 되었다.

④ **재정건전성 제고**: 공통적·객관적 기준에 의한 재정수지의 산출을 통해 지방자치단체 간 재정수지의 비교도 가능해져 지방정부의 건전한 재정운영을 유도할 수 있다.

4 본예산·수정예산·추가경정예산(성립시기에 따른 분류)❶

1. 본예산
정부가 회계연도 개시 120일 전까지 국회로 제출한 당초예산으로서 정기국회에서 정상적으로 통과된 예산이다.

2. 수정예산(예산안 변경)❷
(1) 정부가 예산안을 국회에 제출한 후 예산이 아직 최종의결되기 전에 국내외의 사회·경제적 여건의 변화로 예산안의 내용 중 일부를 변경할 필요성이 있을 때 편성하는 예산이다.
(2) 우리나라는 1970년과 1981년 두 번에 걸쳐 수정예산을 제출한 적이 있다.

3. 추가경정예산(예산 변경)
(1) **의의**

국회에서 예산이 의결되고 성립된 후에 예산을 변경할 필요성이 있을 때 국회에 제출하는 예산이다.

(2) **특징**

① 추가경정예산은 본예산과 별개로 성립되기 때문에 예산단일성의 원칙에 위배되지만, 일단 성립되면 본예산과 추가경정예산은 하나로 통합·운영된다.

② 수정예산은 예산이 국회에서 의결되기 전 변경하는 것이고, 추가경정예산은 예산이 의결된 후 변경하는 것이라는 점에서 차이가 있다.

(3) 「국가재정법」상 추가경정예산의 편성요건(「국가재정법」 제89조)

① 전쟁이나 대규모 재해가 발생한 경우

② 경기침체, 대량실업, 남북관계의 변화, 경제협력과 같은 대내외 여건에 중대한 변화가 발생하였거나 발생할 우려가 있는 경우

③ 법령에 따라 국가가 지급하여야 하는 지출이 발생하거나 증가하는 경우

4. 예산불성립 시 예산집행을 위한 제도 – 준예산·가예산·잠정예산·답습예산
(1) **준예산**

① 의의

㉠ 준예산(準豫算)은 새로운 회계연도가 개시될 때까지 예산이 국회에서 의결되지 못한 때에는 정부가 국회에서 예산안이 의결될 때까지 전년도 예산에 준하여 경비를 지출할 수 있는 제도이다.

---

❶ **유사 예산제도에 대한 용어의 구별**

1. 총계예산과 순계예산

총계예산	·필요경비의 공제 없이 예산의 전체규모 계상 ·예산의 완전성 원칙 채택
순계예산	총계예산 – 필요경비

2. 통합예산과 총괄예산

통합예산	일반회계 + 특별회계 + 기금(지방재정 포함)
총괄예산	총액예산, 구체적인 비목구분 없이 예산의 전체액수만 결정

3. 예산총계와 예산순계

예산총계	일반회계 + 특별회계
예산순계	일반회계 + 특별회계 – 중복부분

❷ **예산안 제출시한**
예산안은 2013년까지 회계연도 개시 90일 전까지 국회에 제출했지만, 2014년부터 매년 10일씩 2016년까지 30일(회계연도 개시 120일 전)이 앞당겨졌다.

1. 국가재정운용계획은 추상적인 투자방향만 제시하지 않고 재정수지, 국가채무 등 재정관련 총량에 대한 연도별 목표와 사업별로 구체적인 재원배분계획을 제시하고 있다.

2. 국가재정운용계획은 재정운용의 비공식적 내부 기초자료가 아니라 단년도 예산 및 기금운용계획의 기본 틀로 활용되고 있다.

3. 과거의 중기재정계획은 공식 발표되지 않았고 법적 구속력이 없는 참고계획이었을 뿐 의무적인 사항이 아니었으나, 현행 국가재정운용계획은 「국가재정법」(제7조)에 의한 공식적인 법정기획이자 예산에 반영되어야 하는 의무적인 사항이다.

4. 국가재정운용계획은 과거 비공개로 작성되던 관행에서 벗어나 거시경제 전망 등 작업 초기단계부터 공개토론회를 개최하고 언론 공개와 함께 국회에 제출함으로써 그 실효성을 담보하고 있다.

5. 국가재정운용계획은 계획 수립방식도 과거의 정부 중심에서 관계부처, 전문가, 이해관계자 등이 폭넓게 참여하도록 하고 있다.

핵심 OX

01 예산은 세입·세출의 성질에 따라 본예산, 수정예산, 추가경정예산으로 분류된다. (O, X)

02 이미 성립된 예산을 변경하는 것은 추가경정예산이다. (O, X)

03 우리나라는 준예산제도를 사용한 적이 전무하며, 수정예산은 사용한 적이 있다. (O, X)

04 우리나라는 국회의 예산결정지연으로 인해서 매년 준예산을 편성하고 있다. (O, X)

01 X 예산의 성립여부(절차상 특징)에 따른 분류이다.
02 O
03 O
04 X 준예산제도를 도입한 제2공화국 이후 지금까지 한 번도 편성된 적이 없다.

ⓛ 우리나라는 1948년 정부수립 후 가예산제도를 이용하였으나, 1960년부터는 준예산제도를 채택하고 있다. 그러나 실제로 중앙정부가 준예산을 사용해 본 적은 없다.

② 준예산제도가 적용되는 경비(헌법 제54조 제3항)

ⓐ 헌법이나 법률에 의하여 설치된 기관 또는 시설의 유지비·운영비

ⓛ 법률상 지출의무가 있는 경비

ⓒ 이미 예산으로 승인된 사업의 계속을 위한 경비 등

(2) 가예산

① 가예산은 1948년 정부수립 후부터 1960년까지 이용되던 제도인데, 예산이 의결되지 못한 때에는 국회는 1개월 이내의 가예산을 의결할 수 있었다.

② 우리나라는 1949년부터 1955년까지 1954년 한 해만 빼고 매년 가예산을 편성한 바 있다.

(3) 잠정예산

본예산이 성립하지 않을 때 잠정적으로 예산을 편성하여 의회에 제출하고 의회의 사전의결을 얻어 사용하는 제도이다.

(4) 답습예산

전년도 예산을 상·하원의 의결에 의하여 그대로 답습하는 제도로서 미국이 사용하는 잠정예산의 일종이다.

핵심정리 예산불성립 시 예산제도

예산이 성립되지 못한 경우에 사용하는 제도로 가예산, 준예산, 잠정예산 등이 있다. 우리나라는 준예산제도를 사용한 적이 없으며(중앙정부), 가예산·수정예산은 사용한 적이 있다.

구분	기간	국회의결	지출항목	채택국가
가예산	최초 1개월	필요	전반적	한국(제1공화국), 프랑스
준예산	제한 없음	불요	한정적	한국(제2공화국 이후), 독일
잠정예산	제한 없음	필요	전반적	일본, 영국, 미국, 캐나다

5 국가재정운용계획

1. 의의 및 목적

(1) 의의❶

국가재정운용계획이란 통제목적을 위주로 하는 전통적인 단년도 예산제도의 제약성을 보완하여, 중장기에 걸친 거시적인 국가재정운용정책을 수립하고 이에 따른 재원동원 및 배분방향을 계획하는 것이다.

(2) 목적

종국적으로 단년도 예산편성의 합리성을 제고하고 국가재원을 효율적으로 배분하기 위한 것이다.

(3) 1970년대 말 지출통제와 정책지향성을 추구하는 거시적 예산결정의 논리에 기반하여 등장한 선진국의 중기재정지출구상(MTEF; Medium-Term Expenditure Framework)과 유사한 것이다.

2. 도입과 연혁

(1) 총자원예산제도
과거 경제사회개발 5개년 계획과 예산편성이 구조적으로 괴리되는 현상을 보이자, 3차 5개년 계획(1977)부터 총자원예산을 작성하여 보완하기 시작하였다.

(2) 중기재정계획제도
① 5차 5개년 계획이 시작되는 1982년부터 총자원예산 대신 중기재정계획제도를 채택하였고, 경제사회개발 5개년 계획은 1996년 제7차를 끝으로 폐지되었다.

② **참고사항**: 중기재정운용계획은 공식 발표되지 않았고 법적 구속력이 없는 참고계획이었을 뿐 의무적인 사항은 아니었다.

(3) 국가재정운용계획
① 2007년부터 국가재정운용계획이 수립·운용되고 있다.

② **의무사항**: 현행 국가재정운용계획은 「국가재정법」 제7조에 의한 공식적인 법정기획이자 예산에 반영되어야 하는 의무적인 사항이다.

3. 특징과 효용

(1) 국가재정운용계획상의 분야별 투자규모는 총액배분 자율편성예산제도(top-down)의 부처별 지출한도로 활용되어 단년도 예산 및 기금운용계획과 연계된다.

(2) 국가재정운용계획은 재정규모와 구조를 정확하게 파악할 수 있고, 재원배분과 재정수지 관리 등 전략적인 재정운용이 가능하도록 일반회계, 특별회계, 기금을 포괄하는 통합재정기준으로 작성된다.

(3) 5개년 단위 연동기획으로 운용
지난 1년간의 실적분석과 향후 3개년의 경기전망을 제시하는 형태의 연동기획으로서 2006년부터 2010년까지의 국가재정운용계획이 운용되었다.

4. 운용절차

(1) 지침통보
기획재정부장관은 국가재정운용계획 수립을 위한 지침을 마련하여 당해 회계연도의 전년도 12월 31일까지 각 중앙관서의 장에게 통보하여야 한다.

(2) 중기사업계획서
① 각 중앙관서의 장은 매년 1월 31일까지 당해 회계연도부터 5회계연도 이상의 기간 동안의 신규 사업 및 주요 계속사업에 대한 중기사업계획서를 기획재정부장관에게 제출하여야 한다.

② 각 중앙관서의 장은 재정지출을 수반하는 중·장기계획을 수립하는 때에는 미리 기획재정부장관과 협의하여야 한다.

③ 지방자치단체의 장은 국가의 재정지원에 따라 수행되는 사업으로서 대통령령이 정하는 규모 이상인 사업의 계획을 수립하는 때에는 미리 관계 중앙관서의 장과 협의하여야 한다. 이 경우 중앙관서의 장은 기획재정부장관과 협의하여야 한다.

(3) 국가재정운용계획의 수립

① 정부(기획재정부장관)는 재정운용의 효율화와 건전화를 위하여 매년 당해 회계연도부터 5회계연도 이상의 기간에 대하여 다음 사항이 포함된 국가재정운용계획을 수립하여야 한다.

　㉠ 재정운용의 기본방향과 목표

　㉡ 중·장기 재정전망 및 그 근거

　㉢ 분야별 재원배분계획 및 투자방향

　㉣ 재정규모증가율 및 그 근거

　　ⓐ 의무지출(재정지출 중 법률에 따라 지출의무가 발생하고 법령에 따라 지출규모가 결정되는 법정지출 및 이자지출)의 증가율 및 산출내역

　　ⓑ 재량지출(재정지출에서 의무지출을 제외한 지출)의 증가율에 대한 분야별 전망과 근거 및 관리계획

　　ⓒ 세입·세외수입·기금수입 등 재정수입의 증가율 및 그 근거

　㉤ 조세부담률 및 국민부담률 전망

　㉥ 통합재정수지 및 국가채무에 대한 전망과 근거 및 관리계획

　㉦ 그 밖에 대통령령으로 정하는 사항

② 기획재정부장관은 국가재정운용계획을 수립하는 때에는 관계 중앙관서의 장과 협의하여야 한다.

(4) 국가재정운용계획의 국회 제출

국가재정운용계획은 회계연도 개시 120일 전까지 국회에 제출하여야 한다.

✅ 개념PLUS　재정지출

1. 의무지출(경직성 경비)

① **개념**: 정부 재정지출이 필요한 사항 중 지출 근거와 요건이 법령에 근거해 지출규모가 결정되는 법정지출 및 이자지출로, 지급기준이 정해져 실질적으로 축소가 어려운 경직성 지출이다.

　㉠ 지방교부세, 지방교육재정교부금, 채무상환, 법정부담금(연금·건강보험), 사회보장지출, 국채에 대한 이자지출, 유엔 평화유지활동(PKO) 예산 분담금 등

② **시행**: 우리나라는 2013년 예산안부터 재정지출 사업을 의무지출과 재량지출로 구분하여 산출내역 및 증가율 등을 국가재정운용계획에 포함하여 국회에 제출하고 있다.

2. 재량지출

정부가 정책적 의지에 따라 대상과 규모를 어느 정도 조정 가능한 예산으로 매년 입법조치가 필요한 유동적인 지출이다.

　㉠ 정부부처 운영비 등

01 다음 중 머스그레이브(Musgrave)가 주장한 재정의 3대 기능 중 '공공재의 외부효과 및 소비의 비경합성과 비배재성에 기인한 시장실패(market failure)를 재정을 통해서 교정하고 사회적 최적 생산과 소비수준이 이루어지도록 한다.'라는 내용과 관련성이 가장 높은 재정의 기능은?

2015년 서울시 7급

① 소득재분배기능   ② 경제안정화 기능

③ 자원배분기능   ④ 행정적 기능

02 「국가재정법」, 「국가회계법」 등 관련법은 정부가 성과계획서와 성과보고서를 각각 예산안과 결산보고서에 포함시켜 국회에 제출하도록 규정하고 있다. 이처럼 재정운용과 관련하여 성과관리적 요소가 강화된 배경으로 옳지 않은 것은?

2012년 국가직 9급

① 재정지출의 효율화 및 예산절감의 필요성 증대

② 재정운용의 투명성 및 책임성 제고 요구 증대

③ 국가재정운용계획, 총액배분자율편성예산제도의 시행에 따른 체계적 성과관리의 중요성 증대

④ 지출의 합법성 제고 및 오류방지 요구 증대

정답 및 해설

01 머스그레이브(Musgrave)의 경제적 기능

설문의 내용과 관련이 깊은 것은 예산의 경제적 기능 중 시장실패의 해결을 통한 정부개입을 강조하는 자원배분기능에 해당한다.

02 성과 중심 재정운용(신성과주의)의 기대효과

지출의 합법성 제고 및 오류방지는 통제위주의 전통적인 예산제도, 즉 품목별예산제도(LIBS)가 등장한 배경이다. 최근 성과 중심의 재정운용은 지출의 합법성 제고 및 오류방지가 아니라 재정운영의 효율성·투명성·책임성의 요구가 증대되면서 나타난 결과이다.

ⓘ 성과 중심 재정운용(신성과주의)의 기대효과

(1) 재정의 효율성: 성과정보를 예산편성에 환류, 재정지출한도 설정, 과다요구·대폭삭감의 악순환 해소

(2) 재정의 투명성: 성과정보의 공개, 예산회계정보시스템, 발생주의 회계제도

(3) 재정의 책임성: 총액배분 자율편성예산제도, 국가재정운용계획

정답 **01** ③ **02** ④

03 예산과 재정 관리에 대한 설명으로 옳지 않은 것은? 2018년 국가직 9급

① 우리나라의 예산은 행정부가 제출하고 국회가 심의·확정하지만, 미국과 같은 세출예산법률의 형식은 아니다.

② 조세는 현 세대의 의사결정에 대한 재정부담을 미래 세대로 전가하지 않는다는 장점이 있다.

③ 성과주의예산제도의 도입에도 불구하고 품목별 예산제도는 우리나라에서 여전히 활용되고 있다.

④ 추가경정예산은 예산의 신축성 확보를 위한 제도로서, 최소 1회의 추가경정예산을 편성하도록 「국가재정법」에 규정되어 있다.

04 중앙정부 결산보고서상의 재무제표로 옳은 것은? 2022년 국가직 9급

① 손익계산서, 순자산변동표, 현금흐름표

② 대차대조표, 재정운영보고서, 이익잉여금처분계산서

③ 재정상태표, 재정운영표, 순자산변동표

④ 재정상태보고서, 순자산변동표, 현금흐름보고서

05 정부회계의 기장방식에 대한 설명으로 옳지 않은 것은? 2018년 국가직 9급

① 단식부기는 발생주의 회계와, 복식부기는 현금주의 회계와 서로 밀접한 연계성을 갖는다.

② 단식부기는 현금의 수지와 같이 단일 항목의 증감을 중심으로 기록하는 방식이다.

③ 복식부기에서는 계정 과목 간에 유기적 관련성이 있기 때문에 상호검증을 통한 부정이나 오류의 발견이 쉽다.

④ 복식부기는 하나의 거래를 대차 평균의 원리에 따라 차변과 대변에 동시에 기록하는 방식이다.

06 예산원칙에 대한 설명으로 옳지 않은 것은?

① 입법부가 사전에 의결한 사항만 집행이 가능하다는 사전의결의 원칙의 예외로는 긴급명령과 준예산 등이 있다.

② 예산총계주의는 모든 세입과 세출이 예산에 계상되어야 한다는 것을 의미한다.

③ 정부가 특정 수입과 특정 지출을 직접 연계해서는 안 된다는 한계성 원칙의 예외로는 예비비, 계속비 등이 있다.

④ 예산은 결산과 일치해야 한다는 예산 엄밀성의 원칙은 정확성의 원칙이라고도 불린다.

정답 및 해설

03 예산과 재정 관리

「국가재정법」에 추가경정예산의 편성횟수에 대한 규정은 없다. 추가경정예산은 본예산에 대한 예외이며, 「국가재정법」에는 '정부는 이미 확정된 예산에 변경을 가할 필요가 있는 경우에는 추가경정예산안을 편성할 수 있다'고 규정하고 있다.

04 정부의 재무제표

「국가재정법」상 결산보고서의 구성에는 재정상태표, 재정운영표, 순자산변동표가 포함되어야 하며 현금흐름표는 포함되지 않는다.

❶ 「국가회계법」상 결산보고서

> 제14조 【결산보고서의 구성】 결산보고서는 다음 각 호의 서류로 구성된다.
> 3. 재무제표
> 가. 재정상태표
> 나. 재정운영표
> 다. 순자산변동표

05 정부회계의 기장방식

단식부기는 현금주의 회계와, 복식부기는 발생주의 회계와 밀접한 연관이 있다.

06 예산원칙과 그 예외

정부가 특정 수입과 특정 지출을 직접 연계해서는 안 된다는 것은 통일성의 원칙을 의미한다. 이 원칙의 예외로는 목적세, 수입대체경비, 특별회계, 기금 등이 있다.

정답 03 ④ 04 ③ 05 ① 06 ③

07 「국가재정법」상 다음 원칙의 예외에 대한 규정으로 옳지 않은 것은? 2017년 지방직 9급(6월 시행)

> • 한 회계연도의 모든 수입을 세입으로 하고, 모든 지출을 세출로 한다.
> • 한 회계연도의 세입과 세출은 모두 예산에 계상하여야 한다.

① 수입대체경비에 있어 수입이 예산을 초과하거나 초과할 것이 예상되는 때에는 그 초과수입을 대통령령이 정하는 바에 따라 그 초과수입에 직접 관련되는 경비 및 이에 수반되는 경비에 초과지출할 수 있다.

② 국가가 현물로 출자하는 경우에는 이를 세입세출예산 외로 처리할 수 있다.

③ 국가가 외국차관을 도입하여 전대하는 경우에는 이를 세입세출예산 외로 처리할 수 있다.

④ 출연금이 지원된 국가연구개발사업의 개발 성과물 사용에 따른 대가를 사용하는 경우에는 이를 세입세출예산 외로 처리할 수 있다.

08 다음 중 예산원칙의 예외를 옳게 짝지은 것은? 2019년 지방직 7급

	한정성 원칙	단일성 원칙
①	목적세	특별회계
②	예비비	목적세
③	이용과 전용	수입대체경비
④	계속비	기금

09 정부활동의 일반적이며 총체적인 내용을 보여 주어 일반납세자가 정부의 예산내용을 쉽게 이해할 수 있도록 설계된 예산의 분류방법은? 2017년 사회복지직 9급

① 품목별 분류

② 기능별 분류

③ 경제성질별 분류

④ 조직별 분류

10 우리나라 정부재정에 대한 설명으로 옳지 않은 것은?　　　　　　　　　　　　2016년 국가직 7급

① 일반회계예산의 세입은 원칙적으로 조세수입을 재원으로 하고 세출은 국가사업을 위한 기본적 경비지출로 구성된다.

② 실질적인 정부의 총예산규모를 파악하는 데에는 예산순계 기준보다 예산총계 기준이 더 유용하다.

③ 중앙관서의 장은 특별회계를 신설하고자 하는 때에는 해당 법률안을 입법예고하기 전에 특별회계 신설에 관한 계획서를 기획재정부장관에게 제출하며 그 신설의 타당성에 관한 심사를 요청하여야 한다.

④ 중앙정부의 통합재정규모는 일반회계, 특별회계, 기금, 세입세출 외 항목을 포함하지만 내부거래와 보전거래는 제외한다.

정답 및 해설

07 전통적 예산원칙과 그 예외

제시문은 완전성(포괄성)의 원칙, 즉 예산총계주의를 의미하는 것으로 국가연구개발사업의 대가는 2007년 「국가재정법」 제정 때에는 예외로 인정되었으나, 2014년 「국가재정법」 개정으로 예외에서 제외되었다.

| 선지분석 |

「국가재정법」상 예산총계주의의 예외에는 ① 수입대체경비의 초과수입, ② 현물출자, ③ 전대차관이 규정되어 있다.

08 예산원칙의 예외

한정성(한계성)의 원칙은 예산의 금액, 목적 및 기간에 명확한 한계가 있어야 한다는 원칙이다. 계속비는 시간의 한정성 원칙의 예외이다. 단일성의 원칙은 예산의 구조가 단일하게 편성되어야 한다는 원칙으로 단일성의 원칙의 예외로는 특별회계, 기금, 추가경정예산이 있다.

09 예산의 분류

기능별 분류는 정부가 수행하는 기능(공공영역)이나 목적별로 예산내용을 분류하는 것으로, 정부활동에 관한 집약적 정보를 국민에게 이해하기 쉽게 제공하므로 '시민을 위한 분류(citizen's classification)'로서의 성격을 지닌다.

| 선지분석 |

① 품목별 분류는 예산의 내용을 재화와 용역의 종류를 기준으로 세부항목별로 분류하는 것이다.

③ 경제성질별 분류는 예산이 국민경제에 미치는 파급효과를 파악할 수 있게 하여 정책결정에 필요한 자료를 얻기 위한 분류이다.

④ 조직별 분류는 예산내용을 그 편성과 집행책임을 담당하는 관서나 부처별로 분류하는 것이다.

10 우리나라의 정부재정

예산순계 기준이 예산총계 기준보다 실질적 정부의 총예산규모를 파악하는 경우에 유용하다. 예산총계 기준은 회계별·기금별 독립된 규모를 파악하는 경우 유용한 방식이다.

🛈 **예산순계와 예산총계**

(1) 예산순계: 회계 간 내부거래(중복부분)를 공제한 순수 재정규모를 말한다.

(2) 예산총계: 내부거래분을 공제하지 않고 회계별 금액을 단순히 합한 규모를 말한다.

정답 07 ④ 08 ④ 09 ② 10 ②

11 예산을 성립시기에 따라 분류한 것으로 옳은 것은? 2012년 지방직 9급

① 일반회계, 특별회계

② 본예산, 수정예산, 추가경정예산

③ 정부출자기관예산, 정부투자기관예산

④ 잠정예산, 가예산, 준예산

12 동일 회계연도 예산의 성립을 기준으로 볼 때 시기적으로 빠른 것부터 순서대로 바르게 나열한 것은? 2022년 국가직 9급

① 본예산, 수정예산, 준예산

② 준예산, 추가경정예산, 본예산

③ 수정예산, 본예산, 추가경정예산

④ 잠정예산, 본예산, 준예산

13 특별회계예산과 기금에 대한 설명으로 옳지 않은 것은? 2021년 지방직 9급

① 기금은 특정 수입과 지출의 연계가 강하다.

② 특별회계예산은 세입과 세출이라는 운영 체계를 지닌다.

③ 특별회계예산은 합목적성 차원에서 기금보다 자율성과 탄력성이 강하다.

④ 특별회계예산과 기금은 모두 결산서를 국회에 제출하여야 한다.

14 「국가재정법」상 온실가스감축인지 예산제도에 대한 설명으로 옳지 않은 것은? 2024년 국가직 9급

① 온실가스감축인지 예산제도는 정부예산의 원칙 중 하나이다.

② 온실가스감축인지 예산서에는 온실가스 감축에 대한 기대효과, 성과목표, 효과분석 등을 포함해야 한다.

③ 정부의 기금은 온실가스감축인지 예산제도의 대상에 포함되지 않는다.

④ 정부는 예산이 온실가스를 감축하는 방향으로 집행되었는지를 평가하는 보고서를 작성하여야 한다.

15 정부예산의 종류에 대한 설명으로 옳지 않은 것은?

① 기금은 예산원칙의 일반적 제약으로부터 벗어나 탄력적으로 운용된다.

② 특별회계예산은 국가의 회계 중 특정한 세입으로 특정한 세출을 충당하기 위한 예산이다.

③ 특별회계예산은 일반회계예산과 달리 예산편성에 있어 국회의 심의 및 의결을 받지 않는다.

④ 기금은 예산 통일성 원칙의 예외가 된다.

정답 및 해설

11 예산의 성립시기에 따른 분류

예산을 성립시기에 따라 분류하면 본예산, 수정예산, 추가경정예산으로 분류된다.

| 선지분석 |

① 일반회계, 특별회계는 세입세출의 성질에 따른 분류이다.

③ 정부출자기관예산, 정부투자기관예산은 정부의 출자 정도에 따른 분류이다.

④ 잠정예산, 가예산, 준예산은 예산 불성립 시 예산제도이다.

12 성립시기에 따른 예산의 분류

예산의 성립시기를 기준으로 할 때 성립 전에 예산을 수정하는 수정예산, 국회의결로 성립된 본예산, 성립 후에 예산을 변경하는 추가경정예산의 순서대로 이루어진다. 즉 성립시기를 기준으로 할 때 수정예산 → 본예산 → 추가경정예산의 순서가 된다.

🔵 **예산의 성립시기에 따른 분류**

수정예산	국회제출 후 의결 전에 정부가 수정하여 편성·제출한 예산
본예산	국회에서 최초 제출되어 정상적으로 의결·확정된 당초예산
추가경정예산	예산이 국회에서 의결되어 성립된 후 추가·변경된 예산

13 특별회계예산과 기금

기금은 특별회계예산보다 합목적성 차원에서 자율성과 탄력성이 강하다. 특별회계예산은 상대적으로 합법성 차원에서 통제를 받게 되므로 자율성과 탄력성이 약하다.

| 선지분석 |

① 기금은 특정 수입과 지출의 연계가 강하기 때문에 통일성 원칙의 예외에 해당한다.

② 특별회계예산도 일반회계와 마찬가지로 세입과 세출이라는 운영체계를 갖는다.

④ 특별회계예산과 기금 모두 결산서를 차년도 5월 31일까지 국회에 제출하여 심의·의결을 받아야 한다.

14 「국가재정법」상 온실가스감축인지 예산제도

「국가재정법」은 정부예산과 기금에 대한 법적 규정으로, 정부의 기금도 온실가스감축인지 예산제도의 대상에 포함된다.

🔴 **「국가재정법」상 온실가스감축인지 예산제도**

> 제16조【예산의 원칙】정부는 예산을 편성하거나 집행할 때 다음 각 호의 원칙을 준수하여야 한다.
>   6. 정부는 예산이 「저탄소 녹색성장 기본법」 제2조 제9호에 따른 온실가스 감축에 미치는 효과를 평가하고, 그 결과를 정부의 예산편성에 반영하기 위하여 노력하여야 한다.
>
> 제27조【온실가스감축인지 예산서의 작성】① 정부는 예산이 온실가스 감축에 미칠 영향을 미리 분석한 보고서를 작성하여야 한다.
>   ② 온실가스감축인지 예산서에는 온실가스 감축에 대한 기대효과, 성과목표, 효과분석 등을 포함하여야 한다.
>
> 제57조의2【온실가스감축인지 결산서의 작성】① 정부는 예산이 온실가스를 감축하는 방향으로 집행되었는지를 평가하는 보고서를 작성하여야 한다.
>
> 제68조의3【온실가스감축인지 기금운용계획서의 작성】① 정부는 기금이 온실가스 감축에 미칠 영향을 미리 분석한 보고서를 작성하여야 한다.

15 정부예산의 종류

일반회계와 특별회계인 예산뿐만 아니라 기금에 대해서도 재정민주주의에 의해서 국회의 심의 및 의결을 받아야 한다.

정답 11 ② 12 ③ 13 ③ 14 ③ 15 ③

16 우리나라의 통합재정에 대한 설명으로 옳지 않은 것은?

2023년 국가직 9급

① 세입과 세출은 경상거래와 자본거래로 구분하여 작성한다.

② 통합재정의 범위에는 일반정부와 공기업 등 공공부문 전체가 포함된다.

③ 정부의 재정이 국민 경제에 미치는 효과를 파악하고자 하는 예산의 분류체계이다.

④ 통합재정 산출 시 내부거래와 보전거래를 제외함으로써 세입·세출을 순계 개념으로 파악한다.

17 재정준칙에 대한 설명으로 옳지 않은 것은?

2022년 지방직 7급

① 국가채무준칙은 재정 건전성을 확보하기 위해 국가채무 규모에 상한선을 설정한다.

② 재정수지준칙은 경기변동과 무관하게 설정되므로 경제 안정화를 오히려 저해할 수 있다.

③ 재정지출준칙은 경제성장률이나 재정적자 규모의 예측에 의존하지 않는다.

④ 재정수입준칙은 조세지출을 우회적으로 활용함으로써 재정건전성이 훼손될 가능성이 있다.

18 중앙정부의 지출 성격상 의무지출에 해당하는 것만을 모두 고르면?

2022년 국가직 7급

> ㄱ. 지방교부세
> ㄴ. 유엔 평화유지활동(PKO) 예산 분담금
> ㄷ. 정부부처 운영비
> ㄹ. 지방교육재정교부금
> ㅁ. 국채에 대한 이자지출

① ㄱ, ㄴ, ㅁ   ② ㄴ, ㄷ, ㄹ

③ ㄱ, ㄴ, ㄹ, ㅁ   ④ ㄱ, ㄷ, ㄹ, ㅁ

19 「국가재정법」상 추가경정예산안 편성이 가능한 사유에 해당하지 않는 것은?

① 전쟁이나 대규모 재해가 발생한 경우

② 남북관계의 변화와 같은 중대한 변화가 발생한 경우

③ 경기침체, 대량실업 같은 중대한 변화가 발생할 우려가 있는 경우

④ 경제협력, 해외원조를 위한 지출을 예비비로 충당해야 할 우려가 있는 경우

정답 및 해설

16 우리나라의 통합재정

통합재정의 범위는 중앙정부와 지방정부의 비금융공공부문으로 한국은행과 공기업 등 금융공공부문은 제외된다.

| 선지분석 |

① 세입과 세출은 규칙적인 경상거래와 불규칙적인 자본거래로 구분하여 작성한다.

③ 국가재정이 국민 경제에 미치는 효과를 파악하고자 하는 경제성질별 분류에 의한 제도이다.

④ 통합재정은 내부거래와 보전거래를 제외하는 순계 개념으로 파악한다.

17 재정준칙의 유형과 특징

재정지출준칙에 따라 지출한도를 준수한다고 하더라도 조세지출을 통해서 우회적으로 지출을 늘림으로써 재정건전성이 훼손될 가능성이 있다. 재정준칙이란 재정수입, 재정지출, 재정수지, 국가채무 등 총량적 재정규율에 대한 법적 구속력을 부여함으로써 구체적인 재정운용목표로 재정규율을 준수하는 것이다. 즉, 이러한 재정준칙을 통하여 재정정책 당국의 재량적 재정운용에 제약을 가하는 재정운용체계를 말한다. 재정수입준칙은 재정수입에 대한 구체적인 기준을 정하는 것으로 적절한 재정수입을 통해서 재정지출에 사용하도록 하는 것이다.

| 선지분석 |

① 국가채무준칙은 국가채무의 규모에 상한선을 설정하는 준칙이다. 국가채무 규모의 상한선을 설정하며 한도 설정은 절대규모가 아니라 GDP 대비 국가채무의 비율로 설정된다.

② 재정수지준칙은 매 회계연도마다 또는 일정 기간 재정수지를 균형이나 일정 수준으로 유지하도록 하는 준칙이다. 경기변동과는 무관하게 설정되는 것이므로 실질적인 효과를 파악하기 어렵기 때문에 경제 안정화를 저해할 수 있다는 문제점이 있다.

③ 재정지출준칙은 총지출 한도, 분야별 명목·실질지출한도, 명목·실질지출 증가율 한도를 설정하는 준칙이다. 지출한도의 장점은 다른 변수에 영향을 받지 않고 독립적으로 통제가 가능하며, 경제성장률이나 재정적자규모의 예측에 의존하지 않는다는 점이다. 그렇지만 재정지출준칙 지출한도를 준수하는 대신 조세지출을 광범위하게 활용함으로써 형식적으로는 재정지출을 준수하지만 실질적으로는 재정건전성이 훼손될 수 있는 문제점이 있다.

18 중앙정부의 의무지출(경직성 경비)

중앙정부의 재정지출은 법령 등에 의해서 지출의무가 발생하는 의무지출(경직성 경비)과 국회 심의 등을 통해 조절이 가능한 재량지출로 구분된다. ㄱ. 지방교부세, ㄴ. 유엔 평화유지활동(PKO) 예산 분담금, ㄹ. 지방교육재정교부금, ㅁ. 국채에 대한 이자지출은 의무지출 항목이고, ㄷ. 정부부처 운영비는 재량지출에 해당한다. 우리나라는 2013년 예산안부터 재정지출 사업을 의무지출과 재량지출로 구분하여 산출내역 및 증가율 등을 국가재정운용계획에 포함하여 국회에 제출하고 있다.

19 추가경정예산안의 편성사유

경제협력, 해외원조를 위한 지출을 예비비로 충당해야 할 우려가 있는 경우는 추가경정예산의 편성사유에 해당하지 않는다. 추가경정예산안의 편성사유는 「국가재정법」에 규정되어 있다.

❗ **「국가재정법」상 추가경정예산안**

> 제89조【추가경정예산안의 편성】① 정부는 다음 각 호의 어느 하나에 해당하게 되어 이미 확정된 예산에 변경을 가할 필요가 있는 경우에는 추가경정예산안을 편성할 수 있다.
> 1. 전쟁이나 대규모 재해가 발생한 경우
> 2. 경기침체, 대량실업, 남북관계의 변화, 경제협력과 같은 대내·외 여건에 중대한 변화가 발생하였거나 발생할 우려가 있는 경우
> 3. 법령에 따라 국가가 지급하여야 하는 지출이 발생하거나 증가하는 경우

20 다음 내용의 괄호 안에 해당하는 것은? 2016년 국가직 9급

> 최근 미국은 의회의 연방예산처리 지연으로 예산편성 및 집행에 큰 어려움을 겪으면서 행정업무가 마비되는 사태를 겪은 바 있다. 우리나라는 새로운 회계연도가 개시될 때까지 예산안이 국회에서 의결되지 못한 경우에 대비하여 (   ) 제도를 시행하고 있다.

① 준예산
② 가예산
③ 수정예산
④ 잠정예산

21 준예산에 대한 설명으로 옳지 않은 것은? 2021년 국가직 7급

① 예산안이 회계연도 개시일까지 국회에서 의결되지 못한 경우에 활용된다.

② 국회의 의결을 필요로 한다.

③ 법률상 지출 의무를 이행하기 위한 경우에 집행할 수 있다.

④ 이미 예산으로 승인된 사업의 계속을 위해 집행할 수 있다.

22 우리나라 예산제도에 대한 설명으로 옳지 않은 것은? 2021년 국가직 9급

① 국회는 정부의 동의 없이 정부가 제출한 지출예산 각 항의 금액을 증가시킬 수 없다.

② 정부가 예산안 편성 시 감사원의 세출예산요구액을 감액하고자 할 때에는 국무회의에서 감사원장의 의견을 구하여야 한다.

③ 정부는 회계연도 개시 전까지 예산안이 의결되지 못한 때에는 전년도 예산에 준해 모든 예산을 편성해 운영할 수 있다.

④ 국회는 감사원이 검사를 완료한 국가결산보고서를 정기회개회 전까지 심의 · 의결을 완료해야 한다.

23 예산 불성립에 따른 예산종류에 대한 설명으로 옳지 않은 것은?

① 준예산은 전년도 예산을 기준으로 예산을 편성해 운영하는 제도이다.

② 현재 우리나라는 준예산제도를 채택하고 있다.

③ 가예산은 1개월분의 예산을 국회의 의결을 거쳐 집행하는 것으로 우리나라가 운영한 경험이 있다.

④ 잠정예산은 수개월 단위로 임시예산을 편성해 운영하는 것으로 가예산과 달리 국회의 의결이 불필요하다.

정답 및 해설

20 준예산

제시문은 우리나라의 준예산을 설명하고 있다. 미국연방예산은 거의 매년 의회 승인이 지연되어 잠정예산을 편성하고 있는 상황이며 우리나라의 경우 예산 불성립 시 예산인 준예산은, 실시 이후(제2공화국 이후) 지금까지 한 번도 편성된 적이 없다(중앙정부).

❶ 예산 불성립 시 대처방안

구분	기간	국회의결	지출가능 항목	채택국가
가예산	최초 1개월	필요	전반적	한국(제1공화국), 프랑스
준예산	제한 없음	불요	한정적	한국(제2공화국 이후), 독일
잠정예산	제한 없음	필요	전반적	일본, 영국, 미국, 캐나다

21 준예산

제2공화국 이후의 준예산은 국회의 의결을 필요로 하지 않는 사전의결원칙의 예외이다.

❶ 헌법상 준예산

> 제54조 ③ 새로운 회계연도가 개시될 때까지 예산안이 의결되지 못한 때에는 정부는 국회에서 예산안이 의결될 때까지 다음의 목적을 위한 경비는 전년도 예산에 준하여 집행할 수 있다.
> 1. 헌법이나 법률에 의하여 설치된 기관 또는 시설의 유지·운영
> 2. 법률상 지출의무의 이행
> 3. 이미 예산으로 승인된 사업의 계속

22 우리나라 예산제도

정부는 회계연도 개시 전까지 예산안이 의결되지 못한 때에는 준예산을 편성하여 운영하는 것은 맞지만, 모든 예산이 아닌 헌법 제54조 제3항에 규정된 사항만 가능하다.

❶ 헌법상 준예산제도

> 제54조 제3항 새로운 회계연도가 개시될 때까지 예산안이 의결되지 못한 때에는 정부는 국회에서 예산안이 의결될 때까지 다음의 목적을 위한 경비를 전년도 예산에 준하여 집행할 수 있다.
> 1. 헌법이나 법률에 의하여 설치된 기관 또는 시설의 유지·운영
> 2. 법률상 지출의무의 이행
> 3. 이미 예산으로 승인된 사업의 계속

23 예산 불성립에 따른 예산종류

외국의 불성립예산인 잠정예산도 가예산과 마찬가지로 국회의 의결이 필요하다. 국회의결이 불필요한 것은 준예산제도이다.

| 선지분석 |

③ 가예산은 우리나라에서 1공화국 시기에 사용한 경험이 있다.

정답 20 ① 21 ② 22 ③ 23 ④

> ### 1 예산결정이론의 전개와 유형

1 예산결정이론의 전개

1. 예산결정이론의 전개 - 키(Key)의 질문

(1) 키(Key)는 1940년 미국정치학회보에 실린 '예산이론의 빈곤'에서 예산결정에 대한 기본적인 문제를 제기하였다. 즉, "어떠한 근거로 X달러를 B사업 대신 A사업에 배분하도록 결정하는가?"라는 '키의 질문'(Key question)을 통해서 경제학자나 정치학자가 이러한 문제에 대한 관심을 기울이지 않았다고 지적하고 예산결정이론의 필요성을 역설하였다.

(2) 키(Key)는 예산결정은 희소한 자원을 경합적인 요구에 배분해야 된다는 점에서 본질적으로 응용경제학의 형태임을 지적하며 이 문제를 경제이론의 관점에서 탐구할 것을 주장하였다.

2. 루이스(Lewis)의 경제학적 접근

루이스(Lewis, 1952)는 키(Key)의 지적에 따라 공공예산에 관한 경제학적 분석을 시도하였다. 그는 예산결정에 적용될 세 가지 경제학적 명제와 해결책으로 대안적 예산제도를 제시하였다.

(1) 세 가지 경제학적 명제

① **상대가치(순현재가치 기준)**

    ㉠ 예산결정은 상대적 가치(relative merits)에 입각하여 이루어져야 한다. 즉, '기회비용' 개념에 입각하여 분석하여야 한다.

    ㉡ 자원은 희소하기 때문에 예산분석의 기본목표는 자금의 대체적인 용도에서 얻을 결과의 상대적 가치를 비교하는 것이다.

② **증분분석(한계순현재가치 기준)**

    ㉠ 한계효용체감의 법칙*때문에 증분분석(incremental analysis)이 필요하다. 즉, 추가적인 지출로부터 생기는 추가적인 가치의 분석이 필요하다.

    ㉡ 증분분석에는 한계효용의 개념이 매우 유용하며, 상이한 목적 간의 상대적 가치를 비교할 수 있게 해준다.

③ **상대적 효과성:** 공통목표달성에서의 상대적 효과성(relative effectiveness)에 의해서만 상대적 가치를 비교할 수 있다. 이는 공통분모가 없어 비교하기 곤란한 이질적인 사업 간의 우선순위 비교기준이 된다.

📖**용어**

한계효용체감의 법칙*: 어떤 재화를 1단위씩 소비할 때마다 그 효용(소비를 통해 얻는 만족)은 그 재화의 소비량에 비례하여 증가하지만, 일정 수준 이상의 소비점을 넘어서면 그 재화 1단위당 추가로 얻는 효용은 점차 감소하는데 이러한 현상을 한계효용체감의 법칙이라고 한다.

(2) 대안적 예산제도(alternative budget)

① 상한선이 없는 종전의 예산을 '열린 예산'이라고 비판하고 예산의 상한선을 제시하였다.

② 종전의 예산은 증감된 부문만을 고려하였지만, 대안적 예산은 모든 예산의 ⑦ 상대적 가치, ⑥ 증분분석, ⑥ 상대적 효과성을 측정한다.

③ 종전의 예산은 통제를 위하여 지출항목별로 예산을 승인하지만, 대안적 예산에서는 부하들이 제시하는 복수의 대안과 판단을 바탕으로 부처 전체의 입장에서 의사결정을 한다.

3. 정치학적 접근

(1) 버크헤드(Burkhead)의 접근

① 정치적 측면에서 예산결정을 고찰한 초기의 대표적인 학자는 버크헤드(Burkhead, 1956)이다. 그는 예산규모 및 세입과 세출의 배분에 관한 결정을 정치적 결정이라고 보고 있다.

② 예산결정의 정치적 특성은 공식적인 정부기구와 그 속의 관료 및 의원들 그리고 관련집단 간의 상호관계에서 나타난다고 보고 정부기구와 관료, 국회의원, 관련집단 간의 상호작용을 중심으로 연구하였다.

③ 예산과정은 정치권력관계로부터 도출된 책임의 유형(responsibility pattern)을 보여 준다고 보았다.

(2) 윌다브스키(Wildavsky)의 접근

예산결정의 정치적 성격에 관한 연구(1964)는 윌다브스키(Wildavsky)에 의하여 집대성되었다.

2 예산체제의 판단기준

1. 예산과정

예산결정이론을 좀 더 세분한다면 복잡성에 대처하는 분석가 개인의 사고과정과 정치행정체제에서의 당파들의 협상과정으로 다시 구분할 수 있다. 전자는 미시적 과정, 후자는 거시적 과정이다.

2. 예산산출

루빈(Rubin)은 예산결과는 예산과정뿐만 아니라 환경적 요인, 참여자의 개별 전략 등에 의해서도 영향을 받는다고 주장하였다. 하지만 예산결정체제는 전략을 포함한 예산과정과 예산산출이 주축이 된다.

과정이론	예산의 정치적 측면, 거시적 과정이다.
산출이론	예산의 경제적 측면, 미시적 과정이다.
규범이론	합리모형, 당위성, 산출이론과 같은 맥락이다.
경험이론	점증모형, 현실과 실제, 과정이론과 같은 맥락이다.

핵심 OX

01 "어떠한 근거로 X달러를 B사업 대신 A사업에 배분하도록 결정하는가?"라는 질문을 통해 예산결정이론의 필요성을 역설하였던 학자는 린드블룸(Lindblom)이다. (O, X)

02 루이스(Lewis)의 세 가지 경제학적 명제는 상대가치, 증분분석, 상대적 효과성이다. (O, X)

01 X 린드블룸(Lindblom)이 아니라 키(Key)이다.
02 O

3. 예산의 경제원리(합리주의)와 정치원리(점증주의)

(1) 예산의 경제원리(합리주의)

① 기술적 · 미시적 문제로서 예산배분에 있어 '어떻게 예산상의 이득을 극대화 시킬 것인가'의 문제이다.

② 합리적 예산배분에 의한 파레토 최적을 달성하고자 하는 데 관심을 가지는 것이다.

(2) 예산의 정치원리(점증주의)

① 거시적 문제로서 예산배분에 있어 '예산상의 이득을 누가 얼마만큼 향유할 것인가'의 문제이다.

② 예산배분과정의 참여자들이 서로 예산상의 이득을 획득하기 위하여 영향력을 발휘하는 가치선호과정이며, 이는 몫의 배분(distribution of shares)과 관련된다.

개념PLUS 예산의 경제원리와 정치원리의 비교

구분	경제원리(합리주의)	정치원리(점증주의)
초점	예산상 총이익의 극대화	예산상 이익의 향유
목적	효율적인 자원배분(파레토 최적)	공정한 몫의 배분(형평화)
방법	분석적 기법	정치적 타협이나 협상
행동원리	시장(최적화)원리	게임(균형화)원리
이론	총체주의(이상주의)	점증주의(현실주의)
적용분야	순수공공재, 분배정책, 신규사업에 적용가능성 높음	준공공재, 재분배정책, 계속사업에 적용가능성 높음
문제	미시적 · 기술적 문제 발생	거시적 문제 발생

---

2 예산결정의 접근방법

1 합리주의(총체주의)

1. 의의[1]

(1) 총체주의적 예산결정이란 합리적 선택모형에 입각한 예산상의 의사결정이다. 경제학의 한계효용, 기회비용, 최적화 개념 등이 사용된다.

(2) 과정측면에서 본다면 합리적 · 분석적 의사결정단계를 거쳐서 결정하는 것을 말하며, 목표 – 수단분석과 이를 뒷받침하는 이론모형이 중시된다.

[1] 총체주의와 관련된 개념
루이스(Lewis)의 이론이나 시크(Schick)의 '체제예산운영(system budgeting)'도 총체주의를 반영한 개념이다. 비용과 편익에서 프로그램이나 정책대안을 총괄적으로 분석하여 예산액을 결정하는 것으로 계획예산제도(PPBS)나 영기준예산제도(ZBB)와 관련된다.

2. 특징

(1) 인간의 완전한 합리성을 전제한다.

(2) 결정에 관련이 있는 모든 요소가 종합적으로 검토되어야 한다.

(3) 다양한 기법을 통해서 가장 최적의 예산을 결정할 수 있다.

(4) 조직이나 사회적 목표의 명확한 정의가 가능하며, 정책은 목표 – 수단접근방법으로 다루어진다.

3. 한계

(1) 인간의 인지적 한계

총체주의에서는 완전한 지식과 정보를 가정하고 있다. 그러나 실제로 예산결정을 하는 데에는 인간의 인지능력의 한계, 결정비용의 과다, 상황의 불확실성 등의 제약 조건이 존재한다. 따라서 모든 대안의 탐색과 정확한 결과의 예측 등은 현실적으로 불가능하다고 볼 수 있다.

(2) 문제나 목표의 불명확성

합리주의에서는 해결할 문제나 달성해야 할 목표가 명백히 주어져 있는 것으로 가정한다. 그러나 문제가 명백히 주어져 있는 경우는 거의 드물다. 문제나 목표가 명확하지 않은 경우가 많을 뿐만 아니라 상호 모순되거나 상충되는 경우가 많이 있기 때문이다.

(3) 사회후생함수의 도출 곤란❶

총체주의에서는 사회적 가치의 우선순위 및 사회후생함수가 알려져 있는 것으로 가정한다. 그러나 공공재에 대한 선호 현시가 어렵기 때문에 사회후생 함수를 찾아내는 것은 거의 불가능하다. 즉, 공공재의 경우 자신의 선호를 나타내려고 하지 않을 수 있고 또 선호가 다 다를 수 있기 때문에 정부가 목표를 선택하는 것이 어렵다.

(4) 정치적 합리성 무시

경제적 합리성만을 추구하여 예산과정을 분석 전문가나 원가계산 전문가에게 위임할 경우, 상충되는 이해관계의 조정과 협상이 필요한 정치적 합리성의 긍정적 가치를 간과할 우려가 있다.

(5) 예산결정의 집권화

합리적 모형을 적용하거나 참모기관에 의한 분석적 작업을 강조하면 기획기능이 강화되는 효과를 창출하는데, 이는 자칫 예산결정의 집권화를 초래할 위험이 있다 (PPBS에 대한 비판).

(6) 절차적 복잡성과 보수적 태도

절차가 복잡하고 예산담당관이 보수적일 경우 합리적 모형에 따른 예산결정은 현실적으로 힘들어진다(PPBS 및 ZBB의 실패).

(7) 추상적 서비스의 계량화 곤란

과학적 분석을 위해서는 계량화가 필요하지만 공공부문은 산출 자체가 추상적인 서비스인 것이 많기 때문에 계량화가 어렵다.

---

❶ 계산의 보조수단(aids to calculation; Wildavsky)

1. **의의:** 윌다브스키(Wildavsky)는 예산결정과정의 복잡성을 다루기 위해 점증주의적인 규칙을 사용하게 된다고 주장한다. 예산결정의 복잡성에 직면하게 되면 예산결정자들은 복잡성을 이해하기 위하여 단순화하거나 보조수단을 이용하게 된다. 이를 계산의 보조수단 (aids to calculation)이라고 한다.

2. **계산의 보조수단으로서의 행태:** 윌다브스키(Wildavsky)는 예산결정의 복잡성을 다루는 계산의 보조수단으로서의 행태를 다음과 같이 나열하고 있다.
   - 예산결정은 경험적이다.
   - 예산결정은 단순화된다.
   - 예산관료는 만족화 기준을 사용한다.
   - 예산결정은 점증적이다.

핵심 OX

01 총체주의적 예산은 정치적 타협과 상호조절을 통해 최적의 예산을 추구한다. (O, X)

01 X 협상과 타협에 의한 절차적·정치적 합리성을 강조하는 예산은 점증주의적 예산의 특징에 해당한다.

2 점증주의(현실주의)

1. 의의❶

점증주의는 합리주의의 기본전제를 완화시킨 접근이다. 의사결정자의 분석능력 및 시간이 부족하고 정보도 제약되어 있으며, 대안비교의 기준마저 불분명한 상태에서는 현존 정책에서 소폭적인 변화만을 대안으로 고려하여 정책을 결정할 수밖에 없다고 본다.

2. 특징

(1) 경제적 합리성이 아니라 정치적 합리성이 중시된다.

(2) 예산은 보수적이고 정치적인 과정으로서 협상과 타협에 의해서 결정된다.

(3) 예산결정에 있어 최선의 대안을 추구하지 않고 만족할 만한 수준에서 선(善)의 추구보다는 오류나 악(惡)의 제거에 역점을 둔다.

(4) 전년도 예산이 예산결정의 기준이 되므로, 쇄신적이지 못하고 보수적인 예산결정이 이루어진다.

3. 한계

(1) 점증성의 해석 문제

어느 정도의 변화를 점증적이라고 볼 것인가, 무엇을 대상으로 하여 점증성을 판단할 것인가에 대해 구체적인 합의가 없다.

(2) 이론적 설명의 결여

왜 점증적 변화가 보편적인 현상인가에 대해 명확한 설명이 없다. 그리고 최근 예산 감축을 강조하는 거시적(하향적) 예산결정에 대해 설명하지 못한다.

(3) 예산개혁의 규범적 한계

예산개혁 차원에서 점증주의는 뚜렷한 방향을 제시하지 못하고 있다. 즉, 근본적인 방향이나 규범적 차원에서의 접근에 있어 한계가 있다.

(4) 보수주의적 성격

정치적 실현 가능성과 정책결정체제의 안정성을 중시함으로써 현존 상태를 옹호하는 보수주의적 성격을 가지고 있다.

(5) 자원상의 제약

예산집행 시 가용할 자원이 풍부하지 못할 경우에는 집행이 곤란하다.

ⓒ 개념PLUS 합리주의와 점증주의의 비교

구분	합리주의	점증주의
합리성	경제적 합리성	정치적 합리성
이념	효율성	재정민주주의
결정기준	최선의 대안	만족할 만한 수준, 악의 제거
예산제도	PPBS, ZBB	LIBS, PBS

3 예산결정이론

1. 관료와 예산 – 공공선택론[1]

(1) 예산결정과정을 신고전경제학파의 논리에 기반한 정치경제학적 시각에서 설명하는 연구들이 공공선택이론으로 발전하였다.

(2) 관료제를 비롯하여 선거, 정당의 정치이념, 행정부의 특성, 계급적 요인, 국제적 요인 등을 중심으로 논의가 전개된다.

2. 선거와 예산 – 정치적 경기순환론

(1) 정치적 경기순환론의 대표적 학자인 스크루라이더(Scluleider)와 노드하우스 (Nordhaus)가 주장한 정치적 경기순환론(political business cycle)은 '선거경제주기 이론'이라고도 하며 공공선택론의 한 유파인 취리히 학파의 모형이다.

(2) 정치인들은 선거에서 승리하기 위하여 선거 전(前)에는 경기가 호황상태가 되도록 경기부양책을 사용하다가 선거 후(後)에는 반대로 긴축재정을 펴기 때문에 경기순환이 '정치적으로' 이루어진다는 이론이다.

(3) 최근에는 이러한 정치적 경기순환이 어떠한 경로를 통하여 정책결과변수에 영향을 미치는가를 규명하는 방향으로 예산정책, 조세정책, 통화정책 등에 대한 활발한 연구가 이루어지고 있다.

(4) 정치가들이 재선을 위해 예산정책을 활용하는 양상은 세출뿐만 아니라 조세정책을 통해서도 이루어진다. 이는 우리나라와 미국의 선거철에 제시되는 각종 조세인하 공약에서 쉽게 확인할 수 있다.

3. 계획과 예산

(1) 계획과 예산의 괴리요인

① **조직상의 요인**: 예산을 담당하는 조직과 계획을 담당하는 조직이 다를 때 갈등이 발생한다. 우리나라는 이를 극복하기 위하여 종래 경제기획원 내에 예산실을 두었으나 개별 부처에서 제기된 계획과의 괴리는 기대만큼 좁혀지지 않았다.

② **계획의 추상성 요인**: 계획이 좀 더 구체적으로 작성되지 못하고 하나의 청사진만으로 제기되거나 예산의 현실적 제약을 고려하지 못하고 작성될 때 적절한 예산이 뒷받침될 수 없다.

③ **재원 부족**: 예산은 항상 부족하기 마련이다. 따라서 예산을 담당하는 조직은 보수성을 띠게 된다. 이 과정에서 자원배분의 우선순위를 결정할 수 있는 논리가 계획을 통해 개발되어야 한다.

④ **예산제도의 신축성 결여**: 회계업무의 정확성을 보장하기 위하여 예산이 경직적으로 운용될 경우, 새로운 사태가 발생했을 때 신축적으로 대응하기 어렵다.

[1] 니스카넨(Niskanen)의 관료와 예산 모형
니스카넨(Niskanen)은 관료들이 권력의 극대화를 위해 소속 부서의 예산 규모를 극대화한다는 전제 아래 관료들의 예산 극대화 행태를 예산 산출 함수 및 정치적 수요곡선과 총비용함수 그리고 목적함수를 도입한 수리적 모형을 사용하여 설명하였으나, 이후 관료들이 오직 공공서비스의 산출량만을 극대화하기보다는 재량예산을 극대화한다고 가정을 수정한 바 있다.

(2) 계획과 예산의 연계방안 ❶

① **예산제도의 개혁**: 계획과 예산의 유기적인 통합을 이룩하기 위해서는 단년도 · 통제중심의 예산제도인 품목별 예산에서 벗어나 계획과 예산이 밀접하게 관련되는 사업계획 중심의 예산제도를 지향하는 개혁이 지속적으로 추진되어야 한다.

② **계획의 구체성 강화 및 연동계획의 활용**: 장기적 계획과 연차별 계획을 연결시킬 수 있는 연동계획적 성격을 지닌 국가재정운용계획을 활용하여야 한다.

③ **적절한 조직의 구성 및 인사교류**: 계획 · 예산기구의 적절한 조직화와 계획담당자와 예산담당자 상호 간의 인사교류 · 순환보직 · 공동교육훈련을 통한 인적자원의 효율화가 필요하다.

④ **심사분석 및 결산제도의 강화**: 계획집행에 대한 효율적인 심사분석과 평가가 이루어지고 예산집행 후의 결산제도운영이 보다 효과적으로 이루어져야만 그 결과가 새로운 계획수립과 예산편성에 환류될 수 있다.

⑤ **집행기관의 계획참여 확대**: 정책과 세부사업에 대하여 집행책임을 지는 행정부서를 계획과정에 적극 참여시킴으로써 집행의 원활화와 효율성을 도모하여야 한다.

✅ 개념PLUS 계획과 예산의 괴리요인과 연계방안

구분	괴리요인	연계방안
담당기구	계획과 예산의 이원화	일원화 또는 조정기구 설치
담당자 행태	· 계획: 개혁적, 미래적, 소비지향적 · 예산: 보수적, 비판적, 저축지향적	교육훈련, 인사교류
속성	· 계획: 장기성, 합리성, 추상성 · 예산: 단기성, 점증성, 구체성	계획의 구체화
수정가능성	· 계획: 수정가능성 · 예산: 신축성 결여	예산의 신축성 제고
예산제도	통제위주의 예산(LIBS)	계획예산 등의 보완

4. 다중합리성이론

(1) 1990년대 초중반부터 예산결정과정의 복잡성을 인정하고, 예산결정에 나타난 참여자들의 행태를 설명하고자 하는 새로운 시도이다.

(2) 서메이어(Thurmaier)와 윌로비(Willoughby)는 예산결정과정의 참여자 중 중앙예산기관의 예산분석가들에 초점을 맞추고, 이들이 예산을 결정하는데 있어 다양한 (정치 · 경제 · 사회적) 합리성을 내포하고 있으며 이를 위해서 다중합리성, 의사결정의 복잡성, 조직의사결정, 예산기관의 정향(orientation of budget office), 미시적 예산결정(micro-budgeting decisions) 등을 예산결정의 핵심으로 보았다.

(3) 정부예산의 성공을 위해서는 결과론적 접근방법에 근거하기 보다는 예산과정 각 단계에서 예산활동과 행태를 구분해야 한다는 과정론적 접근방법을 주장하였다.

(4) 예산과정과 정책과정 간의 연계점의 인식틀을 제시하기 위해 킹던(Kingdon)의 정책결정모형과 루빈(Rubin)의 실시간 예산운영모형(Real time budgeting)을 통합하고자 하였다.

5. 단절균형이론

(1) 개념

바움카트너(Baumgartner)와 존스(Jones)가 주장한 이론으로, 예산재원의 배분형태가 항상 일정하게 유지되는 것이 아니라 특정 사건이나 상황에 따라 균형상태에서 급격한 변화가 발생하는 단절현상이 발생하고 이후 다시 균형을 지속한다는 예산이론이다.

(2) 장단점

단절균형이론은 점증주의이론의 한계를 비판하면서 제시되어 사후적인 분석으로는 적절하지만 단절균형의 발생시점을 정확하게 예측하지 못하기 때문에 미래지향적 측면에서 장기적 예측을 어렵게 한다는 한계가 발생한다.

6. 구조결정론

주로 공공재의 공급자인 정부를 둘러싸고 있는 외부환경적 요소(사회구조)를 정부예산과 세출의 결정요인으로 파악하는 이론이다.

7. 모호성모형(ambiguity model)

(1) 개념

밀러(Miller)가 비합리적 의사결정모형을 예산에 적용하여 1991년에 개발한 예산모형이다. 독립적인 조직들이 서로 느슨하게 연결되어 독립성과 자율성을 누릴 수 있는 조직의 예산결정에 적합한 예산모형(이론)이다.

(2) 특징

① 밀러(Miller)는 의향의 모호성, 이해의 모호성, 조직의 모호성, 역사의 모호성 등을 전제로 하여 느슨하게 연결된 조직, 은유와 해석의 강조, 제도와 절차의 영향 등을 모호성모형의 특징으로 보았다.

② 예산결정은 해결해야 할 문제, 문제에 대한 해결책, 선택(의사결정)의 기회, 결정에 참여해야 할 참여자 등 예산결정의 요소가 우연히 서로 합치될 때 이루어지며 그렇지 않을 때는 예산결정이 이루어지지 않는다고 주장한다. 즉, 정책결정의 쓰레기통모형이 예산결정이론에 적용되었다고 본다.

(3) 모호성의 종류

의향의 모호성	참여자의 일관된 목표나 선호가 존재하지 않는다.
이해의 모호성	조직의 환경대응전략에 대한 인과관계가 명확하지 않다.
조직의 모호성	결정자의 참여와 관심에 관한 것으로 참여자가 수시로 교체된다.
역사의 모호성	역사에 대한 해석이 다양하고 불명확하다.

8. 루빈(Rubin)의 실시간 예산운영모형(1991)

(1) 루빈(Rubin)의 실시간 예산운영(real-time budgeting)모형은 세입, 세출, 균형, 과정, 집행과 관련한 의사결정흐름 개념을 활용하고 있다.

(2) 서로 성질은 다르지만 느슨하게 연계된 상호의존성을 가지고 있는 세입, 세출, 균형, 과정, 집행의 다섯 가지 의사결정흐름이 통합되면서 의사결정이 이루어진다는 모형이다.

> **✓ 개념PLUS** 루빈(Rubin)의 실시간 예산운영모형
>
> | 흐름 | 개념 | 정치적 특징 |
> |------|------|-----------|
> | 세입흐름 | 예산부담에 대한 결정(누가 얼마만큼 부담할 것인가) | 설득의 정치 |
> | 세출흐름 | 예산획득을 위한 경쟁과 예산배분에 관한 의사결정 | 선택의 정치 |
> | 균형흐름 | 예산균형을 어떻게 정의할 것인지, 정부의 범위 및 역할에 대한 결정 | 제약조건의 정치 |
> | 과정흐름 | 예산결정과정에 대한 분석(누가, 어떻게 예산을 결정하는가) | 결정의 정치 |
> | 집행흐름 | 예산계획에 따른 집행과 수정 및 일탈의 허용범위에 관한 문제(기술적 성격이 강함) | 책임성의 정치 |

---

3   자원의 희소성과 공공지출관리

1 공공부문에서의 자원의 희소성

1. 의의

재화는 욕구에 비해 상대적으로 희소하다. 사람들이 소비하고자 하는 모든 재화를 생산할 충분한 자원이 없기 때문에 재화가 부족하게 된다. 이를 '희소성의 법칙'이라고 하는데, 재무행정은 궁극적으로 공공부문에서의 희소성의 법칙을 규명하는 학문이다.

2. 희소성의 유형(Schick)

(1) 완화된 희소성(relaxed scarcity)

① 정부가 현존 사업을 계속하고 새로운 예산공약을 떠맡을 수 있는 충분한 자원을 가지고 있는 상황이다.

② 예산과정에서는 사업개발에 중점을 두게 되고, 점증주의의 일상성에 얽매이지 않는다.

③ 예산결정의 성향은 통제(관리)기능에서 계획기능으로 옮겨지며, 사업 분석과 다년도 예산편성에 대한 관심이 증가한다.

④ 완화된 희소성은 통상적으로 볼 수 있는 상태는 아니고 미국의 1960년대 중반이 여기에 해당하며, PPBS의 도입과 관련이 있다.

(2) 만성적 희소성(chronic scarcity)

① 대부분의 정부에서 볼 수 있는 일상적인 예산부족상태이다. 공공자원은 기존 서비스의 비용만큼 증가하기 때문에 계속사업에 대해서는 자금이 충분히 있지만 신규사업에 대해서는 자금이 충분하지 못한 상태이다.
② 자금이 부족한 상태에서 예산은 주로 지출통제보다는 관리의 개선에 역점을 둔다.
③ 사업의 분석과 평가는 소홀히 하게 되며, 사업개발은 산발적이고 비체계적인 특징을 보여 준다.
④ 만성적 희소성이 존재할 수밖에 없다는 광범위한 신념을 가지는 경우, 정부는 ZBB에 관심을 가지게 된다.

(3) 급성 희소성(acute scarcity)

① 이용 가능한 자원이 사업비용의 점증적 증가분을 충당하지 못할 경우에 발생한다.
② 가용자원이 증가분을 충당하지 못하는 상태에서는 예산관련 기획은 거의 없으며, 관리상의 효율성을 새롭게 강조한다. 즉, 급성 희소성은 장기적 기획보다는 단기적 예산편성의 즉흥성을 유도하게 된다.

(4) 총체적 희소성(total scarcity)

① 가용자원이 정부의 계속사업을 지속할 만큼 충분하지 못한 경우에 발생한다. 정부가 사업의 점증비용을 충당할 수 없는 급성 희소성과 달리 총체적 희소성은 정부가 이미 존재하는 사업에 대해 비용을 충당할 수 없는 조건이다.
② 가용자원이 기존의 계속사업까지 충당하지 못하는 상태에서는 회피형 예산편성을 하게 된다. 즉, 비현실적인 계획과 부정확한 예산을 꾸며 내게 된다.

핵심정리 | 희소성의 상태와 예산의 특징

구분	희소성의 상태			예산의 특징
	계속사업	증가분	신규사업	
완화된 희소성	○	○	○	· 사업개발에 역점 · 예산제도로 PPBS를 고려
만성적 희소성	○	○	×	· 신규사업의 분석과 평가는 소홀 · 지출통제보다는 관리개선에 역점 · 만성적 희소성의 인식이 확산되면 ZBB를 고려
급성 희소성	○	×	×	· 비용절감을 위해 관리상의 효율 강조 · 예산 기획활동은 중단 · 단기적·임기응변적 예산편성에 몰두
총체적 희소성	×	×	×	· 비현실적인 계획, 부정확한 상태로 인한 회피형 예산편성 · 예산통제 및 관리는 무의미, 허위적 회계처리 · 돈의 흐름에 따른 반복적 예산편성

핵심 OX

01 공공부문의 희소성은 공공자원을 사용할 수 있는 제약 상태를 반영한 개념이다. (O, X)

02 급성 희소성은 가용자원이 정부의 계속사업을 지속할 만큼 충분하지 못한 경우에 발생한다. (O, X)

01 ○
02 X 급성 희소성이 아니라 총체적 희소성이다.

2 월다브스키(Wildavsky)의 예산문화론

월다브스키(Wildavsky)는 예산행태에 영향을 미치는 요인(경제력, 예측력)을 바탕으로 예산결정문화를 다음과 같이 유형화하였다.

구분	풍부한 경제력	부족한 경제력
높은 예측력	점증적(incremental)	양입제출적(revenue), 세입적
낮은 예측력	보충적(supplement)	반복적(repetitive)

3 공공지출관리의 규율 - 시크(Schick)의 '좋은 예산'과 '나쁜 예산'

1. 의의

(1) 재정위기가 세계 각국의 주요 이슈로 등장하면서 시크(Schick, 1998)는 전통적인 재정기능(통제·관리·기획 등)과 별도로 재정운영의 새로운 규범으로 공공지출관리의 세 가지 규범을 주장하였다.

(2) 시크(Schick)의 신예산기능은 감축관리에 대응하는 신행정국가시대의 예산기능이라 할 수 있다.

(3) 시크(Schick)는 재정운용의 목적을 총량적 재정규율, 배분적 효율성, 운영상 효율성의 세 가지로 나누고 있는데, 그는 재정의 건전성 확보를 위해서는 '총량적 재정규율체제 확립'이 필요하다고 주장하였다.

(4) 최근에는 세 가지 규범에 새로운 재정규범으로 투명성과 참여까지 제시하는 학자들도 있다.

2. 재정운용의 목적(신예산기능의 원칙) - '좋은 예산'론

(1) 총량적 재정규율
① 개별부서의 미시적 관점보다는 거시적·하향적 관점에서 예산총액의 효과적인 통제를 중시하는 제도이다.
② 만성적인 재정위기상황에서 재정의 건전성을 확보하기 위한 규범이다.
③ 중앙예산기관에 큰 권한을 부여하여 거시적으로 지출한도를 사전에 설정해 주는 방법이 이에 해당한다.

(2) 배분적 효율성
① 거시적 관점보다는 미시적 관점에서 각 개별 재정부문 간 재원배분을 통한 재정지출의 총체적 효율성을 도모하는 입장이다.
② 예산배분측면에서 파레토 최적을 달성하려는 부문 간 효율성 또는 패키지 효율성이다.

(3) 운영상 효율성
① 투입에 대한 산출의 비율을 높이는 데 중점을 두는 기술적 효율성(X-효율성)이나 생산적 효율성의 관점이다.
② 배분적 효율성이 부문 간 효율이라면, 운영상 효율성은 부문 내 효율이다.

3. 시크(Schick)의 '나쁜 예산'론

비현실적 예산	정부의 세입능력을 초과해서 세출규모를 설정한 예산이다.
숨겨진 예산	진짜 수입과 지출에 관하여 오직 소수의 관계자만 알고 있는 예산이다.
선심성 현실회피적 예산	사회적 요구에 부응하는 것처럼 보이기 위하여 재원조달방안이 불명확한데도 불구하고 대규모 공공지출사업을 위하여 편성하는 예산이다.
반복적 예산	정치·경제적 상황의 변화에 따라 추경예산을 수시로 편성하는 예산이다.
저금통예산	예산서에 계획된 대로 정부지출이 이루어지는 것이 아니라 정부수입이 많아지면 많이 지출하고, 모자라면 지출하지 않는 예산이다.
책임을 나중으로 떠넘기는 예산	정부가 지출하여야 할 것을 지출하지 않는 예산이다.

학습 점검 문제

01 총체주의예산이론에 대한 설명 중 옳지 않은 것은?

2017년 사회복지직 9급

① 계획예산제도(PPBS)와 영기준예산제도(ZBB)는 대표적 총체주의예산제도이다.

② 정치적 타협과 상호조절을 통해 최적의 예산을 추구한다.

③ 예산의 목표와 목표 간 우선순위를 명확하게 설정한다.

④ 합리적 분석을 통해 비효율적 예산배분을 지양한다.

02 점증주의의 이점으로 보기 어려운 것은?

2013년 서울시 9급

① 타협의 과정을 통해 이해관계의 갈등을 조정하는 데 유리하다.

② 대안의 탐색과 분석에 소요되는 비용을 줄일 수 있다.

③ 예산결정을 간결하게 한다.

④ 합리적·총체적 관점에서 의사결정이 가능하다.

⑤ 중요한 정치적 가치들을 예산결정에서 고려할 수 있다.

03 예산이론에 대한 설명으로 옳지 않은 것은?

① 총체주의는 계획예산(PPBS), 영기준예산(ZBB)과 같은 예산제도 개혁을 설명하기에 적합한 이론이다.

② 점증주의는 거시적 예산결정과 예산삭감을 설명하기에 적합한 이론이다.

③ 총체주의는 합리적 · 분석적 의사결정과 최적의 자원배분을 전제로 한다.

④ 점증주의는 예산을 결정할 때 대안을 모두 고려하지는 못한다는 것을 전제로 한다.

정답 및 해설

01 총체주의예산

총체주의예산은 합리적 분석을 통하여 자원을 효율적으로 배분하려는 합리주의예산이다. 협상과 타협에 의한 절차적 · 정치적 합리성을 강조하는 예산은 점증주의예산의 특징에 해당한다.

❶ 총체주의예산과 점증주의예산

구분	총체주의(합리주의)	점증주의
과정상 특징	집권적이고 제도화된 프로그램예산 편성	이해관계의 상호조정
분석결과	신규사업과 대폭적이고 체계적인 변화	전년도 예산의 소폭적인 변화
분석순서	목표를 정의한 후 대안 분석	목표와 수단 동시 또는 수단 먼저 분석
분석범위	모든 대안에 대한 최적대안 선택	한정적 대안과 결과만 검토
원리	경제원리	정치원리
방향	하향적	상향적
접근	체제적 · 거시적	절차적 · 미시적
개방성	닫힌 예산	열린 예산
지향	총액지향	세부사업지향

02 예산결정이론의 특징

합리적 · 총체적 관점에서의 의사결정은 점증주의가 아니라 합리주의예산의 특징이다.

03 예산결정이론

거시적 예산결정과 예산삭감을 설명하기에 적합한 이론은 총체주의(합리주의)이다. 점증주의는 미시적 예산결정으로 기존예산에 소폭적 변화를 추구하므로 예산삭감을 설명하기에 부적합하다.

04 예산결정에 대한 공공선택론적 관점의 설명으로 옳은 것은? 2014년 국가직 9급

① 본질적 문제해결보다는 보수적 방식을 통해 예산의 정치적 합리성이 제고될 수 있다.

② 니스카넨(Niskanen)에 의하면 예산결정에 있어 관료의 최적수준은 정치인의 최적수준보다 낮다.

③ 정치인과 관료들은 개인효용함수에 따라 권력이나 예산규모의 극대화를 추구한다.

④ 재원배분 형태는 장기 균형과 역사적 상황에 따른 단기의 급격한 변화를 반복한다.

05 예산이론에 대한 설명으로 옳은 것은? 2017년 국가직 7급(8월 시행)

① 루이스(Lewis)는 예산배분결정에 경제학적 접근법을 적용하여, '상대적 가치, 증분분석, 상대적 효과성'이라는 세 가지 분석명제를 제시한다.

② 니스카넨(Niskanen)의 예산극대화 모형은 의회 의원들이 재선 가능성을 높이기 위해 지역구 예산을 극대화하는 행태에 분석초점을 둔다.

③ 윌로비와 서메이어(Wiloughby & Thurmaier)의 다중합리성모형은 의원들의 복수의 합리성 기준이 의회의 예산결정에 미치는 영향을 주로 분석한다.

④ 단절균형 예산이론(Punctuated Equilibrium Theory)은 급격한 단절적 예산변화를 설명하고, 나아가 그러한 변화를 예측할 수 있는 장점이 있다.

06 서메이어(Thumaier)와 윌로비(Willoughby)의 예산운영의 다중합리성모형에 대한 설명으로 가장 옳은 것은?

2019년 서울시 7급(2월 추가)

① 정부예산의 결과론적 접근방법에 근거한다.

② 미시적 수준의 예산상의 의사결정을 설명하고 탐구한다.

③ 정부예산의 성공을 위해서는 예산과정 각 단계에서 예산활동과 행태를 구분해서는 안 된다고 주장하였다.

④ 예산과정과 정책과정 간의 연계점의 인식틀을 제시하기 위해 킹던(Kingdon)의 정책결정모형과 그린과 톰슨(Green & Thompson)의 조직과정모형을 통합하고자 하였다.

정답 및 해설

04 예산결정의 공공선택론적 관점

공공선택론적 관점에서는 예산결정에 있어서 정치인과 관료들은 개인효용함수에 따라 권력이나 예산규모의 극대화를 추구한다고 본다[니스카넨(Niskanen)의 예산극대화모형].

| 선지분석 |

① 본질적 문제해결보다는 보수적 방식을 통해 예산의 정치적 합리성이 제고될 수 있는 것은 공공선택론적 관점이 아니라 점증주의적 관점이다.

② 니스카넨(Niskanen)의 예산극대화모형에 따르면 관료들은 자신의 이익을 극대화하기 위하여 예산을 극대화하는 행태를 보이기 때문에 예산결정에 있어 정치인의 최적수준보다 높은 수준에서 예산결정을 하게 된다.

05 주요 예산이론

루이스(Lewis)는 합리주의에 입각한 대안적 예산제도에서의 예산배분결정에 경제학적 접근법을 적용함으로써 '상대적 가치, 증분분석, 상대적 효과성'이라는 세 가지 경제학적 명제를 제시하였다.

| 선지분석 |

② 니스카넨(Niskanen)의 예산극대화 모형은 관료자신의 이익을 위하여 자기가 소속된 부서의 예산을 극대화하려는 행태에 분석초점을 둔다.

③ 윌로비와 서메이어(Wiloughby & Thurmaier)의 다중합리성모형은 복수의 합리성 기준이 중앙예산실의 예산분석가들에게 미치는 영향을 주로 분석하는 모형이다.

④ 단절균형예산이론은 예산은 급격한 단절적 변화를 겪은 후에 다시 균형을 이뤄나간다는 이론으로 단절에 의한 급격한 변화를 미리 예측하기 어렵다는 단점이 있다.

06 다중합리성모형

서메이어와 윌로비(Thumaier & Willoughby)의 다중합리성모형에 따르면 정치적·경제적 관점의 다양한 합리성 기준이 행정부 중앙예산실의 예산분석가들에게 영향을 미치는 영향을 미시적으로 분석한 모형이다.

| 선지분석 |

① 정부예산이 편성되는 과정을 중심으로 접근하였다.

③ 정부예산의 성공을 위해서는 예산과정 각 단계에서 나타나는 예산활동과 행태를 구분하여야 한다고 주장하였다.

④ 예산과정과 정책과정 간의 연계점의 인식틀을 제시하기 위해 킹던(Kingdon)의 정책결정모형과 루빈(Rubin)의 실시간 예산운영모형(Real time budgeting)을 통합하고자 하였다. 킹던(Kingdon)의 정책결정모형은 문제·정책·정치의 흐름에 의하여 의사결정의 창이 열린다는 흐름모형(정책창모형)이고, 루빈(Rubin)의 실시간 예산운영모형은 성질이 다르지만 서로 연결이 된 세입, 세출, 균형, 집행, 과정의 다섯 가지 의사결정흐름이 통합되면서 의사결정이 이루어진다는 모형이다.

정답 04 ③ 05 ① 06 ②

> **1**   **예산제도의 발달**

1 예산기능의 변화

1. 정부예산의 의의

정부예산이란 '일정기간 국가의 수입과 지출에 관한 예정서'로서 민주주의국가에서 의회가 행정부에 대해 재정적 활동을 부여하는 형식이다.

2. 예산기능과 예산제도의 변화

(1) 예산기능의 변화에 따라 새로운 예산이론이 형성되면 예산개혁이 이루어지고 거기에 적합한 새로운 예산제도가 등장한다. 미국의 예산제도개혁에 대한 노력은 예산과정에 합리적 절차를 도입하는 방향으로 전개되어 왔다.

(2) 시크(Schick)는 행정이념과 기능의 변화와 관련한 예산제도를 통제·관리·계획으로 구분하였으며, 1980년대 이후에는 감축과 참여를 포함시키고 있다.

> **☑ 개념PLUS**   예산제도 간 비교

구분	품목별 예산	성과주의예산	계획예산	영기준예산	주민참여예산
예산기능	통제	관리	계획	평가, 감축	참여
핵심요소	투입	투입, 산출	투입, 산출, 목표	우선순위	참여, 분권
행정이념	민주성	능률성	효과성	생산성	민주성

2 품목별예산제도(LIBS)

1. 의의

(1) 품목별예산제도(Line Item Budgeting System)는 지출대상인 급여나 수당 등을 품목별로 분류하여 그 지출대상과 한계를 규정하려는 예산제도이다.

(2) 예산편성의 기본단위는 품목이다. '목'은 예산과목의 최종단위로서 투입요소에 해당한다. 따라서 품목별예산제도는 어떤 투입요소가 어느 정도 투입되는지를 보여주는 예산제도이다.

(3) 구체적인 항목별로 예산을 정해줌으로써 관료의 권한과 재량을 제한하는 통제지향적 예산제도이다. 입법부의 재정통제를 통한 '재정민주주의 실현'의 한 수단으로서 등장하였다고 볼 수 있다.

<table>
<tr><td colspan="3">개념PLUS 품목별예산편성의 예</td></tr>
</table>

인건비	기본급·수당·비정규직 보수 등	7조 원
물건비	관서운영비·여비·특수활동비·업무추진비 등	8조 원
경상이전	보상금·배상금·출연금·민간경상이전·차입금이자 등	25조 원
자본지출경비	기본조사설계비·실시설계비·토지매입비 등	7조 원
융자금 및 출자금	융자금·출자금	6,000억 원
보전지출*	–	300억 원
정부내부거래	–	100억 원
예비비	–	700억 원

📖 **용어**

보전지출*: 고정자산의 가치를 보전하는 데 사용되는 수익적 지출을 말한다.

2. 도입 및 발달

(1) 엽관주의의 폐해 등으로 일그러진 미국정부의 부패상은 1900년대에 들어서면서도 근본적인 개선의 기미를 보이지 않았다. 따라서 시정부의 예산은 낭비되고 있었으며, 절약과 능률의 정신은 자리를 잡지 못하고 있었다.

(2) 1906년 뉴욕 시에서 '시정조사연구회'가 설립되어 예산의 낭비를 막고 예산에 대한 정부의 통제력을 확보하려는 방안들을 마련해 나가기 시작하였으며, 미국에서는 행정의 절약과 능률을 증진시키기 위해서 1907년 뉴욕 시 보건국 예산을 품목별로 편성하기 시작하였다. 이러한 노력의 결과로 도입된 것이 바로 품목별예산제도이다.

(3) 1912년 '절약과 능률'을 위한 대통령 위원회[태프트(Taft) 위원회]'의 권고에 의해 1920년대에는 대부분의 연방부처들이 도입하게 되었다.

3. 특징

(1) 결정이 점증적으로 이루어진다.

(2) 19세기 통제지향적인 입법부 우위의 예산원칙이다.

(3) 대안의 평가에 대한 관심이 낮다.

(4) 투입 측면에만 초점을 맞추어 편성되므로 정부가 투입을 통해 달성하고자 하는 사업을 파악할 수 없다.

(5) 지출에 따른 성과나 효과에 대해서 관심을 두지 않는다.

4. 장단점

(1) 장점

① **회계책임확보와 예산통제 용이**: 예산과목의 최종단위인 목을 중심으로 예산액이 배분되기 때문에 회계책임과 예산통제를 용이하게 할 수 있다.

② **이익집단의 저항 회피**: 예산편성 및 심의과정에서 예산삭감이 이루어질 때 이익집단의 저항을 덜 받는다.

③ **철저한 예산심의 및 예산남용 방지**: 공무원들의 재량을 줄여 예산남용을 방지할 수 있고, 행정부에 대한 의회의 권한을 강화할 수 있다.

핵심 OX

01 품목별예산제도는 통제지향적이고 점증주의적이다. (O, X)

02 품목별예산제도에서는 투입과 산출 모두가 관심의 대상이다. (O, X)

03 품목별예산제도는 입법부의 행정부 통제를 수월하게 하는 예산제도와 관련된다. (O, X)

04 품목별예산제도는 통제지향적인 예산제도이기 때문에 현대 행정국가에서 대부분의 선진국들은 이러한 예산제도를 사용하지 않는다. (O, X)

05 품목별예산제도는 지출품목마다 그 비용이 얼마인가에 따라 예산을 배정하기 때문에 효율성 판단이 용이하다. (O, X)

01 O

02 X 품목별예산제도는 산출에는 무관심하다.

03 O

04 X 품목별예산제도는 통제지향적 예산제도에 해당하나 현대 행정국가에서도 재정민주주의의 확보는 재량의 확보와 더불어 중요한 문제이므로 대부분의 선진국은 품목별예산제도를 중시한다. 다만, 과거 입법국가시대에 비해서 강조점이 줄어든 느낌은 있다.

05 X 품목별예산은 지출품목마다 그 비용(투입)이 얼마인가는 알 수 있지만 지출의 목적(산출)을 알지 못한다. 투입과 산출의 연계가 없어 정부사업의 성격을 알지 못하고 성과나 효과를 평가하기 곤란하다.

④ **행정에 유용한 각종 정보제공**: 세부적으로 분류되기 때문에 급여 제공과 재화 및 서비스 구매에 효과적이며, 다음 연도 예산편성에 유용하고 긴요한 각종 자료를 제공해 준다.

(2) 단점

① **우선순위 파악 곤란**: 지출항목을 너무 엄격히 분류하여 전반적인 정부기능 혹은 전체사업에 대한 정보를 확인할 수 없다. 따라서 정부사업의 우선순위 파악에 어려움이 있다.

② **목표의식 결여**: 투입을 중심으로 예산을 편성하기 때문에 재정지출의 구체적인 목표의식이 결여되어 있고, 장기적인 계획과 연계시킬 수 없다.

③ **신축성 제약 및 능동적 대응 곤란**: 지출품목이 상세하고 지출금액에 대한 한계가 있기 때문에 집행과정에서 신축성이 제약을 받고 환경변화에 능동적으로 대응하기 어렵다.

④ **국민경제에 미치는 영향 파악 곤란**: 예산이 국민경제에 미치는 영향을 파악하기 힘들다.

3 성과주의예산제도(PBS)

1. 의의

(1) 성과주의예산제도(Performance Budgeting System)는 정부활동을 기능·활동·사업계획에 기초를 두고 편성하되, 업무단위의 원가와 양을 계산하여 편성하는 제도이다. 즉, '예산액 = 단위원가 × 업무량'으로 표시된다.

(2) 사업을 중심으로 편성함으로써 예산액의 절약과 능률보다 사업 또는 정책의 성과에 더 관심을 기울인 예산제도이다. 또한 업무단위의 비용과 업무량을 측정함으로써 정보의 계량화를 시도하여 관리의 능률성을 높이려는 제도이다.❶

(3) 기능별 분류 → 사업별 분류 → 세부사업으로 분류하여 예산을 편성한다.

❶ 능률의 의미
성과주의예산제도는 사업을 중심으로 편성함으로써 예산액의 절약과 능률성 부분보다 사업 또는 정책의 성과에 더 관심을 기울인다. 한편 업무단위의 비용과 업무량을 측정함으로써 행정기관의 관리층에게 효과적인 관리수단을 제공하며 '능률적인 관리'에 중점을 둔다고도 한다. 즉, 보는 관점에 따라서 능률의 의미가 달라진다는 것이다.

⊘개념PLUS 성과주의예산편성의 예

사업명	사업목적	측정단위	실적	단가	금액	변화율
긴급출동	비상 시 5분 내 현장까지 출동	출동횟수	100건	10만 원	1,000만 원	+10%
일반순찰	24시간 계속 순찰	순찰시간	1,000시간	1만 원	1,000만 원	+3%
범죄예방	강력범죄발생을 10% 낮추기 위한 정보활동	투입시간	1,000시간	2만 원	2,000만 원	+15%
계	–	–	–	–	4,000만 원	–

2. 도입 및 발달

(1) 성과주의예산제도의 기원은 1913년 뉴욕 시 리치먼드 구에서 원가예산제(cost data budget)를 시도한 데에 있다.

(2) 후버(Hoover) 위원회가 성과주의의 필요성을 역설하였고, 1934년 미국 농무성의 사업별 예산과 TVA(테네시강유역 개발공사) 사업에서 성과주의를 적용하였다.

(3) 연방정부의 본격적인 성과주의예산제도 도입은 1949년 제1차 후버(Hoover) 위원회의 건의에 의해 이루어졌다. 이후 1950년에 트루만(Truman) 대통령이 최초로 성과주의예산안을 의회에 제출하여 연방정부에 도입하였다.

(4) 우리나라도 1962년도와 1963년도에 일부 부처의 일부 사업에 성과주의예산을 적용하였으나, 1964년에 폐기하였다.

3. 구조와 편성

(1) 업무단위

① **개념**: 성과주의예산편성의 기본단위는 업무단위(work unit)이다. 업무단위는 하나의 사업을 수행하는 과정에서의 활동과 최종산물로 이루어진다.
　⑩ 도로 건설의 경우 5km(최종산물), 방역활동의 경우 3회(활동) 등

② **업무단위의 구체적 요건**
　㉠ 동질성과 영속성이 있어야 한다.
　㉡ 업무단위의 계량화가 중요하다. 즉, 측정과 계산이 가능하여야 한다.
　㉢ 가시성이 있어야 한다. 즉, 완결된 업무를 표시하여야 한다.
　㉣ 하나의 사업에 대한 업무단위는 가능한 한 단수(數)이어야 한다.
　㉤ 업무단위는 관계자들이 이해하기 쉬워야 한다.
　㉥ 사용하는 의미에 있어 공통성이 있어야 한다.

(2) 업무량

업무단위로 측정한 단위수를 말하는데, 효과성(effectiveness)과 관련된다.

(3) 단위원가

업무단위 1단위를 산출 또는 수행하는 데 소요되는 경비를 말하는데, 예산편성의 효율성(efficiency)과 관련된다.

(4) 예산액의 산정

> 예산액 = 업무량(업무측정단위에 표시된 최종산물의 산출량) × 단위원가

4. 장단점

(1) 장점

① **사업 이해 용이**: 사업 또는 활동별로 예산이 편성되기 때문에 정부가 무슨 사업을 추진하는지 국민이 쉽게 이해할 수 있다.

② **효율적인 자원배분**: 업무단위의 선정과 단위원가의 과학적 계산에 의해 합리적이고 효율적인 자원배분을 달성할 수 있다.

핵심 OX

01 성과주의예산제도는 단위원가의 계산이 쉬운 경우에 적용된다. (O, X)

02 성과주의예산제도는 예산편성과 집행의 관리가 어렵다. (O, X)

03 성과주의예산제도는 정부사업목적의 이해를 도와주는 장점이 있다. (O, X)

01 O
02 X 성과주의예산제도는 예산편성과 집행의 관리가 용이하다.
03 O

③ **사업계획 수립 용이**: 정책이나 계획 수립을 용이하게 하며, 사업별로 예산산출의 근거가 제시되기 때문에 의회에서 심의하기에 용이하다.

④ **의사결정의 확정력 제고**: 상향적이고 분권적인 결정으로서 의사결정의 확정력을 제고한다.

⑤ **합리적 의사결정과 관리 개선**: 계량화된 정보를 통해 합리적 의사결정과 관리 개선에 도움을 받을 수 있으며, 실적평가에 의해 다음 연도 예산편성에 반영할 수 있다.

(2) 단점

① **업무단위 선정의 어려움**: 행정업무 중에서 계량화할 수 있는 최종산출물을 찾기도 어렵고 선정된 단위가 질적으로 다른 경우도 발생하게 된다.

② **단위원가 계산의 어려움**: 단위원가를 정확하게 계산하기 위해서는 회계학적 전문지식이 필요하며, 부서 간의 공동경비의 배분문제 등을 해결하기가 곤란하다.

③ **행정부 독주의 위험**: 품목이 아닌 정책, 사업계획에 중점을 두어 입법부의 예산통제가 곤란하고 회계책임의 한계가 모호하여 공금관리가 곤란하다.

④ **성과 측정 및 파악 곤란**: 산출물의 측정이 용이한 곳에서는 적용이 가능하나, 측정이 곤란한 분야에는 도입하기 어렵다. 또한 업무단위가 실질적으로는 중간산출물인 경우가 많아 성과의 질적인 측면을 파악하기 어렵다.

⑤ **장기적인 계획과의 연계 곤란**: 총체적이고 장기적인 계획하에서 대안의 합리적 선택 등이 이루어지지 못한다.

4 계획예산제도(PPBS)

1. 의의

(1) 계획예산제도(Planning Programming Budgeting System)는 장기적인 기획 (planning)과 단기적인 예산편성(budgeting)을 유기적으로 연결시킴으로써 합리적인 자원배분을 이룩하려는 제도이다. 이때 기획과 예산을 연결시키는 고리 역할을 하는 것이 프로그래밍(programming)이다.

① **장기적 계획과 단기적 예산편성**: 목표를 분명히 설정하고(planning), 정해진 목표를 달성할 수 있도록 사업계획을 짜고(programming), 짜여진 사업계획들에 자금을 체계적으로 배정(budgeting)하는, 다년간에 걸친 사업재정계획을 수립하는 장기적 시계를 가지고 있다. 즉, 장기적인 계획수립과 단기적인 예산편성을 유기적으로 연관시킴으로써 자원배분에 관한 의사결정을 합리적·일관적으로 행한다.

② **자료와 분석기법에 의존**: 무수한 대안 중에서 목표에 가장 알맞은 대안을 탐색할 때, 종래의 정치적인 방법은 배제하고 자료와 분석기법에 의존한다.

(2) 대체로 종전의 예산제도와 다른 성격은 세 가지인데 ① 중·장기계획을 필요로 하며, ② 사업계획의 구체적 기술을 요구받고, ③ 비용편익분석과 같은 수량적 분석기법을 필요로 한다는 점이다.

2. 도입 및 발달

(1) 1950년대에 미국의 랜드(RAND) 연구소에서 노빅(Novick), 히치(Hitch), 맥킨(McKean) 등이 사업예산(program budgeting) 개념을 개발하여 국방성에 건의한 프로그램에서 비롯되었다.

(2) 1963년 맥나마라(McNamara)에 의해 미국 국방부에 PPBS가 시험적으로 도입되었다. 이후 1965년 존슨(Johnson) 대통령에 의해 연방정부에 전면적으로 도입되었으나, 닉슨(Nixon) 행정부가 등장하면서 1971년에 공식적으로 중단되었다.

(3) 우리나라는 국방부에서 1979년 '국방기획관리제도'를 제정하여 이 제도를 사용하였으며 1983년 이후 본격적으로 제도화하였다.

3. 체계 및 과정

(1) 구조적 측면

구조적으로는 장기계획수립(planning) → 사업계획작성(programming) → 예산편성(budgeting)의 순서로 이루어진다.

① 사업구조(program structure)

　㉠ **장기계획수립(planning):** 조직체의 장기적인 목적, 즉 '무엇을 할 것인가'를 명확하게 설정하고 이러한 목적을 달성하기 위한 여러 대안(alternatives)을 평가·선택하는 단계이다. 이 계획의 수립은 체제분석을 중심으로 행하여지며 '사업 및 재정계획'을 수립한다.

　㉡ **사업계획작성(programming):** 이 단계는 계획수립과 예산편성을 연결시키는 기능을 하며, 계획수립에 의하여 선택된 개개의 프로그램을 실행하기 위한 구체적인 활동을 시간적으로 배당하는 과정으로서 '어떻게 할 것인가'와 관련된다.

사업범주 (program category)	· 대분류로서의 사업범주는 조직체의 목표달성을 위한 사업의 집합체를 최상위 수준에서 분류한 것이다. · 국가 차원의 목표를 몇 가지 설정하고 그 목표를 달성하기 위한 사업들을 일단 부처별로 5~10개씩 대분류를 하는 것이다. · 분류체계상 '부문'과 '장'에 상응한다.
하위사업범주 (program sub-category)	· 중분류로서의 하위사업은 사업범주를 더 세분한 사업군이며, 유사한 사업요소를 묶어 놓은 것이다. · 각각의 사업부문들 밑에 그 사업을 추진하기 위한 세분화된 세부부문을 몇 개씩 두는 것이다. · 분류체계상 '관', '항', '세항'에 상응한다.
사업요소 (program element)	· 사업구조의 기본단위이며, 최종산물을 산출하는 조직체의 활동이다. · 세부부문 아래에 더 이상 세분화될 수 없는 사업내역들이다. · 분류체계상 '세세항'에 상응한다.

　㉢ **예산편성(budgeting):** 채택된 프로그램을 수행하는 데 필요한 자금을 뒷받침하는 과정으로서 1회계연도의 실행예산을 편성하는 단계이다.

② 사업 및 재정계획(program and financial plan)

    ⊙ 장기적 특징을 반영한 것으로 연차별 소요자금과 프로그램의 규모 그리고 기대되는 효과를 제시하는 재정관련 문서이다.

    ⊙ 전년도 예산, 금년도 예산, 향후 자금계획 등이 연동식 계획(rolling plan)으로 작성되어 있다.

(2) 분석적 측면(사업요강)

① PPBS는 목표달성을 위한 사업계획을 마련할 때 여러 대안을 체계적으로 분석·검토하며, 이를 위해 체제분석, 비용편익분석 등이 사용된다. 이 때문에 PPBS를 자원배분에 관한 의사결정을 합리화하는 제도라고도 한다.

② 사업요강(program memoranda)

    ⊙ 사업요강은 예산에 관한 부수적인 정보를 제공하기 위하여 첨부하는 설명서로서, 여러 대안을 체계적으로 분석·검토하는 작업을 거쳐 만들어진다.

    ⊙ 사업요강에는 각 기관의 목표와 목표달성을 위한 여러 대안의 비용과 효과의 비교검토결과, 대안선정의 이유 등이 명시되어 있다.

4. 장단점

(1) 장점

① **자원배분의 합리화**: 장기적 시계하에서 목표나 사업의 대안, 비용과 효과 등을 고려하고, 분석적 기법을 활용하여 자원의 절약 및 예산운영의 합리성 증진에 기여한다.

② **의사결정의 일원화**: 의사결정이 일원화됨에 따라 신속하고 종합적인 의사결정이 이루어진다.

③ **장기사업계획에 대한 신뢰성 제고**: 장기간에 걸친 비용효과분석을 통해서 실현가능성 있는 계획을 작성하여 사업의 신뢰성을 제고한다.

④ **계획과 예산의 유기적 연계**: 연동적인 프로그램을 이용하여 장기적인 계획과 연차별 예산과의 유기적 연결을 도모한다.

⑤ **최고관리층의 관리수단**: 예산의 결정과정에 최고관리층의 의사를 반영할 수 있다.

(2) 단점

① **의사결정의 과도한 집권화**: 최고관리자의 권한집중과 의사결정의 집권화에 의한 조직갈등과 경직화현상이 발생한다.

② **성과의 계량화 곤란**: 사업요소는 계량화할 수 있는 최종산출물로서 선정된다. 그러나 정부사업은 계량화 작업이 곤란하며, 둘 이상의 사업에 공통적으로 적용되는 간접비나 공통비를 환산하는 작업이 어렵다.

③ **목표설정 및 사업구조작성의 어려움**: PPBS는 명확한 목표의 설정을 요구하고 있는데, 민주주의국가에서는 목표의 다의성 및 의견대립으로 인해서 목표설정이 곤란할 수 있다.

④ **과도한 문서·정보량과 환산작업의 곤란**: 분석과정에 많은 시간과 비용이 든다. PPBS는 프로그램 중심의 예산이므로 부서구분이 되어 있지 않아 이를 환산하는 작업이 필요한데, 이러한 환산작업이 예산이나 회계업무가 전산화가 되지 않고서는 하기 어렵다.

⑤ **공무원의 이해 부족:** PPBS의 복잡한 분석기법과 편성방법을 공무원이나 의회가 제대로 이해하지 못하였다.

⑥ **의회의 지위약화 가능성에 대한 반대:** 의회의 예산심의기능 약화를 우려한 의회는 PPBS에 대해 처음부터 반대의 입장을 보였으며, 행정부에 대한 재정통제를 목적으로 기존의 예산편성방법을 고수하였다. 의회심의기능의 약화는 의회의 지위약화를 가져올 수 있기 때문이다.

⑦ **자원배분결정의 한계와 예산의 정치성 저하:** 가치가 개입되는 문제는 처리되기 어렵고, 예산의 정치적 성격을 무시하게 된다.

◉ 핵심정리 MBO와 PPBS의 비교

구분	MBO (기획 · 예산 · 보수 등 업적평가)	PPBS (예산제도)
계획	부분적 · 단기적(1~5개년) 계획	종합적 · 장기적(주로 5개년) 계획
권위구조	분권적, 계선기관에 치중	집권적, 막료기관에 치중
전문기술	참여에 의한 일반적 관리기술	통계적이고 세련된 분석적 기술
예산범위	개별적 예산배정에 중점, 폐쇄적	종합적 자원배분에 중점, 개방적
결정흐름	상향적	하향적

5 영기준예산제도(ZBB)

1. 의의

(1) 영기준예산(Zero Base Budgeting)은 과거의 관행을 전혀 참조하지 않고 모든 사업이나 활동을 근본적으로 검토하여 우선순위를 결정한 뒤 예산을 편성하는 제도이다.

(2) 총체예산, 무전제예산, 백지상태예산으로도 불리며 점증주의를 극복하기 위하여 경제적 합리성을 제도화한 것이다. 계획예산제도가 사업에 대한 결정에 초점을 맞춘 제도라면, 영기준예산제도는 사업뿐만 아니라 금액에 대한 결정에도 초점을 맞추고 있는 점이 특징이다.

(3) 시크(Schick)의 예산기능의 연속선상에서 파악한다면 평가기능을 강조한 제도라고 볼 수 있다. 즉, 의사결정과정을 '주관식으로부터 선택형'으로 바꾸었다는 점이 특징이다.

(4) 영기준예산은 모든 사업계획이 아닌 선정된 사업계획에 대해 꼭 영기준일 필요 없이 예산기준영역의 한 지점으로부터 검토하는 것이다.

2. 도입 및 발달

(1) 1969년 피르(Pyhrr)에 의해 미국의 민간기업(Texas Instruments)에서 처음 도입되었다.

(2) 1973년 카터(Carter)가 조지아 주에 도입하였고, 1977년에 연방정부에 도입하였으나, 1981년 레이건(Reagan) 정부에서 공식적으로 폐기하였다.

핵심 OX

01 PPBS는 하위구성원들의 참여를 중요시한다. (O, X)

02 PPBS에 따르면 간접비나 공통비 배분이 수월해진다. (O, X)

03 PPBS는 집권적 · 하향적 예산결정방식으로서, 합리적인 분석이 아니라 고위층에 의한 정치적 결정에 따른 예산결정방식이다. (O, X)

04 ZBB는 하위자의 참여가 강조되므로 정치적 합리성이 중요시된다. (O, X)

---

01 X PPBS는 최고관리층을 위한 하향식 예산제도이다.
02 X PPBS에 따르면 간접비나 공통비의 배분이 어려워지는 경우가 많다.
03 X PPBS가 집권적 · 하향적 예산결정방식이기는 하나 정치적 결정에 따른 예산결정이 아니라 경제적 분석에 따른 예산편성이 이루어진다.
04 X ZBB는 하위자의 참여가 강조되고 경제적 합리성이 가장 중시된다.

(3) 우리나라는 1983년도 예산편성부터 부분적으로 경직성 경비*, 행정경비, 보조금, 출연금, 기금, 사업비 등에 공식적으로 도입한 바 있다.

3. 편성절차

(1) 의사결정단위(decision unit)의 확인 – 부처 내 독립(단위사업), What

① 다른 활동과 중복되지 않고 상호비교할 수 있는 사업단위(단위사업)이다.

② 조직체가 구체적인 예산단위나 비용중심구조를 가지고 있는 경우 의사결정단위와 예산단위가 일치하게 된다. 만약 예산단위의 규모가 클 경우에는 한 예산단위 내에 여러 개의 의사결정단위를 만들 수 있다.

③ '세세항'으로 분류되고 있는 것으로 '○○○사업' 식으로 명명된다.

(2) 의사결정 패키지(decision package)의 작성 – 대안이나 방법, How

① 의의

㉠ 의사결정 패키지란 의사결정단위에 대한 분석 및 평가결과를 명시해 놓은 표이다. 즉, 사업대안에 대한 정보와 증액(금액)대안에 대한 정보가 포함된다. 사업담당부(㉑ 과)가 다양한 대안을 포함하는 패키지를 만들면 차상급 기관(㉑ 국)에서 대안을 선택한다.

㉡ 여기서 사업대안에 대한 정보는 목적 또는 목표, 사업 또는 활동의 내용, 비용과 편익, 업무량과 성과측정, 목표달성을 위한 대안 등이고, 증액대안에 대한 정보는 투입될 노력의 수준이다.

② 사업대안 패키지 – 대안이나 방법

㉠ 의사결정단위의 목표를 달성하기 위한 상호배타적인 대안들을 탐색하고 이들을 분석·평가하여 최선의 대안을 선택한 결과를 담은 정보이다. 사업대안의 선택은 서로 성질이 다르고 서로 간에 논리적 질서가 없는 여러 대안 중 하나를 선택하는 경우를 말한다.

㉡ A사업에 배분할 것인가 아니면 B사업에 배분할 것인가를 결정하는 것을 의미하는 것이다.

③ 증액대안 패키지 – 수준의 결정

㉠ 최저수준(A – 1): 현행수준보다 낮은 수준으로 사업 또는 활동의 축소된 노력을 반영하는 것이다. 최저수준은 이 수준보다 더 축소시키면 사업 자체가 무의미해지는 수준이다.

㉡ 현행수준(A – 2): 최저수준에 한두 가지의 점증적 수준이 허용된 경우이다.

㉢ 점증수준(A – 3): 현행수준을 초과하는 한 가지 이상의 점증수준이 채택된 경우이다. 즉, 자금과 성과가 증가된 수준이다.

(3) 우선순위의 결정❶

① 각 사업담당기관이 사업대안 및 증액대안을 명시하여 의사결정 패키지를 작성하면, 상급관리자나 상급기관이 이를 통합·검토하여 의사결정 패키지에 대한 이들 간의 우선순위를 결정한다.

② 유의할 것은 우선순위결정의 대상은 사업대안이 아니라 선정된 사업대안의 '증액대안'이라는 점이다.

❶ 우선순위의 결정

우선순위	의사결정 패키지	예산액	예산 누계액
1	A-1	7억 원	7억 원
2	B-1	4억 원	11억 원
3	A-2	5억 원	16억 원
4	C-1	3억 원	19억 원
5	B-2	3억 원	22억 원
6	B-3	2억 원	24억 원
7	C-2	2억 원	26억 원
8	A-3	3억 원	29억 원
9	C-3	1억 원	30억 원

가용예산의 규모가 24억 원이라면 A사업은 현행수준(A – 2)인 12억 원, B사업은 점증수준(B – 3)인 9억 원, C사업은 최저수준(C – 1)인 3억 원이 배정된다.

③ 주로 답습적으로 진행되어 온 사업에 밀려 순번을 받지 못한 중요한 사업들이 선택되며, 우선순위를 부여받지 못하면 그 사업은 폐기된다.

④ 객관적 기준을 사용하는 PPBS와는 달리 ZBB는 우선순위를 결정할 때 의사결정자들의 주관적 판단에 많이 의존한다.

(4) 실행예산의 편성

각 사업의 증액대안의 우선순위와 가용 예산규모가 정해지면 이를 토대로 실행예산이 편성된다. 즉, 채택된 각 사업의 증액대안에 의거하여 각 사업의 수준 및 규모가 결정되며, 이를 종합한 것이 영기준예산편성의 결과이다.

4. 장단점❶

(1) 장점

① **합리적 의사결정과 자원의 배분**: 사업에 대하여 근본적인 재평가를 통해서 합리적 의사결정과 자원배분에 기여한다.

② **예산낭비 및 팽창 극복**: 사업을 영기준에서 재검토함으로써 점증주의적 예산편성 방식을 극복할 수 있고 예산낭비와 예산팽창을 억제할 수 있다.

③ **조직구성원의 참여**: 계획예산제도보다 운영면에서의 전문성을 적게 요구하기 때문에 의사결정 패키지의 작성과 우선순위 결정과정에 구성원의 참여가 이루어지는 분권화된 관리체계를 갖는다.

④ **감축관리를 통한 자원난 극복**: 우선순위가 낮은 사업의 폐지를 통하여 조세부담의 증가를 막고 이를 통해 예산의 감축을 기하여 자원난의 극복에 기여한다.

⑤ **재정운영의 경직성 타파**❷: 모든 사업을 재검토한다는 점에서 재정운영의 경직성을 타파하고 탄력성을 확보할 수 있다.

⑥ **관리자의 조직운영에 효과적**: 관리자가 이용할 수 있는 정보의 양과 질을 개선해줌으로써 관리자의 기관운영에 도움이 된다.

⑦ **예산운영의 다양성과 신축성**: 의사결정단위가 조직단위가 될 수도 있고 사업단위가 될 수 있다는 점에서 운영 면에서 다양성과 신축성을 갖는다.

⑧ **예산의 실질적 합리성 모색**: 대안적인 사업의 선택을 모색하여 예산의 실질적 합리성을 모색한다.

(2) 단점

① **과다한 노력과 시간 소요**: 매년 반복적으로 모든 예산을 전면적으로 재검토하는 데 많은 시간과 노력이 필요하다. 미국의 경우, 도입 초기부터 부서들은 200개의 내부 의사결정 패키지를 준비하여 1만 개를 관리예산처(OMB)에 제출하였다. 이로 인해 공무원으로부터 환영받지 못하였다.

② **우선순위 결정의 곤란**: 시간적 제약으로 인해 충분한 시간을 가지고 방대한 의사결정 패키지를 분석하고 우선순위를 검토하기 어렵다.

③ **경직성 경비의 간과**: 경직성 경비에 대한 적용상의 어려움이 있다. 미연방정부나 조지아 주 모두 예산삭감에 실패하였다. 이는 정부예산에 경직성 경비가 많다는 점을 간과하였기 때문이다. 윌다브스키(Wildavsky)는 ZBB가 점증적 예산행태를 극복하지 못하였으며 실제로는 영기준이 아니라 90% 기준예산이라고 혹평하였다.

❶ PPBS와 ZBB의 비교

구분	PPBS	ZBB
초점	목표에 초점, 계획 중시	상하 간 조정, 우선순위 조정
결정권한	집권적	분권적
결정흐름	하향적·거시적	상향적·미시적

❷ 경직성 경비의 통제 시 고려사항

1. 국민총생산량, 세입, 세출, 적자규모 등을 고려해서 정부예산을 운영하기 위한 거시예산운영에 대해서 더욱 관심을 가져야 한다.

2. 기존 사업을 다시 평가하여 그 중요성과 효과성을 확인하고 이에 따라서 예산지원을 하여야 한다.

3. 예산형식을 이해하기 쉽게 하여야 한다. 미국처럼 재량적 세출과 비재량적 세출을 명확히 하여 각각이 차지하는 비율을 쉽게 알 수 있도록 하는 것도 도움이 되는 방법이다.

4. 예산을 공개해서 누구든지 원하면 예산운영의 상태를 파악할 수 있도록 하여야 한다.

5. 법률의 폐지, 정책의 종결, 정원의 조정, 사업의 타당성 검토, 계속적인 행정개혁 등을 통하여 미시적 예산운영을 혁신하여야 한다.

핵심 OX

01 ZBB는 1970년대 이후의 자원난 시대의 행정환경과 무관하다. (O, X)

01 X 자원난 시대의 감축관리의 일환이라고 보아야 한다.

④ **목표설정의 곤란**: 조직의 활동이 능률성과 효과성에 치중함으로써 차원 높은 목표설정이 곤란하게 된다.

⑤ **계획기능의 위축**: 계획기능이 위축되면서 신규사업에 대한 분석에 상대적으로 소홀하게 된다.

⑥ **일반행정이나 연구개발사업 등에 적용 곤란**: 성과평가가 곤란한 일반행정부문이나 장기간에 걸쳐서 이루어지는 연구개발사업 등에는 적용하기가 곤란하다.

⑦ **소규모 조직의 희생**: 예산삭감이 강조되기 때문에 정치적 힘이 미약한 소규모 조직의 경우 희생될 가능성이 높다.

⑧ **관료의 저항적 태도와 자기방어의식**: 행정인이 사업의 변동이나 효율성 평가에 위협·불안감을 느끼고 사업이나 성과의 분석·평가를 귀찮게 여겨 저항하기가 쉽다.

⑨ **정치적·심리적 요인의 무시**: 예산체제에 영향을 미치는 정치적 요인이나 행정인의 행태나 가치관이 도외시되고 있다.

📊 고득점 공략 일몰법(sunset law)

1. 의의

수행되고 있는 모든 사업을 일정기간(3~7년)이 경과되면 자동적으로 종결시키고 결정 전에 대상기관과 사업에 대한 주기적 평가를 실시하는 것이다.

2. 일몰법과 영기준예산의 비교

유사점	차이점	
	일몰법	영기준예산
· 사업의 계속 여부를 검토하기 위한 재심사 · 자원의 합리적 배분을 기할 수 있음 · 감축관리의 일환	· 예산의 심의·통제를 위한 입법적 과정 · 행정의 최상위계층의 주요 정책심사 · 예산심의과정과 관련 · 검토의 주기: 3~7년	· 예산편성에 관련된 행정적 과정 · 중하위 계층까지도 심사 · 매년 검토

⊙ 핵심정리 주요 예산제도의 특징

구분	품목별예산 (LIBS)	성과주의예산 (PBS)	계획예산 (PPBS)	영기준예산 (ZBB)
기본방향	통제	관리	기획	감축
정보범위	지출대상	부처의 활동	부처의 목표	의사결정단위목표
정책결정	점증적·분산	점증적·분산	총체적·집중	부분적·분산
중앙예산 기관 관심	지출의 적격성	능률성	정책과 사업	사업의 우선순위
시계	1년	1년	5년 정도	불분명
분류체계	예산구조와 일치	예산구조와 일치	예산구조와 불일치	예산구조와 불일치
기획책임	분산	분산	중앙	분산
필요지식	회계학	행정학	기획론·경제학	행정학

6 신성과주의예산제도(NPB)

1. 의의[1]

(1) 신성과주의예산(New Performance Budgeting)은 정부의 산출물 또는 성과를 중심으로 예산을 운영하는 제도이다. 신성과주의예산은 투입 중심의 예산에서 탈피하여, 사업목표와 그 성과달성에 관한 정보를 예산편성에 반영하여 예산집행의 효율성을 달성하려는 목적을 가지고 있다.

(2) 1990년대 선진국 예산개혁의 흐름은 자율성과 융통성을 부여하되, 책임성을 확보하려는 방향이다. 이때의 책임성 확보는 성과평가를 통해서 실현되는데, 이러한 성과평가를 예산과 연계시킨 제도가 성과주의예산제도이다. 이를 1950년대의 성과주의예산제도와 구분하기 위해 '신성과주의예산제도(NPB)'라고 한다.

(3) 신성과주의예산제도는 산출(output) 중심이 아니라 결과(outcome) 또는 성과(Performance)를 중심으로 예산을 운용하는 제도이다. 즉, 신성과주의예산은 계획과 예산을 성과에 대한 책임으로 연계시키는 통합성과 관리체제의 구축이라고 할 수 있다.

2. 도입 및 발달

(1) 1980년대 중반 이후 지속적인 경기침체와 재정적자 그리고 공공서비스의 품질에 대한 불만으로 OECD 국가들은 시장 메커니즘을 지향하는 신공공관리주의를 채택하였다. 미국은 1990년대에 신성과주의예산제도를 채택하였다.

(2) 우리나라는 1999년 이후 도입하였는데, 1999년에 준비기간을 거쳐 2000년도에 16개 기관이 시범사업을 추진하였다. 2001년에는 24개 부처 28개 기관으로 확대되었고, 2002년에는 11개 책임운영기관이 추가되었다. 현재는 본격적으로 도입하고 있으며, 「국가재정법」에서는 성과계획서와 성과보고서 작성을 의무화하는 등 성과 중심의 재정운용을 규정하고 있다.

(3) 지방정부의 경우, 서울특별시가 2001년도 예산편성부터, 부산광역시는 2005년부터 신성과주의예산제도를 시범적용하고 있다.

3. 필요성

(1) 예산의 신축성과 효율성을 제고시킨다.

(2) 수익자 부담원칙이 적용된다.

(3) 구체적 성과에 대한 책임을 강화시킨다.

(4) 기존 개혁의 기본가치와 장점에 대한 재해석이 필요하다.

(5) 정부개혁의 핵심적 하위 요소이다.

4. 기본구조와 내용

(1) 기본구조

　① **목표설정단계**: 각 정부기관별 임무와 상위목표인 전략목표, 세부목표인 성과목표를 설정한다.

[1] 정치관리형 예산제도(BPM)
정치관리형 예산제도(Budgeting as Political Management)는 전통적인 상향식 예산을 탈피하는 하향식 예산제도이다. 1980년대 중반 레이건(Reagan) 행정부 시절 스톡맨(Stockman)에 의해 제시된 것으로, 상위관리자가 주어진 제약하의 목표를 통해서 예산을 운영하는 것으로서 일명 '목표기준예산(TBB; Target Base Budget)'이라고도 한다.

핵심 OX

01 정치관리형 예산제도는 의회 편의를 위한 예산제도로서 상향적 예산결정을 특징으로 한다. (O, X)

02 결과지향적 예산개혁의 일환으로 대두된 최근의 성과주의예산제도는 결과 중심의 성과를 강조하기 때문에 국민의 요구에 대한 대응성보다는 행정의 효율성을 중시한다. (O, X)

01 X 정치관리형 예산제도는 미국 대통령과 중앙예산기관장이 중심이 되는 하향적 예산결정이다.

02 X 행정의 효율성보다는 국민의 요구에 대한 대응성을 중시한다.

② **성과계획서작성단계:** 목표달성을 위한 사업계획을 수립하고, 성과지표 및 측정방법을 설정한다.

③ **예산편성단계:** 성과계획서를 기초로 예산을 편성하고 목표달성을 위한 구체적 사업을 시행한다.

④ **성과의 측정 및 평가단계:** 목표에 대한 달성도 및 성과를 측정하고 평가한다.

⑤ **환류단계:** 성과 측정결과를 외부에 공개하고, 행정관리에 반영한다.

(2) 내용

1990년대 이후 유행하고 있는 신성과주의예산제도는 정부성과를 공무원의 성과가 아닌 고객의 만족감 차원에서 재구성한 것이다. 다음은 1993년 미국의 국가업적평가위원회(NPR; National Performance Review)와 「정부성과 및 결과법(GPRA; Government Performance and Result Act)」에 나타난 새로운 성과주의이다. 이는 현재 우리나라에서 진행하고 있는 신성과주의예산제도의 골격과 거의 동일하다.

① 예산개혁의 목표가 단순하다.

② 예산서의 형식보다는 담겨질 성과정보에 초점을 둔다.

③ 성과평가의 결과에 대한 책임을 강조한다.

④ 집행에 대한 재량권과 관리자에 대한 권한을 부여한다.

⑤ 정보생산을 위한 예산회계체제(통합재정시스템)를 구축한다.

5. 1950년대 성과주의예산과의 차이

(1) 성과정보

과거의 성과주의예산제도에서는 투입(input)과 업무량(workload)에 대한 성과정보들이 주로 활용되었다. 하지만 최근 신성과주의예산제도는 계량화된 산출(output)과 성과(outcome)에 대한 정보를 강조한다.

(2) 성과평가에 따른 책임

과거의 성과주의예산제도는 창출한 성과에 따라 '정치적이고 도덕적인 책임'이 상대적으로 중요시되었다. 하지만 최근 신성과주의예산제도는 '성과계약장치를 활용한 구체적인 책임'을 부여한다. 따라서 성과에 대한 유인과 처벌이라는 구체적인 보상시스템이 함께 작동한다.

(3) 투입 – 성과에 대한 경로가정

과거의 성과주의예산제도는 '투입 → 업무수행 → 산출 → 성과' 간의 인과관계가 순조롭게 진행될 것이라는 '단선적 가정'에 근거하고 있다. 하지만 최근 신성과주의예산제도는 투입이 자동적으로 의도한 성과나 영향을 보장하지 않는다는 '복선적 가정'을 전제로 하고 있다.

(4) 개혁범위

과거의 성과주의예산제도는 예산형식이나 회계제도 개편 등 개혁의 범위가 광범위한데 비해, 신성과주의예산제도는 예산과정에서의 성과정보 활용을 개혁의 목표로 삼는다. 이미 예산형식은 프로그램예산제도가, 회계제도는 발생주의와 복식부기의 기업회계방식이 어느 정도 정착되어 있었기 때문이다.

(5) 연계범위

과거의 성과주의예산제도는 예산제도에 국한되는 반면, 최근 신성과주의예산제도는 국정전반(인사·조직·감사·정책 등)에 걸쳐 연계의 범위가 넓다.

✓ 개념PLUS 성과주의(1950년대)와 신성과주의(1990년대)의 차이

구분	성과주의	신성과주의
성과정보	투입과 산출(능률성)	산출과 결과(효과성)
성과책임	정치적·도덕적 책임	구체적·보상적 책임
중심점	단위사업	프로그램
경로가정	단선적 가정	복선적 가정
성과관점	정부(공무원) 관점	고객(만족감) 관점
회계방식	불완전한 발생주의 (사실상 현금주의)	발생주의
개혁범위	포괄적(예산구조, 제도 등)	세부적(성과정보의 활용)
연계범위	예산제도에 국한	국정전반에 연계 (조직·인사·재무·정책 등)

6. 장단점

(1) 장점

① **총량규제 강화:** 목표 및 재정한도액에 대한 총량규제를 강화할 수 있다.

② **예산의 경기조절 능력 향상:** 하향적 예산운영방식과 다년도 예산제도를 사용하고 있기 때문에 예산의 경기조절기능을 강화할 수 있다.

③ **자원의 효율적 배분:** 프로그램 중심의 예산제도를 사용하고 있기 때문에 자원의 효율적 배분, 즉 배분적 효율성을 충족시킬 수 있다.

④ **원가절감 및 기술적 효율성 충족:** 복식부기와 발생주의 회계를 사용하여 성과를 평가하고 관리하기 때문에 스스로 원가를 절감할 수 있다. 따라서 운영적 효율성, 즉 기술적 효율성(technical efficiency)을 충족시킨다는 점에서도 유리하다.

(2) 단점

① **성과측정 곤란 및 환류 미흡:** 대부분의 기관들이 행정관리에 성과측정치를 사용하고 있으나, 결과의 측정에 상당한 어려움을 겪고 있으며, 기관들은 실제 예산절약에 그 정보를 이용하지 않는다.

② **기관 간의 비교 곤란:** 결과측정치는 기관 간에 비교할 때 모든 기관에 적용할 만한 표준측정치가 없으며, 기관의 노력과 성과결과 간의 인과관계가 부족하다.

③ **범정부적 관심 부족:** PPBS와 ZBB도 사실은 결과 중심의 시스템이지만 그것을 이용하는 데 범정부적(의회·대통령·행정기관)인 관계를 맺지 못하였다는 한계가 있다.

1. 의의와 기본구조
① **의의**: 프로그램예산제도는 기존의 투입이나 통제 중심의 품목별 분류체계에서 벗어나서 성과와 책임을 지향하는 프로그램 중심으로 예산을 분류·운영하는 것이다. 우리나라에서는 중앙정부는 2007년, 지방자치단체는 2008년부터 공식적으로 채택하였다.
② **프로그램**: 동일한 정책목표를 달성하기 위한 단위사업(activity, project)의 묶음으로 정책적으로 독립성을 지닌 최소단위이다.
③ **기본구조**: 일반적으로 정부의 기능(function)·정책(policy)·프로그램(program)·단위사업(activity project)의 계층구조를 갖는다. 여기서 정부의 기능 및 정책은 세부품목이 아닌 '분야'와 '부문'으로 범주화된다.

분야	부문	(실·국·과)	정책사업	(회계·기금)	단위사업	편성비목	통계비목
기능		조직	–	회계분류	–		품목

2. 구조설계의 기본 원칙
① **조직 중심의 프로그램 구조**: 조직단위(실·국·과)와 정책사업단위가 연계되도록 설계한다.
② **기능과 '정책사업·단위사업'의 연계**: 각 정책사업은 단 한 개의 기능과 연계되어야 한다.
③ **모든 재정자원이 포괄되도록 설계**: 일반회계, 특별회계, 기금 간 연계가 이루어져야 한다.
④ **성과 중심의 설계**: 조직의 성과목표, 성과평가 등을 구현할 수 있도록 설계한다.
⑤ **적정한 정책사업의 분류**: 지나치게 광범위하거나 추상적이면 곤란하다.

3. 역할
① **국정전반에 걸친 성과관리의 중심**: 프로그램예산은 성과관리, 발생주의 회계, 국가재정운용계획, 총액배분 자율편성 등의 제도들과 함께 상호 직접적·간접적으로 연계되어 있으며, 제도의 중심점 또는 인프라의 성격을 갖는다.
② **예산운영규범의 중심**: 예산의 자율성, 책임성, 투명성, 효율성, 성과지향성 등의 가치 개념에서 볼 때 프로그램은 그 중심점이 된다.
③ **예산단계의 중심**: 프로그램은 예산편성단계에서 전략적 배분단위가 되며, 총액배분 자율편성방식의 한도액 설정단위가 된다. 또한 예산사정단계에서 사정단위, 심의단계에서 심의단위, 집행단계에서 이용단위, 결산단계에서 성과평가단위 및 결산보고단위가 된다.
④ **회계의 중심**: 회계와 원가계산의 중심이 된다.
⑤ **조직의 중심**: 조직은 부처단위와 실·국단위 모두가 해당되며, 프로그램은 조직단위의 자율 중심점, 책임 중심점, 관리 중심점이 된다.

4. 도입의 효과
① 프로그램 중심의 예산은 일반 국민들이 정부의 예산사업을 쉽게 이해할 수 있도록 한다.
② 프로그램예산체계 내에 일반회계, 특별회계, 기금이 모두 포괄적으로 표시됨으로써 총체적 재정배분내용을 파악할 수 있다.
③ 프로그램예산제도에는 사업관리 시스템이 함께 운용되기 때문에 재정 집행의 투명성과 효율성을 제고할 수 있다.
④ 프로그램예산체계에서 기능별 분류를 중앙정부와 지방정부 간에 통일시킴으로써 중앙정부와 지방정부 예산의 연계가 가능해진다.
⑤ 프로그램예산제도의 도입으로 그동안 품목 중심의 투입관리와 통제 중심의 재정운영에서 프로그램 중심의 성과·자율·책임 중심의 재정운영으로 바뀌게 된다.

7 성과관리체제와 재정사업의 성과평가

1. 의의

(1) 성과관리체제란 구성원의 능력개발과 동기유발을 통해 조직의 성과를 높일 수 있는 제도적 장치가 마련되어 있는 조직체제이다.

(2) 조직의 성과제고를 위한 성과 중심의 사고, 성과를 높이기 위한 조직의 구조와 기술개선, 성과에 기초한 급여와 승진 및 배치전환, 성과에 기초한 예산 등을 포함한다.

2. 도입 및 발달❶

(1) 1980년대 이후 신자유주의에 기초한 신공공관리론적 개혁의 가장 대표적인 것으로 성과관리체제를 들 수 있다.

(2) 영국과 미국 등을 포함한 모든 나라에서 성과관리체제의 확립을 강조하고 있고, 우리나라도 기획재정부를 중심으로 투입 중심에서 성과 중심으로의 재정운영을 전환하기 위한 성과관리체제를 도입하고자 하는 노력이 계속되고 있다.

3. 기본구조

(1) 성과계획의 수립

성과목표 및 지표측정방법을 설정하고 성과계획서를 작성한다.

(2) 재정의 집행과 운영

예산(기금)편성·집행 시 성과계획 및 성과결과를 반영한다.

(3) 성과측정과 평가

성과보고서를 작성하고 성과결과의 공개 및 환류를 실시한다.

4. 구축의 원칙❷

(1) 성과지표의 구성

성과관리체제를 확립하기 위해 무엇보다도 필요한 것은 성과를 측정할 수 있는 지표를 개발하는 것이다.

(2) 성과목표의 설정

성과목표는 실제 달성여부가 비교될 수 있는 유형의 측정가능한 구체적인 활동수준을 의미한다. 즉, 기관의 임무와 전략목표가 우선 수립되어야 하며 성과목표는 기관의 임무와 전략목표를 달성하기 위한 구체적인 목표이어야 한다.

(3) 성과의 측정

성과지표를 포함하여 미리 설정된 목표의 달성도를 평가하는 과정이다.

(4) 성과측정결과의 활용

성과측정의 결과를 활용하여 조직의 운영성과, 조직과 인사제도의 개선, 목표의 수정이나 변동 등으로 환류되어야 한다.

---

❶ 성과관리제도 시행

정부는 성과관리제도를 행정부 내 모든 부처를 대상으로 시행하고 있으며 단계적으로 확대할 계획이다. 1999년부터 성과주의예산제도를 시범실시한 경험이 있는 부처 중 성과관리제도 시행이 적합한 부처를 우선 시행하고 있다.

❷ 성과평가 관련 법령

1. 「국가재정법」 제8조 【성과중심의 재정운용】 ① 각 중앙관서의 장과 법률에 따라 기금을 관리·운용하는 자(기금의 관리 또는 운용 업무를 위탁받은 자를 제외하며, 이하 "기금관리주체"라 한다)는 재정활동의 성과관리체계를 구축하여야 한다.

② 각 중앙관서의 장은 제31조 제1항에 따라 예산요구서를 제출할 때에 다음 연도 예산의 성과계획서 및 전년도 예산의 성과보고서(「국가회계법」 제14조 제4호에 따른 성과보고서)를 기획재정부장관에게 함께 제출하여야 하며, 기금관리주체는 제66조 제5항에 따라 기금운용계획안을 제출할 때에 다음 연도 기금의 성과계획서 및 전년도 기금의 성과보고서를 기획재정부장관에게 함께 제출하여야 한다.

2. 「국가재정법 시행령」 제3조 【재정사업의 성과평가 등】 ① 기획재정부장관은 법 제8조 제6항에 따라 각 중앙관서의 장과 법 제8조 제1항에 따른 기금관리주체에게 기획재정부장관이 정하는 바에 따라 주요 재정사업을 스스로 평가(재정사업자율평가)하도록 요구할 수 있으며, 다음 중 어느 하나에 해당하는 사업에 대해서는 심층평가를 실시할 수 있다. 다만, 「과학기술기본법」 제9조 제2항 제5호에 따른 국가연구개발사업에 대한 평가는 「국가연구개발사업 등의 성과평가 및 성과관리에 관한 법률」에 따른 평가로 이를 대체할 수 있다.

· 재정사업자율평가 결과 추가적인 평가가 필요하다고 판단되는 사업
· 부처 간 유사·중복 사업 또는 비효율적인 사업추진으로 예산낭비의 소지가 있는 사업
· 향후 지속적 재정지출 급증이 예상되어 객관적 검증을 통해 지출효율화가 필요한 사업
· 그 밖에 심층적인 분석·평가를 통해 사업추진 성과를 점검할 필요가 있는 사업

5. 재정사업의 성과평가

(1) 의의

우리나라는 예산편성과 성과관리의 연계를 위해 재정사업자율평가제도를 규정하고 있다. 재정사업자율평가제도는 2005년부터 실시되고 있으며 2016년부터 부처단위의 종합적 평가를 실시하고 있다.

(2) 재정사업자율평가제도

구분	종전	개정 후
평가대상	전체 재정사업의 1/3(3년 주기)	전체 재정사업(매년)
평가등급	5단계로 분류 (매우우수/우수/보통/미흡/매우미흡)	3단계로 축소 (우수/보통/미흡)
평가지표	계획, 관리, 성과, 환류 단계의 11개 지표	관리, 결과 단계의 4개 지표로 간소화

8 자본예산제도(CBS)

1. 의의

(1) 자본예산제도(Capital Budgeting System)는 반복적이고 단기적인 경상계정과 비반복적이고 장기적인 자본계정으로 구분하는 복식예산제도이다.

(2) 국·공채를 발행하여 불경기를 극복하려는 적극적 재정수단으로서 시장실패를 극복하기 위한 행정국가의 재정적 산물이다.❶

(3) 지출의 종류(경상예산과 자본예산의 구별)

경상예산	· 인건비, 기관유지비, 물건비 등 경상적 지출이다. · 이에 대한 세원은 경상적 세입인 조세수입으로 충당한다.
자본예산	· 새로운 투자를 형성하려는 투자적 지출이다. · 이에 대한 세원은 주로 국공채로 충당한다.

2. 도입 및 발달

(1) 1930년대 경제대공황을 타개하기 위해 미르달(Myrdal)에 의해서 제안되었으며 스웨덴정부에서 최초로 도입하였다.

(2) 미국 도시정부들의 경우 지방채 발행 재원으로 중장기 투자사업을 추진하기 위해 1950년대에 이러한 자본예산제도를 활용한 경우가 많았다.

(3) 우리나라의 경우 현재 예산을 경상계정과 자본계정으로 구분하고는 있으나, 공식적으로 자본예산제도를 채택하고 있지는 않다.❷

3. 장단점

(1) 장점

① **국가재정구조에 대한 명확한 이해가능:** 자본예산제도는 예산이 국민경제에 미친 파급효과를 알 수 있는 경제성질별 분류에 따른 것이다.

❶ **자본예산의 채무**
채무는 일반적으로 부정적 의미를 갖지만 확대 재생산을 위한 투자나 경제적 안정과 성장을 위해서 채무가 정당화될 수 있다는 논리이다.

❷ **우리나라의 자본예산제도**
우리나라의 경우 자본예산과 유사한 경제개발 특별회계가 1963~1976년까지 설치되었던 적이 있으나 현재 공식적으로 자본예산제도를 채택하고 있지는 않다. 앞으로 국공채 발행을 통한 재정지출이 증대한다면 이를 구분하여 계상할 필요성이 있으며, 재정이 빈약한 지방자치단체에 자본예산제도를 부분적으로 도입(지방채 발행)하여 지출의 합리화와 지방재정의 건전화를 이룩하여야 한다.

핵심 OX

01 경상계정과 자본계정을 구별하는 것은 자본예산제도의 핵심이다. (O, X)

02 자본예산제도는 국가의 재정구조에 대한 명확한 이해를 가능하게 한다. (O, X)

01 O
02 O

② **장기적 재정계획수립에 도움:** 국공채 발행을 통해서 장기간에 걸친 사업을 시행하므로 국가의 장기적 계획수립에 기여한다.

③ **수익자 부담의 균등화(세대 간 형평)에 기여:** 지출의 효과가 장기간 지속되는 자본지출은 오히려 공채를 발행하여 장래의 납세자가 부담하도록 하거나, 수익이 발생하는 사업에의 자본투자를 통해 이용자가 비용을 부담하도록 하는 수익자 부담의 원칙을 구현한다.

④ **예산운영의 합리화에 기여:** 자본적 지출이 경상적 지출과 구분되므로 자본지출에 대해 보다 엄격한 통제가 가능하고, 정부의 순자산상태 변동파악이 용이해지므로 예산운영을 합리화할 수 있다.

⑤ 경기침체 시 채권발행을 통한 공공사업을 활성화할 수 있다.

(2) 단점

① 정부의 적자재정을 은폐하는 수단으로 활용될 가능성이 크다.

② 국공채 남발로 인한 인플레이션 가속화의 위험이 존재한다.

③ 민간사업보다 공공사업에 지나치게 치중할 우려가 있다.

④ 경상계정과 자본계정의 구분이 반드시 명확한 것은 아니다.

⑤ 수익이 있는 사업에만 치중하고 그렇지 않은 공공사업 등은 경시한다.

4. 조세와 국공채의 비교❶

구분	조세	국공채
비용부담	현재세대가 부담 (비용부담이 미래세대로 전가되지 않음)	현재·미래세대 간 분담 (이용자·세대 간에 비용부담 전가)
재정관리	관리가 간편하고 관리비용이 절감됨	이자상환 등의 문제로 관리가 복잡하고 비용이 증가함
경기회복 효과	조세는 주기가 1년이므로 경기회복효과는 작음	국공채는 주기가 장기적이므로 경기회복효과는 큼
조세저항	조세부담이 크면 조세저항이 발생함	국공채는 장기에 걸쳐 분담되므로 조세저항이 거의 없음
무임승차	조세부담을 회피하려는 무임승차의 발생 가능성 높음	수익자 부담주의에 의하므로 무임승차의 발생 가능성 낮음

9 조세지출예산제도

1. 의의

(1) 조세지출의 의의❷

① 조세지출(tax expenditure)은 정부가 받아야 할 세금을 받지 않음으로써 간접적으로 지원하여 주는 조세감면을 일컫는 것으로서, 정부가 조세를 통하여 확보한 재원을 바탕으로 직접 지원하는 직접지출(direct expenditure)과는 대비되는 개념이다.

❶ 우리나라 국채의 종류

국고채	가장 일반적인 유형의 국채로서 세금 부족 시 발행
재정증권	일시적 자금조달을 목적으로 발행하는 1년 만기의 국채
국민주택 채권	국민주택건설에 필요한 자금을 마련하기 위한 국채
외국환평형 기금채권	환율안정에 필요한 자금을 마련하기 위한 국채

❷ 조세지출의 의미
조세특혜(tax preference), 합법적 탈세(tax loophole) 혹은 숨겨진 보조금(hidden subsidies)이라고도 한다. 정부가 징수해야 할 조세를 받지 않고 그만큼 보조금으로 지불한 것과 같다는 의미이다.

② 조세지출은 실정법상 세목이 규정된 조세에 한하여 파악되며, 합법적인 세수손실을 지칭하고 탈세 등 불법적인 방법에 의한 세수손실은 조세지출로 보지 않는다.

(2) 조세지출예산제도의 의의

① 조세지출예산제도(tax expenditure budget)는 개인이나 기업에게 원칙적으로 부과해야 하는 세금이지만 정부가 비과세, 감면, 공제 등 세제상의 각종 유인장치를 통해 간접적으로 지원해 주는 세금 감면 제도이다. 조세감면의 구체적 내역을 예산구조를 통해 밝히는 것이며, 이를 예산형식으로 표현하여 주기적으로 공표함으로써 조세지출의 관리 및 통제를 용이하게 하는 제도이다.

② 조세지출은 국세의 경우 「조세특례제한법」에서, 지방세의 경우 「지방세특례제한법」에서 각각 규정을 하고 있다. 그러나 구체적인 집행은 행정부에게 위임되어 있기 때문에 이를 국회차원에서 통제하고, 정책효과를 판단하기 위해 도입하는 것이다.

2. 발달

(1) 1959년에 서독에서 처음 발표되어 1967년에 도입되었다. 미국은 1974년 「예산개혁법」에서 대통령의 예산제출 시 조세지출의 내용과 금액을 매년 함께 제출하도록 제도화하였다.

(2) 우리나라는 1999년부터 기획재정부에서 조세지출보고서를 작성하고 국회에 제출하여 예산심의의 참고자료로 활용하고 있으며, 새롭게 제정된 「국가재정법」에 의하여 2011년부터 시행되고 있다.

3. 장단점

(1) 장점

① **재정민주주의의 실현:** 전체적인 재정규모가 분명히 밝혀지고, 조세지출항목에 대한 평가를 통해 의회의 예산심사권이 충실화됨을 통하여 재정민주주의에 기여한다.

② **각종 정책수단의 효과성 파악:** 법률에 따라 지출되는 재정정책의 효과를 판단하기 위한 기초자료가 된다. 따라서 각종 정책수단의 상대적 유용성을 평가할 수 있는 효과가 있다.

③ **정책의 효율적 수립:** 정부가 직접지출(예산지출)을 통한 것과 마찬가지로 조세지출(간접지출)을 통해서도 민간활동을 지원할 수 있기 때문에 정책의 효율적 수립이 가능하다.

④ **조세제도 및 행정의 개선:** 조세의 정확한 구조를 이해할 수 있게 해주며, 세법의 단순화 및 조세행정의 개선에 도움을 줄 수 있다.

⑤ **정확한 조세부담의 파악 및 부당하고 비효율적인 조세지출의 축소:** 조세지출의 필요성이 없어진 후에도 관성적으로 존속하는 방만한 조세지출을 방지할 수 있으며, 법정세율과 실효세율의 차이를 정확하게 알려줌으로써 정확한 조세부담을 파악할 수 있게 해준다.

⑥ **재정부담의 형평성 제고:** 조세감면이나 면제의 대상을 정확히 파악함으로써 재정부담의 형평성을 제고하게 된다.

⑦ **정치적 특혜의 통제**: 조세감면은 정치적 특혜의 가능성이 커서 특정산업에 대한 지원의 성격을 가지며, 부익부 빈익빈의 가능성이 있으므로 이를 통제하기 위하여 조세지출예산제도가 필요하다.

⑧ **국고수입의 증대**: 조세지출예산제도를 통해 특정산업에 주는 특혜를 통제함으로써 국고수입을 증대시킬 수 있다.

⑨ **세수인상을 위한 자료**: 세수인상을 위해 필요한 정확한 자료를 확보할 수 있다.

(2) 단점

① 조세지출의 개념, 작성세목대상, 규모추계방법 등에 대한 통일적인 기준이 없다.

② 구체적인 조세지출의 내역이 예산형태로 공표될 경우 농·어업 등 특정분야에 있어서 교역상대국과 통상마찰을 야기할 우려가 크다.

③ 예산지출의 항목과 조세지출의 항목이 일치되어 비교 가능한 것이 바람직하나, 서로 일치하지 않는 경우가 많다.

④ 조세지출이 국회의 심의·의결을 받아 예산으로 성립할 경우 조세지출운영의 경직성을 초래할 수 있다.

10 성인지예산(남녀평등예산)제도

1. 의의

세입·세출예산에서 남녀평등을 구현하려는 예산으로 성인지적(성주류적) 관점에서 예산이 남녀에게 어떠한 영향을 미치는 지에 대한 여러 가지 분석을 실시한다.❶

2. 연혁

(1) 1984년에 호주가 처음 도입하였다.

(2) 우리나라의 경우 2008년 성인지예산안 작성지침을 발표하고, 「국가재정법」에 따라 2010년 회계연도부터 중앙정부, 2013년에 지방자치단체에서 시행하고 있다.

(3) 2010년에는 예산에, 2011년부터는 기금사업에도 적용하고 있다.

3. 성인지예산제도의 법적 근거

정부는 「성별영향평가법」 제2조 제1호에 따른 성별영향평가의 결과를 포함하여 예산이 여성과 남성에게 미치는 효과를 평가하고, 그 결과를 정부의 예산편성에 반영하기 위하여 노력하여야 한다(「국가재정법」 제16조).

11 주민참여예산제도

1. 의의

주민이 예산(편성)과정에 직접 참여하는 제도로서 재정민주주의(Fiscal Democracy)의 구현이다. 그동안 지방자치단체가 독점적으로 행사해 왔던 예산편성권을 지역사회와 지역주민에게 분권화하는 것으로, 예산편성과정에 해당 지역주민(시민위원)들이 직접 참여하는 주민참여제도의 일종이다.

❶ 성 주류화 예산
성인지적 관점(gender persfective)은 남녀 간의 적극적인 평등을 구현하려는 결과의 공평이며, 성 중립적(gender neutral) 관점은 남녀 간의 획일적인 평등을 강조하는 소극적·기회의 공평을 말한다. 성 평등 예산이란 예산과정에서 예산이 남녀에게 미치는 영향이 서로 다르다고 보고, 예산과정에서 남녀평등을 적극적으로 실현하려는 성 주류화(gender mainstreaming) 예산을 말한다.

2. 연혁

(1) 1989년 브라질 포르투알레그리시에서 세계 최초로 도입하였다.

(2) 우리나라의 주민참여제도

① **개념:** 주민참여예산제도는 그동안 지방자치단체가 독점적으로 행사해 왔던 예산편성권을 지역사회와 지역주민에게 분권화하는 것으로, 예산편성과정에 해당 지역주민(시민위원)들이 직접 참여하는 주민참여제도의 일종이다.

② **시행:** 광주광역시 북구가 2004년부터 처음 도입한 제도로서, 이를 통해 지방재정 운영의 투명성과 공정성 및 효율성을 높이고 재정민주주의 이념을 구현하고 있다. 전라북도의회는 2006년에 광역자치단체로는 처음으로 주민참여예산제도를 도입하였다.

③ **평가:** 지역이기주의에 의한 예산편성 등 당초의 취지를 왜곡시킬 우려가 있다는 일부 지적도 있는 것이 사실이지만, 지역주민들이 예산편성 과정에 직접 참여하게 되면서 자신들의 선호와 우선순위에 따라 예산을 스스로 결정할 수 있는 기회를 제공하였고, 이를 통해 주민참여와 자기결정이라는 지방자치 및 재정민주주의 이념을 구현하고 있다는 평가를 받고 있다.

12 기타 예산제도

1. 신임예산

(1) 신임예산(votes of credit)이란 의회는 총액만 결정하고 구체적인 용도는 행정부가 결정하여 지출하도록 하는 것이다. 이는 정상적인 예산절차와 예산 공개성 원칙의 예외이다.

(2) 전시 등에 있어서는 지출액과 지출시기를 정확하게 예측하기가 어렵고, 또 국가안보상 그 내용을 밝힐 수가 없어 이러한 경우에 사용된다.

(3) 우리나라에서는 예비비 중 국가정보원이 사용하는 예산이 이러한 성격을 지닌다. 영국 의회는 18세기부터 종종 신임예산을 사용하였고 제2차 세계대전 중에는 군사비에 적용되었다. 캐나다도 제1차 세계대전 및 제2차 세계대전 시 이를 활용한 적이 있다.

2. 지출통제예산(총액예산, 지출대예산*)

(1) 의의

① 지출통제예산(expenditure control budget)은 개개의 항목에 대한 통제가 아니라, 예산총액만 통제하고 구체적인 항목별 지출에 대해서는 집행부에 대해 재량을 확대하는 성과지향적인 예산제도의 한 유형이다. 즉, 총액의 규모만 매우 간단하고 핵심적인 숫자로 표시한다.

② 1990년대 공공서비스의 질을 개선하려는 행정개혁의 일환이다. 미국의 페어필드 시에 도입되었고 1994년 뉴질랜드의 「재정책임법」에도 도입되었다.

(2) 기대효과

① 예산을 절감할 수 있다.

② 예산집행에서의 창의적인 아이디어 창출과 활용이 가능하다.

🔖용어

지출대예산(envelope budget)*: 1980년대의 하향식 예산방식으로서 캐나다에서 시행된 덮개예산제도를 말한다. 개개의 항목에 대한 통제가 아니라, 예산총액만 통제하고 구체적인 항목별 지출에 대해서는 집행부에 대해 재량을 확대하는 성과지향적인 예산제도의 한 유형이다.

③ 환경변화에 대한 신축적인 대응효과가 있다.

④ 의사결정과정이 단순화되어 의사결정비용을 줄일 수 있다.

---

2 국가재정과 예산제도의 개혁

1 선진국의 예산제도 개혁

1. 예산제도 개혁의 목표와 전략

최근 관료를 경영자로 변화시키기 위한 많은 시도가 이어지고 있다. 조직운영상의 신축성과 자율성을 부여하면서 다른 한편으로는 조직운영결과에 대한 책임을 강화하는 것이 그 핵심이다.

2. 재정권의 위임과 융통성의 부여

(1) 총괄경상비제도와 효율성 배당제도(호주)

① **총괄경상비제도:** 예산을 경상비와 사업비로 분류하고, 경상비에 대해서는 단일비목으로 편성 · 의결을 받게 하여 부처의 신축적 집행을 도모하였다.

② **효율성 배당제도:** 배정된 예산을 자율적으로 사용하게 하는 대신 매년 승인된 각 부처의 경상비 예산액의 1.25%의 금액을 의무적으로 절감하여 국고에 반납하도록 규정하는 제도이다.

(2) 지출총액예산제도(캐나다)

상층부에서 우선순위와 한도를 설정해 주고 하부기관에서 대안 간의 선택이 이루어지게 하는 제도이다.

3. 성과 및 서비스 질 중심의 예산제도 도입

(1) 산출예산제도(뉴질랜드)

① 뉴질랜드는 정부의 기업화 측면에서 가장 성공을 거두고 있는 나라로서, 예산제도에 있어서는 산출예산제도(output budgeting)를 도입하여 운영하고 있다.

② 산출예산제도는 각 부처의 산출물별로 소요비용을 산정하는 방식으로서 실적에 초점을 두는 예산제도이다.

(2) 시민헌장(영국)

1991년에 도입된 시민헌장을 통해 서비스 수요자들은 미리 공공서비스 수준과 기준을 알게 된다. 이에 기초하여 서비스가 미흡하다면 고객에게 사과와 설명을 들을 권한을 부여하고 그 반대의 경우에는 보상을 실시한다.

핵심 OX

01 개개의 항목에 대한 통제가 아니라 예산 총액만 통제하고 구체적인 항목별 지출에 관해서는 집행부에 대한 재량권을 확대하는 성과지향적 예산제도는 조세지출예산제도이다. (O, X)

02 선진국의 예산제도 개혁은 지출총액에 대한 통제를 강화하는 추세에 있으며, 이를 위하여 품목별 예산과 단년도 예산제도를 도입하였다. (O, X)

01 X 조세지출예산제도가 아니라 지출통제예산제도이다.

02 X 지출총액에 대한 통제를 강화하는 지출통제예산제도(ECB)나 다년도 예산제도(MYB)를 도입하고 있다.

4. 발생주의 회계제도 도입(회계제도의 개혁)

발생주의 회계제도의 도입으로 원가개념을 제고시키고 성과측정능력을 향상시키는 것이 필요하다. 이를 통해 재정의 투명성을 높이고 회계의 자기검증기능을 통해 예산집행의 오류와 비리 및 부정을 없앨 수 있다.

5. 다년도 예산제도

예산의 단편적이고 단기적 접근을 타파하고 기획과 연계하는 예산이 필요하게 되었다. 이에 다년도 예산제도(MYB)가 도입되었는데, 이 제도에서는 향후 일정기간에 걸친 총체적 목표가 제시된다.

2 우리나라 재정개혁의 내용(「국가재정법」)

1. 국가재정운용방식의 변화

(1) 종전의 「예산회계법」은 ① 단년도 예산 중심, ② 통제와 투입 중심, ③ 세입 내 세출, ④ 일반회계와 특별회계 중심 등의 성격을 가지고 있었다.

(2) 「국가재정법」은 ① 국가재정운용계획, ② 자율과 성과평가 중심, ③ 중장기 균형방식, ④ 일반회계와 특별회계 및 기금관리 등의 성격을 가지고 있어 재정의 운용방식이 달라지게 되었다.

2. 4대 재정혁신의 법제화

재정여건 변화에 효과적으로 대응하기 위해 참여정부가 추진한 ① 국가재정운용계획, ② 총액배분 자율편성(top-down)예산제도, ③ 성과관리제도, ④ 디지털 예산회계시스템 등 4대 재정혁신이 법제화되어 선진 재정운용시스템이 정착될 것으로 기대된다.❶❷

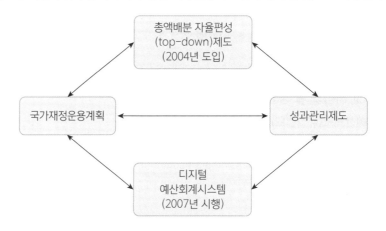

3. 하향식(top-down)예산제도 도입을 통한 부처의 자율성 강화

하향식 예산의 도입으로 각 부처의 재정운용 자율권이 확대됨에 따라 이에 상응하는 책임성 확보를 위해 재정사업에 대한 성과관리가 강화되었다.

❶ dBrain(디지털브레인, 디지털예산 회계정보시스템, dBAIS)
1. 2007년 노무현 정부 시절 성과 중심의 재정시스템을 구축하기 위하여 기획재정부가 수입의 발생부터 예산의 편성·집행, 자금 및 국유재산 관리, 결산 등 국가 재정업무 순기 상의 전과정을 포괄하는 통합재정정보시스템으로 구축한 것이다.
2. dBrain 구축이 완료됨에 따라 시스템 내 축적된 정보를 활용하여 관련 통계 및 분석 자료를 제공함으로써 조달, 국세 등 외부시스템과의 연계를 통해 계약, 국세징수, 자금이체 등의 효율성 및 투명성을 제고할 수 있게 되었다.

❷ e-호조 시스템
행정안전부가 2005년 구축한 시스템으로 지방자치단체의 재정계획, 예산편성, 지출, 결산 등 재정업무를 지원한다.

4. 재정정보의 공개성과 투명성 강화

종전에는 중앙정부의 재정정보와 지방정부의 재정정보가 별개의 법(「국가재정법」 및 「지방재정법」)에 따라 공개되어 국가전체의 재정상황을 한눈에 파악하기 어려웠으나, 현재에는 국가의 모든 재정정보가 「국가재정법」에 따라 함께 공개되어 나라살림 전체에 대한 이해가 용이해졌다.

5. 총액계상예산제도

(1) 의의

① 정부예산은 대부분 세부사업별로 예산규모가 책정되고 그에 따라 집행된다. 이와 달리 총액계상예산은 세부사업이 정해지지 않고 총액규모만을 정하여 예산에 반영하는 사업을 의미한다.

② **「국가재정법」상 의의**: 기획재정부장관은 대통령령이 정하는 사업으로서 세부내용을 미리 확정하기 곤란한 사업의 경우에는 이를 총액으로 계상할 수 있다. 총액계상사업의 총규모는 매 회계연도 예산의 순계를 기준으로 대통령령이 정하는 비율을 초과할 수 없다(제37조).

(2) 방향

총액계상예산은 예산집행의 탄력성을 부여하기 위해서 계속적으로 확대하는 추세에 있다.

(3) 총액계상예산사업의 범위

대상사업 또는 장소가 전국적으로 분포되거나 전국에 걸쳐 연례적으로 이루어지는 유지보수사업이 이에 해당한다.

① 도로보수 사업
② 도로안전 및 환경개선 사업
③ 항만시설 유지보수 사업
④ 수리시설 개보수 사업
⑤ 수리부속지원 사업
⑥ 문화재 보수정비 사업
⑦ ①부터 ⑥까지의 사업 외의 대규모 투자 또는 보조사업

01 예산제도와 그 특성의 연결이 가장 옳지 않은 것은? 2017년 서울시 9급

① 품목별예산제도(LIBS) - 통제 지향
② 성과주의예산제도(PBS) - 관리 지향
③ 계획예산제도(PPBS) - 기획 지향
④ 영기준예산제도(ZBB) - 목표 지향

02 품목별예산제도에 대한 설명으로 옳은 것은? 2019년 국가직 9급

① 지출을 통제하고 공무원들로 하여금 회계적 책임을 쉽게 확보할 수 있는 데 용이하다.
② 미국 케네디(Kennedy) 행정부의 국방장관인 맥나마라(McNamara)가 국방부에 최초로 도입하였다.
③ 거리청소, 노면보수 등과 같이 활동단위를 중심으로 예산재원을 배분한다.
④ 능률적인 관리를 위하여 구성원의 참여를 촉진한다는 점에서는 목표에 의한 관리(MBO)와 비슷하다.

03 품목별예산제도(line-item budget system)에 대한 설명으로 옳지 않은 것은? 2023년 지방직 9급

① 미국에서 공무원의 부정부패를 막고 행정의 능률을 향상시키기 위해 도입되었다.
② 정부 활동에 대한 총체적인 사업계획과 우선순위 결정에 유리하다.
③ 예산 집행의 책임성을 확보할 수 있는 통제지향 예산제도이다.
④ 특정 사업의 지출 성과에 대해서는 파악하기 어렵다.

04 다음 중 참여와 분권을 본질적 특징으로 포함하는 제도와 거리가 먼 것은? 2017년 사회복지직 9급

① 계획예산제도
② 목표관리제
③ 영기준예산제도
④ 다면평가제

A 예산제도는 당시 미국의 국방장관이었던 맥나마라(McNamara)에 의해 국방부에 처음 도입되었고, 국방부의 성공적인 예산개혁에 공감한 존슨(Johnson) 대통령이 1965년에 전 연방정부에 도입하였다.

① 통제
② 관리
③ 기획
④ 감축

PART 5 재무행정론 해커스공무원 현 행정학 기본서

정답 및 해설

01 예산제도의 특성

영기준예산제도(ZBB)는 목표 중심이 아니라 평가를 통한 감축 중심의 예산제도이다.

02 품목별예산제도

품목별예산제도(LIBS)는 지출대상과 성질별로 세부항목을 구성하여 예산을 편성하기 때문에 재정지출을 통제하고 공무원의 회계적 책임을 확보할 수 있는 장점이 있다.

| 선지분석 |
② 계획예산제도(PPBS)에 대한 설명이다.
③ 성과주의예산제도(PBS)에 대한 설명이다.
④ 영기준예산제도(ZBB)에 대한 설명이다.

❶ 예산제도의 변천

비교	품목별예산	성과주의예산	계획예산	영기준예산
예산기능 (지향점)	통제	관리	기획	감축
핵심요소	투입	투입과 산출 (사업)	장기적 계획 (목표)	우선순위
정책결정	점증적, 분산	점증적,분산	총체적, 집중	총체적, 분산
이념	민주성	능률성	효과성	생산성
기획책임	분산	분산	집중	분산
필요지식	회계학	–	경제학(B/C)	–

03 품목별예산제도

품목별예산제도(LIBS)는 특정 사업의 투입만을 알 수 있고 산출을 모르기 때문에 사업의 지출 성과를 파악하기 어렵고 정부 활동에 대한 총체적인 사업계획과 우선순위 결정에 불리하다.

04 예산제도

계획예산제도는 지나친 집권화로 최고관리층의 권한을 강화시키는 하향적 예산이다. 그러므로 일선공무원의 참여가 어려운 비민주적이고 집권적인 예산제도이다.

05 계획예산제도

제시문은 계획예산제도(PPBS)에 해당하는 설명이다. 계획예산제도는 장기적 기획과 예산을 유기적으로 연계시켜 자원을 합리적으로 배분하기 위한 것으로 기획기능을 강조한다. 미국 맥나마라(McNamara) 국방장관에 의해 국방부에 처음 도입한 것을 1965년 존슨 행정부가 연방정부에 도입하였다.

| 선지분석 |
① 통제기능은 품목별예산제도(LIBS)에서 강조한 기능이다.
② 관리기능은 성과주의예산제도(PBS)에서 강조한 기능이다.
④ 감축기능은 영기준예산제도(ZBB)에서 강조한 기능이다.

정답 01 ④ 02 ① 03 ② 04 ① 05 ③

06 다음의 단점 혹은 한계로 인하여 정착이 어려운 예산제도는? 2021년 국가직 7급

> • 사업구조를 작성하는 것이 어렵다.
> • 결정구조가 집권화되는 문제가 있다.
> • 행정부처의 직원들이 복잡한 분석 기법을 이해하기 어렵다.

① 품목별예산제도

② 성과주의예산제도

③ 계획예산제도

④ 영기준예산제도

07 다음 설명에 해당하는 예산제도는? 2018년 지방직 9급

> • 합리적 선택을 강조하는 총체주의방식의 예산제도이다.
> • 조직구성원의 참여가 상대적으로 높은 분권화된 관리체계를 갖는다.
> • 예산편성에 비용·노력의 과다한 투입을 요구한다는 비판을 받는다.

① 성과주의예산제도

③ 영기준예산제도

② 계획예산제도

④ 품목별예산제도

08 영기준예산제도(Zero-Base Budgeting)에 대한 설명으로 가장 옳지 않은 것은? 2019년 서울시 7급(10월 시행)

① 자원의 효율적인 배분 및 예산절감의 효과를 얻을 수 있다.

② 예산과정에서 상향적 의사결정이 이루어지므로 실무자의 참여가 확대된다.

③ 예산과정에서 정치적 고려 및 관리자의 가치관이 반영될 가능성이 높다.

④ 현 시점 위주로 분석하므로 장기적인 목표가 경시될 수 있다.

09 영기준예산(ZBB)에 대한 설명으로 옳지 않은 것은?

① 기존 사업과 새로운 사업을 구분하지 않고 사업의 목적, 방법, 자원에 대한 근본적인 재평가를 바탕으로 예산을 편성하는 제도이다.

② 우리나라는 정부예산에 영기준예산제도를 적용한 경험이 있다.

③ 예산편성의 기본 단위는 의사결정 단위(decision unit)이며 조직 또는 사업 등을 지칭한다.

④ 집권화된 관리체계를 갖기 때문에 예산편성과정에 소수의 조직구성원만이 참여하게 된다.

10 프로그램예산제도에 대한 설명으로 옳지 않은 것은?

① 우리나라 중앙정부는 2007년부터 프로그램 예산제도를 도입하였다.

② 예산 전 과정을 프로그램 중심으로 구조화하고 성과평가체계와 연계시킨다.

③ 세부 업무와 단가를 통해 예산 금액을 산정하는 상향식(bottom up) 방식을 사용한다.

④ 일반회계, 특별회계, 기금이 포괄적으로 표시되어 총체적 재정배분 파악이 가능하다.

정답 및 해설

06 계획예산제도

제시문은 계획예산제도(PPBS)의 한계에 대한 설명이다. PPBS는 ⊙ 사업범주-세부사업범주-사업요소로 구성되는 사업구조(program structure)의 작성이 복잡하고 어려우며, ⓒ 하향식 예산으로 예산결정 구조가 최고관리층에게 집권화되기 때문에 실무자들의 참여가 곤란하며, ⓒ 관련 공무원들도 체제분석이나 비용편익분석 등 복잡하고 난해한 분석기법을 이해하기 어렵다는 한계가 있다.

07 영기준예산제도(ZBB)

영기준예산제도(ZBB; Zero Base Budgeting)는 계속사업과 신규사업을 모두 처음부터 다시 검토하는 합리주의(총체주의) 예산방식이다. PPBS의 지나치게 집권적인 예산의 문제점을 해결하기 위하여 구성원의 참여와 분권을 특징으로 하는 상향적 예산제도이다. 그러나 모든 사업을 원점에서 검토하는 과정에서 비용·노력의 과다한 투입을 요구한다는 비판을 받는다.

08 영기준예산제도(Zero-Base Budgeting)

영기준예산제도(Zero-Base Budgeting)는 모든 사업을 처음부터 다시 검토하는 합리주의예산제도로 경제원리에 중점을 두기 때문에 예산과정에서 정치적 고려 및 관리자의 가치관이 반영될 가능성이 낮다는 단점이 있다.

09 영기준예산(ZBB)

집권화된 관리체제를 갖는 것은 계획예산제도(PPBS)이며, 영기준예산 (ZBB)은 분권화된 관리체계를 갖기 때문에 예산편성과정에 다수의 조직구성원이 참여할 수 있다.

| 선지분석 |

② 우리나라는 1981년 국무총리를 위원장으로 하는 예산개혁추진위원회를 구성하여 1982년 예산집행 시부터 영기준예산 도입을 부분적으로 시도하였으며, 1983년 예산편성부터 공식적으로 도입하였다.

10 프로그램예산제도

세부 업무와 단가를 통해 예산 금액을 산정하는 상향식(bottom up) 방식을 사용하는 것은 1950년대의 성과주의예산(PBS)이며, 1990년대 결과지향적 예산제도(신성과주의)의 일환인 프로그램예산제도는 예산 전 과정을 프로그램 중심으로 구조화하고 성과평가체계와 연계시키는 하향식 예산방식이다.

정답 06 ③ 07 ③ 08 ③ 09 ④ 10 ③

11 정부가 동원하는 공공재원에 대한 설명으로 옳지 않은 것은? 2019년 국가직 9급

① 조세로 투자된 자본시설은 개인이 대가를 지불하지 않는 것으로 인식되어 과다 수요 혹은 과다 지출되는 비효율성 문제가 발생할 수 있다.

② 수익자부담금은 시장기구와 유사한 매커니즘을 통해 공공서비스의 최적 수준을 지향하여 자원 배분의 효율성을 제고할 수 있다.

③ 국공채는 사회간접자본(SOC) 관련 사업이나 시설로 인해 편익을 얻게 될 경우 후세대도 비용을 분담하기 때문에 세대 간 형평성을 훼손시킨다.

④ 조세의 경우 납세자인 국민들은 정부지출을 통제하고 성과에 대한 직접적인 책임을 요구할 수 있다.

12 다음 중 국가예산제도개혁에 관한 설명으로 가장 옳지 않은 것은? 2017년 서울시 7급

① 디지털예산회계시스템(BAR): 성과중심형 예산시스템으로 발생주의·복식부기 회계제도를 기반으로 한 과학적 예산 관리 제도

② 조세지출예산제도: 예산지출을 절약하거나 조세를 통해 국고수입을 증대시킨 경우 그 성과의 일부를 기여자에게 인센티브로 지급하는 제도

③ 총액배분 자율편성(top-down)예산제도: 각 부처가 국가재정운용계획에 의해 설정된 1년 예산 상한선 내에서 자율적으로 예산을 편성하는 제도

④ 주민참여예산제도: 예산편성권을 지역사회와 지역주민에게 분권화함으로써, 예산편성과정에 해당 지역주민들이 직접 참여하는 제도

13 조세지출예산제도에 대한 설명으로 옳지 않은 것은? 2020년 지방직 9급

① 세제 지원을 통해 제공한 혜택을 예산지출로 인정하는 것이다.

② 예산지출이 직접적 예산 집행이라면 조세지출은 세제상의 혜택을 통한 간접지출의 성격을 띤다.

③ 직접 보조금과 대비해 눈에 보이지 않는 숨겨진 보조금이라고 이해할 수 있다.

④ 세금 자체를 부과하지 않은 비과세는 조세지출의 방법으로 볼 수 없다.

14 성인지예산제도에 대한 설명으로 옳은 것은? 2021년 국가직 7급

① 2010회계연도 성인지예산서가 처음으로 국회에 제출되었다.

② 성인지예산제도의 목적은 여성성을 지원하는 것이다.

③ 1984년 독일에서 처음 도입되었다.

④ 우리나라 성인지예산제도는 예산사업만을 대상으로 하고 기금사업을 제외한다.

15 우리나라 주민참여예산제도에 대한 설명으로 옳지 않은 것은?

① 주민이 참여할 수 있는 예산의 범위는 「지방재정법」에 규정되어 있다.

② 지방자치단체의 장은 주민참여예산제도를 마련하여 시행해야 할 법적 의무가 있다.

③ 지방자치단체 중 최초로 주민참여예산조례를 제정한 곳은 광주광역시 북구이다.

④ 지방의회 예산심의권 침해 논란이 있다.

정답 및 해설

11 공공재원

국공채는 사회간접자본(SOC)건설과 같은 투자지출에 사용할 경우 관련 사업으로 편익을 얻게 될 후세대도 비용을 일부 분담하기 때문에 이용자나 세대 간 비용부담의 형평성을 높여준다는 장점이 있다.

12 국가예산제도개혁

조세지출예산제도에 대한 설명이 아니라 예산성과금제도에 대한 설명이다. 조세지출예산제도는 조세감면의 내역을 구체적으로 공개하여 예산의 형평성을 강화시키는 제도이다.

| 선지분석 |

① 디지털예산회계시스템(BAR)은 성과 중심의 재정기반을 확충하기 위하여 2007년에 도입된 범정부적인 예산회계 정보시스템이다.

③ 총액배분 자율편성(top-down)예산제도는 신성과주의예산제도의 일환으로 2004년에 도입되었으며, 부처별로 지출총액을 정해주고 한도 내에서 각 부처가 자율적으로 예산을 편성하는 제도이다.

④ 주민참여예산제도는 2007년 「지방재정법」 개정으로 도입되었으며, 예산편성과정에 주민들이 직접 참여하는 제도이다.

13 조세지출예산제도

조세지출예산제도는 개인이나 기업에게 원칙적으로 부과해야 하는 세금이지만 정부가 비과세, 감면, 공제 등 세제상의 각종 유인장치를 통해 간접적으로 지원해 주는 세금 감면 제도이다.

| 선지분석 |

② 예산지출이 직접지출이라면 조세지출은 조세감면에 의한 간접지출의 성격을 띤다.

③ 조세지출은 간접지출이지만 직접지출인 보조금과 효과는 동일하므로 '숨겨진 보조금'이라고도 불린다.

14 성인지예산제도

우리나라의 성인지예산제도는 중앙정부는 2010회계연도부터, 지방자치단체는 2013회계연도부터 도입되었다.

| 선지분석 |

② 성인지예산제도는 예산과정에 있어서 남녀평등을 구현하자는 것이지 여성중심의 예산으로 여성성을 지원하는 것은 아니다.

③ 성인지예산제도는 1984년 호주에서 세계 최초로 도입되었다.

④ 우리나라 성인지예산제도는 예산(일반회계와 특별회계)사업에 2010년에 먼저 적용이 되었고, 2011년부터는 기금사업에도 적용이 되고 있다.

15 우리나라 주민참여예산제도

「지방재정법」에는 '지방의회 의결사항은 제외한다.' 등의 내용만 명시되어 있고 주민이 참여할 수 있는 구체적인 예산의 범위는 규정되어 있지 않다.

「지방재정법」 제39조【지방예산 편성 등 예산과정의 주민참여】

① 지방자치단체의 장은 대통령령으로 정하는 바에 따라 지방예산 편성 등 예산과정에 주민이 참여할 수 있는 제도를 마련하여 시행하여야 한다.

② 지방예산 편성 등 예산과정의 주민 참여와 관련되는 다음 각 호의 사항을 심의하기 위하여 지방자치단체의 장 소속으로 주민참여예산위원회 등 주민참여예산기구를 둘 수 있다.

1. 주민참여예산제도의 운영에 관한 사항
2. 제3항에 따라 지방의회에 제출하는 예산안에 첨부하여야 하는 의견서의 내용에 관한 사항
3. 그 밖에 지방자치단체의 장이 주민참여예산제도의 운영에 필요하다고 인정하는 사항

| 선지분석 |

② 2011년부터 「지방재정법」상 의무화된 제도이다.

③ 2004년 광주광역시 북구(기초자치단체)에서 최초로 실시되었다.

④ 주민참여예산제도는 주민에 의한 직접 참여제도라는 점에서 주민의 대표기관인 지방의회의 예산심의권을 침해한다는 논란이 있다.

❶ 주민참여예산제도

1. 의의

주민이 예산(편성)과정에 직접 참여하는 제도 → 재정민주주의(Fiscal Democracy)

2. 연혁

(1) 1989년 브라질 포르투알레그리시에서 세계 최초 도입

(2) 우리나라

· 2004 광주광역시 북구(기초 최초), 2006년 전라북도 의회(광역 최초)
· 2006 「지방재정법」에 근거 마련(임의규정)
· 2011 「지방재정법」상 지방자치단체 의무화 → 제도는 의무화(강행규정), 주민의견 반영(임의규정)
· 2018 「국가재정법」상 중앙정부도 의무화(국민참여예산제도)

정답 **11** ③ **12** ② **13** ④ **14** ① **15** ①

---

1 예산의 편성과 심의

1 예산의 편성

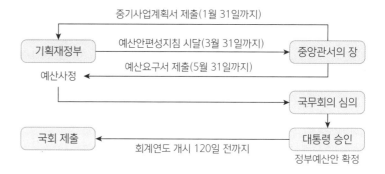

중기사업계획서 제출(1월 31일까지)

기획재정부 ← 예산안편성지침 시달(3월 31일까지) → 중앙관서의 장

예산사정 ← 예산요구서 제출(5월 31일까지)

국무회의 심의

국회 제출 ← 회계연도 개시 120일 전까지 — 대통령 승인

정부예산안 확정

1. 의의

행정 각 부처에서 다음 회계연도의 예산요구서를 작성하여 중앙예산기관에 제출하고, 중앙예산기관이 그것을 사정하여 종합적인 예산안을 작성하는 절차이다.

2. 절차

(1) 상향식 예산편성❶

① 각 부처에서 예산요구서를 중앙예산기관에 제출하면, 중앙예산기관이 각 부처의 예산요구서를 검토하고 사정하여(예산협의) 예산을 확정하는 방식이다.

② 과정

㉠ 중기사업계획서 제출(매년 1월 31일까지, 중앙관서가 기획재정부에 제출)

㉡ 예산안편성지침의 시달(3월 31일까지, 기획재정부가 중앙관서로 시달)

㉢ 예산요구서의 제출(5월 31일까지, 중앙관서에서 기획재정부로 제출)

㉣ 기획재정부의 예산사정 및 협의

㉤ 정부예산안의 확정(국무회의의 심의와 대통령의 승인) 및 국회 제출(회계연도 개시 120일 전까지)

(2) 하향식 예산편성(총액배분 자율편성예산제도)❷

① 우리나라에서 2004년부터 도입한 총액배분 자율편성예산제도는 사전재원배분제도로서 하향식(top-down) 예산관리제도이다. 이는 국가의 전략적 자원배분을 촉진하고 각 부처의 예산자율성을 확대하기 위한 것이다.

---

❶ 미시적 예산과정

미시적 예산과정이란 아래로부터의 예산결정을 말한다. 구체적으로 각 부처의 예산요구에서 시작하여 아래로부터 예산을 결정해 올라가는 상향적 방식을 말한다. 미시적 예산결정은 전통적으로 많이 사용되던 방식이며, 각 부처의 예산요구에서부터 시작하여 결정해 올라오면 중앙예산기관이 이를 사정 및 조정해 나가는 방식이다.

❷ 거시적 예산과정

거시적 예산과정이란 위로부터의 예산결정을 말한다. 행정부 내에서는 구체적으로 중앙예산기관과 행정수반이 예산편성의 주도권을 장악하고 위에서부터 아래로 결정해 내려오는 하향적 방식을 의미한다.

② 과정

    ⊙ 재정당국(기획재정부)이 국정목표와 우선순위에 따라 장기(5개년)재원배분 계획을 마련한다.

    ⓒ 이를 토대로 국무회의에서 분야별·부처별 지출한도를 미리 하향적으로 설정해 준다(top-down).

    ⓒ 각 부처가 그 한도 내에서 개별사업별로 예산을 자율적으로 편성하여 제출한다.

    ⓔ 재정당국(기획재정부)이 이를 최종 조정한다.

3. 총액배분 자율예산편성제도(2004년 시행)

(1) 의의

① 국가적 정책 우선순위에 입각하여 '분야별·중앙관서별 지출한도'❶ 등을 미리 설정하고 중앙관서별로 예산을 자율적으로 편성하는 제도이다.

② 예산을 편성할 때 국가전체적으로 거시적인 우선순위를 정한 후 부처별로 구체적인 사업을 정하는 예산배분방식이다. 즉, top-down방식이란 기획재정부가 각 부처의 예산안을 심의하여 예산을 정해 주는 기존 방식과는 달리, 중장기 재정운용계획을 토대로 부처별 예산한도를 미리 정해 주면 각 부처가 그 한도 내에서 자유롭게 예산을 편성하는 제도이다.

(2) 추진배경

① 단년도 예산편성방식으로는 중기적 시각의 재정운영이 곤란하다.

② 개별 사업을 중심으로 검토한 예산편성과 예산투입에 치중한 재정운영으로는, 국가적 우선순위에 입각한 거시적 재원 분석과 재정지출의 사후 성과관리가 어렵다는 지적에 따라 추진되었다.

(3) 내용

① **정책과 우선순위에 입각한 전략적 재원배분방식**: 재정당국이 경제사회 여건변화와 국가발전전략에 입각한 5개년 재원배분계획(국가재정운용계획)을 근거로 연도별 재정규모, 분야별·중앙관서별·부문별 지출한도를 제시하여 정책과 우선순위에 입각한 전략적 재원배분을 한다.

② 지출한도는 일반회계, 특별회계, 기금을 포괄하여 설정된다.

(4) 기대효과

① **효율성·투명성·자율성 제고**: 전략적 재원배분 및 재정당국과 각 부처의 역할분담으로 재원배분의 효율성·투명성·자율성이 제고된다.

② **부처의 권한 강화**: 부처별 지출한도가 사전 제시됨에 따라 각 부처의 전문성을 적극 활용하여 사업별 예산규모를 결정할 수 있고 각 부처의 책임과 권한을 강화할 수 있다.

③ **재정 투명성 확보**: 전체 재정규모, 분야별·부처별 예산규모 등 중요정보를 편성기간 중에 각 부처와 재정당국이 공유하고 분야별·부처별 재원배분계획을 국무위원 회의에서 함께 결정하여 재정 투명성을 제고할 수 있다.

④ **예산과정의 비효율 제거**: 각 부처의 예산 과다요구 이후 재정당국의 대폭삭감 등 예산편성과정의 비효율성을 제거할 수 있다.

❶ 지출한도
1. **분야별 지출한도**: SOC, 농어촌, 교육, 환경, 중소기업 등 국가재정운용계획의 대분류를 활용한다.
2. **중앙관서별 지출한도**: 국가재정운용계획의 중분류를 활용한다.
    ⓔ SOC 분야(도로, 철도, 지하철, 항만, 공항, 주택, 수자원 등)
3. 중앙관서 내 회계별·기금별 지출한도를 규정한다.
4. **조정재원**: 거시전망 등 총액배분 이후 예측 곤란한 상황에 대비하며 교부금, 인건비, 재해복구비 및 이자율·환율 변동에 따른 추가소요를 충당한다. 하지만 각 부처의 특정사업 부족수요 충당에는 사용할 수 없다.

핵심 OX

01 예산을 행정부가 편성하여 입법부에 제출하는 것이 현대 국가의 추세이다. (O, X)

01 O

⑤ **칸막이식 재원 확보 방지:** 특별회계 · 기금 등의 칸막이식 재원을 확보하려고 하는 유인을 축소시킬 수 있다.

⑥ **재정의 경기조절기능 강화:** 중기적 시각에서 재정규모를 검토함에 따라 재정의 경기조절기능이 강화된다.

4. 예산편성의 형식(내용)

「국가재정법」 제19조는 "예산은 예산총칙 · 세입세출예산 · 계속비 · 명시이월비 및 국고채무부담행위를 총칭한다."라고 규정하고 있다. 이는 예산의 형식적 내용을 표현한 것이다.❶

❶ 「지방재정법」상 예산의 내용
제40조에서 예산의 내용을 ① 예산총칙,
② 세입세출예산, ③ 계속비, ④ 명시이월비,
⑤ 채무부담행위로 규정하고 있다.

예산총칙	· 예산총칙에는 세입세출예산, 계속비, 명시이월비와 국고채무부담행위에 관한 총괄적 규정을 두고 있다. · 이외에도 국채와 차입금의 한도액, 「국고금 관리법」 제32조에 따른 재정증권의 발행과 일시차입금의 최고액, 그 밖에 예산집행에 필요한 사항을 규정하고 있다.
세입세출예산	· 정부예산의 실질적 내용을 구성하고 있는 부분으로서 다음 연도의 세입세출예산의 내역 등이 상세하게 기술되어 있다. · 세출예산은 행정부를 엄격히 구속하므로 입법부 승인 없는 지출이 불가능하지만, 세입예산은 단순한 추정치에 불과하므로 세입예산상 과목이 없어도 징수가 가능하다.
계속비	완성에 수년도(5년 이내)를 요하는 공사나 제조 및 연구개발사업은 그 경비총액과 연부액을 정하여 미리 국회의 의결을 얻어 수년도에 걸쳐서 지출할 수 있도록 한 비용이다.
명시이월비	세출예산 중 경비의 성질상 연도 내에 그 지출을 하지 못할 것이 예측될 때 그 취지를 세입세출예산에 명시하여 미리 국회의 승인을 얻어 다음 연도에 이월하여 사용할 수 있도록 규정한 비용이다.
국고채무부담행위	법률에 따른 것과 세출예산금액 또는 계속비의 총액의 범위 외에서 국가가 채무를 부담하는 행위를 할 때에는 미리 예산으로 국회의 의결을 얻어야 하며 이외에 재해복구를 위하여 일반회계 예비비의 사용절차에 준하여 집행할 수 있다.

5. 예산사정의 방법

(1) 무제한예산법

① 요구예산액에 제한을 두지 않는 방법이다.

② 각 부처가 원하는 사업의 정확한 규모와 종류를 파악할 수 있다.

(2) 한도액설정법

① 요구예산액에 한도를 설정해 주는 방법이다.

② 각 부처가 원하는 사업의 정확한 규모와 종류를 파악하기 곤란하다.

(3) 증감분석방법

① 점증주의에 입각하여 전년도와 차이가 있는 부분을 점증적으로 사정하는 방법이다.

② 역점사업이나 예산비중의 변화를 파악하기 용이하다.

(4) 우선순위표시법

① 요구 시에 우선순위를 표시하도록 하는 방법이다.

② 사정자의 의사반영이 용이하다(ZBB).

(5) 항목별 통제방법

① 경비의 개별항목별로 사정자가 승인하는 방법이다.

② 사정자의 의사반영이 용이하다(LIBS).

(6) 업무량 측정 및 단위원가 계산법

사업별로 사업단위를 개발하고 단위별 비용을 직접 계산하는 방법이다(PBS).

6. 예산편성에서의 관료의 행태와 정치적 전략

(1) 예산관료의 유형

린치(Lynch)는 실무자로서의 예산관료가 규범적인 합리모형에 어떻게 반응하느냐에 따라 네 가지 유형의 이념형(ideal type)을 제시하고 있다.

합리주의 신봉자	· 예산결정이 합리모형에 따라 이루어져야 한다고 믿는 관료이다. · 예산결정이 '목표의 설정 → 대안의 탐색 → 대안의 분석 → 최선의 대안 선택 및 건의'라는 과정에 따라야 한다고 믿고 행동한다.
수동적 반응자	· 정치행정이원론에 근거를 두고 정치적 결정은 정치적으로 임명된 고위관료에 의해 이루어지며, 행정관료는 그들의 의도에 수동적으로 반응하면 된다고 믿는 유형이다. · 예산관료는 예산일정표와 그들의 업무일정에 따라 행동하면 된다고 생각한다.
정치 우선주의자	· 관료들은 예산의 형식이나 도표를 숙지하고 있지만 이러한 예산자료를 평가절하하며 전반적으로 냉소적이다. · 예산결정은 모두 정치적이라고 보기 때문에 그들은 예산결정의 정치성을 강조한다.
현명한 예산담당자	· 정치가 우선적으로 중요하다는 점을 인식하는 동시에 경제적 분석이 한계는 있지만 예산결정에 크게 도움이 될 수 있다고 믿는다. · 린치(Lynch)는 이 유형을 바람직한 예산관료로 보고 있다.

(2) 정치적 전략

① 예산을 요구하는 각 부처에서 관련단체의 시위를 통해 필요성을 환기시킨다.

② 장관의 역점사업이므로 이것만큼은 살려야 한다는 전략을 구사한다.

③ 인기 있는 사업의 우선순위를 낮추어서 쟁점화하지 않는다.

④ 상급자나 지역구 국회의원과 같은 정치적 후견인을 동원하여 응원을 받는다.

⑤ 문지방효과를 이용하여 위기 시 평소에 통과하기 힘든 사업을 시작한다.

⑥ 엄청난 자료를 제시하여 아예 검토할 엄두를 내지 못하게 한다.

⑦ 새롭거나 문제 있는 사업을 인기 있는 프로그램과 결합하여 만든다.

핵심 OX

01 우리나라 예산편성의 형식에는 예비비가 포함된다. (O, X)

02 세입예산은 조세를 통해 이루어지므로 법적 효력이 있지만, 세출예산은 법적 효력이 없다. (O, X)

03 계속비의 경우에는 총액에 대해서 국회의 의결이 필요하고, 매년 집행함에 있어서의 연부액에 대해서는 국회의 의결이 불필요하다. (O, X)

01 X 예비비는 포함되지 않고 계속비가 포함된다.

02 X 세입예산은 법적 효력이 없고, 세출예산은 법적 효력이 있다. 즉, 세출예산은 행정부를 엄격히 구속하지만 세입예산은 단순한 추정치로서 참고자료에 불과하다.

03 X 계속비는 총액과 연부액 모두 국회의 의결이 필요하다.

7. 우리나라 예산편성의 문제점

(1) 예산단가의 비현실성이 지적된다.

(2) 예산요구액의 가공성이 문제된다.

(3) 전년도를 답습하는 예산편성행태를 보인다.

(4) 특별회계와 추경예산을 남발하고 있다.

(5) 편성과정을 공개하지 않아 통제가 미흡하다.

(6) 입법부와 사법부에 대한 예산을 행정부가 통제하고 있어 재정에 관한 삼권분립이 이루어지지 못하고 있다.

2 예산의 심의(의결)

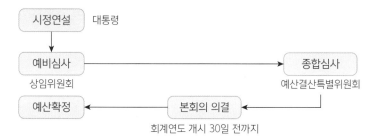

1. 의의 및 특징

(1) 의의

① 행정부가 편성한 예산을 국회가 심의하고 의결하는 과정이다.

② 국민의 대표기관인 의회가 행정 감독권을 행사하여 행정부가 수행할 사업계획의 효율성을 사전에 검토하고 예산액을 확정하는 것이다.

③ **국정감사❶:** 예산심의와 직접적인 관련은 없으나 공적 업무수행에 대한 감사로, 국정운영 전반에 대해 그 실태를 보다 정확히 파악함으로써 입법활동과 예산심의에 필요한 자료 및 정보를 획득하는 국회의 활동이다. 따라서 원칙적으로 예산심의를 위한 필요적 절차로서 예산심의활동의 과정으로 볼 수 있다.

④ 예산의 실효성 있는 사전적 재정통제수단으로서 ㉠ 재정민주주의의 실현과정이고, ㉡ 총액의 결정 및 사업계획의 수준을 승인하는 절차이며, ㉢ 행정을 감독하는 수단이 된다.

(2) 제도별 특징

① **대통령제:** 예산심의가 의원내각제보다 상대적으로 엄격하다. 왜냐하면 의원내각제의 경우에는 의회와 정부가 긴밀한 관계를 유지하나, 대통령제에서는 상호견제와 균형의 원리에 따라서 운영되기 때문이다.

② **양원제:** 단원제보다 신중한 심의가 가능하다.

③ **우리나라:** 미국과 마찬가지로 위원회 중심주의를 채택하고 있다. 즉, 본회의의 심의는 형식적인 과정이며 위원회의 심의가 실질적인 역할을 수행하고 있다.

❶ 국정감사(1988년에 부활됨, 우리나라의 독특한 제도)
국회는 소관 상임위원회별로 매년 정기회 집회일 이전에 감사시작일로부터 30일 이내의 기간을 정하여 감사를 실시한다. 다만, 본회의 의결로 정기회 기간 중에 감사를 실시할 수 있다. 국정감사는 본격적인 예산심의작업을 수행하기 전에 예산운영에 대해 현장조사와 자료수집을 한다는 점에서 의미가 있다.

2. 절차[1]

(1) 시정연설과 예산안 제안 설명

① 회계연도 개시 120일 전까지 예산안이 국회에 제출되면 본회의에 상정되어 예산안과 관련한 대통령의 시정연설(국무총리가 대독하는 것이 관례)과 기획재정부장관의 예산안 제안 설명이 있게 된다.

② 예산안에 대한 시정연설은 있지만 결산안에 대한 시정연설은 없다.

(2) 상임위원회의 예비심사

상임위원회가 국정감사를 하고 그 후 상임위원회별로 소관부처에 대한 예비심사가 진행된다. 하나의 상임위원회에 30여 명의 의원이 속해 있기 때문에 일반적으로 소위원회를 구성하여 최종 합의를 구한다.

(3) 예산결산특별위원회의 종합심사

① 기획재정부장관이 정부예산안에 대해 제안 설명을 하고 예산결산특별위원회 전문위원이 예산안 검토보고를 한다. 예산결산특별위원회에서는 정책질의를 하고 부별심사를 한다.

② **계수조정**: 마지막으로 계수조정소위원회에서 계수조정을 하면서 실질적으로 예산안의 심의가 마무리되면 본회의에 회부된다.

(4) 본회의 의결

국회는 예산안을 회계연도 개시 30일 전까지 의결하도록 되어 있으며, 새로운 회계연도가 개시될 때까지 의결되지 못한 때에는 준예산을 편성하도록 하고 있다.

3. 우리나라 예산심의의 특징과 행태

(1) 특징

① **위원회 중심주의**: 우리나라는 예산심의과정에 있어서 본회의보다는 위원회(예산결산특별위원회)의 역할이 매우 중요하다. 즉, 본회의 중심이 아니라 위원회 중심으로 예산이 심의된다.

② 우리나라의 예산은 의결의 형식이나, 영국과 미국은 법률의 형식이다.

③ 국회는 정부의 동의 없이 금액 증가나 새로운 비목(費目)을 설치하지 못한다. 금액 증가나 비목 신설이 행정부에 대해 새로운 부담을 유발하기 때문에 정부의 동의를 얻도록 하고 있다.

④ 상임위원회가 증액한 내용을 예산결산특별위원회가 상임위원회의 동의 없이 삭감할 수는 있으나, 상임위원회가 삭감한 예산을 예산결산특별위원회가 증액하거나 새 비목을 설치하는 경우에는 상임위원회의 동의가 필요하다. 또한 상임위원회와 예산결산특별위원회는 상이한 예산심의 행태를 보이고 있다.

⑤ 예산심의과정에 있어서 예산위원회와 결산위원회가 분리되지 못하고 있어 전문성이 부족하다.

⑥ 정보위원회는 국가정보원 소관 예산안과 결산 등을 심사하여 그 결과를 총액으로 의장에게 보고한다. 정보위원회의 심사는 예산결산특별위원회의 심사로 본다. 따라서 심의의 투명성이 낮아진다.

---

[1] 국회의 위원회 및 예산결산특별위원회

1. 국회의 위원회

· **상임위원회**: 국회는 그 소관에 속하는 의안과 청원 등의 심사를 위해서 상설의 위원회를 둔다. 예컨대 국회운영위원회, 법제사법위원회, 정무위원회, 기획재정위원회, 교육위원회, 과학기술정보방송통신위원회, 외교통일위원회, 국방위원회, 행정안전위원회, 문화체육관광위원회, 농림축산식품해양수산위원회, 산업통상자원중소벤처기업위원회, 보건복지위원회, 환경노동위원회, 국토교통위원회, 정보위원회, 여성가족위원회 등 현재 17종이 있으며 위원과 위원장의 임기는 2년으로 한다.

· **특별위원회**: 수개의 상임위원회 소관과 관련되거나 특히 필요하다고 인정한 안건을 효율적으로 심사하기 위하여 본회의 의결로 설치한 위원회를 말하는데, 인사청문특별위원회, 예산결산특별위원회, 윤리심사특별위원회 등이 있으며 인사청문특별위원회, 기타 특별위원회는 비상설이다.

2. 예산결산특별위원회

· 위원 수는 50인으로 하고 위원장과 위원의 임기는 1년으로 한다.

· 의장은 임시의장의 예에 준하여 본회의에서 선거한다.

· 상임위원회가 아니고 특별위원회이지만 상설이다.

핵심 OX

01 국회의 예산결산특별위원회의 위원의 임기는 전문성 향상을 위해서 2년이다. (O, X)

02 우리나라는 예산의 심의에 있어 위원회 중심주의와 본회의 의결주의를 채택하고 있다. (O, X)

03 정부예산의 경우 국회가 행정부의 동의 없이 삭감은 할 수 없으나 동의 없이 증액하거나 새 비목을 설치할 수 있다. (O, X)

01 X 예산결산특별위원회의 위원의 임기는 부패방지를 위해서 1년인데, 전문성 향상을 위해서 2년으로 늘리자는 논의가 있다.

02 O

03 X 동의 없이 증액하거나 새 비목을 설치할 수는 없으나 동의 없이 삭감할 수 있다.

⑦ 위원회는 세목 또는 세율과 관계있는 법률의 제정 또는 개정을 전제로 하여 미리 제출된 세입예산안을 심사할 수 없다.

⑧ 우리나라는 대통령중심제이면서도 국회가 정부예산안에 대해서 크게 수정을 가하지 않고 있다. 삭감비율은 거의 3% 이하이다.

⑨ 예산심의 등 재정통제를 강화하기 위하여 2003년에 국회 내에 국회의장 소속으로 예산정책처를 신설하였다. 예산정책처장은 차관급, 정무직공무원이다.

(2) 행태

① **국회의 행태:** 일반적으로 국회는 예산결정의 주도자가 아니며 오히려 수동적 역할을 한다. 따라서 국회는 정책이나 사업을 변경하는 것보다 예산을 한계적으로 조정하는 경우가 일반적이다.

② **예산의 점증적 성격:** 행정부의 예산요구액과 의회의 전년도 예산승인액 간에는 높은 상관관계가 있다. 즉, 예산이 점증주의적 경향이 강하다.

③ **상임위원회의 행태:** 세출예산에 있어 사업(증액)지향적이거나 현상유지적인 행태를 보인다. 이러한 현상은 상임위원회의 의원들과 소속부처 간에 상호이익관계, 즉 비영합게임(non-zero sum game)으로 인식하면서 선심성 심의가 이루어지기 때문이다.

④ **예산결산특별위원회의 행태:** 예산안 전체를 종합심사하기 때문에 삭감지향적인 특성을 보인다.

⑤ **계수조정에서의 행태:** 예산결산특별위원회의 종합심사에서 가장 중요한 과정은 예산안조정소위원회의 계수조정과정이다. 계수조정은 실질적이고 확정적인 예산조정작업이므로 그 권한은 막강하다. 예산안조정소위원회의 안은 예산결산특별위원회 전체회의에서 수정 없이 받아들이는 것이 관례이다.

4. 우리나라 예산심의의 문제점

(1) 예산심의과정에 여론 투입기능이 취약하다.

(2) 상임위원회와 예산결산특별위원회의 유기적 연계가 부족하다.

(3) 예산결산특별위원회의 위원은 전문성이 낮고 임기가 지나치게 짧다.

(4) 상임위원회의 경우 증액지향적이거나 현상유지적인 경향이 있다. 즉, 예산결산특별위원회에서 최종적인 조정이 이루어지기 때문에 해당 부처와 원만한 관계를 형성하기 위해 선심성 증액을 의결하고 있다.

(5) 예산심의에 있어서 예산과 무관한 정책질의나 다른 정당에 대한 비판이 대부분을 차지한다.

예산의 배정 ————————▶ 예산의 재배정

기획재정부장관 → 중앙관서의 장   중앙관서의 장 → 산하기관

1 의의❶

(1) 예산의 집행이란 국가의 수입과 지출을 실행하는 일체의 행위로서 예산의 편성과 심의과정을 통해 성립한 예산을 실행에 옮기는 과정이다.

(2) 입법부가 세운 재정한계를 엄수하면서 사업진행의 신축성을 유지한다는 두 가지 목표를 조화롭게 추구하는 과정이다. 즉, 예산집행에 있어 재정통제와 신축성 확보가 가장 중요한 문제이다.

(3) 이 밖에 조세징수, 자금관리, 구매행정, 회계 등이 모두 예산집행과정에 포함된다.

(4) 집행과정에서 지출이 절약된 경우 그 일부를 다른 사업에 사용하거나 성과금으로 지급할 수 있다.

2 재정통제방안

행정부는 국회가 승인한 예산의 범위 내에서 각종 사업을 수행하여 소기의 목표를 달성하여야 하고 동시에 정해진 재정한계를 준수하여야 한다.

1. 예산의 배정과 재배정

(1) 배정❷

기획재정부장관이 중앙관서의 장에게 일정기간 동안 집행할 수 있는 금액과 소재를 명확히 하는 절차이다.

(2) 재배정

각 중앙관서의 장이 배부받은 예산액의 범위 내에서 다시 산하기관에 일정기간 사용할 수 있는 예산액을 배분하는 것이다.

2. 정원 및 보수의 통제

(1) 예산의 효율적인 운영을 위해서는 정원과 보수를 통제하여 예정된 사업에 대한 직접투자비중을 높이도록 하는 장치가 필요하다.

(2) 우리나라에서는 「국가공무원총정원령」과 「공무원보수규정」을 통해 정원과 보수가 통제된다.

3. 지출원인행위(계약)의 통제

계약의 방법과 절차를 엄격히 규정하며 일정액 이상의 계약에 대해서는 상급기관의 승인을 얻도록 하여 수입과 지출의 균형을 유지하고 사업의 품질을 통제한다.

---

❶ **예산집행의 목표**
1. 재정통제
2. 신축성 유지
3. 재정통제와 신축성의 조화

❷ **신축적인 예산의 배정**
1. **긴급배정**: 회계연도 개시 전에 예산을 배정하는 것을 말한다. 구체적으로 ① 외국에서 지급하는 경비, ② 선박의 운영·수리 등에 속하는 경비, ③ 교통·통신이 불편한 지방에서 지급하는 경비 등의 경우에 예산을 배정한다.
2. **조기배정**: 경제정책상의 필요에 의하여 사업을 조기에 집행하고자 할 때, 연간 정기배정계획 자체를 1/4 또는 2/4분기에 앞당겨 집중배정하는 것을 말한다.
3. **당겨배정**: 사업의 실제집행과정에서 계획의 변동이나 여건변화로 인하여 당초의 연간 정기배정보다 지출원인행위를 앞당겨 할 필요가 있는 경우, 해당 사업에 대한 예산을 분기별 정기배정계획에 관계없이 앞당겨 배정하는 것을 말한다.
4. **감액배정과 배정유보**: 배정액수를 줄이거나(감액배정), 배정을 연기하는 것(배정유보)은 징계적 성격으로 재정통제방안과 신축성 유지방안으로 보는 견해가 각각 있으므로 상대적 접근이 필요하다.

핵심 OX ————————————

01 예산집행에 있어서 지출이 절약된 경우 그 일부를 다른 사업에 사용할 수 없으나, 성과금으로 지급할 수 있다. (O, X)

02 예산의 배정은 중앙예산기관(기획재정부장관)이 국회에서 의결한 예산을 각 중앙행정기관으로 배분하는 것으로 신축성 확보방안이다. (O, X)

03 예산의 신축성 확보를 위한 장치로 예산의 재배정이 있다. (O, X)

01 X 지출이 절약된 경우 그 일부를 다른 사업에 사용하거나, 성과금으로 지급할 수 있다.
02 X 예산의 배정은 예산의 집행에 있어서 통제를 위한 방안에 해당한다.
03 X 예산의 재배정은 행정통제방안이다.

4. 회계기록 및 보고제도

각 중앙관서는 자체의 수입과 지출을 회계 처리하여 기록하고 보고하여야 하며, 지출원인행위보고서, 수입 및 지출에 관한 보고서 등을 기획재정부장관에게 제출하여야 한다.

5. 국고채무부담행위의 통제

국고채무부담행위 시에 국회의 사전의결을 요하며, 그 지출 시에 다시 국회의 승인을 요한다.

6. 지방재정진단제도

(1) 지방재정진단제도는 지방재정운영의 사후적 평가를 통해 재정운영의 책임성과 효율성을 도모하기 위한 제도이다.

(2) 평가결과 행정안전부장관 및 시·도지사는 당해 지방자치단체를 대상으로 조직개편, 채무의 상환, 세입의 증대 및 신규 사업의 제한 등을 내용으로 하는 지방재정건전화 계획을 수립하여 시행할 수 있다.

7. 예산안편성지침 시달

기획재정부장관은 국무회의의 심의를 거쳐 대통령의 승인을 얻은 다음 연도의 예산안편성지침을 매년 3월 31일까지 각 중앙관서의 장에게 통보하여야 한다.

8. 총사업비관리제도❶

(1) 완성에 2년 이상이 소요되고 국가의 예산 또는 기금으로 시행하는 대규모 재정사업에 대하여 기본설계, 실시설계, 계약, 시공 등 사업의 추진단계별로 변경요인이 발생한 경우 사업 시행부처와 기획재정부가 협의하여 총사업비를 조정하는 제도이다.

(2) 재정지출의 생산성 및 시설공사의 품질을 제고를 위한 제도로, 1994년에 도입되었다.

9. 예비타당성조사제도

(1) 대규모 개발사업에 대한 개괄적인 조사를 통하여 경제성 분석, 정책적 분석, 투자우선순위, 적정투자시기, 재원조달방법 등 사업의 타당성을 검증함으로써 대형신규사업의 신중한 착수와 재정투자의 효율성을 높이기 위한 제도이다.

(2) 경제적·재정적·정책적 측면에서 기획재정부가 예비타당성조사를 실시하며, 1999년에 도입되었다.

❶ 총사업비관리제도

1. 「국가재정법」제50조【총사업비의 관리】① 각 중앙관서의 장은 완성에 2년 이상이 소요되는 사업으로서 대통령령이 정하는 대규모사업에 대하여는 그 사업규모·총사업비 및 사업기간을 정하여 미리 기획재정부장관과 협의하여야 한다. 협의를 거친 사업규모·총사업비 또는 사업기간을 변경하고자 하는 때에도 또한 같다.

2. 「총사업비관리지침」제3조【관리대상 사업】① 이 지침의 적용을 받는 총사업비 관리대상 사업은 국가가 직접 시행하는 사업, 국가가 위탁하는 사업, 국가의 예산이나 기금의 보조·지원을 받아 지자체·「공공기관의 운영에 관한 법률」제5조에 따른 공기업·준정부기관·기타 공공기관 또는 민간이 시행하는 사업 중 완성에 2년 이상이 소요되는 사업으로서, 다음 각 호의 사업으로 한다.
   · 총사업비가 500억 원 이상이고 국가의 재정지원규모가 300억 원 이상인 토목사업 및 정보화사업
   · 총사업비가 200억 원 이상인 건축사업(전기·기계·설비 등 부대공사비 포함)
   · 총사업비가 200억 원 이상인 연구시설 및 연구단지 조성 등 연구기반구축 R&D사업(기술개발비, 시설 건설 이후 운영비 등 제외)

📊 고득점 공략 예비타당성조사와 타당성조사

1. 개념

예비타당성조사는 경제적·재정적·정책적 측면에서 기획재정부가 실시하는 것이며, 타당성조사는 기술적 측면에서 사업을 주관하는 해당 부처가 실시하는 것이다.

2. 양자의 차이점

① 예비타당성조사는 국가재정 전반적인 관점에서 경제적·정책적 타당성을 주된 검토대상으로 삼는 반면, 타당성조사는 주로 당해사업에 대한 기술적 타당성을 검토한다.

② 조사기관도 예비타당성조사는 기획재정부가 실시하는 반면, 타당성조사는 사업 주무부처가 실시한다.

③ 예비타당성조사의 법적 근거가 되는 현행 「국가재정법 시행령」에 의하면, 총사업비 500억 원 이상이면서도 국가재정지원이 300억 원 이상인 공공건설사업은 예비타당성조사를 통하여 타당성이 검증된 경우에 한하여 타당성조사·기본설계비 → 실시설계비 → 보상비 → 공사비의 순서로 예산을 반영하되, 원칙적으로 각 단계가 종료된 후에 다음 단계의 예산을 단계적으로 반영하도록 규정하고 있다.

3. 양자의 구체적 내용

구분		예비타당성조사	타당성조사
개념		타당성조사 이전에 예산반영 여부 및 투자우선순위 결정을 위한 조사	예비타당성조사를 통과한 후 본격적인 사업 착수를 위한 조사
규모 및 대상		① 총사업비 500억 원 이상이면서, ② 국가 300억 원 이상 출자사업	그 외
평가 내용	경제적 분석	· 본격적인 타당성조사의 필요성 여부를 판단하기 위하여 개략적인 수준에서 조사 · 비용 및 편익 추정(비용편익분석) · 민감도 분석 · 경제성 및 재무성 평가	검토대상이 아니며 실제 사업 착수를 위하여 보다 정밀하고 세부적인 수준에서 조사
	정책적 분석	· 경제성 분석 이외 국민경제적·정책적 차원에서 고려되어야 할 사항 분석(계층화분석 등) · 지역경제파급효과 · 지역균형개발 · 상위계획과의 연관성 · 국고지원의 적합성 · 재원조달 가능성 · 환경성, 추진의지 등	검토대상이 아니며, 다만 환경성 등 실제 사업의 추진과 관련된 일부 항목에 대해서는 면밀한 조사를 실시
	기술적 분석	검토대상이 아니며, 필요 시 전문가 자문 등으로 대체	· 입지 및 공법 분석 · 현장여건 실사 · 토질조사, 공법 분석 등 다각적인 기술성 분석
주체		기획재정부(관계부처 협의)	사업 주무부처
범위		국가전체적 관점	당해 사업
비용		5천만 원~1억 원	3억 원~20억 원
조사기간		단기간(6개월 이내)	장기(3~4년)

핵심 OX

01 예비타당성조사에서는 경제적·정책적·기술적 분석을 실시한다. (O, X)

01 X 기술적 분석은 예비타당성조사의 검토대상이 아니라 타당성조사의 검토대상이다.

CHAPTER 4 예산과정론 **771**

✓ 개념PLUS 계층화분석법(AHP; Analytical Hie-rarchy Process)

1. **개념:** 의사결정분석(decision tree)과 함께 대안을 선택하거나 우선순위를 설정하는 데 널리 이용되는 방법이다. 하나의 문제를 시스템으로 보고 당면한 문제를 여러 개의 계층으로 분해한 다음 각 계층별로 복수의 평가기준(구성요소)이나 대안들을 설정하여 네트워크 형태로 구조화하고 이들이 상위계층의 평가기준들을 얼마나 만족시키는가에 따라 대안들의 선호도를 숫자로 전환하여 종합적으로 평가하는 방법으로 1970년대 사티(Saaty)교수가 개발하였다.

2. **분석단계**

제1단계	문제를 몇 개의 계층 또는 네트워크 형태로 구조화
제2단계	각 계층에 포함된 하위목표 또는 평가기준으로 표현되는 구성요소들을 둘씩 짝을 지어 바로 상위계층의 어느 한 목표 또는 평가기준에 비추어 평가하는 이원비교(쌍대비교)를 시행
제3단계	각 계층에 있는 요소별 우선순위를 설정하고 숫자로 전환한 다음 전체적으로 종합하여 최종적으로 대안 간 우선순위를 설정

3. **주요 원리**
   ① 동일성과 분해의 원리: 문제를 계층별로 분해해서 관찰하고 관찰된 것을 전달하는 원리이다.
   ② 차별화와 비교판단(이원비교·쌍대비교)의 원리: 관찰한 요소들 간의 관계를 설정하고 요소들의 강도를 차별화 하는 원리이다.
   ③ 종합의 원리: 이들 관계를 총체적으로 이해할 수 있도록 종합화하는 원리이다.

---

❶ 경비부족 시 활용되는 제도
1. 긴급배정
2. 추가경정예산
3. 이용과 전용
4. 예비비
5. 조상충용
6. 긴급재정경제처분

❷ 명시이월과 사고이월
1. 명시이월
   · 세출예산 중에 연도 내에 그 지출을 필하지 못할 것이 예측될 때에는 미리 국회의 승인을 얻어서 다음 연도에 사용할 수 있게 하는 것이다.
   · 원칙적으로 재차이월은 허용되지 않는데, 명시이월의 경우 1회에 한하여 재이월이 법적으로 가능하다.
2. 사고이월
   · 연도 내에 지출원인행위를 하고 불가피한 사유로 인하여 연도 내에 지출하지 못한 경비와 부대경비를 다음 연도에 넘겨서 사용할 수 있게 하는 것이다.
   · 사고이월의 경우 재이월이 불가능하다.

핵심 OX

01 예산의 전용은 입법과목 간의 상호 융통이므로 국회의 의결이 필요하지만, 예산의 이용은 행정과목 간의 상호융통이므로 국회의 의결이 불필요하다. (O, X)

02 정부조직 변경에 따라 해당 예산을 변경시키는 것은 이체이다. (O, X)

03 명시이월을 한 경우 재차이월이 허용되지 않는다. (O, X)

01 X 양자의 서술이 바뀌었다.
02 O
03 X 명시이월한 예산에 대해서 재차이월이 가능하다.

---

3 예산의 신축성 유지방안

예산은 1년 전에 확정된 것이기 때문에 집행과정에서 상황의 변화가 발생할 수 있다. 따라서 신축적으로 적응하기 위한 재량을 인정할 필요가 있다.❶

1. 이용과 전용

이용	· 기관 간 또는 입법과목 간(장·관·항)의 융통이다. · 국회와 기획재정부장관의 승인이 요구된다.
전용	· 행정과목 간(세항·목)의 융통이다. · 기획재정부장관의 승인으로 이루어진다.

2. 이체

(1) 정부조직에 관한 법령의 제정·개정·폐지 등으로 그 직무의 권한과 책임의 변동에 따른 예산집행의 소관변경이다.
   ⑩ A라는 위원회가 B부로 정부조직이 변경되었을 때 A위원회의 예산이 B부의 예산으로 이관되는 것

(2) 예산의 이체는 사전의결원칙의 예외에 해당하며 기획재정부장관은 그 중앙관서의 장의 요구에 따라 이체할 수 있다.

3. 이월❷

예산을 다음 회계연도로 넘겨 사용하는 것이다. 일반적으로는 1회계연도 내에서 예산이 모두 지출되어야 하는데 이월은 다음 회계연도로 넘겨서 예산을 지출하는 경우이다.

4. 계속비

(1) 의의

수년에 걸쳐 완공을 요하는 공사나 제조 및 연구개발사업에 대해서 경비의 총액과 연부액을 정하여 국회의 의결로써 수년에 걸쳐서 집행할 수 있는 제도이다. 이는 회계연도 독립에 대한 예외에 해당한다.

(2) 특징

① 계속비의 연부액은 해당 연도 예산편성 시 세입세출예산에 반영하여 의회의 승인을 얻어야 한다.

② 계속비의 사용기간은 5년 이내로 하며, 필요한 경우 국회의 의결을 얻어 연장이 가능하다.

③ 계속비는 회계연도독립의 원칙과 한정성의 원칙의 예외로, 인위적인 회계연도의 구분과 계속적인 지출의 필요라는 상반된 요청을 조화시킨 제도이다.

④ 국회의 승인을 얻은 연부액은 체차이월(遞差移越), 즉 차기년도에 이월할 수 있으나 새로운 연부액은 국회의 승인을 얻어야 하며, 계속사업비의 결산보고서는 사업최종연도에 일괄 보고하여야 한다.

5. 예비비

(1) 의의

① 예측할 수 없는 예산 외의 지출 또는 초과지출을 충당하기 위해서 세입세출예산 외에 '상당하다고 인정'되는 재원을 마련해 두는 제도이다.

② 이때 '예산 외 지출'은 예산에 계상되지 않은 신규요소이며, '예산초과지출'은 예산에 계상된 경비 중 일부가 부족한 경우 해당 소요예산으로 충당이 불가능한 추가요소이다.

(2) 종류❶

예비비는 일반적인 지출소요에 충당하는 일반예비비와 특정 목적을 위한 목적예비비로 나누어진다. 목적예비비의 경우 예산에 설치할 때 공공요금예비비, 재해대책예비비, 급양비예비비, 사전조사예비비 등 포괄적 용도(목적)를 정하여 국회의 의결을 거치고 있으나, 구체적으로 주체별 사용목적이 불명료하므로 ① 한정성의 원칙의 예외에 해당하고, 사용 후 사후국회승인을 요하므로 ② 사전의결의 원칙의 예외에도 해당한다.

(3) 특징

① 국회에서 부결된 용도는 사용할 수 없다. 관리권자는 기획재정부장관이다.

② 예비비의 지출에 대한 내용은 다음 국회의 승인을 얻어야 한다.

③ 예비비의 계상한도에 있어서 사용목적이 지정되지 않은 일반예비비 규모를 일반회계 예산총액의 1% 이내로 그 한도를 설정하고, 목적예비비를 공무원의 보수인상을 위한 인건비 충당에는 사용할 수 없도록 한다(「국가재정법」 제22조).

---

❶ **예비금**

예비비와는 별도로 예측할 수 없는 지출에 충당하기 위하여 헌법상 독립기관인 국회, 법원, 헌법재판소의 소관별 지출항목에 쓰인다. 「국회법」, 「법원조직법」, 「헌법재판소법」 등의 규정에 의해 별도로 예산항목에 계상된 것으로서, 이들 기관에 대한 독립성을 보장하기 위하여 별도로 예비비를 청구하지 아니하고도 내부에서 융통성 있게 사용할 수 있도록 한 제도이다.
⇨ 예비비의 지출은 사후에 별도의 국회승인절차를 요하나, 예비금은 당해 소관의 세출결산에 포함하여 세입세출결산으로 처리한다. 자체예비금 부족 시 일반회계의 예비비를 사용할 수 있다.

핵심 OX

01 계속비의 경우에는 총액에 대해서 국회의 의결이 필요하고, 매년 집행함에 있어서의 연부액에 대해서는 국회의 의결이 불필요하다. (O, X)

02 국회, 법원, 헌법재판소 등은 예비비와 별도로 예비금이라는 항목을 운용할 수 있다. (O, X)

03 예비비의 관리권자는 기획재정부장관이며, 국회에서 부결된 용도로 예비비를 사용할 수 없다. (O, X)

01 X 총액과 연부액 모두 국회의 의결이 필요하다.
02 O
03 O

6. 국고채무부담행위

(1) 의의

법률에 의한 것이나 세출예산금액 또는 계속비 총액의 범위 안에 속하는 것을 제외하고 국가가 대신 채무를 부담하는 행위이다.

(2) 특징

① 국고채무부담행위를 위해서는 국회의 의결이 필요하다.
② 국고채무부담행위 이후 그에 대해 지출하기 위해서 다시 국회의 의결이 필요하다.
③ 다만, 미리 전년도에 예산으로서 국회의 의결을 거치지 않고도 예외적으로 재해복구 등을 위한 경우에는 당해 연도에 국회의결을 거쳐 국고채무부담행위를 할 수 있다.

7. 긴급배정(회계연도 개시 전 예산배정)

회계연도 개시 전 대통령이 정하는 바에 의해 기획재정부장관이 예산을 배정하는 것이다. 「국가재정법 시행령」 제16조에 따른 대상경비에는 ① 외국에서 지급하는 경비, ② 선박의 운영·수리 등에 소요되는 경비, ③ 교통·통신이 불편한 지역에서 지급하는 경비, ④ 각 관서에서 필요한 부식물의 매입경비, ⑤ 범죄수사 등 특수활동에 소요되는 경비, ⑥ 여비, ⑦ 경제정책상 조기집행을 필요로 하는 공공사업비, ⑧ 재해복구사업에 소요되는 경비 등이 있다.

8. 추가경정예산

국회의 의결에 의해 예산이 성립한 이후 상황변화로 인하여 사업을 변경하거나 새로운 사업을 추진하여야 하는 경우, 추가경정예산을 편성하여 국회의 의결을 받아 예기치 못했던 사태에 대처할 수 있다.

9. 수입과 지출의 특례

수입의 특례	지출의 특례
· 과년도 수입 · 수입대체경비 · 과오납금의 반납 · 수입금의 환급 · 선 사용자금	· 지출금의 반납 · 관서운영경비(도급경비) · 선금급과 개산급 · 과년도 지출 · 자금의 전도 · 회계연도 개시 전 자금 교부

10. 장기계속계약제도

단년도 예산이 지니는 한계를 극복하기 위한 제도이다. 이행에 장기간이 소요되는 공사나 물품의 제조로서 전체 사업내용과 연차별 사업계획이 확정된 경우에 적용이 가능하다. 이 경우에 총공사 또는 총제조의 금액을 부기하고 당해 연도 예산의 범위 내에서 분할공사 또는 제조의 발주를 허용한다.

4 조달행정(구매행정)

1. 의의[1]

(1) 개념

조달행정이란 행정업무를 수행하는 데 필요한 비품·시설과 물자 등을 구입하는 행위이다. 조달행정의 목표는 이러한 재화를 적기·적소에, 적량을, 적가로 공급하는 데 있다. 대표적인 조달사무는 물품 및 용역의 구매(purchasing)와 공사계약(contract) 등이다.

(2) 중요성

① 행정업무수행에 있어 필요한 물품이 적절하게 확보되어야 한다.
② 능률적인 조달행정에 의한 예산절약을 기대할 수 있다.
③ 재화의 조달정책을 통하여 국가경제의 발전에도 기여할 수 있다.

2. 집중조달과 분산조달

(1) 의의[2]

① 집중조달
  ㉠ 의의: 필요한 재화와 서비스를 중앙구매기관에서 일괄구입하게 한 후 이를 각 수요기관에 공급하여 주는 제도이다.
  ㉡ 발달: 현대국가의 기능 확대로 조달행정의 중요성이 강조되면서 조달행정은 전문적인 지식과 경험을 필요로 하는 영역으로 발전하고 집중조달제도가 각 국에서 확산되었다.
  ㉢ 조달대금: 중앙조달기관이 일괄적으로 지급하고 나중에 각 기관으로부터 대금을 징수하는 집중지급방식을 사용한다.

② 분산조달
  ㉠ 의의: 필요한 재화를 수요기관(행정관서)에서 직접 구입하는 제도이다.
  ㉡ 조달대금: 각 기관이 대금을 직접 지급하는 분산지급방식을 사용한다.

③ 최근 각국의 추세[3]: 조달의사결정은 분권화하지만, 모든 부처에서 동일하게 사용하는 물품은 중앙조달기관이 집중조달하는 방향으로 나아가고 있다.

(2) 장단점

구분	집중조달	분산조달
장점	· 대량구매를 통한 예산절감 · 구매행정의 전문화 및 통제 용이(정실구매 방지) · 구매물품 및 절차의 표준화 · 장기적·종합적 구매정책수립 용이 · 신축성 유지(부처 간 상호융통) · 대규모 공급자에게 유리(대기업) · 공통품목·저장품목 구입 용이	· 구매절차 간소화 · 구매의 적시성 확보(적기구매 및 부처의 실정 반영) · 중소공급자 보호 유리 · 특수품목 구입 유리
단점	· 구매절차의 복잡성 증대 · 적기공급 곤란 · 대기업에 편중(중소기업 불리) · 수요기관의 개별성 무시	· 예산의 규모의 경제 확보 곤란 · 구매업무의 전문화 확보 곤란 · 물품규격이 표준화 곤란 · 구매업무의 효율적 통제 곤란 · 공통품목·저장품목 구매 곤란

❶ 조달의 원칙
국제투명성기구(TI; Transparency International)는 조달행정의 주요 원칙을 ① 조달의 경제성, ② 계약자 결정의 공정성, ③ 조달과정의 투명성, ④ 조달과정의 능률성, ⑤ 조달행정의 책임성이라는 다섯 가지로 제시하였다.

❷ 우리나라의 조달방식
우리나라의 경우, 1961년 조달청이 설립되기 전에는 각 수요기관이 직접구매하고 대금을 지급하는 분산조달, 분산지급방식을 사용하였다. 조달청 설립 이후에는 집중조달을 확대하여 전체 조달시장에서 집중조달이 차지하는 비중이 약 30% 정도이고 나머지는 분산조달방식을 사용한다.

❸ 미국의 중앙조달기관
1949년 대통령 직속하에 연방조달청(GSA)을 설치·운영하였다.

핵심 OX

01 우리나라는 현재 분산구매의 방식에 의해서 구매행정을 하고 있다. (O, X)

02 집중구매는 일괄구매를 통해 구입절차를 단순화할 수 있다는 장점을 지닌다. (O, X)

03 분산구매는 구매 절차가 간소화 되고 공급자의 편의가 증대된다는 장점이 있다. (O, X)

---

01 X 우리나라는 현재 조달청이 구매행정을 전문으로 하고 있는 집중구매의 방식을 채택하고 있다.
02 X 집중구매는 일괄구매를 통한 단가인하 등의 장점이 있지만, 중앙구매기관을 경유하여 구매해야 하므로 구입절차가 복잡하고 적기에 물품을 공급하기 어렵다는 단점이 있다.
03 X 공급자의 편의 증대는 집중구매의 장점이다.

PART 5 재무행정론 해커스공무원 현 행정학 기본서

3. 절차

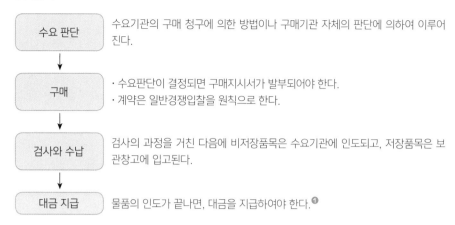

수요 판단	수요기관의 구매 청구에 의한 방법이나 구매기관 자체의 판단에 의하여 이루어진다.
구매	· 수요판단이 결정되면 구매지시서가 발부되어야 한다. · 계약은 일반경쟁입찰을 원칙으로 한다.
검사와 수납	검사의 과정을 거친 다음에 비저장품목은 수요기관에 인도되고, 저장품목은 보관창고에 입고된다.
대금 지급	물품의 인도가 끝나면, 대금을 지급하여야 한다.❶

❶ 우리나라의 대금지급방식
우리나라는 저장품목·비저장품목 모두 집중지급제도를 택하고 있다. 즉, 조달청이 공급자에게 대금을 지급하고 나중에 수요기관으로부터 대금을 징수한다.

4. 중앙조달기관(조달청)

(1) 설립근거 및 기능

① 설립근거: 「정부조직법」 제27조 제7항에 "정부가 행하는 물자(군수품 제외)의 구매·공급 및 관리에 관한 사무와 정부의 주요시설공사계약에 관한 사무를 관장하기 위하여 기획재정부장관 소속으로 조달청을 둔다."라고 명시되어 있다.

② 기능: ㉠ 물품구매 및 공사계약, ㉡ 정부보유 물품관리, ㉢ 주요 원자재 비축사업, ㉣ 정부조달전문기관으로서의 제도와 기법 전수(조달전문교육과정 운영), ㉤ 국가경제정책 지원, ㉥ 주요 공사시설물에 대한 감리와 공사관리 업무 등을 수행한다.

(2) 조달청의 사업범위(「조달사업에 관한 법률」 제3조)

조달물자의 구매·운송·조작·공급과 수요기관의 시설공사의 계약, 수요기관의 시설물관리와 운영이다.

(3) 조달특별회계

조달사업의 원활한 운영을 위하여 조달청장은 조달사업에 관해 수요기관으로부터 수수료를 징수하여 '조달특별회계'를 운영한다.

5. 공공전자조달 – 나라장터(government e-procurement system)

(1) 의의

조달청이 전자정부 구현을 위한 핵심사업으로 추진해 온 '국가종합전자조달시스템'이다. 모든 국가조달행정절차(입찰공고 → 입찰신청 → 심사 → 낙찰 등)를 온라인으로 단일화하여 공공기관 및 조달업체에게 '나라장터'라는 단일조달창구를 통한 one-stop 조달서비스를 제공하는 전자조달서비스체제이다.

(2) 추진배경과 목적 및 기대효과

① 추진배경: 서류 및 수작업 중심으로 처리되어오던 종래의 조달행정을 전자조달체제로 전환하고, 조달행정의 투명성과 효율성을 제고시키기 위하여 2002년 10월 '나라장터'를 개통하였다.

② **목적**

    ㉠ 전자화 · 정보화를 통한 조달행정의 투명성 · 효율성 · 신뢰성을 제고한다.

    ㉡ 단일조달시스템을 통한 대국민서비스 통합과 투자효과를 극대화한다.

③ **기대효과**

    ㉠ **조달행정의 효율성 도모:** 효율적이며 신속한 조달업무를 수행한다.

    ㉡ **조달행정의 생산성 향상:** 기관방문 및 대면거래비용 등 연간 약 3조 원의 거래 비용을 절감한다.

    ㉢ **투명성 및 공정성 제고:** 종래의 대면거래에 따른 부정부패가능성이 사전에 봉쇄되어 실시간 정보제공과 정보공개 확대로 투명한 조달행정을 구현한다.

    ㉣ **전자상거래의 발전:** IT 모범활용사례로, 민간의 전자상거래 발전을 선도한다.

6. 정부계약

(1) 의의

① 정부계약은 정부가 체결하는 사법상의 계약으로서, 정부가 통치권의 주체로서 행사하는 권력적인 행위가 아니라 사인과 대등한 지위에서 체결하는 행위이다. 따라서 「민법」상의 계약자유의 원칙이 적용된다.

② 「국가를 당사자로 하는 계약에 관한 법률」 제5조에서 '계약은 상호대등한 입장에서 당사자의 합의에 따라 체결되어야 한다.'고 규정하고 있어 「국가를 당사자로 하는 계약에 관한 법률」에 의한 계약은 국가가 사경제주체로서 행하는 사법상의 법률행위라 할 수 있다.

(2) 종류

① **일반경쟁계약(원칙)**

    ㉠ 계약대상 물품의 규격 및 계약조건 등을 공개하고 불특정 다수의 입찰희망자를 경쟁입찰에 참가하도록 한 후, 그중에서 국가에 가장 유리한 조건을 제시한 자를 선정하여 계약을 체결하는 방법이다.

    ㉡ 계약은 원칙적으로 일반경쟁에 의해 이루어지도록 되어 있다.

② **제한경쟁계약**

    ㉠ 계약의 목적 · 성질 등에 비추어 필요한 경우, 경쟁참가자의 자격을 일정한 기준에 의하여 제한하여 입찰하게 하는 방법이다.

    ㉡ 실적에 의한 제한, 기술보유상황에 의한 제한, 지역제한, 중소기업을 위한 제한, 재무상태에 의한 제한 등이 있다.

③ **지명경쟁계약**

    ㉠ 기술력, 신용 · 실적 등에 있어서 적당하다고 인정되는 특정 다수의 경쟁입찰 참가자를 지명하여 입찰하게 하는 방법이다.

    ㉡ 신용과 실적 및 경영상태가 우량한 업체를 지명하기 때문에 신뢰성을 확보할 수 있고 경비절감 및 절차 간소화의 이득이 있지만, 경쟁을 저해할 우려도 있다.

핵심 OX

01 품질, 성능, 효율성이 유사한 물품들을 생산하는 다수의 공급자와 정부가 복수계약을 한 뒤, 각 수요기관이 공급할 업체를 직접 선택할 수 있는 방식으로서 최근 우리나라에서 도입하고 있는 제도는 일괄(turn-key) 입찰제도이다. (O, X)

01 X 일괄(turn-key) 입찰제도가 아니라 다수공급자 계약제도(MAS)이다.

❶ 다수공급자 계약제도(MAS; Multiple Award Schedule)

1. **의의**: 2005년부터 시행되고 있는 제도로서 정부조달물품을 수요기관이 품질·가격·성능 등이 유사한 다수의 공급자와 단가계약을 하면 각 수요기관은 적격업체를 자율적으로 선택하는 계약방식이다. 이 제도는 미국의 Multiple Award Schedule(MAS), 캐나다의 Standing Offer 제도 등과 유사하다.

2. **법령의 규정(「조달사업에 관한 법률 시행령」 제13조)**: 조달청장은 다수공급자계약의 입찰에 참가한 입찰자의 재무상태 및 납품 실적 등의 평가를 통해 기획재정부장관과 협의하여 정한 기준에 적합한 자를 선정하고, 선정된 자를 대상으로 한 가격협상을 통해 낙찰자로 결정된 2인 이상을 계약상대자로 정한다.

3. **제도의 특성**
   · 컴퓨터, 사무집기 등과 같이 여러 수요기관에서 공통적으로 수요하는 물품을 대상으로 한다.
   · 품질·성능·효율 등에서 유사한 제품들을 복수의 공급자로부터 공급받는다.
   · 입찰을 통한 경쟁이 아니라 각각의 공급자들과 협상을 통해 가격을 결정한다.

❷ 우리나라의 경쟁입찰방식
우리나라의 경우, 경쟁입찰방식은 사실상 적격심사제와 최저가낙찰제가 결합된 '적격심사에 의한 최저가낙찰제'가 광범위하게 활용되고 있다. 하지만 이러한 방식이 오히려 경쟁력 있는 우량업체를 선별하지 못하고, 특히 일정 낙찰 하한율을 보장함으로써 운에 의해 낙찰자가 결정되는 소위 '운찰제'적 성격이 나타남에 따라 결과적으로 국가예산이 낭비된다는 비판이 제기되었다. 따라서 최근에는 '최저가낙찰제'를 확대하는 추세에 있다.

핵심 OX

01 우리나라 정부계약에서의 낙찰자 선정방식은 적격심사에 의한 최저가 낙찰제방식을 따르고 있다. (O, X)

01 O

④ **수의계약**
   ㉠ 계약기관이 임의로 적당하다고 인정하는 업체와 계약을 체결하는 방법이다.
   ㉡ **단체수의계약**: 중소기업의 판로 지원 및 육성을 위해 정부 혹은 공공기관이 중소기업협동조합과 수의계약을 통하여 물품을 구매하는 제도로 수의계약 중 그 비중이 가장 크다.

⑤ **다수공급자 계약제도**❶
   ㉠ 정부조달물품을 경쟁 입찰에 부치지 않고 수요기관이 품질·가격·성능 등이 유사한 다수의 공급자와 단가계약을 하면, 각 수요기관은 적격업체를 자율적으로 선택하는 계약을 체결하는 방법이다.
   ㉡ 천재지변, 긴급한 행사 등 경쟁에 부칠 여유가 없을 경우나 특정인의 기술, 용역 또는 특정한 위치, 구조 등으로 인하여 경쟁할 수 없는 경우에 사용될 수 있다.

(3) 낙찰자 선정방식(적격심사에 의한 최저가낙찰제)❷

① **최저가낙찰제(「국가를 당사자로 하는 계약에 관한 법률」 제10조 제2항)**
   ㉠ 예정가격 이하로서 최저가격으로 입찰한 자를 낙찰하는 방식으로, 민간기업의 경쟁력을 촉진하는 제도이다. 정부가 공공공사의 입찰을 붙일 때에는 원칙적으로 최저가낙찰제를 시행하도록 법에 규정되어 있다.
   ㉡ 「국가계약법」 제10조 제2항은 '국고의 부담이 되는 경쟁입찰에서 충분한 계약이행능력이 있다고 인정되는 자로서 최저가격으로 입찰한 자'라고 규정하고 있다.

② **적격심사제(「국가를 당사자로 하는 계약에 관한 법률 시행령」 제42조)**
   ㉠ 부실공사방지와 덤핑입찰방지에 초점을 두어, 예정가격 이하 최저가로 입찰한 자 순으로 계약이행능력을 심사하여 낙찰자로 결정하는 제도이다.
   ㉡ 「국가를 당사자로 하는 계약에 관한 법률 시행령」 제42조에는 '경쟁입찰에서 예정가격 이하로서 최저가격으로 입찰한 자의 순으로 당해계약이행능력을 심사하여 낙찰자를 결정한다.'고 규정하여 사실상 '적격심사제'가 원칙이 되도록 만든 것이다. 이에 따라 경쟁입찰 시 낙찰자결정에서 입찰가격 이외에도 이행실적, 기술능력, 재무상태, 과거 계약이행 성실도 등 적격성을 종합적으로 심사하도록 규정하고 있다.

◈ 핵심정리 사회간접자본(SOC)에 대한 민자유치방식 비교

구분	BOT 방식	BTO 방식	BLT 방식	BTL 방식
개념	· 민간이 운영 · 기업은 시설자산으로부터 일정기간 동안 사용료 수익을 소비자로부터 받는 방식		· 정부가 운영 · 기업은 리스(Lease)자산을 기초로 일정기간 동안 임대료를 정부로부터 받는 방식	
적용	· 수익사업으로 투자비 회수가 가능한 시설 ⑩ 도로건설, 주차빌딩 등 · 민간이 위험을 부담(MRG 제도로 보완)		· 비수익사업으로 투자비 회수가 곤란한 시설 ⑩ 학교시설, 공원, 임대주택, 노인요양시설 등 · 민간은 위험 부담이 거의 없음	
특징	가장 일반적인 민간투자유치 방식	적자 시 정부보조금으로 사후에 운영수입 보장	임대료 수입의 정부보장(100%)으로 조달비용이 상대적으로 낮음	정부가 적정 수익률을 반영하여 임대료를 산정·지급하므로 투자위험 감소
소유권 이전시기	운영종료 시점	준공 시점	운영종료 시점	준공 시점
운영기간 동안 시설소유권 주체	민간	정부	민간	정부

📊 고득점 공략 BTO-rs와 BTO-a❶

1. 위험분담형 민자사업(BTO-rs; Build · Transfer · Operate-risk sharing)

정부와 민간이 시설 투자비와 운영 비용을 일정비율로 나누는 새로운 민자사업 방식이다. 사업 위험을 민간이 대부분 부담하는 BTO와 정부가 부담하는 BTL로 단순화되어 있는 기존 방식을 보완하는 제도로 도입되었다. 손실과 이익을 절반씩 나누기 때문에 BTO 방식보다 민간이 부담하는 사업 위험이 낮아진다. 정부는 이를 통해 공공부문에 대한 민간 투자를 활성화할 수 있다.

2. 손익공유형 민자사업(BTO-a; Build · Transfer · Operate-adjusted)

정부가 전체 민간 투자금액의 70%에 대한 원리금 상환액을 보전해 주고 초과이익이 발생하면 공유하는 방식이다. 손실이 발생하면 민간이 30%까지는 떠안고, 30%가 넘어가면 재정이 지원된다. 초과이익은 정부와 민간이 7대 3의 비율로 나눈다. 민간의 사업 위험을 줄이는 동시에 시설 이용요금을 낮출 수 있는 것이 장점이다. 대표적으로 서울경전철 사업, 하수·폐수 처리시설 등의 환경시설에 적용할 수 있다.

❶ 민자유치방식의 전환

BTO 방식에서 민간기업의 손실을 줄이기 위해서 시행되었던 MRG(최소수입보장) 제도는 우면산 터널 등 정부의 지나친 부담문제로 인하여 2009년 사실상 폐지되었고, BTO-rs(위험분담형 민자사업) 방식이나 BTO-a(손익공유형 민자사업) 방식으로 전환되었다.

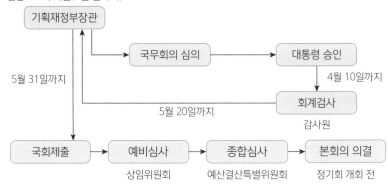

결산보고서 제출(2월 말까지)

1 결산

1. 의의

(1) 1회계연도 동안 국가의 수입·지출의 실적을 확정적 계수로 표시하는 행위로, 이로써 정부의 책임이 해제되고 감사원의 권한이 발동하는 계기가 된다.

(2) 결산의 주요 담당기관은 기획재정부이다.

2. 특징

(1) 행정기관이 예산운용의 결과를 사후적으로 확인하고 심사하는 절차로, 집행의 책임을 확인하고 해제하는 특성을 지닌다.

(2) 결산의 정치적 성격

결산은 사후적인 것이므로 집행된 내용을 무효로 할 수 없다. 다만, 부당한 지출이 발견되는 경우에는 그 책임을 물을 수 있고, 확인된 내용을 다음 연도의 예산을 편성할 때 쟁점화할 수 있다.

3. 절차❶

(1) 결산의 절차

(2) 결산심사의 결과 처리

결산의 심사결과 위법 또는 부당한 사항이 있는 때에 국회는 본회의의 의결 후 정부 또는 해당 기관에 변상 및 징계조치 등 그 시정을 요구하고, 정부 또는 해당 기관은 시정요구를 받은 사항을 지체 없이 처리하여 그 결과를 국회에 보고하여야 한다(「국회법」제84조 제2항).

---

❶ **결산기능의 관련기관**
1. **결산의 관리부처(국고수지총괄기관):** 기획재정부(결산서의 작성 및 관리)
2. **결산의 확인(검사):** 감사원
3. **결산의 승인(심의·의결):** 국회

핵심 OX

01 결산은 정부의 예산집행의 결과가 정당한 경우 집행 책임을 해제하는 법적 효과를 가진다. (O, X)

02 결산이란 한 회계연도에서 국가의 수입과 지출의 실적을 예정적 계수로써 표시하는 행위이다. (O, X)

01 O
02 X 결산이란 한 회계연도의 국가의 수입과 지출의 실적을 확정적 계수로써 표시하여 검증받는 행위이다. 예정적 계수로 표시하는 것은 예산이다.

4. 한계

(1) 결산에 대해 무관심하고, 결산행태가 형식적이다.

(2) 국회의 전문성이 부족하다.

(3) 재정정보로서의 기능이 미흡하다.

(4) 회계검사기관의 독립성이 부족하다.

5. 세계잉여금

(1) 세계잉여금이란 결산상 잉여금으로서 1회계연도에 수납된 세입액으로부터 지출된 세출액을 차감한 잔액(세입수납액 − 세출액)이다. 즉, 세입세출의 결산상 잉여금 중 법률에 따른 지출과 이월액을 공제한 금액이다.

(2) 사용순서(「국가재정법」 제90조)
① 매 회계연도 세입세출의 결산상 잉여금 중 다른 법률에 지출과 이월액을 공제한 금액(세계잉여금)은 다음 연도의 세입, 국채 또는 차입금의 원리금 상환, 국가배상금, 세출예산의 이월액의 재원으로 처리된다.
② '지방교부세 및 지방교육재정교부금의 정산 → 공적자금상환기금에 출연 → 국가채무의 상환 → 추가경정예산의 편성' 순으로 규정하고 있다.

(3) 사용시기는 정부결산에 대한 대통령의 승인 이후로 한다.

2 회계검사

1. 의의

(1) 회계검사는 정부기관의 재정활동 및 그 수지 결과를 검사·보고하는 행위이다.

(2) 가장 강력하고 본격적인 통제로서 예산과정의 마지막 단계이다.

(3) 제3자에 의한 검사
정부의 재정활동과 회계기록을 제3자의 독립된 기관이 체계적이고 비판적으로 검토하는 과정이다.

(4) 검사의 기준
① **합법성 검사:** 위법한 예산지출에 대한 사후적인 감시기능을 한다.
② **타당성 검사:** 집행의 타당성 여부를 비판적으로 검토한다.

2. 회계검사의 종류와 목적의 전환

(1) 종류(감사초점 기준)
① **재무감사(financial audit):** 가장 보편적인 검사로서 재무기록의 확인과 통제에 초점을 두는 전통적 회계검사와 유사하다.
② **합법성 감사(compliance audit)**
㉠ 행정기관이나 공무원들이 그들의 업무를 정해진 법령이나 규칙에 따라 수행하였는지 여부를 감사하는 것이다.

ⓛ 감사의 초점은 통제에 있으며, 재무감사와 더불어 가장 보편적으로 이용되는 방식이다(본래의 목적).

③ **능률성 감사(efficiency audit)**

ⓛ 합법성 위주의 감사에서 벗어나 행정업무 및 지원이 경제적·능률적인 방법으로 관리되었는지를 감사하여 비경제적·비능률적인 업무수행을 발견하는 감사이다.

ⓛ 감사의 초점은 관리 및 능률성에 주어져 있으며 비용분석, 작업흐름, 시간분석 등이 감사기법으로 이용된다.

④ **성과감사**❶**(정책감사, 사업감사; performance audit)**

ⓛ 현대 행정에서 강조되는 것으로 재무감사, 합법성감사에 덧붙여 정부의 기능, 사업, 활동 등의 경제성·능률성·효과성 등을 감사하는 것이다. 통상 성과감사는 행정기관이 달성하기로 하였던 결과가 달성되었는지 그 여부를 감사하는 것으로 이해되기도 한다.

ⓛ 감사를 정책분석 및 정책평가의 관점에서 시도하는 것이다. 즉, 행정관리, 사업운영과 효과를 검토하려는 것으로 그 초점은 효율성에 있다.

ⓒ **주요 내용**

ⓐ 정책개선을 위한 대안제시 또는 수감기관에 대한 정책 권고를 한다.

ⓑ 감사를 통하여 정부사업진행의 취약성과 장단점을 파악함으로써 사업의 실패를 미연에 방지할 수 있다.

ⓒ 이해관계가 첨예하게 대립하는 경우에는 일반공중에게 토론할 기회를 제공하는 공론화작업을 통해 정책검증의 기회를 제공하기도 한다.

(2) 목적의 전환(전통적 감사 → 성과감사)

① **전통적 감사**: 지출의 합법성을 확보하기 위한 수단으로 회계장부의 비위 및 부정을 적발·시정한다. 주로 능률성과 효과성의 확보를 목적으로 하는 소극적 감사가 행해졌다.

② **성과감사**: 감사가 단순히 합법성이나 능률성을 확보하기 위한 수단에서 더 나아가 행정부의 성과관리를 위한 유용한 수단이 될 수 있도록 한다.

3. 우리나라의 회계검사기관(감사원)❷

(1) 지위

헌법에 의해서 대통령 직속으로 설치되는 합의제 행정기관으로 원장을 포함한 7인의 감사위원으로 구성된다.

(2) 검사사항

필요적 검사사항	국가 및 지방자치단체의 회계, 한국은행의 회계와 국가 및 지방자치단체가 자본금의 50% 이상을 출자한 기관(공공기관, 지방공단, 지방공사)의 회계, 타 법률에 의해 감사원의 회계검사를 받도록 규정한 단체의 회계가 해당한다.
선택적 검사사항	감사원이 필요하다고 인정할 때, 국무총리의 요구가 있을 때에 감사할 수 있다.

❶ 성과감사(효과성)의 측정지표

1. 사업의 목표와 수단, 대상 집단은 정확히 정의되었는가?
2. 선택된 수단들은 추구하는 목적 달성에 어느 정도로 기여하는가?
3. 사람들은 제공된 사업내용이나 수단에 만족하는가?
4. 정책이 사회, 경제, 환경에 미친 직·간접적인 효과가 정책으로 인한 것인가?

❷ 감사원의 기능

1. 결산의 확인(검사)
2. 회계검사
3. 직무감찰

(3) 검사결과의 처리

① 감사원은 감사결과 위법 또는 부당한 사항에 대해서는 감사위원회의 의결을 거쳐 필요한 조치를 할 수 있다.

② 구체적으로 변상책임에 대한 판정, 징계 요구, 징계사유의 시효 정지, 시정 요구, 개선 요구, 수사기관에 고발 등을 할 수 있다.

(4) 회계검사와 직무감찰의 차이

구분	회계검사	직무감찰
기원	의회의 재정통제 차원	국왕의 관리 규찰
독립성	강함	약함
대상	국가의 예산을 사용하는 모든 기관 (삼부 및 일부 공기업 포함)	행정부 내부의 각 기관 및 소속 공무원
초점	합법성	개선

3 국고금관리

1. 의의

(1) 대상

「국가재정법」에 따른 일반회계와 특별회계, 중앙관서의 장이 관리·운용하는 기금이 적용대상이다. 단, 공공성이나 설치목적 및 재원조달방법 등에 비추어 국고금으로 관리하는 것이 적절하지 않다고 인정되는 기금은 대통령령으로 제외한다.

(2) 국고금관리의 일원화

「국고금 관리법」의 제정으로 「국가재정법」에 의한 세입·세출과 개별법에 의하여 설치된 기금의 수입·지출 등 국고금관리를 일원화하였다.

2. 국고금관리의 4대 원칙

(1) 계획에 따라 효율적이고 투명하게 관리해야 한다.

(2) 적절한 때에 지출되도록 해야 한다.

(3) 국고여유자금은 안전성을 해치지 아니하는 범위 안에서 운용해야 한다.

(4) 국고금의 수입 및 지출 등과 관련된 사항은 신속하고 정확하게 기록·관리해야 한다.

3. 회계관계공무원의 임무

재무관(지방: 경리관)	지출원인행위를 담당한다.
지출관(지방: 지출원)	지출원인행위에 따른 지출을 담당한다.
수입징수관	중앙관서의 장의 위임에 의해 수입 징수에 관한 사무를 담당한다(세입의 조사결정).
수납기관(출납공무원)	현금의 수납을 담당한다.

01 예산과정에 대한 설명으로 옳지 않은 것은? 2024년 지방직 9급

① 「국가재정법」에서는 대통령의 승인을 얻은 정부예산안이 회계연도 개시 90일 전까지 국회에 제출되어야 한다고 규정하고 있다.

② 기획재정부장관은 국무회의의 심의를 거쳐 대통령의 승인을 얻은 다음 연도의 예산안편성지침을 매년 3월 31일까지 중앙관서의 장에게 통보해야 한다.

③ 국회 예산결산특별위원회는 소관 상임위원회에서 삭감한 세출예산 각 항의 금액을 증가하게 하거나 새 비목을 설치할 경우 소관 상임위원회의 동의를 받아야 한다.

④ 정부는 국회에 예산안을 제출한 후 부득이한 사유로 인하여 그 내용의 일부를 수정하고자 하는 때에는 국무회의의 심의를 거쳐 대통령의 승인을 얻은 수정예산안을 국회에 제출할 수 있다.

02 국회의 예산심의에 대한 설명으로 옳지 않은 것은? 2016년 국가직 9급

① 상임위원회의 예비심사를 거친 정부예산안은 예산결산특별위원회에 회부되고, 예산결산특별위원회에서 종합심사가 종결되면 본회의에 부의된다.

② 예산결산특별위원회는 소관 상임위원회의 동의 없이 상임위원회에서 삭감한 세출예산 각 항의 금액을 증액할 수 있다.

③ 국회는 정부의 동의 없이 정부가 제출한 지출예산 각 항의 금액을 증가하거나 새 비목을 설치할 수 없다.

④ 국회의장은 예산안을 소관 상임위원회에 회부할 때에는 심사기간을 정할 수 있으며, 상임위원회가 이유 없이 그 기간 내에 심사를 마치지 아니한 때에는 이를 바로 예산결산특별위원회에 회부할 수 있다.

03 우리나라의 예산결산특별위원회에 대한 설명으로 옳지 않은 것은? 2020년 지방직 7급

① 예산안 및 결산 심사는 제안설명과 전문위원의 검토보고를 듣고, 종합정책질의, 부별 심사 또는 분과위원회 심사 및 찬반토론을 거쳐 표결한다.

② 국회의장이 기간을 정하여 회부한 예산안과 결산에 대하여 상임위원회가 이유 없이 그 기간 내에 심사를 마치지 아니한 때에는 이를 바로 예산결산특별위원회에 회부할 수 있다.

③ 예산안과 결산뿐 아니라 관계 법령에 따라 제출·회부된 기금운용계획안도 심사한다.

④ 소관 상임위원회에서 삭감한 세출예산 각 항의 금액을 증가하게 할 경우에 소관 상임위원회의 동의를 받지 않아도 된다.

04 예산집행의 신축성 유지 방안에 대한 설명으로 옳지 않은 것은?

① 추가경정예산의 경우, 정부는 국회에서 추가경정예산안이 확정되기 전에 이를 미리 배정하거나 집행할 수 없다.

② 예비비의 경우, 정부는 예측할 수 없는 예산 외의 지출 또는 예산초과지출에 충당하기 위하여 일반회계 예산총액의 100분의 5 이내의 금액으로 세입세출예산에 계상할 수 있다.

③ 계속비의 경우, 국가가 지출할 수 있는 연한은 그 회계연도로부터 5년 이내이나, 사업규모 및 국가재원 여건을 고려하여 필요한 경우에는 예외적으로 10년 이내로 할 수 있다.

④ 각 중앙관서의 장은 예산의 목적범위 안에서 재원의 효율적 활용을 위하여 대통령령으로 정하는 바에 따라 기획재정부장관의 승인을 얻어 각 세항 또는 목의 금액을 전용(轉用)할 수 있다.

정답 및 해설

01 예산편성과정

「국가재정법」이 아닌 헌법 제54조 제2항에서 정부예산안이 회계연도 개시 90일 전까지 국회에 제출되어야 한다고 규정하고 있다.

| 선지분석 |

② 「국가재정법」 제29조에 대한 설명이다.

③ 「국회법」 제84조에 대한 설명이다.

④ 「국가재정법」 제35조에 대한 설명이다.

❗ 예산편성과정

> **헌법 제54조** ② 정부는 회계연도마다 예산안을 편성하여 회계연도 개시 90일 전까지 국회에 제출하고, 국회는 회계연도 개시 30일 전까지 이를 의결하여야 한다.
>
> **「국가재정법」 제29조【예산안편성지침의 통보】** ① 기획재정부장관은 국무회의의 심의를 거쳐 대통령의 승인을 얻은 다음 연도의 예산안편성지침을 매년 3월 31일까지 각 중앙관서의 장에게 통보하여야 한다.
>
> **「국회법」 제84조【예산안 · 결산의 회부 및 심사】** ⑤ 예산결산특별위원회는 소관 상임위원회의 예비심사 내용을 존중하여야 하며, 소관 상임위원회에서 삭감한 세출예산 각 항의 금액을 증가하게 하거나 새 비목(費目)을 설치할 경우에는 소관 상임위원회의 동의를 받아야 한다.
>
> **「국가재정법」 제35조【국회제출 중인 예산안의 수정】** 정부는 예산안을 국회에 제출한 후 부득이한 사유로 인하여 그 내용의 일부를 수정하고자 하는 때에는 국무회의의 심의를 거쳐 대통령의 승인을 얻은 수정예산안을 국회에 제출할 수 있다.

02 우리나라의 예산심의

예산결산특별위원회는 소관 상임위원회의 동의 없이 상임위원회에서 삭감한 세출예산 각 항의 금액을 증액할 수 없다.

| 선지분석 |

① 예산안과 결산은 소관 상임위원회에 회부되고, 소관 상임위원회는 예비심사를 하여 그 결과를 의장에게 보고한다. 의장은 예산안과 결산에 예비심사에 대한 보고서를 첨부하여 이를 예산결산특별위원회에 회부하고 그 심사가 끝난 후 본회의에 부의한다(「국회법」 제84조 제1항 · 제2항).

03 우리나라의 예산결산특별위원회

예산결산특별위원회는 소관 상임위원회에서 삭감한 세출예산 각 항의 금액을 증가하게 하거나 새 비목(費目)을 설치할 경우에는 소관 상임위원회의 동의를 받아야 한다(「국회법」 제84조 제5항).

| 선지분석 |

① 「국회법」 제84조 제3항의 내용이다.

② 「국회법」 제84조 제6항의 내용이다.

❗ 「국회법」상 예산결산특별위원회

> **제84조【예산안 · 결산의 회부 및 심사】** ③ 예산결산특별위원회의 예산안 및 결산 심사는 제안설명과 전문위원의 검토보고를 듣고 종합정책질의, 부별 심사 또는 분과위원회 심사 및 찬반토론을 거쳐 표결한다. 이 경우 위원장은 종합정책질의를 할 때 간사와 협의하여 각 교섭단체별 대표질의 또는 교섭단체별 질의시간 할당 등의 방법으로 그 기간을 정한다.
>
> ⑤ 예산결산특별위원회는 소관 상임위원회의 예비심사 내용을 존중하여야 하며, 소관 상임위원회에서 삭감한 세출예산 각 항의 금액을 증가하게 하거나 새 비목(費目)을 설치할 경우에는 소관 상임위원회의 동의를 받아야 한다.
>
> ⑥ 의장은 예산안과 결산을 소관 상임위원회에 회부할 때에는 심사기간을 정할 수 있으며, 상임위원회가 이유 없이 그 기간 내에 심사를 마치지 아니한 때에는 이를 바로 예산결산특별위원회에 회부할 수 있다.

04 예산집행의 신축성 유지방안

예비비의 경우, 일반회계 예산총액의 100분의 5가 아닌 100분의 1이내의 금액으로 세입세출예산에 계상할 수 있다(「국가재정법」 제22조).

| 선지분석 |

① 「국가재정법」 제89조 제2항에 대한 설명이다.

③ 「국가재정법」 제23조에 대한 설명이다.

④ 「국가재정법」 제46조에 대한 설명이다.

정답 01 ① 02 ② 03 ④ 04 ②

05 우리나라의 재정건전성 관련 제도에 대한 설명으로 가장 옳은 것은? 2017년 서울시 9급

① 총사업비관리제도는 예비타당성조사제도와 같은 시기에 도입되었다.

② 예비타당성조사는 총사업비 500억 원 이상이면서 국자재정지원이 300억 원 이상인 신규사업 중에서 일정한 절차를 거쳐 실시한다.

③ 토목사업은 400억 원 이상일 경우 총사업비관리 대상이다.

④ 재정사업자율평가제도는 2004년부터 실시되었다.

06 국고채무부담행위에 대한 설명으로 옳은 것만을 모두 고르면? 2024년 국가직 9급

> ㄱ. 사항마다 필요한 이유를 명백히 하고 그 행위를 할 연도와 상환연도, 채무부담의 금액을 표시해야 한다.
> ㄴ. 국가가 금전급부 의무를 부담하는 행위로서 그 채무이행의 책임은 다음 연도 이후에 부담됨을 원칙으로 한다.
> ㄷ. 국가가 채무를 부담할 권한과 채무의 지출권한을 부여받은 것으로, 지출을 위한 국회 의결 대상에서 제외된다.
> ㄹ. 단년도 예산원칙의 예외라는 점에서 계속비와 동일하지만, 공사나 제조 및 연구개발 사업 등 대상이 한정되어 있다는 점에서는 대상이 한정되지 않는 계속비와 차이가 있다.

① ㄱ, ㄴ   ② ㄱ, ㄹ

③ ㄴ, ㄷ   ④ ㄷ, ㄹ

07 예산집행에 대한 설명으로 옳지 않은 것은? 2019년 국가직 9급

① 예산의 재배정은 행정부처의 장이 실무부서에게 지출을 할 수 있는 권한을 부여하는 것을 의미한다.

② 예산의 전용을 위해서 정부부처는 미리 국회의 승인을 받아야 한다.

③ 예비비는 공무원 인건비 인상을 위한 인건비 충당을 목적으로 사용할 수 없다.

④ 사고이월은 집행과정에서 재해 등의 이유로 불가피하게 다음 연도로 이월된 경비를 말한다.

08 예산집행의 신축성을 유지하기 위한 제도로 옳지 않은 것은? 2022년 국가직 9급

① 계속비   ② 수입대체경비

③ 예산의 재배정   ④ 예산의 이체

09 예산의 이용과 전용에 대한 설명으로 옳은 것은?

① 이용은 입법과목 사이의 상호 융통으로 국회의 의결을 얻으면 기획재정부 장관의 승인이나 위임 없이도 할 수 있다.

② 기관(機關) 간 이용도 가능하다.

③ 세출예산의 항(項) 간 전용은 국회 의결 없이 기획재정부 장관의 승인을 얻어서 할 수 있다.

④ 이용과 전용은 예산 한정성 원칙의 예외로 볼 수 없다.

정답 및 해설

05 우리나라의 재정건전성 관련 제도

예비타당성조사는 대형 신규 공공투자사업을 면밀하게 사전 검토하는 제도로, 총사업비 500억 원 이상이면서 국가재정지원이 300억 원 이상인 신규사업이 그 대상이다(「국가재정법」 제38조).

| 선지분석 |

① 총사업비관리제도와 예비타당성조사제도 모두 (구)「예산회계법 시행령」에 근거한 제도로, 총사업비관리제도는 1994년에 도입되었고, 예비타당성조사제도는 1999년에 도입되었다.

③ 토목사업은 500억 원 이상, 건축사업은 200억 원 이상인 경우에 총사업비 관리대상이 된다(「총사업비 관리지침」 제22조).

④ 재정사업자율평가제도는 예산편성과 성과관리의 연계를 위하여 2005년부터 실시되었다.

06 국고채무부담행위

국고채무부담행위는 국가가 금전급부 의무부담을 인정하는 행위로서 ㄱ, ㄴ은 옳은 설명이다.

| 선지분석 |

ㄷ. 국가가 채무를 부담할 권한과 채무의 지출권한을 부여받은 것으로, 지출을 위한 국회 의결 대상에서 포함되며 국고채무부담행위는 국가가 채무를 부담할 권한만 부여받은 것이지 지출할 수 있는 권한까지 부여받은 것은 아니므로 지출할 때 추가적으로 국회의 의결을 필요로 한다.

ㄹ. 단년도 예산원칙의 예외라는 점에서 계속비와 동일하지만, 공사나 제조 및 연구개발 사업 등 대상이 한정되어 있는 것은 계속비로서 국고채무부담행위와 다르다.

❶ 「국가재정법」상 국고채무부담행위

> 제25조 【국고채무부담행위】 ① 국가는 법률에 따른 것과 세출예산금액 또는 계속비의 총액의 범위 안의 것 외에 채무를 부담하는 행위를 하는 때에는 미리 예산으로써 국회의 의결을 얻어야 한다.
> ② 국가는 제1항에 규정된 것 외에 재해복구를 위하여 필요한 때에는 회계연도마다 국회의 의결을 얻은 범위 안에서 채무를 부담하는 행위를 할 수 있다. 이 경우 그 행위는 일반회계 예비비의 사용절차에 준하여 집행한다.
> ③ 국고채무부담행위는 사항마다 그 필요한 이유를 명백히 하고 그 행위를 할 연도 및 상환연도와 채무부담의 금액을 표시하여야 한다.
>
> 제23조 【계속비】 ① 완성에 수년이 필요한 공사나 제조 및 연구개발 사업은 그 경비의 총액과 연부액(年賦額)을 정하여 미리 국회의 의결을 얻은 범위 안에서 수년도에 걸쳐서 지출할 수 있다.

07 예산의 전용

예산의 용도변경을 위해서 정부가 미리 국회의 승인을 받아야 하는 것은 입법과목(장·관·항) 간의 용도변경인 이용(移用)이다. 전용은 행정과목(세항·목) 간의 용도변경으로 국회의 승인 없이 기획재정부장관의 승인을 얻어서 할 수 있기 때문에 사전의결원칙의 예외이다.

❶ 예산의 이용과 전용

구분	내용	국회의결
이용	입법과목(장·관·항) 간 융통 사용	요
전용	행정과목(세항·목) 간 융통 사용	불요

08 예산집행의 신축성 유지방안

예산집행의 목적은 재정통제와 신축성 유지가 있는데 배정과 재배정은 재정통제방안에 해당한다.

| 선지분석 |

① 계속비는 한정성 원칙 중에서 시간의 한정성 원칙의 예외이다.

② 수입대체경비는 통일성과 완전성 원칙에 대한 예외이다.

④ 예산의 이체는 사전의결원칙의 예외이다.

정답 **05** ② **06** ① **07** ② **08** ③ **09** ②

10 다음은 「국가재정법」상 예비타당성조사에 대한 내용이다. (가)와 (나)에 들어갈 숫자로 옳은 것은? 2022년 지방직 9급

> 기획재정부장관은 총사업비가 (가)억 원 이상이고 국가의 재정지원 규모가 (나)억 원 이상인 신규 사업으로서 건설 공사가 포함된 사업 등에 대한 예산을 편성하기 위하여 미리 예비타당성조사를 실시하고, 그 결과를 요약하여 국회 소관 상임위원회와 예산결산특별위원회에 제출하여야 한다.

	(가)	(나)
①	300	100
②	300	200
③	500	250
④	500	300

11 민간투자사업자가 사회기반시설 준공과 동시에 해당 시설 소유권을 정부로 이전하는 대신 시설관리운영권을 획득하고, 정부는 해당 시설을 임차 사용하여 약정기간 임대료를 민간에게 지급하는 방식은? 2020년 지방직 9급

① BTO(Build-Transfer-Operate) 　　② BTL(Build-Transfer-Lease)
③ BOT(Build-Own-Transfer) 　　④ BOO(Build-Own-Operate)

12 우리나라의 예산과정에 대한 설명으로 옳지 않은 것은? 2015년 국가직 9급

① 각 중앙관서의 장은 매년 1월 31일까지 당해 회계연도부터 5회계연도 이상의 기간 동안의 신규사업 및 기획재정부장관이 정하는 주요 계속사업에 대한 중기사업계획서를 기획재정부장관에게 제출하여야 한다.

② 국가가 특정한 목적을 위하여 특정한 자금을 신축적으로 운용할 필요가 있을 때에 법률로써 설치하는 기금은, 세입세출예산에 의하지 아니하고 운용할 수 있다.

③ 예산안편성지침은 부처의 예산편성을 위한 것이기 때문에 국무회의의 심의를 거쳐 대통령의 승인을 받아야 하지만 국회 예산결산특별위원회에 보고할 필요는 없다.

④ 정부는 회계연도마다 예산안을 편성하여 회계연도 90일 전까지 국회에 제출하도록 헌법에 규정되어 있다.

13 우리나라의 결산에 대한 설명으로 옳지 않은 것은? 2018년 국가직 9급

① 결산은 한 회계연도의 수입과 지출 실적을 확정적 계수로 표시하는 행위이다.

② 정부는 감사원의 검사를 거친 국가결산보고서를 국회에 제출하여야 한다.

③ 결산은 국회의 심의를 거쳐 국무회의의 의결과 대통령의 승인으로 종료된다.

④ 각 중앙관서의 장은 회계연도마다 소관 기금의 결산보고서를 중앙관서결산보고서에 통합하여 작성하여야 한다.

14 예산주기에 비추어 볼 때 2021년도에 볼 수 없는 예산과정은?

① 국방부의 2022년도 예산에 대한 예산요구서 작성

② 기획재정부의 2021년도 예산에 대한 예산배정

③ 대통령의 2022년도 예산안에 대한 국회 시정연설

④ 감사원의 2021년도 예산에 대한 결산검사보고서 작성

정답 및 해설

10 「국가재정법」상 예비타당성조사
총사업비가 500억 원 이상이고, 국가의 재정지원규모가 300억 원 이상인 신규 사업은 예비타당성조사 대상이다.

> ❶ 「국가재정법」상 예비타당성조사
>
> 제38조【예비타당성조사】① 기획재정부장관은 총사업비가 500억 원 이상이고 국가의 재정지원 규모가 300억 원 이상인 신규 사업으로서 다음 각 호의 어느 하나에 해당하는 대규모사업에 대한 예산을 편성하기 위하여 미리 예비타당성조사를 실시하고, 그 결과를 요약하여 국회 소관 상임위원회와 예산결산특별위원회에 제출하여야 한다. 다만, 제4호의 사업은 제28조에 따라 제출된 중기사업계획서에 의한 재정지출이 500억 원 이상 수반되는 신규 사업으로 한다.

11 민자유치방식
제시문은 임대형 민간투자사업(BTL)에 해당한다. 임대형 민간투자사업은 민간이 공공시설을 짓고 정부가 이를 임차해서 쓰는 민간투자사업 방식을 말한다.

| 선지분석 |
① BTO는 민간이 건설하고, 소유권을 정부에 이전한 다음, 투자비가 회수될 때까지 민간이 운영하는 방식이다.
③ BOT는 민간이 건설하고, 투자비가 회수될 때까지 민간이 운영한 후, 소유권을 정부에 이전하는 방식이다.
④ BOO는 민간이 건설하고, 정부에게 소유권을 이전하지 아니하고, 민간이 계속 운영하는 방식이다.

12 우리나라의 예산과정
예산안편성지침은 예산안첨부서류는 아니지만 국가재정운용계획 및 국가채무관리계획과 함께 국회에 제출하여야 한다.

| 선지분석 |
④ 헌법상 정부의 예산안 제출은 90일 전이다.

13 우리나라의 결산
결산은 국무회의의 의결과 대통령의 승인으로 종료되는 것이 아니라 국회의 결산심의(의결)를 거쳐 종료된다.

14 예산과정
감사원의 2021년도 예산에 대한 결산검사보고서 작성은 1회계연도(1/1~12/31)가 끝난 2022년에 이루어지므로 2021년도에는 볼 수 없는 예산과정이다.

| 선지분석 |
① 국방부의 2022년도 예산에 대한 예산요구서 작성은 전년도인 2021년도 5월 31일까지 기획재정부장관에게 제출되어야 하므로 2021년도에 볼 수 있는 예산과정이다.
② 기획재정부의 2021년도 예산에 대한 예산배정은 당해 연도인 2021년도에 분기별로 이루어지므로 2021년도에 볼 수 있는 예산과정이다.
③ 대통령의 2022년도 예산안에 대한 국회 시정연설은 전년도인 2021년도 정기국회에서 시행되므로 2021년도에 볼 수 있는 예산과정이다.

정답 10 ④ 11 ② 12 ③ 13 ③ 14 ④

10초만에 파악하는 **5개년 기출 경향**

▌최근 5개년(2024~2020) 출제율

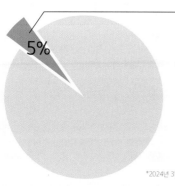

PART 6는 평균 5% 출제되었으며,
모든 공무원 시험에서 약 1~2문제 출제됩니다.

5%

*2024년 3월까지 시행된 국가직/지방직 9·7급 공무원 행정학 시험 기준

▌CHAPTER별 출제율

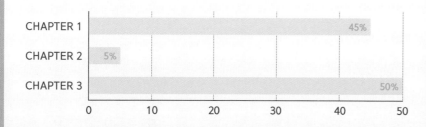

CHAPTER 1		45%
CHAPTER 2	5%	
CHAPTER 3		50%

| 0 | 10 | 20 | 30 | 40 | 50 |

PART 6

행정환류론

1   행정책임과 행정통제

1 행정책임

1. 의의

(1) 개념

행정책임이란 행정인이나 행정조직이 직무를 수행할 때 주권자인 국민의 기대와 요구에 부응하여 일정한 기준에 따라 행동하여야 할 의무이다. 주로 결과에 대한 책임을 의미하나, 과정이나 절차에 대한 책임도 포함된다.

(2) 유형

일반적으로 ① 국민에 대한 수임자로서의 도의적 책임, ② 법령에 따라야 하는 법적 책임, ③ 국민과 국민의 대표기관인 의회에 대한 민주적 책임, ④ 공무원으로서의 직업윤리에 충실하여야 하는 기능적 책임 등이 있다.

2. 기준❶

명문의 규정이 있는 경우	법령이나 규정에 따르면 된다. 형식적 해석이 아니라 합목적적으로 적용하는 것이 바람직하다.
명문의 규정이 없는 경우	공익 등의 행정이념, 공직윤리(행정윤리), 국민 및 수익자집단·고객의 요구, 행정조직의 목표와 정책·사업계획 등에 따른다.

3. 특징

(1) 행정상의 일정한 의무를 전제로 한다.

(2) 행정책임의 비중이 과거 외재적 책임에서 현대에는 내재적 책임으로 변화되었다.

(3) 행정인의 재량권과 자율성에 근거하여 발생한다.

(4) 행정행위의 결과(내용)와 과정(절차)에 대한 책임으로서 일반적으로 결과에 대한 책임이 과정에 대한 책임보다 중시된다. 즉, 행위의 동기를 파악하는 것은 중시되지 않는다.

(5) 행정책임은 대물적 관계가 아니라 대인적 관계에서 주로 나타난다.

(6) 행정책임은 행정통제와 표리의 관계이다. 즉, 행정책임은 행정통제의 목적이며 행정통제는 행정책임을 보장하기 위한 수단이다.

(7) 행정책임은 업무수행상의 미미한 과실이나 비능률이 아닌 중대하고 명백한 일탈에 대해 발생한다.

❶ 규정이 없는 경우의 기준
명문의 규정이 없을 경우, 무엇이 가장 1차적인 기준인가에 대하여는 논란이 있다. 일반적으로 1차적 기준은 공익이라고 보는데, 학자들 간의 공익이 가장 중요하다는 주장과 공직윤리가 우선이라는 주장 등의 논란이 있다.

4. 행정책임이 강조되는 이유

(1) 위임입법의 증가

현대행정수요가 복잡화 · 다양화 · 전문화되면서 공무원의 재량권이 확대되었고, 이로 인해 위임입법이 증대되었다.

(2) 외부통제의 약화

행정주도의 경제발전과 권력통치가 이루어졌기 때문에 외부통제(입법 · 사법통제)가 상대적으로 약화되었다.

(3) 후진적 행정문화와 시민의 참여의식 결여

우리나라의 계층적 권위주의와 복지부동식의 후진적 행정문화 및 시민적 자발적인 참여의식의 결여 등으로 인해서 행정책임이 더욱 더 중요시 되고 있다.

5. 유형

(1) 객관적 책임과 주관적 책임

① 객관적 책임(외재적 책임): 외부로부터 부과된 의무에 의한 책임으로 합법적 · 계층적 · 응답적 책임이 이에 해당한다.

ⓐ 합법적 책임: 공식적 · 법률적 책임으로 분담될 수 없는 책임이다. 법규를 준수하지 못한 데 대한 책임으로 변명적 책임의 성격을 가지고 있다.

ⓑ 계층적 책임: 상 · 하의 계층제적 책임구조인 행정조직 내에서 상급자의 지시나 부여된 목표에 대해 직접적으로 지는 책임이다.

ⓒ 응답적 책임: 국가의 주인인 국민의 요구와 공익적 요청에 부합되는 행정을 수행할 책임이다.

② 주관적 책임(내재적 책임)

ⓐ 외부적인 힘이 아니라 행위자 스스로의 책임이다.

ⓑ 행위자의 내면적 · 주관적 기준에 의한 책임으로 비공식적이고 자율적이다.

ⓒ 직업적 · 관료적 · 기능적 책임으로 공무원이 지니는 전문직업인으로서의 가치와 양심에 충실할 것을 요구한다. 즉, 업무윤리 및 전문적 지식에 따라 직책을 잘 수행하는가와 관련된 책임이다.

ⓓ 문책자가 없으므로 객관적인 판단기준이나 제재도 존재하지 않는다.

◎ 핵심정리 객관적 책임과 주관적 책임

구분	객관적(외재적 · 제도적) 책임	주관적(내재적 · 자율적) 책임
학자	파이너(Finer) – 법적 · 공식적 책임	프리드리히(Friedrich) – 재량적 · 기능적 · 권능적 책임
문책자 (제재)의 존재	외재, 제재의 존재	내재 또는 부재, 제재의 부재
절차의 중요성	절차의 중시	절차의 준수와 책임완수는 별개
통제방법	공식적 · 제도적 통제	비공식적 · 자율적 통제
판단기준	객관적 판단기준 있음	객관적 판단기준 없음

(2) 법적 책임과 도의적 책임

① 법적 책임(accountability)

    ㉠ 가장 본래적 의미의 책임으로서 법규나 명령에 따라 행동하여야 할 책임이다. 공식적 관계를 중시하여 법적 책임의 성실성을 담보하기 위한 것이다.

    ㉡ 도의적 책임은 실제로 분담될 수 있으나, 이와 달리 법적 책임은 분담될 수 없다.

② 도의적 책임(윤리적 책임, responsibility)

    ㉠ 국민의 수임자 또는 공복으로서의 광범위한 책임이며 국민의 요구에 대한 대응이 핵심이다.

    ㉡ 타인의 잘못으로 인한 책임도 이에 근거하는데, 공무원은 법적 책임은 없으면서 자기결정에 대하여 도의적 책임을 지는 경우가 있다.

(3) 정치적 책임과 기능적 책임

① 정치적 책임: 행정인이나 행정조직이 국민의 기대와 의사에 부응하여야 한다는 책임으로, 국민에 대하여 지는 민주적 책임이다.

② 기능적 책임(직업적 책임): 전문직업인으로서의 직업윤리와 전문적·기술적 기준을 따라 직책을 잘 수행할 책임이다.

(4) 행정책임의 유형(Romzeck & Dubnick)과 가치

구분	내부통제	외부통제
낮은 통제	계층적 책임(능률성)	법적 책임(합법성)
높은 통제	전문가적 책임(전문성)	정치적 책임(대응성)

① 계층적(관료적) 책임: 조직 내부에서의 높은 수준의 감독이나 통제를 의미한다. 즉 상명하복의 원칙, 표준운영절차(SOP)나 내부규칙(규정)에 따라 통제된다.

② 전문가적 책임: 공직자의 개인적 신념, 윤리의식, 전문적 지식 및 기술 등에 의해 구현되는 유형이다. 전문직업적 규범과 전문가집단의 관행을 중시하며 프리드리히(Friedrich)에 의해 강조된 행정책임의 주요 기준의 하나이다.

③ 법적 책임: 법에 따라 주어진 의무사항을 준수하는 지에 대한 것으로 법적 책임을 부과하는 외부 조직이나 개인의 강력한 통제를 통해 확보되는 데 의회나 사법부의 통제 등이 이에 속하며 통제의 원천은 외부에 있다.

④ 정치적 책임: 기관 외부의 이해관계자들인 선출직 정치인, 민간 고객, 이익집단, 국민 등 외부 이해관계자의 기대에 부응하는가를 중시하는 대응성을 통해 확보된다.

6. 행정책임에 대한 논쟁

(1) 파이너(Finer)의 고전적 책임 – 법적·민주적 책임 강조

① 외재적 책임: 파이너(Finer)는 "관료는 스스로의 행동에 대해서는 심판관이 될 수 없다."라고 지적하면서 외부기관으로부터의 통제가 미약하면 관료권이 강화되므로 입법·사법·정당 등의 외부통제에 근거한 행정책임을 강조하였다.

② 객관적 책임: 객관적 책임은 법률이나 규칙에 대한 책임, 국민에 대한 책임, 의회에 대한 책임 등이다. 객관적 책임에서는 행정인의 개인적 욕구, 선호 등은 고려되지 않고 외재적으로 설정되는 의무가 조직 내의 역할을 규정한다.

③ **국민에 대한 책임:** 민주국가에서 법률에 대한 책임은 궁극적으로 주권자인 국민에 대한 책임을 반영하는 것이다. 따라서 국민의 여망이나 공익에 부응해야 한다는 의무도 객관적인 책임이다.

(2) 프리드리히(Friedrich)의 현대적 책임 – 재량적·기능적 책임 강조

① **자율적·내재적 책임:** 프리드리히(Friedrich)는 행정책임을 자율적·내재적 책임으로 인식하여 외재적 책임의 한계를 인식하고 관료 스스로 책임감을 느끼는 것이 중요하다고 하였다. 즉, 책임이란 통제되거나 제도화될 수 있는 것이 아니라 유도된다는 것이다. 내재적 책임은 관료가 과오를 인정하거나 양심의 가책을 느껴서 스스로 책임이 있다고 느끼는 내적 충동의 발현에 의한 자율적 책임이다.

② **기능적 책임:** 전문가 집단의 능력에 기한 기능적인 책임을 강조하였다. 즉, 행정인의 집단규범·전문직업적 기준을 강조하면서, 행정책임을 공무원들의 직업윤리와 전문기술적인 기능적 책임으로 이해하였다.

③ **정치적 책임:** 의회를 통한 고전적인 책임 확보를 비판하면서 시민참여를 통한 정치적 책임을 강조하였다. 즉, 책임을 민중감정에 스스로 응답해야 하는 정치적 책임으로 이해한 것이다.

2 행정통제

1. 의의

(1) 행정통제란 설정된 행정목표나 기준에 따라 행정활동이 수행되도록 평가하고 시정하는 계속적인 과정이다. 민중통제를 통해서 국민의 신뢰를 확보할 수 있으므로 신뢰와도 밀접한 관련이 있다.

(2) 행정통제는 행정책임을 확보하기 위한 수단이나 장치로서 행정책임과 표리의 관계에 있다. 대외적으로는 국민에 대한 책임을 확보하고, 내부적으로는 행정목표와 실적의 비교를 통하여 행정의 성과를 제고하며 시정조치를 취하려는 환류기제(feedback mechanism)에 해당한다.

(3) 외부통제는 민주성을 중시하고, 내부통제는 능률성과 효과성을 중시한다. 최근 행정국가화 현상에 의해서 행정이 전문화됨에 따라 외부통제가 한계를 가지게 되자 내부통제가 상대적으로 중시되고 있다.

2. 원칙

일치의 원칙	행위자의 권한과 책임이 일치하도록 통제하여야 한다.
명확성(이해가능성)의 원칙	통제의 목적이나 기준을 명확하게 인식하여야 한다.
즉시성의 원칙	기준에 일탈된 내용은 바로 통제·시행되어야 한다.
적량성의 원칙	지나친 수준의 통제는 행동자를 위축시키고 사기를 저하시킨다. 따라서 통제로 인한 효과와 통제로 인한 비용을 검토하여 적정한 수준의 통제가 이루어지도록 하여야 한다.

핵심 OX

01 행정책임 중에서 법적 책임은 분담이 가능하다. (O, X)

02 직업전문인으로서 업무윤리 및 전문적 지식에 따라 직책을 잘 수행하는가와 관련된 책임은 정치적 책임에 해당한다. (O, X)

03 파이너(Finer)는 외재적 책임을, 프리드리히(Friedrich)는 내재적 책임을 강조하였다. (O, X)

04 행정통제는 설정된 행정목표 또는 정책목표와 기준에 따라 성과를 측정하고 이에 맞출 수 있도록 시정하는 노력을 의미한다. (O, X)

05 짧은 기간 내에 집중되는 '강조주간적 통제운동'은 통제의 면역증 치료에 도움이 된다. (O, X)

01 X 법적 책임은 분담이 불가능하다.
02 X 정치적 책임이 아니라 기능적이고 직업윤리적인 책임에 해당한다.
03 O
04 O
05 X '강조주간적 통제운동'은 통제에 대한 면역과 불감증만 높여줄 뿐 효과가 없다.

예외의 원칙	모든 행정과정을 통제할 수는 없으므로, 통제의 효율성을 높이기 위해서 일상적이고 반복적인 업무보다는 예외적인 사항인 전략적 통제점을 선정하여 통제하여야 한다.
비교의 원칙	통제에 요구되는 기준과 실제 행동이나 성과를 비교하여 통제하여야 한다.
적응성의 원칙	상황변화에 따라 신속히 대응할 수 있어야 한다.
지속성의 원칙	통제는 지속적이고 계속적이어야 한다. '불조심 강조기간'이나 '음주운전 집중단속기간' 등의 강조주간적 일회성 통제는 통제에 대한 면역성과 불감증만 높여줄 뿐 효과가 없다.

3. 기능

(1) 행정의 능률성과 민주성을 구현한다.

(2) 행정재량권의 확대에 따른 관료들의 재량권 남용을 방지하고, 행정책임을 명확히 한다.

(3) 행정계획의 효과적인 집행을 보장하고, 행정성과를 종합적으로 확인·평가한다.

(4) 행정통제는 행정책임을 전제로 한다. 즉, 행정책임은 행정통제의 목적이다.

4. 과정

(1) 통제기준의 설정 및 확인❶

① 통제의 과정은 통제의 목표 또는 기준을 확인하는 데에서부터 시작된다.

② 통제의 기준에는 목표수행의 상황, 목표수행의 과정과 결과, 목표수행에 관한 개인적 책임 등이 있다.

(2) 실제 행정과정에 대한 정보의 수집

실질적인 행정과정에 대한 정보를 수집한다.

(3) 성과의 측정과 평가의 실시

통제의 시행성과를 측정하고 편차를 발견하여 비교·평가한다.

(4) 통제주체의 시정조치(feedback)

① 의의: 얻은 결과를 토대로 목표와 사업성과 간의 오차를 제거·조정하는 것이다.

② 소극적 피드백과 적극적 피드백

㉠ 소극적 피드백: 오차의 수정과 보완이다(인적자원과 물적자원의 보강, 제도적 개선 등).

㉡ 적극적 피드백: 목표나 기준 자체의 변경이다.

5. 유형

행정통제는 정부 외부로부터의 통제인지, 내부에 의한 통제인지에 따라 외부통제와 내부통제로 나누기도 하고, 공식기구와 절차를 통한 통제인지 아닌지에 따라 공식적 통제와 비공식적 통제로 나누기도 한다(Gilbert).

❶ 행정통제의 전략적 통제점 선택 시 고려 사항

1. 적시성: 행정책임을 규명해야 할 시점을 놓쳐서는 안 된다.
2. 경제성: 통제비용을 적절히 고려하여야 한다.
3. 균형성: 전체적인 통제대상의 어느 한 부분에만 치우쳐 통제의 균형을 상실해서도 안 된다.
4. 포괄성: 전반적인 사업의 성과를 파악할 수 있어야 한다.
5. 사회적 가치성: 사회적으로도 의미 있고 중요한 부분을 전략적 통제점으로 선정하여야 한다.

(1) 외부 · 공식적 통제[1]

① 입법부에 의한 통제

  ㉠ **의의**: 국민의 대표기관인 입법부에 의한 행정통제이다. 행정통제 가운데 가장 역사가 오래되었으며, 실질적으로 그 효과가 가장 크다. 입법부에 의한 통제는 대통령제 국가에서 더욱 엄격하다.

  ㉡ **방법**: 입법통제의 수단으로는 법률 제정, 공공정책의 결정, 예산심의, 각종 상임위원회의 활동, 국정조사 및 국정감사 활동, 고위공직자의 임명동의 · 해임건의 및 탄핵권, 기구 개혁, 청원 등 여러 제도적 장치가 있다.

  ㉢ **한계**: 최근 행정의 전문성 향상과 재량권 확대에 따라 한계를 드러내고 있다.

② 사법부에 의한 통제

  ㉠ **방법**

   ⓐ 행정업무 수행과정에서의 위법 · 부당한 권익침해에 대한 구제가 있다.

   ⓑ 행정명령 · 행정규칙 · 행정처분의 위헌 · 위법여부를 심사한다.

  ㉡ **한계**

   ⓐ 사법통제는 행정이 이미 이루어지고 난 후의 사후조치에 불과하다.

   ⓑ 비용과 시간이 많이 소요된다.

   ⓒ 우리나라의 경우 사법권의 독립성과 공정성이 권력적 · 금전적 압력으로부터 위협받고 있다.

③ 옴부즈만에 의한 통제: 공무원의 위법 또는 부당한 행위로 말미암아 권리의 침해를 받은 시민이 제기하는 민원이나 불평을 조사하여 관계기관에 시정을 권고함으로써 국민의 권리를 구제하는 제도이다.

(2) 외부 · 비공식적 통제

① 이익집단(압력단체)

  ㉠ 이익집단은 자신들에게 피해를 주는 정책에 대해서는 반대 로비를, 이익을 주는 정책에 대해서는 찬성 로비를 벌인다.

  ㉡ 개발도상국의 경우에는 오히려 관변단체가 많아 정부의 입장을 홍보해 주는 역할을 하기도 한다.

② 정당: 정당은 정권 획득을 목적으로 하는 사적 조직으로, 여당은 정부와의 당정협의회 형식으로 진행되고 야당은 정부와 여당에 대한 비판적 자세를 견지한다.

③ 언론 및 시민단체

  ㉠ 언론기관은 정부의 정책에 대해 건전한 비판자로서 역할을 수행한다.

  ㉡ NGO 등 시민단체는 1990년대 이후 폭발적으로 증가하고 있으며 오늘날 행정통제의 중요한 주체로 등장하고 있다.

(3) 내부 · 공식적 통제

① 행정수반: 행정수반에 의한 행정통제는 명령이나 지시, 법규를 통하는 등 다양한 방식으로 이루어진다.

② 관리통제

  ㉠ **의의**: 행정활동이 본래의 목표나 계획과 기준에 따라 수행되고 있는가를 확인하고 실적이나 성과를 비교하여 그 결과에 따라 필요한 시정조치를 취한다.

---

[1] 외부통제의 선행조건(Lipset)

1. **사회적 다원화**: 사회 속에서 자율성을 가지는 다양한 집단이 존재하여야 한다.
2. **사회적 교화**: 다양한 과정을 통해 국민에게 규범과 지식을 전달하여 국민을 교화시켜야 한다.
3. **시민의 참여**: 민주의식이 높은 시민의 참여가 필요하다.
4. **기본적인 합의**: 다수결에 대한 승복, 상대방 존중, 국민의 알 권리 등 민주주의에 대한 기본적인 합의가 필요하다.
5. **자유로운 정치활동**: 집회 및 결사의 자유, 참정권, 선거를 통한 정권교체 등 민주통제의 여건이 조성되어야 한다.
6. **엘리트의 순환**: 신진엘리트의 채용 등으로 공직의 신진대사가 촉진되어야 한다.
7. **기타**: 심리적 안정감, 소득의 평준화, 교육의 보편화 등이 있다.

핵심 OX

01 입법부에 의한 통제는 현대 행정국가에서 전문성이 떨어지는 문제가 있다. (O, X)

02 여당이나 선거제도는 외부적이고 공식적인 통제에 해당한다. (O, X)

01 O
02 X 이들은 외부적이고 비공식적인 통제에 해당한다.

ⓛ **방법**: 정책 및 기획통제, 운영통제, 감찰통제, 요소별 통제, 절차통제(보고나 지시)가 있다.

③ **조정기구·계층제**: 대부분의 조직은 구성원들의 책임성을 확보하기 위하여 다양한 장치를 마련하고 있다. 또한 계층제에서 상관은 부하를 감독하고 필요할 때에는 부하에게 시정조치를 취하도록 지시한다.

④ **감사원**

ⓗ 감사기능은 전문성이 상당히 높으며, 사후 통제적 성격을 갖는다.

ⓛ 현재 우리나라 감사원은 제도상 헌법기관이며, 대통령 직속기구로 되어 있어 독립기관으로서의 법적 지위를 보장받고 있으나 중립성이 문제되는 경우가 많다.

⑤ **국민권익위원회**

ⓗ 부패방지와 국민의 권리보호 및 구제를 위한 기관이다.

ⓛ 과거 국민고충처리위원회와 국가청렴위원회, 국무총리 행정심판위원회 등의 기능을 합쳐 국민의 권익 구제 창구를 일원화하고 신속하고 충실한 원스톱 서비스 체제를 마련한 것이다.

(4) 내부·비공식적 통제

① **기능적 책임**: 직업전문인으로서 업무윤리 및 전문적 지식에 따라 직책을 잘 수행하는가와 관련되는 것으로, 직업적 책임이라고도 한다.

② **비공식조직**: 조직 내의 소집단이나 비공식집단에 의한 행정통제를 하는 경우이다.

③ **공직윤리**: 외부적·공식적인 통제의 한계가 드러남에 따라 궁극적으로 공직윤리를 확립함으로써 통제를 확보하려는 것이다.

④ **대표관료제**: 차별받는 계층을 관료로 충원함으로써 민주성과 책임성을 확보할 수 있다.

행정통제의 유형(Gilbert)❶

구분		내부	외부
공식적		· 행정수반(대통령) · 계층제 · 독립통제기관(감사원, 국민권익위원회) · 교차기능조직 · 정부업무평가	· 입법부 · 사법부 · 헌법재판소 · 옴부즈만제도
비공식적		· 공익 · 행정윤리 · 대표관료제 · 비공식조직(규범)	· 시민통제 · NGO · 이익집단 · 언론매체 · 정당

---

❶ 행정통제의 유형(Dubnick & Romzek)

1. 분류의 기준
· 통제의 원천(source): 내부 / 외부
· 통제의 정도: 강 / 약

2. 통제의 유형

구분		통제의 원천	
		내부	외부
통제 정도	강	관료적 통제	법적 통제
	약	전문적 통제	정치적 통제

01 행정통제를 조직 내·외부통제로 나눌 때 우리나라 감사원은 입법부 소속 회계감사기관이므로 외부통제에 해당한다. (O, X)

02 행정책임을 확보하기 위한 수단을 내재적 – 외재적, 공식적 – 비공식적이라는 두 개의 축으로 나눌 때 공무원의 직업윤리는 내재적 – 비공식적 수단에 해당한다. (O, X)

03 행정부로부터 통제주체들의 재정적 독립은 행정에 대한 통제를 어렵게 하는 요인이다. (O, X)

---

01 X 감사원은 행정부 소속이므로 내부통제에 해당한다.

02 O

03 X 행정통제주체들의 재정적 독립은 행정통제의 강화요인이다.

6. 행정통제력 강화방안

(1) 행정의 투명성 확보를 통한 정보의 균등화가 이루어져야 한다.

(2) 행정통제의 대상과 영역 확대 및 통제장치의 다양화가 필요하다.

(3) 시민사회의 자율성과 통제력이 강화되어야 한다.

(4) 통제주체가 행정부로부터 독립하여야 한다.

(5) 공직윤리의 확립을 통해 자율적 통제장치를 확립하는 것이 가장 효과적이고 바람직하다.

---

2 | 옴부즈만제도와 민원행정

1 | 옴부즈만제도[1]

1. 의의

(1) 옴부즈만(ombudsman)이란 '호민관' 또는 '행정감찰관'으로, 공무원의 위법·부당한 행위로 인해 권리의 침해를 받은 시민이 제기하는 민원·불평을 조사하여 관계 기관에 시정을 권고함으로써 국민의 권리를 구제하는 기관이다.

(2) 행정기능의 확대·강화로 행정에 대한 입법부 및 사법부의 통제가 실효를 거둘 수 없게 되자 이에 대한 보완책으로서, 국회를 통해 임명된 조사관이 공무원의 권력남용 등을 조사·감시하는 외부적이고 제도적인 통제방안이다.

(3) 옴부즈만제도는 1809년 스웨덴에서 처음 명문화되어 핀란드가 1919년에, 노르웨이가 1952년에, 덴마크가 1953년에 도입하였고 영국, 미국 등 많은 나라에서 도입하고 있다.

(4) 우리나라의 옴부즈만제도에는 국무총리 소속의 국민권익위원회가 해당된다.

2. 유형 – 의회(입법부)형, 행정부형

옴부즈만을 누가 선출해 임명하는가에 따라, 국회에서 선출하는 의회 옴부즈만(북구형)과 행정수반이 임명하는 행정부형 옴부즈만으로 구분된다.

3. 일반적 특징

(1) 입법부 소속기관

① 대부분 국가의 경우 옴부즈만은 의회 소속의 공무원이다. 그러나 직무수행에 있어서는 의회의 영향을 받지 않고 독립적으로 수행한다.

② 우리나라와 프랑스의 경우 행정부 소속의 옴부즈만 형태이다.

[1] 온라인 시민참여의 유형과 제도(OECD)
1. **정보제공형**: 정부가 시민에게 일방적으로 정보를 제공한다.
   예 정보공개제도 등
2. **협의형**: 정책적 순응확보를 위하여 정부와 시민 간 소통해서 협의한다.
   예 옴부즈만제도, 행정절차법 등
3. **정책결정형**: 시민들이 적극적으로 참여하고 주도적으로 결정한다.
   예 주민참여예산제도, 주민발안(주민의 입법 제안) 등

(2) 직무상의 독립성

① 옴부즈만은 직무상의 독립성을 가지는 헌법기관으로서 의회로부터 직무와 관련하여 직접 지시나 명령을 받지 않는다.

② 우리나라의 경우 국민권익위원회는 법률기관으로서 직무상의 독립성은 인정된다.

(3) 고발행위의 다양성

공무원의 위법·부당 및 비능률, 태만 등 다양한 행위에 대해서 고발할 수 있다. 즉, 합법성뿐만 아니라 합목적성의 문제도 옴부즈만의 조사대상이 된다.

(4) 신청·직권에 의한 조사

① 옴부즈만은 국민의 요구나 신청에 의해서 조사를 하는 것이 일반적이나, 직권에 의한 조사도 가능하다.

② 우리나라의 경우 신청조사만 가능하다.

(5) 간접적 통제

옴부즈만은 기존의 행정결정이나 법원의 결정·행위를 무효 또는 취소, 변경할 권한은 가지고 있지 않으므로, 이빨 없는 경비견(watchdog without teeth)으로 불리기도 한다. 다만, 이를 시정조치해 줄 것을 담당기관에 건의할 수 있을 뿐이다.

(6) 조사·시찰·처벌권

① 옴부즈만은 독립적 조사권, 시찰권, 소추권 등을 가지나, 소추권은 대부분의 나라에서 인정하지 않는 것이 보통이다.

② 비위자(非違者)를 처벌하는 권한을 가진다.

(7) 신속한 처리와 저렴한 비용

행정심판이나 소송 등 사법부에 의한 통제나 다른 구제수단에 비해서 시간이 적게 걸리고 비용 또한 저렴한 것이 장점이다.

(8) 의회와 행정부 간 완충 역할

옴부즈만은 의회와 행정부 간의 업무협조와 상호견제 등 완충 역할을 수행하기도 한다.

2 국민권익위원회(내부·공식적 통제)

1. 의의

(1) 목적

국민권익위원회는 「부패방지 및 국민권익위원회의 설치와 운영에 관한 법률」에 근거하여 설치된 기관으로서 행정기관 등에 의한 국민의 권익침해의 구제 및 불합리한 제도의 개선을 강화하기 위한 것이다.

(2) 구성

① 국무총리 소속(행정부형 합의제)하에 위원장 1명을 포함한 15명의 위원(부위원장 3명, 상임위원 3명)으로 구성한다.

② 위원장과 위원의 임기는 3년이며, 1차에 한해 연임이 가능하다.

(3) 지방자치단체에 시민고충처리위원회의 설치

① 지방자치단체 및 그 소속기관과 관련된 고충민원의 처리와 행정제도의 개선을 위하여 각 지방자치단체에 시민고충처리위원회를 설치할 수 있도록 한다.

② 시민고충처리위원회 위원의 임기는 4년으로 하되, 연임할 수 없다.

2. 신청대상(고발행위의 다양성)

공무원의 위법뿐만 아니라 부당하거나 소극적인 처분(사실행위 및 부작위 포함), 비능률, 태만 등 다양한 행위에 대해서 고발할 수 있다. 즉, 합법성뿐만 아니라 합목적성에 문제가 있는 공무원의 행정행위도 조사대상이 된다.

3. 주요 기능(「부패방지 및 국민권익위원회의 설치와 운영에 관한 법률」제12조)

(1) 국민의 권리보호·권익구제 및 부패방지를 위한 정책의 수립 및 시행

(2) 고충민원의 조사와 처리 및 이와 관련된 시정권고 또는 의견표명

(3) 고충민원을 유발하는 관련 행정제도 및 그 제도의 운영에 개선이 필요하다고 판단되는 경우 이에 대한 권고 또는 의견표명

(4) 위원회가 처리한 고충민원의 결과 및 행정제도의 개선에 관한 실태조사와 평가

(5) 공공기관의 부패방지를 위한 시책 및 제도개선 사항의 수립·권고와 이를 위한 공공기관에 대한 실태조사

(6) 공공기관의 부패방지 시책 추진상황에 대한 실태조사·평가

(7) 부패방지 및 권익구제 교육·홍보 계획의 수립·시행

(8) 비영리 민간단체의 부패방지활동 지원 등 위원회의 활동과 관련된 개인·법인 또는 단체와의 협력 및 지원

(9) 위원회의 활동과 관련된 국제협력

(10) 부패행위 신고 안내·상담 및 접수 등

(11) 신고자의 보호 및 보상

(12) 법령 등에 대한 부패유발요인 검토

(13) 부패방지 및 권익구제와 관련된 자료의 수집·관리 및 분석

(14) 공직자 행동강령의 시행·운영 및 그 위반행위에 대한 신고의 접수·처리 및 신고자의 보호

(15) 민원사항에 관한 안내·상담 및 민원사항 처리실태 확인·지도

(16) 온라인 국민참여포털의 통합 운영과 정부민원안내콜센터의 설치·운영

(17) 시민고충처리위원회의 활동과 관련한 협력·지원 및 교육

(18) 다수인 관련 갈등 사항에 대한 중재·조정 및 기업의 애로 해소를 위한 기업고충민원의 조사·처리

(19) 「행정심판법」에 따른 중앙행정심판위원회의 운영에 관한 사항

(20) 다른 법령에 따라 위원회의 소관으로 규정된 사항

(21) 그 밖에 국민권익 향상을 위하여 국무총리가 위원회에 부의하는 사항

4. 고충민원의 처리(「부패방지 및 국민권익위원회의 설치와 운영에 관한 법률」 제39조, 제40조)

(1) 누구든지(국내에 거주하는 외국인을 포함) 국민권익위원회 또는 시민고충처리위원회(이하 '권익위원회'라 한다)에 고충민원을 신청할 수 있다. 이 경우 하나의 권익위원회에 대하여 고충민원을 제기한 신청인은 다른 권익위원회에 대하여도 고충민원을 신청할 수 있다.

(2) 권익위원회에 고충민원을 신청할 때에는 문서(전자문서를 포함)로 신청하여야 한다. 다만, 문서에 의할 수 없는 특별한 사정이 있는 경우에는 구술로 신청할 수 있다.

(3) 고충민원의 신청이 있는 경우에는 그 접수를 보류하거나 거부할 수 없으며, 접수된 고충민원서류를 부당하게 되돌려 보내서는 아니 된다.

(4) 신청인이 동일한 고충민원을 둘 이상의 권익위원회에 각각 신청한 경우 각 권익위원회는 지체 없이 그 사실을 상호 통보하여야 한다. 이 경우 각 권익위원회는 상호 협력하여 고충민원을 처리하거나 제43조에 따라 이송하여야 한다.

(5) 권익위원회는 고충민원을 접수한 경우에는 지체 없이 그 내용에 관하여 필요한 조사를 하여야 한다. 다만, 고충민원의 내용이 각하사항이거나, 고충민원의 내용이 거짓이거나 정당한 사유가 없다고 인정되는 사항, 그 밖에 고충민원에 해당하지 아니하는 경우 등 권익위원회가 조사하는 것이 적절하지 아니하다고 인정하는 사항에는 조사를 하지 아니할 수 있다.

5. 고충민원의 이송(「부패방지 및 국민권익위원회의 설치와 운영에 관한 법률」 제43조)

(1) 고도의 정치적 판단을 요하거나 국가기밀 또는 공무상 비밀에 관한 사항

(2) 국회·법원·헌법재판소·선거관리위원회·감사원·지방의회에 관한 사항

(3) 수사 및 형집행에 관한 사항으로서 그 관장기관에서 처리하는 것이 적당하다고 판단되는 사항 또는 감사원의 감사가 착수된 사항

(4) 행정심판, 행정소송, 헌법재판소의 심판이나 감사원의 심사청구, 그 밖에 다른 법률에 따른 불복구제절차가 진행 중인 사항

(5) 법령의 규정에 따라 화해·알선·조정·중재 등 당사자 간의 이해조정을 목적으로 행하는 절차가 진행 중인 사항

(6) 판결·결정·재결·화해·조정·중재 등에 따라 확정된 권리관계에 관한 사항 또는 감사원이 처분을 요구한 사항

(7) 사인 간의 권리관계 또는 개인의 사생활에 관한 사항

(8) 행정기관 등의 직원에 관한 인사행정상의 행위에 관한 사항

(9) 그 밖에 관계 행정기관 등에서 직접 처리하는 것이 타당하다고 판단되는 사항

6. 한계

(1) 우리나라의 경우 법률상의 기관으로 조직의 안정성이나 독립성이 부족하다.

(2) 신청에 의한 조사만 가능하고 직권조사권이 없다.

(3) 사전심사권이 없어 사전적인 예방제도가 될 수 없고 사후적인 심사수단에 불과하다.

(4) 행정부 소속이기 때문에 행정부에 대한 강력한 권한 행사가 곤란하여 행정부 통제에 한계가 있고, 입법부와 사법부는 통제대상이 되지 못한다.

◎ 핵심정리 전형적인 옴부즈만과 국민권익위원회의 비교

구분		전형적인 옴부즈만(스웨덴식)	국민권익위원회
차이점	기능	헌법상 기관, 공식적·외부통제장치	법률상 기관, 공식적·내부통제장치
	소속	입법부 소속	행정부(국무총리) 소속
	직권조사권 유무	신청에 의한 조사 외 직권조사권 있음	신청에 의한 조사 (직권조사권 없음)
공통점		• 합법성 외 합목적성 차원의 조사가 가능 • 직접적으로 무효로 하거나 취소할 수 있는 권한은 없음(간접적 권한 보유)	

3 민원행정

1. 의의

민원행정은 행정구제수단으로 행정기관에 특정한 행위를 요구하는 민원인❶(개인·법인·단체 등)의 의사표시에 대응하여 처리하는 전달적 행정이다.

2. 민원처리제도(「민원 처리에 관한 법률」)

(1) 의의

민원처리에 관한 기본적인 사항을 규정하여 민원의 공정하고 적법한 처리와 민원행정제도의 합리적인 개선을 도모함으로써 국민의 권익을 보호하는 것을 목적으로 한다.

(2) 민원의 종류

① 일반민원
  ㉠ 법정민원: 법령·훈령·예규·고시·자치법규 등에서 정한 일정 요건에 따라 인가·허가·승인·특허·면허 등을 신청하거나, 장부·대장 등에 등록·등재를 신청 또는 신고하거나, 특정한 사실 또는 법률관계에 관한 확인 또는 증명을 신청하는 민원이다.
  ㉡ 질의민원: 법령·제도·절차 등 행정업무에 관하여 행정기관의 설명이나 해석을 요구하는 민원이다.
  ㉢ 건의민원: 행정제도 및 운영의 개선을 요구하는 민원이다.

❶ 민원인
1. 행정기관에 대하여 처분 등 특정한 행위를 요구하는 개인·법인 또는 단체를 말한다.
2. 민원인으로 보지 않는 경우
  • 행정기관에 특정한 행위를 요구하는 행정기관 또는 공공단체(행정기관 또는 공공단체가 사경제의 주체로서 요구하는 경우 제외)
  • 행정기관과 사법(私法)상의 계약관계에 있는 자로서 계약관계와 직접 관련하여 행정기관에 특정한 행위를 요구하는 자
  • 행정기관에 특정한 행위를 요구하는 자로서 성명·주소 등이 분명하지 아니한 자
3. 민원인의 권리와 의무
  • 권리: 민원인은 행정기관에 민원을 신청하고 신속·공정·친절·적법한 응답을 받을 권리가 있다.
  • 의무: 민원인은 민원을 처리하는 담당자의 적법한 민원처리를 위한 요청에 협조하여야 하고, 행정기관에 부당한 요구를 하거나 다른 민원인에 대한 민원처리를 지연시키는 등의 공무방해 행위를 하여서는 아니 된다.

핵심 OX

01 국민권익위원회는 접수된 고충민원을 접수일로부터 1년 이내에 조사하여야 한다. (O, X)

02 우리나라 국민권익위원회는 직권으로 조사할 수 있다. (O, X)

01 X 고충민원을 접수한 경우에는 지체 없이 그 내용에 관하여 필요한 조사를 하여야 한다.
02 X 우리나라 국민권익위원회는 직권조사권이 없다.

    ㄹ 기타민원: 법정민원, 질의민원, 건의민원 및 고충민원 외에 행정기관에 단순한 행정절차 또는 형식요건 등에 대한 상담·설명을 요구하거나 일상생활에서 발생하는 불편사항에 대하여 알리는 등 행정기관에 특정한 행위를 요구하는 민원이다.

② **고충민원(苦衷民怨) – 우리나라의 국민권익위원회가 담당하는 민원:** 민원사항 중 행정기관의 위법·부당하거나 소극적인 처분(사실행위 및 부작위 포함) 및 불합리한 행정제도로 인하여 국민의 권리를 침해하거나 국민에게 불편·부담을 주는 사항에 관한 민원이다.

③ **복합민원(複合民願):** 하나의 민원목적을 실현하기 위하여 법령·훈령·예규·고시 등에 의하여 다수의 관계기관 또는 관계부서의 허가·인가·승인·추천·협의 또는 확인 등을 거쳐 처리되는 법정민원이다.

④ **다수인관련민원:** 5세대(世帶) 이상의 공동이해와 관련되어 5명 이상이 연명으로 제출하는 민원이다.

(3) 민원처리의 원칙(주요 내용)

① **민원처리 지연 금지의 원칙:** 행정기관의 장은 관계법령 등에서 정한 처리기간이 남아 있다거나 그 민원과 관련 없는 공과금 등을 미납하였다는 이유로 민원처리를 지연시켜서는 아니 된다.

② **민원신청 문서의 원칙:** 민원의 신청은 문서(전자문서포함)로 하여야 한다. 다만, 기타민원은 구술(口述) 또는 전화로 할 수 있다.

③ **민원신청 접수거부 금지의 원칙:** 행정기관은 민원사항의 신청이 있는 때에는 다른 법령에 특별한 규정이 있는 경우를 제외하고는 그 접수를 보류하거나 거부할 수 없으며, 접수된 민원서류를 부당하게 되돌려 보내서는 아니 된다.

④ **불필요한 서류 요구 금지의 원칙:** 행정기관의 장은 민원을 접수·처리할 때에 민원인에게 관계법령 등에서 정한 구비서류 외의 서류를 추가로 요구하여서는 아니 된다.

⑤ **다른 행정기관을 이용한 민원의 접수·교부:** 당해 행정기관이 접수·처리하여야 할 민원사항을 다른 행정기관이나 법인으로 하여금 접수·교부하게 할 수 있다.

⑥ **민원실의 설치:** 행정기관은 민원사무를 신속히 처리하고 민원인에 대한 안내와 상담의 편의를 제공하기 위하여 민원실을 설치할 수 있다(의무사항은 아님).

⑦ **민원사무편람의 비치 원칙:** 행정기관은 민원사항의 신청에 필요한 사항을 게시하거나 편람을 비치하여 민원인이 이를 볼 수 있도록 하여야 한다.

⑧ **민원 1회 방문처리의 원칙:** 당해 행정기관의 내부에서 할 수 있는 자료의 확인, 관계기관·부서와의 협조 등에 따른 모든 절차는 담당공무원이 직접 행하도록 하여 민원 1회 방문처리제를 확립함으로써 불필요한 사유로 민원인이 행정기관을 다시 방문하지 아니하도록 하여야 한다.

⑨ **민원사무처리기준표의 통합고시 원칙:** 행정안전부장관은 민원인의 편의를 위하여 관계법령 등에 규정되어 있는 민원사항의 처리기관·처리기간·구비서류·처리절차·신청방법 등에 관한 사항을 종합한 민원사무처리기준표를 작성하여 매년 관보에 고시하고 인터넷에 게시하여야 한다.

⑩ **반복 및 중복 민원의 처리:** 행정기관의 장은 민원인이 동일한 내용의 민원(법정민원을 제외)을 정당한 사유 없이 3회 이상 반복하여 제출한 경우에는 2회 이상 그 처리결과를 통지하고, 그 후에 접수되는 민원에 대하여는 종결 처리할 수 있다.

⑪ **다수인관련민원의 처리:** 다수인관련민원을 신청하는 민원인은 연명부(連名簿)를 원본으로 제출하여야 한다.

⑫ **복합민원의 처리:** 행정기관의 장은 복합민원을 처리할 주무부서를 지정하고 그 부서로 하여금 관계 기관이나 부서 간의 협조를 통하여 민원을 한꺼번에 처리하도록 할 수 있다.

⑬ **처리결과 통지의 원칙:** 행정기관은 민원인이 신청한 민원사항에 대한 처리결과를 민원인에게 문서로 통지하되, 민원인이 신청한 민원사항을 거부하거나 민원사항의 실현이 불가능하다고 인정할 때에는 그 이유를 함께 통지하여야 한다.

📊 **고득점 공략** 「민원 처리에 관한 법률」 전문 개정의 주요 내용

1. '민원사무'라는 용어는 공무원의 내부 업무를 지칭하는 의미가 있어 이를 '민원'이란 용어로 변경함에 따라 법률 제명을 '민원 처리에 관한 법률'로 변경함

2. 민원을 그 특성에 따라 법정민원, 질의민원, 건의민원, 기타민원 및 고충민원으로 분류함(제2조 제1호 각 목)

3. 이 법의 적용을 받는 행정기관의 대상을 정의규정에 명확히 규정하되, 국회·법원·헌법재판소·중앙선거관리위원회의 행정사무를 처리하는 기관 및 공공기관 등으로 확대함(제2조 제3호)

4. 민원인의 권리·의무규정을 신설하여 행정기관으로부터 신속·공정·친절·적법한 응답을 받을 권리와 행정기관에 부당한 요구나 다른 민원인의 민원 처리를 지연시키는 행위를 하지 아니할 의무가 있음을 명시함(제5조)

5. 행정기관의 장으로 하여금 법정민원의 처리기간을 민원의 종류별로 정하여 공표하고, 민원편람에 수록하도록 함(제17조)

6. 민원처리기간을 산정할 때, 공무원이 근무하지 않는 토요일을 제외함(제19조)

7. 장기 미해결 민원 및 반복 민원 등의 해소·방지대책과 거부처분에 대한 이의신청 등을 심의하기 위한 민원조정위원회의 설치근거를 법률에 규정함(제34조)

8. 행정기관의 거부처분에 대한 이의신청 결과가 확정되기 전에 행정심판이나 행정소송을 제기하여야 하는 불합리함을 시정하기 위하여 거부처분에 대한 이의신청기간을 현행 90일 이내에서 60일 이내로 변경함(제35조)

9. 행정안전부장관으로 하여금 매년 민원행정 및 제도개선에 관한 기본지침을 작성하여 행정기관의 장에게 통지하도록 하고, 중앙행정기관의 장은 기본지침에 따라 그 기관의 특성에 맞는 민원행정 및 제도개선 계획을 수립·시행하도록 함(제38조)

10. 행정기관의 장과 민원을 처리하는 담당자는 민원과 관련된 행정제도에 대한 개선안을 행정안전부장관 또는 그 민원의 소관 행정기관의 장에게 제출할 수 있도록 하고, 행정안전부장관은 소관 행정기관의 장이 수용하지 아니한 개선안 사항 중 개선할 필요성이 있다고 인정되는 사항에 대하여는 개선을 권고할 수 있도록 함(제39조)

11. 여러 부처와 관련된 민원제도에 대한 개선사항 등을 심의·조정하기 위한 민원제도개선조정회의의 설치근거를 법률에 규정함(제40조)

01 행정의 책임성에 대한 설명으로 가장 옳지 않은 것은? 2018년 서울시 7급(3월 추가)

① 행정의 책임성에는 결과에 대한 책임과 함께 과정에 대한 책임도 포함된다.

② 신공공관리론(NPM)에서 강조하고 있는 시장책임성은 고객만족에 의한 행정책임을 포함한다.

③ 법적 책임의 확보방법은 시대에 따라 변하고 있다.

④ 제도적 책임성은 공무원의 자율적이고 능동적인 행정책임을 의미한다.

02 행정통제에 대한 설명으로 옳지 않은 것은? 2017년 지방직 9급(6월 시행)

① 국무총리 소속 국민권익위원회는 옴부즈만적 성격을 가지며, 국민권익위원회의 위원장과 부위원장은 국무총리의 제청으로 대통령이 임명한다.

② 교차기능조직(criss-cross organizations)은 행정체제 전반에 걸쳐 관리작용을 분담하여 수행하는 참모적 조직단위들로서 내부적 통제체제로부터 완전히 독립되어 있다.

③ 헌법재판제도는 헌법을 수호하고 부당한 국가권력으로부터 국민의 권리와 자유를 보호하는 과정에서 행정에 대한 통제기능을 수행한다.

④ 독립통제기관(separate monitoring agency)은 일반행정기관과 대통령 그리고 외부적 통제중추들의 중간 정도에 위치하며, 상당한 수준의 독자성과 자율성을 누린다.

03 행정통제의 유형 중 외부통제가 아닌 것은? 2020년 지방직 9급

① 감사원의 직무감찰 ② 의회의 국정감사

③ 법원의 행정명령 위법 여부 심사 ④ 헌법재판소의 권한쟁의 심판

04 정부통제를 내부통제와 외부통제로 구분할 때, 내부통제가 아닌 것은? 2018년 서울시 9급

① 감찰통제 ② 예산통제

③ 인력의 정원통제 ④ 정당에 의한 통제

05 행정부에 대한 외부통제에 해당하는 것만을 모두 고르면?

> ㄱ. 행정안전부의 각 중앙행정기관 조직과 정원 통제
> ㄴ. 국회의 국정조사
> ㄷ. 기획재정부의 각 부처 예산안 검토 및 조정
> ㄹ. 국민들의 조세부과 처분에 대한 취소소송
> ㅁ. 국무총리의 중앙행정기관에 대한 기관평가
> ㅂ. 환경운동연합의 정부정책에 대한 반대
> ㅅ. 중앙행정기관장의 당해 기관에 대한 자체평가
> ㅇ. 언론의 공무원 부패 보도

① ㄱ, ㄷ, ㅁ, ㅅ

② ㄴ, ㄷ, ㄹ, ㅁ

③ ㄴ, ㄹ, ㅁ, ㅇ

④ ㄴ, ㄹ, ㅂ, ㅇ

정답 및 해설

01 행정책임의 유형

공무원의 자율적이고 능동적인 행정책임을 강조하는 것은 제도적 책임이 아니라 자율적 책임을 의미한다.

| 선지분석 |

③ 법적 책임의 확보방법은 시대에 따라 변화되고 있다. 고전적 행정학 때는 법치행정에 의한 합법성을 의미한다면 최근의 NPM(신공공관리론)에서 강조하는 법적 책임은 계약에 의한 성과책임을 의미한다.

02 행정통제

교차기능조직(criss-cross organizations)은 행정체제 전반에 걸친 관리작용을 하는 조직으로서, 수평적으로 지원·조정하는 참모적 성격의 부처들로 기획재정부(예산), 행정안전부(조직, 정원), 인사혁신처(인사) 등이 있다. 이러한 조직들은 내부적 통제체제로부터 완전히 독립되어 있지 않다.

03 행정통제의 유형

감사원의 직무감찰 등은 행정통제의 유형 중 내부통제에 해당한다. 감사원은 대통령 소속 헌법기관으로 회계감사, 직무감찰, 결산확인 등의 기능을 수행하는 독립통제기관이다.

04 행정(정부)통제의 구분

길버트(Gilbert)의 분류에 의하면 정당에 의한 통제는 외부·비공식적 통제에 해당한다.

| 선지분석 |

① 감찰통제는 독립통제기관인 감사원의 기능으로 내부통제에 해당한다.

② 예산통제는 교차기능조직인 기획재정부의 기능으로 내부통제에 해당한다.

③ 인력의 정원통제는 교차기능조직인 행정안전부의 기능으로 내부통제에 해당한다.

❶ 행정통제의 유형(Gilbert)

구분		내부	외부
공식		행정수반(대통령), 계층제, 독립통제기관(감사원, 국민권익위원회), 국무조정실(정부업무평가)	입법부(국회), 사법부, 헌법재판소, 옴부즈만제도
비공식		공익, 행정윤리, 대표관료제, 비공식조직(규범)	시민통제, NGO, 이익집단, 언론매체, 정당

05 행정통제의 유형

행정통제는 행정부를 기준으로 내부통제와 외부통제로 구분하며, 외부통제에 해당하는 것은 ㄴ, ㄹ, ㅂ, ㅇ이다.

| 선지분석 |

ㄱ. 행정안전부의 각 중앙행정기관 조직과 정원 통제는 내부통제에 해당된다.

ㄷ. 기획재정부의 각 부처 예산안 검토 및 조정은 내부통제에 해당된다.

ㅁ. 국무총리의 중앙행정기관에 대한 기관평가는 행정부 내부평가로서 내부통제에 해당된다.

ㅅ. 중앙행정기관장의 당해 기관에 대한 자체평가는 행정부 내부평가로서 내부통제에 해당된다.

정답 **01** ④ **02** ② **03** ① **04** ④ **05** ④

06 롬젝(Romzeck)의 행정책임 유형에 대한 설명으로 옳지 <u>않은</u> 것은? 2023년 국가직 9급

① 계층적 책임 – 조직 내 상명하복의 원칙에 따라 통제된다.

② 법적 책임 – 표준운영절차(SOP)나 내부 규칙(규정)에 따라 통제된다.

③ 전문가적 책임 – 전문직업적 규범과 전문가집단의 관행을 중시한다.

④ 정치적 책임 – 민간 고객, 이익집단 등 외부 이해관계자의 기대에 부응하는가를 중시한다.

07 옴부즈만제도에 대한 설명으로 옳은 것은? 2021년 국가직 7급

① 시민의 요구가 없다면 직권으로 조사활동을 할 수 없다.

② 부족한 인력과 예산으로 국민의 권익을 구제하는 데 한계가 있다.

③ 사법부가 임명한다.

④ 시정조치를 법적으로 강제할 수 있는 권한이 있다.

08 온라인 시민참여유형과 관련 제도가 바르게 연결된 것은? 2017년 서울시 9급

① 정책결정형 – 행정절차법

② 협의형 – 국민의 입법제안

③ 협의형 – 옴부즈만제도

④ 정책결정형 – 정보공개법

09 민원행정의 성격에 대한 설명으로 옳은 것만을 모두 고르면?

2020년 지방직 9급

> ㄱ. 규정에 따라 서비스를 제공하는 전달적 행정이다.
>
> ㄴ. 행정기관도 민원을 제기하는 주체가 될 수 있다.
>
> ㄷ. 행정구제수단으로 볼 수 없다.

① ㄱ

② ㄷ

③ ㄱ, ㄴ

④ ㄴ, ㄷ

정답 및 해설

06 롬젝(Romzeck)의 행정책임 유형

표준운영절차(SOP)나 내부 규칙(규정)에 따라 통제되는 것은 계층적 책임이다. 법적 책임은 주어진 법적 의무사항을 준수하는지에 대한 것으로 통제의 원천이 외부에 있다.

① 행정통제(책임)의 유형(Dubnick & Romzek)

구분		통제의 원천	
		내부	외부
통제의 정도	강	관료적(bureaucratic) 통제	법적(legal) 통제
	약	전문적(professional) 통제	정치적(political) 통제

07 옴부즈만제도

옴부즈만제도는 공식적으로 확립된 국민고충처리기구이지만 실제적인 운영에 있어서는 인력과 예산 부족으로 국민의 권익을 구제하는 데에는 한계가 있다는 비판이 있다.

| 선지분석 |

① 국민들의 신청에 의한 조사가 원칙이지만 예외적으로 직권조사도 가능하다.

③ 일반적인 옴부즈만제도는 사법부가 아니라 국회가 임명하는 입법부 소속 행정감찰관이다.

④ 불법·부당한 행정행위를 무효·취소할 수 있는 직접적인 권한(법적 강제권)이 권한이 없다. 시정을 요구할 수 있는 간접적인 권한(이빨빠진 경비견; watchdog without teeth)을 갖고 있는 것이 한계이다.

08 온라인 시민참여유형과 관련제도

OECD는 온라인 시민참여의 유형을 정보제공형(information), 협의형(consultation), 정책결정형(decision making)으로 구분하였다. '정보제공형 → 정책결정형'으로 갈수록 행정에 대한 주민참여 및 결정력이 높아진다. 옴부즈만제도는 시민들이 제기하는 민원을 독립된 옴부즈만이 조사하여 그 결과에 따라 시정을 촉구하는 제도로 강제력이 없기 때문에 적극적인 정책결정형이라 보기는 어렵고 시민과 옴부즈만 사이의 협의수준에 머무르는 협의형이라고 볼 수 있다.

| 선지분석 |

① 행정절차법은 협의형이다.

② 국민의 입법제안은 국민발안의 일종으로 정책결정형이다.

④ 정보공개법은 정보를 일방적으로 제공하는 정보제공형이다.

① 온라인 시민 참여의 유형과 관련제도(OECD)

정보제공형	정부의 일방적 정보제공 . 정보공개제도 등
협의형	정책적 순응확보를 위하여 정부와 시민 간 소통과 협의 ⑩ 옴부즈만 제도, 행정절차법 등
정책결정형	시민들의 적극적 참여와 주도적 결정 ⑩ 주민참여예산제도, 주민발안(주민의 입법제안) 등

09 민원행정의 성격

민원행정은 행정기관에 특정한 행위를 요구하는 민원인(개인·법인·단체 등)의 의사 표시에 대응해 이를 처리하는 행정을 말한다. ㄱ, ㄴ은 옳은 설문이고 ㄷ은 옳지 않은 설문이다.

ㄱ. 민원행정은 규정에 따라 국민에게 서비스를 제공하는 전달적 행정이다.

ㄴ. 행정기관은 원칙적으로 민원이 될 수 없으나 행정기관 또는 공공단체가 사경제의 주체로서 요구하는 경우는 가능하다.

| 선지분석 |

ㄷ. 민원행정은 행정구제수단인 동시에 행정통제수단으로서의 역할을 수행한다.

정답 06 ② 07 ② 08 ③ 09 ③

1 행정개혁의 의의

1. 의의

행정개혁(administrative reform)이란 '행정체제의 바람직한 변동'으로서 행정을 현재보다 더 나은 상태로 개선하기 위한 의식적·인위적·계획적인 노력이다. 이러한 행정개혁은 단순히 조직개편이나 관리기술의 개선뿐만 아니라 행정인들의 가치관 및 신념, 태도를 변화시키는 것도 포함한다.

2. 특징

(1) 목표지향적

행정개혁은 보다 나은 상태를 지향하고 바람직한 변화를 추구하는 계획적·목표지향적 특징을 지닌다.

(2) 정치적 영향

행정개혁의 목적·대상이나 성공여부는 정치적 환경이나 정치적 지지에 의하여 크게 영향을 받는다. 개혁의 과정에서 다양한 이해관계의 조정이 필요하기 때문이다.

(3) 계속적·지속적 과정

행정개혁은 일시적·즉흥적인 것이 아닌 계속적인 과정이다. 이러한 개혁은 자연발생적이거나 진화론적인 단선형이 아닌, 계획적이고 다선형적인 변화과정이다.

(4) 동태적·행동지향적 과정

행정개혁은 성공여부에 대한 불확실성과 위험 속에서 새로운 방법을 고안하고 실천하여 불확실한 미래에 대응하려는 동태적·행동지향적 과정이다.

(5) 개방적·능동적 활동

행정개혁은 환경이나 여타 하위체제들의 변화에 능동적으로 대응하고 문제해결을 강구하는 개방적·능동적 활동이다.

(6) 포괄적 관련성

행정개혁은 개혁에 관련된 여러 요인(내재적·외재적 요인)들의 포괄적 연관성을 중시하고 그에 대처하는 활동이다.

(7) 저항의 수반

행정개혁은 행정을 인위적이고 의식적으로 변화시키려는 것이므로 저항을 수반한다.

3. 필요성

개혁의 필요성은 매우 다양하며, 복합적으로 작용한다. 또한 개혁추진자가 공식적으로 제시하는 개혁이유와 실제동기가 반드시 일치하는 것은 아니다.

(1) 새로운 이념의 등장 및 정치이념의 변동

환경의 변화에 따라 새로운 이념이 필요하게 되면서 이에 따라 개혁이 발생하게 된다. 또한 정치이념이나 기본정책의 변동은 조직구조의 개편을 초래한다.

(2) 정부역할·행정수요의 변동

사회적·경제적 상황의 변동에 따라서 정부의 역할이 달라지고 새로운 행정수요·행정문제에 대처해야 하므로 행정개혁이 불가피하게 된다.

(3) 권력투쟁의 작용

정치·행정의 영역에서 권력·이해관계를 둘러싸고 전개되는 투쟁이나 행정기관의 내부 혹은 기관 간의 긴장·대립의 격화는 개혁을 촉진시키는 요인이 된다.

(4) 조직의 확대경향과 관료의 이익 추구

행정조직은 시간의 흐름에 따라 규모·업무량·활동범위 등이 증대되는 관성적 경향이 있다. 또한 권한·영향력의 확대, 예산·인원의 경쟁적 팽창, 고위직의 증설 등 일련의 관료이익 추구는 개혁의 동인이 될 수 있다.

(5) 행정의 능률화

행정기능의 중복, 예산의 낭비, 사무배분의 비합리성 등에 의한 능률화의 필요성은 개혁의 동기가 된다. 물론, 행정개혁의 이념은 장기적인 안목에서 민주성·공익성·공공성을 추구하는 데 있으므로 일괄적인 예산삭감, 기구축소 등 좁은 의미의 능률성에만 치중하여서는 안 될 것이다.

(6) 새로운 기술의 도입

새로운 과학기술, 컴퓨터혁명에 의한 관리정보체계의 발달 등이 개혁을 촉진시키는 요인이 된다.

2 행정개혁의 접근방법

1. 구조적 접근방법(원리접근법)

(1) 의의

① 과학적 관리법이나 베버(Weber)의 관료제이론에 근거하여 합리적·공식적 조직에 중점을 두며, 조직의 구조적 설계를 개선함으로써 행정개혁의 목적을 달성하려는 접근방법이다. 전통적 조직이론에서 중시되었던 가장 오래된 접근방법이다.

② 구조적 접근방법은 1910년대 태프트(Taft) 위원회, 1940년대의 후버(Hoover) 위원회의 활동과 관련되며, 우리나라의 행정개혁도 주로 이러한 방식으로 추진되었다.

(2) 주요 전략

① **원리 전략**: 주로 전통적 조직이론에 근거를 두고 있는 것으로서, 조직의 건전원칙에 의거한 최적구조가 업무의 최적수행을 초래한다는 것이다. 따라서 원리 전략에 의하면, 개혁의 주된 목표는 기능 중복의 제거, 책임의 재규정, 조정 및 통제절차의 개선, 표준적 절차의 간소화 등이다.

② **분권화 전략**: 구조의 분권화에 의해 조직을 개선하려는 것이다. 조직이 분권화되면 조직의 계층이 줄어들고 명령과 책임의 계통이 분명해지며, 막료서비스가 확립될 수 있다는 것이다.

(3) 구체적 방법

① 기구·절차를 간소화하고 기능의 중복을 제거한다.

② 행정사무를 적절하게 배분하고 권한·책임을 명확하게 한다.

③ 집권화 또는 분권화를 확대시킨다.

④ 의사결정권한을 수정하고 의사소통체계를 개선한다.

⑤ 계층제·통솔범위 조정 등의 조직원리를 적용한다.

(4) 평가

① 공식적 조직뿐만 아니라 관리자의 행태와 의사결정까지도 포함하는 종합적인 성격을 지니고 있다.

② 구조나 법령의 변경이 개혁수단이 되고 있으나, 개발도상국가에서는 현실적으로 수행되는 기능과 불일치하거나 격차가 심하다.

③ 인간적 요인을 독립변수로 고려하지 않고 과소평가하였다.

④ 조직의 동태적 성격과 환경적 요인을 충분히 고려하지 않았다.

2. 관리기술적(과정적) 접근방법

(1) 의의

행정업무의 수행과정에서의 능률을 향상시키기 위해 새로운 기술장비를 도입하거나 관리과학, 체제분석, 컴퓨터 등의 계량화 기법을 활용하는 것이다.

(2) 구체적인 방법

① **행정정보시스템의 구축**: MIS, PMIS*, GIS* 등을 구축한다.

② 행정정보공개를 활성화한다.

③ 행정민원절차를 간소화한다.

④ 리엔지니어링(re-engineering), BPR(업무절차혁신) 등의 기법이 있다.

⑤ 관리과학(OR), SA(CBA, CEA), BSC(균형성과표) 등이 있다.

(3) 평가

① 신기술의 도입으로 행정업무의 효율을 향상시키고, 조직목표와 기존 이해관계를 침해하지 않는다.

② 기술적 쇄신을 통해 표준적 절차와 조직의 과업수행에 영향을 줄 뿐만 아니라 조직형태와 인간행태에 영향을 미친다는 장점이 있다.

📖**용어**

PMIS*: 경영정보시스템(MIS)의 개념을 공공부문으로 연장한 것으로서, 행정의 목적을 달성하기 위해 공공기관의 제반정책과정, 업무수행, 관리, 분석 및 평가를 지원하도록 정보통신기술을 이용하여 인공적으로 설계된 인간과 기계의 통합체로 정의할 수 있다.

GIS*: 지리정보시스템(Geography Information System)은 수치지도와 DB를 위상적 관계로 연결해 주고 이를 분석하고 활용하는 종합 공간정보시스템이다.

③ 기술과 인간성 간의 갈등을 소홀히 할 수 있으며, 현실적으로 첨단기술을 운용할 수 있는 인적자원이 부족하다.

④ 복잡한 현실세계를 너무 단순화시켜 파악하는 기계적 모형이다.

3. 인간관계적(행태적) 접근방법

(1) 의의

① 개혁의 초점을 인간에 두고 행정인의 가치나 행태를 의도적으로 변화시키려는 개혁방법이다.

② 행정인의 조직목표와 개인목표의 통합을 추구하면서 집단토론, 감수성훈련 등 이른바 조직발전(organizational development) 기법을 활용하여 자율적으로 행태나 가치관의 변화를 유도하려는 접근방법이다. 궁극적으로 이를 통해 행정체제 전체의 개혁을 도모한다.

③ 조직의 효과성과 건전성을 높이기 위한 조직발전이론에 근거를 두고 있다. 따라서 행태과학에 관한 연구나 지식이 많이 요구된다.

(2) 구체적 방법

① OD: 감수성훈련, 태도조사 등 여러 가지 조직발전기법이 있다.

② MBO: 목표관리로 구성원들의 자율적인 행태변화를 유도하는 방법이다.

(3) 평가

① 개혁의 지속성을 보장할 수 있고, 조직의 활력을 높인다.

② 권위주의적 문화에서는 갈등을 야기하기 쉽고 재사회화에 대한 비용이 많이 든다.

③ 행정조직은 사기업과 달리 공식적·계층제적 성격이 강하고 법적 규제를 많이 받으므로 비공식적·감정적 방법의 전면적인 적용은 어렵다.

④ 자유로운 의사소통이나 참여의식이 불충분하고 권위적인 행정문화가 지배적인 국가에서는 적용에 어려움이 있다.

⑤ 행태의 변동은 비교적 짧은 기간에 이루어지기 어렵고 장기간의 지속적인 노력이 필요하다.

ⓒ 개념PLUS 행정개혁의 주요 접근방법

구분	구조적 접근	관리기술적 접근	인간행태적 접근
관련 이론	원리접근법, 고전적 조직론	관리과학	인간관계론, 행태주의, 행태과학
예	· 절차의 간소화 · 행정사무의 적절한 배분 · 집권화나 분권화 · 계층제	· 행정정보시스템 · 행정정보공개 · 민원절차 간소화 · 리엔지니어링	· 감수성훈련 · 태도조사 · MBO를 통한 자율적 행태 변화 유도

4. 기타 접근방법(최근)

(1) 종합적(체제적) 접근방법

① 종합적 접근방법은 구조·인간·환경은 물론 조직을 체제로서 파악하여 이들 간의 상호관련성을 고려하는 접근방법이다.

② 개방체제의 관념에 입각하여 개혁대상의 구성요소들을 포괄적으로 관찰하고 여러 가지 분화된 접근방법을 통합하여 해결방안을 탐색하려는 것으로서, 어느 하나의 접근방법으로는 한계를 가지기 때문에 다양한 접근방법을 적절히 사용하여야 한다는 것이다.

(2) 문화론적 접근방법

① 행정문화의 변화와 개혁을 통하여 행정체제의 근본적이고 장기적인 개혁을 추구하려는 접근방법이다.

② 의식적·계획적인 개입에 의해 바람직한 문화변동을 달성하려는 것이다.

(3) 사업 중심적(정책 중심) 접근방법

① 사업에 따른 목표와 내용, 소요자원에 초점을 두어 행정의 목표를 개선하고 서비스의 양과 질을 개선하려는 접근방법이다.

② 주로 정책분석과 평가, 생산성 측정 등을 활용한다.

3 행정개혁의 과정 및 성공요인

1. 행정개혁의 과정[1]

❶ 행정개혁의 과정

- 개혁의 필요성 인식
- 개혁안의 준비·결정
- 개혁의 시행
- 개혁의 평가 및 환류

행정개혁의 과정은 현재의 수준이 목표에 도달하지 못하는 문제상황을 인식하고 바람직한 기준과의 차이를 확인하여 개혁의 필요성을 확인하고 합의하는 과정이다.

(1) 개혁의 필요성 인식(문제의 인식)

행정개혁에 대한 필요성의 인식은 최고권력자나 행정기관의 장의 변동, 행정기관에 대한 비판이나 위협 등이 있는 경우에 주로 나타난다.

① 객관적 요인

　㉠ 권력변동에 따른 행정수단의 변혁 요청이 있다.

　㉡ 행정수요의 발생이 있다.

　㉢ 관행적·팽창적 경향의 시정이 있다.

② 주관적 요인: 최고권력자나 관리층이 객관적 요인을 일정한 시점에서 개혁목표로 인정하는 것 등이다.

(2) 개혁안의 준비·결정

① 개혁담당자: 개혁은 최고관리자나 고급공무원 또는 전문적 개혁담당자(담당기관)에 의해서 이루어진다. 개혁안의 마련은 공직 내부관료를 중심으로 이루어지는 내부주도형과 외부전문가를 중심으로 이루어지는 외부주도형이 있다.

구분	내부주도형(정부주도형)	외부주도형(민간주도형)
장점	· 시간 · 비용의 절약 · 집중적이고 간편한 건의 · 실제적인 정책 · 사업계획에 중점 · 개혁안 집행이 용이 · 신속하여 현실성 및 실현가능성이 높음	· 보다 종합적 · 객관적 · 국민의 광범위한 지지 확보 가능 · 본질적인 재편성 가능 · 개혁의 정치적 측면 고려
단점	· 객관성 · 종합성 결여 · 보고서가 짧고 덜 세밀 · 국민의 광범위한 지지 확보 곤란 · 관료의 이익에만 중점을 둠 · 기관 간 권력구조의 근본적 재편성 곤란	· 시간이나 비용이 많이 발생 · 관료들의 저항 발생 · 건의안이 보다 과격하여 실행가능성이 낮음 · 내부인사의 추가연구 필요

② 개혁범위와 개혁수준

　㉠ **개혁범위:** 행정활동의 모든 영역에 걸치는 전면적이고 포괄적인 개혁인가 아니면 조직의 구조나 절차에만 국한된 개혁인가 등의 문제를 말한다.

　㉡ **개혁수준:** 이상적 최적상태, 실천적 최적상태, 만족적 최적상태 등의 수준을 고려하여야 한다.

③ 개혁전략의 선택

　㉠ **급진적(전면적) 전략:** 근본적인 변화를 일시에 달성하려는 광범위하고 빠른 속도의 전략이다. 정치적 · 사회적 환경이나 시기가 개혁에 유리하고, 관료제 내부의 지지를 얻을 수 있으며 유능한 리더십이 확립되어 있는 경우에는 급진적 전략이 선택될 수 있다.

　㉡ **점진적(부분적) 전략:** 개혁이 사회에 미칠 영향을 고려하여 점진적이고 완만하게 개혁을 추진하는 전략이다. 리더십이 충분하지 않거나, 리더십은 효과적이지만 환경이나 시기가 적절하지 않은 경우에는 부분적 · 점진적 전략이 선택될 수 있다.

(3) 개혁의 시행

① 개혁을 실천에 옮기는 데에는 많은 시간과 노력을 필요로 한다. 법령안의 작성, 새로운 규정 · 편람의 작성, 예산 · 인사조치, 관계공무원의 훈련 등의 조치가 요구되며 세부적인 집행계획도 수립되어야 한다.

② 개혁시행은 상황변화에 적응할 수 있는 융통성이 있어야 한다.

(4) 개혁의 평가 및 환류

개혁에 대한 공정하고 객관적인 평가를 통해 다시 개혁과정으로 환류시켜 나가야 한다. 개혁은 일회적인 것이 아니라 지속적이고 계속적인 것이 되어야 한다는 것이다.

❶ 행정개혁의 성공요건
1. 실현가능성: 적실성
2. 내외관계인의 참여: 저항의 최소화
3. 비용과 기대효과: 개혁의 추진비용과 효과를 체계적으로 분석
4. 대안적 개혁안: 저항을 줄이고 최종선택의 폭을 확대하기 위해 복수의 개혁안 제시

2. 행정개혁의 성공요건 ❶

(1) 강력한 리더십
정치적 안정을 바탕으로 한 강력한 리더십의 확립이 필요하다.

(2) 개혁지향적 사고
행정조직의 신축성과 관리계층의 개혁에 대해 적극적으로 사고하는 것이 필요하다.

(3) 광범위한 지지
여론의 지지를 확보할 수 있어야 하고 상향적·횡적 의사소통이 활발하게 이루어져야 한다.

(4) 불확실성에 대처
개혁과정의 복잡성·불확실성을 고려하고 예상치 못한 파생적 외부효과를 축소하여야 한다.

(5) 점진적 전략

① 전면적이고 대폭적인 급진적 행정개혁보다 소폭적이지만 지속적이고 점진적인 전략이 필요하다. 개혁에 대한 지지기반을 확대하면서 점진적 전략을 추구하여야 저항을 최소화할 수 있다.

② 물론 점진적 전략이 항상 바람직한 것은 아니고, 상황에 따라 전략이 달라져야 할 것이다.

4 행정개혁에 대한 저항 및 대책

1. 저항의 의의와 원인

(1) 의의

① 저항이란 행정개혁에 반발하는 태도와 행동으로서 묵시적인 저항과 명시적인 저항을 모두 포함한다.

② 행정개혁은 기존 조직과 제도의 변동이나 타파를 시도하므로 기존의 조직과 제도를 유지하려는 입장의 저항을 수반하게 된다. 행정개혁은 이러한 저항을 극복하면서 행정변화를 인위적으로 유도하는 것이다.

(2) 원인

① 기득권을 침해하기 때문이다.

② 개혁내용이 불명확하기 때문이다.

③ 개혁대상자의 능력이 부족하기 때문이다.

④ 관료의 경직성과 보수적 성격 때문이다.

⑤ 비공식집단의 규범이나 관례와 조화되지 않는 경우 저항한다.

⑥ 자존심의 손상 및 개혁 추진자에 대한 불신 때문이다.

⑦ 국민들에게 공개되지 않은 채로 개혁이 추진되어 국민의 참여가 부족하고 무관심하기 때문이다.

2. 저항의 극복전략❶

(1) 강제적(물리적) 전략

① **의의**: 개혁추진자가 저항을 극복하기 위해 저항자에게 제재나 불이익의 위협을 하거나 계서제적 권한을 일방적으로 행사함으로써 저항을 극복하는 전략이다.

② **구체적 방법**

㉠ 의식적으로 긴장을 조성한다.

㉡ 물리적 제재나 신분상의 불이익을 가하는 위협을 통한 압력을 행사한다.

㉢ 계서제적 권한에 따라 명령과 상급자의 권한을 행사한다.

㉣ 일방적인 권력구조의 개편에 의한 저항집단세력을 약화시킨다.

③ **한계**: 단기적이고 일방적인 방안이기 때문에 장기적으로는 또 다른 저항을 야기한다.

(2) 공리적(기술적) 전략

① **의의**: 관련자들의 이익침해를 방지 또는 보상하고 개혁과정의 기술적 요인을 조정함으로써 저항을 극복하거나 회피하는 전략이다.

PART 6
행정환류론 해커스공무원 현 행정학 기본서

❶ 저항의 극복전략(Etzioni)

강제적 (물리적) 전략	물리적 제재, 권력이나 권위 사용, 의도적인 긴장조성, 급진적 추진
공리적 (기술적) 전략	• 개혁시기의 조절, 점진적 추진, 개혁내용의 명확화와 공공성의 강조 • 개혁전략(방법·기술)의 수정, 적절한 인사배치
규범적 (도덕적) 전략	• 참여의 증대, 의사소통의 촉진, 개혁에 대한 정보제공과 충분한 시간 부여 • 집단토론과 교육훈련

핵심 OX

01 행정개혁에 대한 저항극복방안 중 개혁시기 조절, 점진적 추진, 개혁내용의 명확화, 개혁전략(방법·기술)의 수정은 공리적이고 기술적인 전략에 해당한다. (O, X)

02 참여의 확대는 행정개혁에 대한 저항극복방안 중에서 규범적 전략에 해당한다. (O, X)

03 고객지향적 행정업무의 수행을 위해서 공공서비스의 표준화·단일화가 추구되어야 한다. (O, X)

01 O
02 O
03 X 공공서비스의 다양화·균질화가 추구되어야 한다.

② **구체적 방법**

　　㉠ 개혁을 점진적으로 추진한다.

　　㉡ 개혁의 적절한 범위와 시기를 선택한다.

　　㉢ 개혁의 방법·기술을 융통성 있게 수정한다.

　　㉣ 개혁내용을 명확화하고 공공성을 강조한다.

　　㉤ 적절하게 인사배치를 하고 신분을 보장한다.

　　㉥ **호혜적 전략:** 조건부 지원이나 인센티브를 제공한다.

③ **한계:** 비용이 수반되고, 개혁이 퇴색할 우려가 있으며, 반대급부를 제공한다는 측면에서 도덕성 결여의 문제가 제기된다.

(3) 규범적(협조적) 전략

① **의의:** 적절한 상징조작과 사회적·심리적 지지를 통해 자발적 협력과 개혁의 수용을 유도하는 전략이다. 이는 저항의 가장 근본적인 해결책으로서 조직의 인간화와 밀접한 관련이 있다.

② **구체적 방법**

　　㉠ 참여를 확대한다.

　　㉡ 의사소통을 촉진한다.

　　㉢ 집단토론과 사전 훈련을 실시한다.

　　㉣ 개혁추진자들이 솔선수범한다.

　　㉤ 개혁에 대한 정보를 제공하고 충분한 시간을 부여한다.

　　㉥ 교육훈련을 통한 자기계발의 기회를 제공한다.

　　㉦ 지도자의 카리스마나 상징조작을 활용한다.

③ **한계:** 장기적으로는 바람직하지만, 시간이나 비용이 많이 소요된다는 한계가 있다.

2　주요 국가의 행정개혁

1　최근 행정개혁의 추진배경과 방향

1. 최근 행정개혁의 추진배경

1980년대 이후 OECD 국가들은 신공공관리론에 바탕을 두고 감축관리와 시장부활을 통해서 전면적인 공공부문의 개혁을 추진하고 있다. OECD 공공행정위원회(puma)는 『지난 10여 년 간 회원국이 실시한 정부개혁』이라는 보고서를 통해 1990년대 초에는 "모든 국가가 영·미식의 일관성 있는 개혁을 해야 한다."라고 주장하였는데, 1990년대 말에 들어서면서 "각국은 자국의 상황에 맞게 치밀한 계획으로 개혁을 추진해야 한다."라고 주장하였다.

(1) 정부비대화 및 공공부문의 비효율성 증대

가격이나 경쟁과 같은 시장 메커니즘의 부재 및 성과관리체제의 미흡으로 정부의 비효율성이 증대되었다.

(2) 재정 적자와 공공부채의 누적적인 증가

경제성장률의 둔화로 조세수입이 정체된 반면, 사회보장지출의 증가로 재정 적자가 증가하였다.

(3) 외부환경의 변화

개방화·민주화·지방화·정보화 등으로 인해 공공부문의 경쟁력 제고와 정부개입의 완화 요청이 증가하였다.

(4) 정보통신기술의 발달

정보통신기술의 발달에 따라 행정정보체계 및 전자정부가 구축되었다.

(5) 내부의 변화 압력

행정조직 내부의 민주화에 대한 요구 및 권한과 책임의 위임 요구가 있었다.

(6) 시민이나 NGO의 변화에 대한 요구와 압력

시민, NGO의 적극적인 참여가 증가하였다.

2. 선진국 행정개혁의 일반적 특징

(1) 정부의 기능 감축 및 인력 축소

① 새로운 행정수요에 대응하기 위해서 비능률적인 기능들을 민간과 함께 생산하거나 민간으로 이양하는 추세에 있다.

② 정부의 외형이 작고 강한 정부를 추구하기 위해서 인력을 축소하고 조직구조의 탈관료제화를 추구한다.

(2) 성과 중심주의

기존의 집권적이고 획일적인 행정에서 벗어나 다양성을 중시하고, 외부환경에 대응하기 위해서 하위기관들에 권한을 위임해 주고 그에 대한 사후적인 책임을 묻는 성과주의적 관리를 지향한다.

(3) 정부규제의 완화 및 비용가치의 증대(VFM*)

정부 내외의 규제를 완화하여 민간주체들의 자율성에 따라서 시장이나 정부가 운영될 수 있도록 하며, 비용가치의 극대화를 통하여 능률적인 행정을 추구하고 있다.

(4) 협력과 네트워크의 중시

최근에 행정의 시장화와 더불어 정부와 민간의 상호협력에 바탕을 둔 행정서비스의 제공이 널리 확산되고 있다. 이는 뉴거버넌스와 시민공생산 등의 용어로 표현된다.

📖용어

VFM(Value For Money, 비용가치의 증대, 성과감사)*: 정부실행대안과 비교하여 민간투자대안이 적격한지의 여부를 판단하는 성과감사를 말한다.

2 각국 행정개혁의 주요 내용

1. 미국의 행정개혁

(1) 「펜들턴법」(1883)

미국은 엽관주의의 폐단을 시정하고 실적주의에 입각한 공무원제도를 확립하기 위하여 「펜들턴법」을 제정하였고, 공무원의 정치적 중립의 천명과 연방수준의 다양한 행정개혁을 추진하였다.

(2) 태프트(Taft) 위원회(절약과 능률에 관한 대통령위원회)

일명 '클리블랜드(Cleveland) 위원회'라고도 하며 1910년에서 1912년까지 연방정부의 예산, 연방정부의 조직과 활동, 인사문제, 재정보고 및 계정, 행정사무의 수속과 절차 등을 조사하고 분석하여 각종 행정개혁을 건의하였다.

(3) 브라운로우(Brownlow) 위원회(행정관리에 관한 대통령위원회)

1936년 루즈벨트(Roosevelt) 대통령은 행정부의 관리문제를 연구하기 위해서 브라운로우(Brownlow), 메리암(Merrianm), 귤릭(Gulick)으로 구성되는 행정관리에 관한 대통령위원회를 설치하였고 독립규제위원회 폐지를 건의하였다.

(4) 「해치법」(1939)

「해치법」을 통해 뉴딜정책 이후 문란해진 공무원의 정치적 중립을 엄격하게 강화하였다.

(5) 후버(Hoover) 위원회

① 제1차 후버(Hoover) 위원회: 1947년에 구성되었으며 대통령의 통제권 확립, 중복된 행정기능의 정리, 번문욕례(red tapes)의 제거, 행정기구의 재편 및 독립규제위원회의 개선 등을 주장하였다.

② 제2차 후버(Hoover) 위원회: 1953년 정치적 환경의 변동에 대응하기 위하여 정부행정조직위원회를 설치함으로써 성립하였다.

(6) 클린턴(Clinton) 정부(1993)

① 클린턴(Clinton) 정부의 정부개혁은 국가성과평가팀(NPR; National Performance Review)을 중심으로 '작지만 보다 생산적인 정부(works better & costs less)'의 구현을 주장하였다.

② 고어(Gore) 부통령을 중심으로 한 공무원 중심의 정부개혁팀으로서 ㉠ 관료적 형식주의의 제거(행정절차의 간소화), ㉡ 고객우선주의, ㉢ 결과달성을 위한 직원에의 권한부여, ㉣ 기본적 원칙으로의 복귀(근본적인 감축) 등을 목표로 행정개혁을 추진하였다.

③ 1993년 행정성과 및 결과에 관한 법률(GRPA): 투입이나 절차보다는 산출과 성과 중심의 관리를 강조하였다.

④ 1994년 연방인력재편법과 정부관리개혁법: 연방인력의 12% 감축을 목표로 하면서 연방정부의 규모 축소에 큰 비중을 두었고, 「정부관리개혁법」을 통해 부처별로 재정책임관을 임명하고 기업회계방식 및 검사를 실시하였다.

⑤ 1998년 NPR을 NPRG(National Partnership of Reinventing Government)로 바꾸고 향상된 고객서비스와 정보화시대의 정부를 위한 노력을 지속하였다.

(7) 부시(Bush) 행정부(2002)

① 개혁의 원칙과 추진

ㄱ 부시(Bush) 행정부는 고객 중심적·결과지향적·시장기반적 개혁을 원칙으로 한다.

ㄴ 대통령 비서실과 관리예산처(OMB)에서 주도하여 결과 중심(focused on results)의 정부, 시민과 정부가 최대한 가까워지는 시민 중심(more accessible to citizen)의 정부를 실현하고, 당면한 정부의 운영(management)을 개선하고 성과(performance)를 향상시키는 것으로서 이를 위하여 14개의 정책을 제시하였다.

ㄷ 각 기관에 '최고 행정관(chief operating officer)' 지정하여 이들을 중심으로 '대통령 정부운영협의회(president's management council)'를 구성하였다.

② 개혁의 필요성

ㄱ 서비스의 부적절, 과다비용의 지출, 기존 정책에 대한 재고 없이 신규정책 남발 등으로 개혁이 시급하였다.

ㄴ 정책의 목적 등의 근본적인 사항 외에 그 집행방식·운영방식 같은 관리상의 문제를 극복하여야 했다.

ㄷ 개혁은 선택과 집중이 필요하다고 보아 우선순위가 높은 과제에 전념하였다.

③ 개혁의 주요 내용

ㄱ 인적자원의 전략적 관리(strategic management of human capital)

ㄴ 민간부문과의 경쟁체제의 확대(competitive sourcing)

ㄷ 재정성과의 향상(improved financial performance)

ㄹ 전자정부의 확대(expanded electronic government)

ㅁ 예산과 성과의 통합(budget and performance integration)

④ 개혁의 특징

ㄱ 정부개혁에는 행정부뿐만 아니라 의회의 적극적인 협조가 필요하였다.

ㄴ 공무원 감축, 능력별 급여제와 공직의 민간개방 확대를 골자로 한다.

ㄷ 계획의 수립 못지않게 집행이 중요하다고 보았다.

ㄹ 효율적 정부운영을 위해 관리자에게 관리상의 자율성을 부여할 필요가 있으며, 이를 위해 법령상 제약요건의 제거가 검토되었다.

2. 영국의 행정개혁

(1) 노스코트와 트레벨리언 보고서

1848년에 설치되었고 1853년에 행정개혁에 관한 보고서를 발표하여 공무원제도를 정실주의에서 실적주의로 전환시키는 역할을 하였다.

(2) 홀데인(Haldane) 위원회

1917년 홀데인(Haldane)을 위원장으로 하는 정부기구위원회로, 행정기구 편성의 기준으로 기능주의의 원칙을 주장하였다.

(3) 풀턴(Fulton) 위원회

① 1966년 풀턴(Fulton)을 위원장으로 한 공무원제도에 관한 위원회로, 1853년 개혁 이래 영국의 공무원제도를 가장 근본적으로 검토한 것으로 평가된다.

② 전통적인 행정·집행·서기·서기보 등 4대 계급을 행정직군과 서기보 그룹으로 이원화하였다.

③ 위원회에서는 ⊙ 계급의 구별 없이 하나의 공직구조를 확립할 것, ⓛ 특정분야 별로 공무원을 전문화시킬 것, ⓒ 인사교류의 촉진과 개방형을 지향할 것 등을 건의하였다.

(4) 능률성 정밀진단(efficiency scrutiny)과 예산관리프로그램(FMI)

① 1979년 대처(Thatcher) 정부가 출범한 이후 강력한 개혁정치의 일환으로 성과관 리를 추구하였는데, 특히 레이너(Rayner) 보고서를 통해서 민관이 공동으로 능 률적인 팀을 구성하여 비용가치의 제고(VFM), 서비스 질의 향상, 조직 및 관리 의 효과 등을 목표로 하였다.

② 1982년 예산관리프로그램(FMI: Financial Management Initiative)을 통해서 광범 위한 재정개혁정책을 추진하였다.

(5) Next Steps(책임운영기관)

① 1988년 대처(Thatcher) 정부는 중앙부처에서 담당하던 집행 및 서비스기능을 정 책기능으로 분리하여 '책임운영기관'이라는 새로운 형태의 책임경영조직으로 전 환하였다.

② 책임운영기관에서는 기관장의 계약직 임용으로 성과관리를 추구하여 공공서비 스의 경쟁력을 제고하고 대응성을 높이려고 노력하였다.

(6) 시민헌장제도[1]

① 1991년 영국 메이저(Major) 행정부는 종래의 행정개혁의 방향을 계승하여 고객 서비스의 질 향상을 목표로 시민헌장제도를 도입하였다. 시민헌장제도는 행정 서비스의 기준을 설정 및 공표하고 그에 따른 평가를 통해서 보상 및 시정조치를 취하는 고객지향적인 행정과 관련된다.

② 우리나라의 '행정서비스헌장'에 영향을 주었으며, 1996년 블레어(Blair) 정부에서 서비스 제일주의(service first) 프로그램으로 바뀌었다.

⊕ **핵심정리**　시민헌장제도와 시장성검증제도

구분	시민헌장제도(citizen's charter)	시장성검증제도(market testing)
개념	행정기관이 제공하는 행정서비스의 기준, 절차와 방법, 서비스에 대한 시정 및 보상조치 등을 구체적으로 정하여 이를 시민의 권리로 공표하고, 실현을 약속하는 제도	정부기능을 원점에서부터 재검토, 경쟁절차를 거쳐 공공서비스의 적정 공급주체를 결정하려는 제도
도입	· 1991년 도입 · 우리나라 행정서비스헌장에 영향	· 1991년 도입 · 중앙정부 주도하에 하향적으로 실시
변화	1996년 블레어(Blaire) 정부에서 서비스제일주의(service first)로 개편	2000년 필수경쟁절차(CCT)에서 최고가치정책(best value)으로 개편되 었고 비용절감보다는 품질향상을 강조

📊 고득점 공략 행정서비스헌장

1. 의의

① 1991년 영국 메이저(Major) 정부의 시민헌장제도(Citizen's Charter)에서 유래한 것으로서, 시민헌장을 우리나라에 도입한 것이 행정서비스헌장이다.

② 시민헌장은 도의적 책임의 영역에 있던 것을 법적 책임으로 전환한 것으로 볼 수 있다.

2. 7대 기본원칙

① 서비스 품질의 표준화 원칙

② 체계적 정보공개 원칙

③ 서비스 구체성 원칙

④ 최고수준의 서비스 제공 원칙

⑤ 비용·편익 형량의 원칙

⑥ 고객참여와 고객 중심의 원칙

⑦ 시정 및 보상조치 명확화 원칙

3. 내용

① **의의**: 행정서비스헌장은 행정기관이 제공하는 서비스 중 주민생활과 밀접히 관련되어 있는 서비스를 선정하여 서비스의 이행기준과 내용, 제공방법, 절차, 잘못된 상황에 대한 시정 및 보상조치 등을 공표하고, 이의 실현을 국민들에게 문서로 약속하는 행위이다.

② **도입과정**: 우리나라는 1998년 행정개혁의 일환으로 '행정서비스헌장제정지침'을 발하여 공공서비스의 질적 수준을 향상시키려는 노력을 구체화하였다. 현재는 대부분의 정부기관에서 행정서비스헌장제도를 도입하고 있다.

③ **행정서비스헌장 평가지표**: 당시 행정자치부(현 행정안전부) 자료(2002)에 의하면 우리나라 행정서비스헌장 평가지표는 제정지표(30%), 실천지표(45%), 사후관리지표(25%)로 구성되어 있다.

· 제정지표(30%): 각 부처의 헌장내용이 행정자치부의 지침에 의거한 7대 기본원칙을 충실히 반영하여 제정되었는지의 여부

· 실천지표(45%): 교육, 홍보 등 헌장내용을 실제 충실히 이행하였는지의 여부

· 사후관리지표(25%): 고객만족도 파악 및 보상 여부, 잘못된 행정제도의 시정 및 환류 이행 여부

4. 평가

① 장점

· 정부와 국민의 암묵적·추상적 관계를 구체적·계약적 관계로 전환시켜 줌으로써 행정에 대해 주민들이 가지고 있던 근접통제의 물리적인 한계를 극복해 주는 계기로 작용하였다.

· 서비스 제공의 투명성과 책임성을 제고하였다.

· 공공서비스 품질의 표준화와 구체화 및 서비스에 대한 국민의 기대수준을 명확하게 하였다.

② 단점

· 공공서비스의 무형성으로 인하여 품질을 구체화·표준화하기 어렵다.

· 서비스의 표준화와 구체화를 강조하기 때문에 오히려 행정의 획일화를 초래하여 유연성과 창의성을 저해한다.

· 서비스의 본질적 내용에 대한 것보다는 친절이나 신속과 같은 피상적 측면에 머무르고 있다.

· 행정서비스의 오류를 물질적인 금전으로 보상하려는 편협한 경제적 논리에 빠지게 된다.

핵심 OX

01 'Next Steps'는 미국에서 추진된 행정개혁으로 중앙정부가 수행하고 있는 집행적 성격의 기능을 정책형성기능으로부터 분리하여 독립적인 책임집행기관(executive agency)을 창설하는 것이다. (O, X)

02 영국의 대처(Thatcher) 정부는 시민헌장제도를 도입하여 행정개혁을 실시하였다. (O, X)

03 우리 정부가 도입한 행정서비스헌장 및 이행표준의 목적에는 서비스 제공의 투명성 제고, 서비스 품질의 표준화와 구체화, 공무원의 창의성과 행정의 유연성 향상 등이 있다. (O, X)

---

01 X 'Next Steps'는 미국이 아니라 영국에서 추진된 행정개혁이다.

02 X 대처(Thatcher) 정부가 아니라 메이저(Major) 정부 때의 일이다.

03 X 행정서비스헌장은 서비스 품질을 표준화·투명화한다는 장점이 있으나, 창의적이고 탄력적인 행정을 저해할 수 있다는 단점이 있다.

(7) 블레어(Blair)의 『더 나은 정부(The Better Government)』

① 1996년에 집권한 블레어(Blaire)의 노동당 정부는 기든스(Giddens)의 『제3의 길』에 기초하여 신사회주의에 기반한 정부개혁을 추진하였다.

② 주요 내용

ㄱ 합리적 정책결정(rational policy making)

ㄴ 고객대응 행정서비스(responsive public service)

ㄷ 질 높은 행정서비스(quality public service)

ㄹ 정보화 정부(information age government)

ㅁ 사회적 약자를 보호하는 정부

📊 고득점 공략 영국의 정부개혁 프로그램

능률성 정밀진단 **(1979)**	· 내각사무처 내에 민관이 혼합된 소수(14명)의 능률팀 구성 · 진단목표: 비용가치의 제고(VFM), 서비스의 질 향상, 조직 및 관리의 효과성 제고 등
재무관리 개혁(FMI) **(1982)**	· 정원상한제 및 총괄예산제 도입으로 각 부처에 재정자율권 부여 · 재무관리권 위임과 성과관리체제 확립, 뉴질랜드의 발생주의 회계방식 도입
Next Steps **(1988)**	중앙부처에서 담당하던 집행 및 서비스기능을 정책기능으로부터 분리하여 책임운영기관이라는 새로운 행태의 책임경영조직으로 전환
시민헌장제도 **(1991)**	종래 능률성진단과 Next Steps 등의 개혁이 경제성과 효율성에 초점을 두고 있다면 메이저(Major) 행정부의 시민헌장제도(현재는 서비스제일주의)는 고객서비스의 질 향상을 목표로 서비스표준 설정 및 시정과 보상 → 서비스제일주의(service first)로 개편(1996)
시장성검증제도 **(1991)**	경쟁을 통한 공공서비스 공급주체의 최적화 → 최고가치정책(best value)으로 개편(2000)
공무원제도 개혁 **(1996)**	SCS(고위공무원단)에는 공개경쟁임용계약제 도입 → 개방제로의 전환, 계급제 폐지, 성과급 지급
더 나은 정부 **(1996)**	블레어(Blaire)의 제3의 길, 현대 사회민주주의 제시

---

3. 뉴질랜드의 행정개혁●

(1) 의의

① 1984년에 집권한 노동당의 랑게(Lange) 수상이 영국 대처(Thatcher) 정권의 개혁이론과 추진경험을 참고하여 정부개혁을 추진하였는데, 이는 OECD 국가 중 가장 급진적이고 성공적인 정부개혁을 이루었다는 평가를 받는다.

② 우수한 공무원 집단과 유능한 정치지도자를 가졌다는 점, 연방국가가 아닌 소규모 단일국가인 점이 성공요인이다.

③ 뉴질랜드 정부개혁모델은 공공선택론, 대리인이론, 거래비용이론, 신공공관리론 등이 혼합적으로 적용된 특이한 모델로서 일부의 비판에도 불구하고 성공적으로 평가되고 있다.

● 1980년대 이후 뉴질랜드의 정부개혁

1. 정부의 전략과 개혁의 우선순위 결정이 성공적이었다.

2. 정부의 학습과 투명성 제고를 중시하였으며 성과계약을 통해 책임성 확보를 강조하였다.

3. 사무차관에게 재량권을 부여함으로써 탈집권화 관리시스템을 운영하였다.

(2) 핵심원리

① 민간부문과 지역단체에 대한 정부개입을 최소화하였다.

② 사업기능을 담당하는 정부기업을 민간기업방식으로 구조전환하고, 부처조직이 담당하는 이질·상충적 기능을 정책 및 집행기능과 상업 및 비상업기능 등으로 분리하였다.

③ 부처관리자에게 운영권한을 위임하여 책임성을 확보하도록 하였다.

④ 실제 시장요인에 따른 정부활동 비용, 산출물의 질·양·비용을 생산자가 아닌 구매자가 결정하도록 하였다.

(3) 개혁의 주요 내용

① 1994년 공공관리위원회의 평가보고서와 1996년 시크(Schick)의 보고서가 있다.

② 『2010년으로 가는 길(Path to 2010)』에서 21세기 뉴질랜드의 장기비전을 제시하였다. 구체적으로 소득 증대, 공동체 강화, 교육 및 훈련, 환경보호, 세계화, 경제성장 등 전략성과분야에 대한 핵심적인 정책과 목표를 제시하였다.

③ 비합리적인 지방정부조직을 대대적으로 재편하였다.

④ 기업적 재정운용원리와 상업적 경영환경을 도입하기 위하여 재무관리와 회계제도 개혁 추진, 발생주의 회계방식, 산출예산제도의 도입, 기업방식의 재무제표 작성 등을 추진하였다.

⑤ 공공부문 전체에 대하여 성과와 책임향상을 위한 성과관리혁신을 추진하였다. 사무차관에게 부처운영에 대한 법적 책임을 부여하였으며, 3~5년 계약방식으로 임용하고, 엄격한 성과관리제도를 도입하였다.

⑥ 에너지부, 산림청, 우정처 등 대규모 사업부처의 조직을 공기업으로 전환하여 상업적으로 운영하였다.

⑦ 중앙부처의 수평적인 통폐합을 강조하였다.

　⑩ 외무부와 통상산업부를 외교통상부로 통합

4. 캐나다의 행정개혁

(1) 의의

① 1989년 『행정 2000(Public Service 2000)』이라는 정책백서로부터 정부혁신을 시작하였다.

② 실용적인 접근을 강조하였고, 1992년부터 대폭적으로 규제완화를 실시하였다.

(2) 개혁의 주요 내용

① **정부조직 개편**: 1993년 캠벨(Campbell) 수상에 의하여 32개 중앙부처를 23개로 축소하고, 영국의 Agency와 같은 특별운영기관(SOA)을 설치하였다.

② **사업 재검토(program review)**: 1993년 재정억제를 목표로 정부사업과 기능에 대한 우선순위, 조직구조, 연방과 지방정부 및 민간부문의 관계를 백지상태에서 엄격히 재검토하였다.

③ **인사관리권의 위임**: 1992년 「공무원개혁법」의 제정으로 공무원인사관리 절차를 간소화하였다.

　⑩ 각 부처사무차관에게 공무원임용권 대폭 위임

핵심 OX

01 뉴질랜드 개혁 프로그램의 장기비전 전략은 『행정 2000(Public Service 2000)』이다. (O, X)

01 X 『행정 2000(Public Service 2000)』은 캐나다의 혁신전략이며, 뉴질랜드는 『2010년으로 가는 길(Path to 2010)』이다.

④ **성과 중심의 관리체제:** 1979년 지출관리예산(PEMS) 및 1993년 운영예산제도 (Operating Budgets)를 도입하여 보수 및 행정운영경비를 하나의 총액항목으로 통합함으로써 성과 중심의 재정체제를 확립하였다.

⑤ **규제완화 및 서비스기준 제정:** 1992년부터는 대폭적인 규제완화 조치를 단행하였다. 1994년부터 서비스기준(service standards)을 제정·공표하고 고객에 대한 서비스의 질 향상을 통해 고객만족을 증대시켰다.

5. 일본의 행정개혁

(1) 의의

하시모토(Hashimoto) 내각 이후 제3차 임시행정개혁추진위원회(1990~1993)와 행정개혁위원회(1994~1997)가 중심이 되어 다양한 행정개혁을 추진해왔다.

(2) 개혁의 주요 내용

① **대부처주의의 실현:** 2001년 지나치게 세분화된 23개 중앙행정기관을 13개 성(省)·청(廳)으로 대폭 축소·통폐합하였다.

② **집행기능의 분리:** 집행기능(우정이나 임야관리 등)을 외청 또는 독립행정법인(책임운영기관)으로 분리하여 이관하였다.

③ **공무원정원 감축:** 「공무원총정원법」의 제정과 정원삭감계획에 의하여 대대적인 공무원정원의 감축을 시도하였다.

④ **지방분권화의 추진:** 우리나라의 경우처럼 전통적인 중앙집권적 체제를 탈피하기 위하여 「지방분권추진법」을 제정하고 지방분권추진위원회를 결성하는 등 지방분권 촉진을 위한 광범위한 노력을 기울였다.

---

3 우리나라의 행정개혁

1 역대 정부의 행정개혁

1. 이승만 정부(제1공화국)

(1) 기구개편, 행정 간소화, 인력조정에 그치는 등 본격적인 행정개혁은 없었다.

(2) 행정기능을 법질서 유지 중심의 소극적 기능으로 파악하여 개혁참여자의 참모기능에 대한 인식이 부족하였다.

2. 장면 정부(제2공화국)

행정기구의 개혁과정에 국민의 뜻이 반영되었으나, 5·16 군사정권으로 인해 효과는 거의 없었다.

3. 박정희 정부(제3공화국)

(1) 경제성장제일주의를 내세우며 발전행정을 강력히 추진하여 적극적으로 행정목적 달성을 위한 기구가 분화·팽창되었다.

(2) 행정관리기술의 개선을 적극적으로 추진하였으며 정부개입의 확대와 행정통제의 집권화에 주력하였다.

(3) 각종 유사·중복되는 기구가 난립하였고 업무단위인 과보다 감독단위인 국의 증설이 뚜렷하였다.

4. 유신정권(제4공화국)

권위적·집권적 방식에 의한 능률의 극대화를 지향하였으며 박정희 1인 장기집권체제의 유지수단에 불과하였다.

5. 전두환 정부(제5공화국)

(1) 강압적인 억압장치를 통한 권력 유지에 주력하였으며 행정개혁사업도 사회정화운동의 일환으로서 추진되었다.

(2) 점진적이고 부분적인 전략이 아닌 포괄적이고 전면적인 전략이었으며, 10·15 행정개혁을 통해 계속 팽창되어 온 조직과 인원을 처음으로 축소·정비하였다. 이는 권력기반 구축이라는 정치적 동기가 내재하고 있었다고 볼 수 있다.

6. 노태우 정부(제6공화국)

(1) 1991년에 지방자치의 부활이 입법화되었다.

(2) 권위주의 타파와 각종 규제완화를 주장하였고 민주화를 지향하였으며 민간의 주도적 역할이 강조되었다.

7. 김영삼 정부(문민정부)

(1) 부패추방, 억압기구의 축소와 기능 제한, 행정규제 완화, 중앙행정기구개편·감축관리를 추진하였다.

(2) '세계화를 위한 개혁'과 '역사 바로 세우기'를 실시하였다.

(3) 개혁이 집권당 중심으로 이루어졌을 뿐, 광범위한 참여나 여론의 수렴과정 없이 추진되었다는 점에서 비판을 받는다.

8. 김대중 정부(1998~2003)

(1) 기본방향 - 3차에 걸친 정부조직개편

신공공관리론적 이념에 따라 상시적 행정개혁 추진체계를 구성하고 전방위적인 행정개혁을 추진하였다.

(2) 주요 내용

① 책임운영기관제도를 도입하였다.
② 국가공무원 총정원령❶을 공포하였다.
③ 개방형 인사제도를 도입하였다.

❶ 공무원 총정원령
1. 국가공무원 정원의 최고한도를 정하고 주기적인 정원감축의 계획을 수립하여 총정원의 범위 안에서 공무원 수를 관리하려는 것이다.
2. 파킨슨(Parkinson)의 법칙이 시사하듯이 공무원의 수는 계속적인 증가를 보이는 속성을 지니고 있기 때문에 이를 억제하고, 공무원의 정원관리의 효율화와 작지만 강한 정부를 실현하기 위한 것이다.

④ 성과급보수제도(연봉제)를 도입하였다.

⑤ 행정서비스헌장제도를 실시하였다.

📈 **고득점 공략** 1990년대 우리나라 행정개혁의 주요 내용

이념	효율적이며 민주적이고 세계화지향적인 정부 구현과 정부경쟁력의 향상
정책	정책의 실명화와 투명성, 정보공개제도, 「행정절차법」의 제정, 규제완화를 위한 「행정규제기본법」 제정
조직	책임운영기관(Agency 제도), 행정서비스헌장(시민헌장제), 중앙과 지방조직의 통폐합과 축소, 민영화와 감축지향, 대통령 직속 중앙인사위원회, 국무총리 직속의 장관급 기획예산기관인 기획예산처
인사	권한위임, 개방형 직위제도, 공무원 총정원령, 성과급제(연봉제), 팀제 운영
예산	총액계상예산제도, 운영예산제, 산출예산제, 다년도 회계주의, 발생주의 회계 확대, 「부패방지법」 제정
자치	중앙행정권한의 지방이양 강화, 「지방분권특별법」 제정

---

9. 노무현 정부(2003~2008)

(1) 기본방향 - 분권적 · 상향적 개혁

① 인사 · 조직의 분권화와 성과 중심의 재정개혁, 특히 지방분권을 위한 제도개혁에 초점을 두었다.

② 거버넌스적 관점에서 관련부처의 공무원들과 외부전문가들이 참여한 정부혁신지방분권위원회에서 개혁안을 마련하는 등 신공공관리론에 대한 속도 조절의 성격을 띠고 있다.

③ 부처 통폐합이나 정권 감축보다는 업무재설계(BPR) 등을 통해 일하는 방식을 개선하고자 하였다.

(2) 주요 내용

① **조직분야:** 로드맵에 입각한 자율적인 분권형 조직을 설계하고, 진단변화관리사업을 실시하였다.

② **인사분야:** 성과계약제도(2005), 고위공무원단제도(2006), 그리고 총액인건비제도(2007)를 도입하였다.

③ **재정분야:** 4대 재정개혁과제인 사전재원배분제, 성과관리, 국가재정운용계획, 예산회계정보시스템을 추진하였다.

④ **지방분권:** 「지방분권특별법」을 제정하고 직접참정을 강화하였다. 이를 위해 주민투표(2004), 주민소송(2006) 및 주민소환(2007)제도를 도입하고, 특별지방행정기관(일선기관)을 정비하였다.

(3) 정부조직개편 내용

① **1차 정부조직개편(2004.3.)**: 소방방재청을 신설하고, 법제처와 국가보훈처를 장관급 기구로 격상하였다. 또한 문화재청을 차관급 기구로 격상하였으며, 행정개혁사무(현재 정부혁신사무) 및 전자정부에 관한 사무를 행정자치부 사무로 하였다. 보건복지부의 영·유아 보육업무를 여성부(현재 여성가족부)로 이관하였으며, 공무원 인사관리기능을 중앙인사위원회로 이관(일원화)하였다.

② **2차 정부조직개편(2004.9.)**: 과학기술부장관을 부총리로 격상하였다.

③ **3차 정부조직개편(2005.1.)**: 행정자치부의 사무 중 '행정개혁'에 관한 사무를 '정부혁신'에 대한 사무로 변경하고, 철도에 관한 사무를 한국철도공사가 수행하게 됨에 따라 '철도청'을 폐지하고 건설교통부 사무에 철도사무를 포함시켰다.

④ **4차 정부조직개편(2005.3.)**: 여성부를 여성가족부로 개편하고(보건복지부의 가족정책기능을 이관함), 문화관광부 청소년국과 국무총리 소속 청소년보호위원회를 통합·일원화하여 국무총리 소속의 청소년위원회(현재 국가청소년위원회)를 신설하였다.

⑤ **5차 정부조직개편(2005.7.)**: 재정경제부·외교통상부·산업자원부·행정자치부에 복수차관제를 도입하고, 통계청 및 기상청을 각각 차관급 기구로 격상하였으며, 국방부장관 소속하에 방위사업청을 신설하였다.

⑥ **6차 정부조직개편(2006.7.)**: 중앙행정기관의 차관보·실장·국장 및 이에 상당하는 보좌기관은 고위공무원단에 속하는 일반직·별정직공무원 및 계약직공무원으로 보하였다.

10. 이명박 정부(2008~2013)

(1) 기본방향 – 작고 효율적인 정부

① **신공공관리론적 입장**: 중앙부처의 대표적인 통폐합이 이루어졌으며, 정원 감축 등 작고 효율적인 정부를 강조하였다.

② 위헌논란이 있던 부총리제를 폐지하고, 정치논리로 과도하게 격상된 기구(대통령실, 국무총리실, 법제처, 국가보훈처 등)를 합리적으로 격하시켰다.

③ 영역별 편제위주로 세분화되었던 중앙행정기구를 기능별 편제로 통합하였다.

④ 중앙과 지방정부의 기능을 재검토하여 특별지방행정기관의 일부를 정비하였다.

(2) 주요 내용

① 기획예산처 + 재정경제부 → 기획재정부로 통합하였다.

② 교육부 + 과학기술부 → 교육과학기술부로 통합하였다.

③ 행정자치부 + 중앙인사위원회 → 행정안전부로 통합하였다.

④ 건설교통부 + 해양수산부 → 국토해양부로 통합하였다.

⑤ 통합된 8개 부처에 복수차관제를 인정하고, 특임장관을 신설하였다.

11. 박근혜 정부(2013~2017.4.)

(1) 1차 개편(2013~2014.11.)

① **기본방향**: 국민 행복과 안전, 국가의 미래를 위한 정부의 적극적 역할

ㄱ **이명박 정부의 '작은 정부' 기조 변경**: 중앙행정기관을 확대·개편하였다(15부 2처 17청 4위원회 → 17부 3처 16청 4위원회).

ㄴ **경제부총리(기획재정부장관) 부활**: 경제 성장을 위해 경제부총리제를 부활시켰다. 하지만 이는 위헌논란과 정경유착의 가능성 문제를 불러 일으켰다.

② **주요 내용**

ㄱ **경제부총리 부활**: 기획재정부장관 겸 경제부총리

ㄴ **미래창조과학부 신설**: 과학기술, 미래전략, 정보통신업무를 관장한다.

ㄷ **해양수산부 부활**: 해양과 수산업무를 관장한다.

ㄹ **대통령실 및 국무총리실 확대 개편**: 대통령실을 국가안보실, 대통령비서실, 경호실로 개편하고 국무총리실을 국무조정실, 비서실로 확대·개편하였다.

ㅁ **변경사항**

ⓐ 지식경제부 → 산업통상자원부로 변경하였다.

ⓑ 행정안전부 → 안전행정부로 변경하였다.

ⓒ 교육과학기술부 → 교육부로 변경하였다.

ⓓ 국토해양부 → 국토교통부로 변경하였다.

ⓔ 농림수산식품부 → 농림축산식품부로 변경하였다.

ⓕ 식품의약품안전청 → 총리 소속 식품의약품안전처로 이관하였다.

ㅂ **폐지**: 특임장관실, 국가과학기술위원회를 폐지하였다.

(2) 2차 개편(2014.11.~2017.4.)

① **기본방향**: 국가적 재난관리와 공직개혁 추진 및 공무원 전문역량 강화

ㄱ 국가적 재난관리를 위한 재난안전 총괄부처로서 국무총리 소속으로 국민안전처를 신설하였다.

ㄴ 현행 해양경찰청과 소방방재청의 업무를 조정·개편하여 국민안전처의 차관급 본부로 설치하였다.

ㄷ 공직개혁 추진 및 공무원 전문역량 강화를 위하여 공무원 인사 전담조직인 인사혁신처를 국무총리 소속으로 설치하였다.

ㄹ 교육·사회·문화 분야 정책결정의 효율성과 책임성을 제고하기 위하여 교육·사회·문화부총리를 신설하였다.

② **주요 내용**

ㄱ **신설**

ⓐ **사회부총리 신설**: 교육부장관을 신설하였다.

ⓑ **국민안전처 신설**: 재난 및 안전을 총괄한다(국무총리 소속 장관급).

ⓒ **인사혁신처 신설**: 중앙인사기관으로 인사, 보수, 연금, 윤리, 복무를 담당한다(국무총리 소속 차관급).

ⓛ **개편**: 안전행정부를 행정자치부로 전환하여 조직, 정원, 개혁, 전자정부, 지방
　　　　자치지원, 책임운영기관을 담당하였다.

　　　ⓒ **폐지**

　　　　ⓐ **해양경찰청 폐지**: 국민안전처 해양경비안전본부(차관급)로 흡수되었다.

　　　　ⓑ **소방방재청 폐지**: 국민안전처 중앙소방본부(차관급)로 흡수되었다.

12. 문재인 정부(2017.5.~2022.5.)

(1) 기본방향

　　정권교체에 따른 혼란을 줄이고 국정안정을 위하여 정부조직개편안을 최소화하며
일자리 창출과 경제 활성화, 국민의 안전과 자연생태계 보전, 사회환경 변화에 맞춰
기관의 위상을 조정하는 것 등에 초점을 두었다.

(2) 주요 내용

① 대통령경호실 → 대통령경호처로 변경하였다.

② **행정안전부 신설 및 국민안전처 폐지**: 행정자치부와 국민안전처의 안전정책 · 재난
　관리 · 비상대비 · 민방위 및 특수재난업무를 통합하여 행정안전부로 개편하였다.

③ **소방청과 해양경찰청 독립**: 소방청은 행정안전부 소속, 해양경찰청은 해양수산부
　소속으로 개편하였다.

④ 국가보훈처를 장관급 기구로 격상하였다.

⑤ 중소벤처기업부를 신설하였다.

⑥ 산업통상부 내 통상교섭본부를 설치하였다.

⑦ 환경부로 수자원관리를 위해 물관리업무를 일원화하였다(2018.6.).

⑧ 개인정보보호위원회를 국무총리 소속의 중앙행정기관으로 격상하였다(2020.8.).

⑨ 질병관리본부를 질병관리청으로 승격하였다(2020.9.).

2 우리나라의 행정개혁의 평가와 방향

1. 평가

(1) 주로 정치적 동기에서 추진되었다.

(2) 구조적 · 기술적 요인에 치중하고 인간적 측면을 소홀히 하였다.

(3) 행정관행이나 행태의 개선차원보다는 처벌위주로 진행되었다.

(4) 상의하달식이며, 관료에 대한 적대감에서 출발하였다.

(5) 개혁에 대한 저항극복수단이 미비하였다.

(6) 일회성의 개혁으로 끝나고 환류를 통한 시정조치가 미약하였다.

2. 방향

(1) 작고 효율적인 정부

① 작은 정부를 구현한다.

② 시장성테스트에 의한 기능을 재배분한다.

③ 규제를 합리적으로 완화한다.

④ 시민참여를 통해 민간부문을 활성화한다.

⑤ 준공공조직(QUANGOS)이나 제3부문을 개혁한다.

⑥ 지방자치를 정착시킨다.

(2) 조직구조의 연성화·동태화

① 각 조직의 부서나 지방자치단체에 적합한 조직구조를 설계한다.

② 권한의 적극적 분권과 사후적인 책임을 추궁한다.

(3) 인적자원관리의 합리화

① 인사기능의 통합과 전문성 제고를 위하여 2004년에 중앙인사위원회로 일원화하였다.

② 2006년에 고위공무원단제도(SES)를 도입하였다.

③ 보직경로제, 경력관리제의 확대도입을 추진한다.

④ 합리적인 성과관리제도의 개발에 노력한다.

⑤ 공무원 노조에 대한 전향적 사고전환을 필요로 한다.

(4) 국가재정의 건전화

① 2007년 「국가재정법」 제정: 성과주의 예산제도를 활성화하기 위하여 노력한다.

② 2009년 「국가회계법」 시행: 발생주의·복식부기 회계제도의 확대 도입을 꾀한다.

③ 총액예산제도와 예산의 분권화를 추구한다.

(5) 지식기반 전자정부의 구축

① paperless office(종이 없는 사무실)의 구현을 위해 노력한다.

② 정보망의 확충과 연계의 확보를 위해 노력한다.

③ 행정지식에 대한 보관·공유를 위한 KMS(지식관리시스템)를 구축한다.

(6) 부패척결과 사회적 통제기구의 개혁

① 공익제보(내부고발)자에 대한 완벽한 보호를 위해서 노력한다.

② 국민권익위원회의 권한을 강화하는 방향으로 나아간다.

③ 행정절차제도의 내실화, 정보공개제도의 활성화, 시민참여의 확대 등을 추진한다.

01 행정개혁의 주요 속성에 해당되는 것이 아닌 것은? 2011년 서울시 9급

① 공공적 상황에서의 개혁

② 포괄적 연관성

③ 동태성

④ 시간적 단절성

⑤ 목표지향성

02 행정개혁을 추진하는 접근방법 중에서 관리기술적 접근방법에 해당되는 것들만 묶은 것은? 2004년 국가직 9급

ㄱ. 행정조직의 계층 간 의사전달체계의 개선

ㄴ. BPR 등을 통한 행정조직 내의 운영과정 및 일의 흐름을 개선

ㄷ. 행정전산망 등 장비·수단의 개선

ㄹ. 행정과정에 새로운 분석기법의 적용

ㅁ. 집단토론, 감수성 훈련 등 조직발전(OD)기법의 활용

① ㄱ, ㄴ, ㄷ

② ㄱ, ㄴ, ㄹ

③ ㄴ, ㄷ, ㄹ

④ ㄷ, ㄹ, ㅁ

정답 및 해설

01 **행정개혁의 주요 특징**

행정개혁은 시간적 단절성을 가진 임시적·일시적 변화가 아니라 계속적·지속적 변화를 추구하는 것이다.

02 **행정개혁의 접근방법**

ㄴ. BPR 등을 통한 행정조직 내의 운영과정 및 일의 흐름을 개선, ㄷ. 행정전산망 등 장비·수단의 개선, ㄹ. 행정과정에 새로운 분석기법의 적용이 관리기술적인 접근방법에 해당한다.

| 선지분석 |

ㄱ. 행정조직의 계층 간 의사전달체계의 개선은 구조적 접근방법, ㅁ. 집단토론, 감수성 훈련 등 조직발전(OD)기법의 활용은 인간행태적 접근방법에 해당한다.

❶ 행정개혁의 접근방법

구분	구조적 접근	관리기술적 접근	인간관계적 접근
관련 이론	원리접근법, 고전적 조직론	과학적 관리론, 관리과학	인간관계론, 행태주의, 행태과학
예	절차의 간소화, 행정사무의 적절한 배분, 집권화나 분권화, 계층제	행정정보시스템, 행정정보공개, 민원절차 간소화, 리엔지니어링	감수성훈련, 태도조사, MBO를 통한 자율적 행태변화 유도

정답 01 ④ 02 ③

03 행정개혁의 접근방법에 대한 설명으로 옳지 <u>않은</u> 것은?　　　2015년 국가직 9급

① 사업(산출)중심적 접근방법은 행정활동의 목표를 개선하고 서비스의 양과 질을 개선하려는 접근방법으로 분권화의 확대, 권한 재조정, 명령계통 수정 등에 관심을 갖는다.

② 과정적 접근방법은 행정체제의 과정 또는 일의 흐름을 개선하려는 접근방법이다.

③ 행태적 접근방법의 하나인 조직발전(OD; Organizational Development)은 의식적인 개입을 통해서 조직 전체의 임무수행을 효율화하려는 계획적이고 지속적인 개혁활동이다.

④ 문화론적 접근방법은 행정문화를 개혁함으로써 행정체제의 보다 근본적이고 장기적인 개혁을 성취하려는 접근방법이다.

04 행정개혁에 대한 저항을 극복하는 방법에 관한 설명으로 옳지 <u>않은</u> 것은?　　　2015년 지방직 7급

① 강제적 방법은 저항을 근본적으로 해결하기보다는 단기적으로 또는 피상적으로 해결하는 방법으로서, 장래에 더 큰 저항을 야기할 위험이 있다.

② 공리적·기술적 방법에는 개혁의 시기조정, 경제적 손실에 대한 보상, 개혁이 가져오는 가치와 개인적 이득의 실종 등이 있다.

③ 규범적·사회적 방법에는 개혁지도자의 신망 개선, 의사전달과 참여의 원활화, 사명감 고취와 자존적 욕구의 충족 등이 있다.

④ 저항을 가장 근본적으로 해결하는 방법은 공리적·기술적 방법이다.

05 행정개혁에 대한 저항을 극복하는 전략 및 방법에 관한 설명으로 옳은 것은?　　　2021년 국가직 7급

① 경제적 손실 보상, 임용상 불이익 방지는 규범적·사회적 전략이다.

② 개혁지도자의 신망 개선, 의사전달과 참여의 원활화, 사명감 고취는 공리적·기술적 전략이다.

③ 교육훈련과 자기계발 기회 제공은 규범적·사회적 전략이다.

④ 개혁 시기 조정은 강제적 전략이다.

06 외국의 예산개혁에 대한 설명으로 옳지 않은 것은? 2011년 지방직 9급

① 영국의 경우 1982년에 재정관리 프로그램(Financial Management Initiative)을 도입해 개혁을 추진하였다.

② 호주의 경우 지출통제를 위해서 지출심사위원회(Expenditure Review Committee)를 두어 새로운 정책과 예산을 검토하게 했다.

③ 뉴질랜드의 경우 1988년에 「국가부문법(State Sector Act)」을 제정하여 예산개혁을 추진하였다.

④ 미국의 경우 국가성과평가위원회(National Performance Review)가 최고의 가치(Best Value) 프로그램에 의해 개혁을 추진하였다.

PART 6 행정환류론 해커스공무원 현 행정학 기본서

정답 및 해설

03 행정개혁의 접근방법
행정활동의 목표를 개선하고 서비스의 양과 질을 개선하려는 접근방법으로 분권화의 확대, 권한 재조정, 명령계통 수정 등에 관심을 갖는 것은 사업(산출)중심적 접근방법이 아니라 전통적인 구조적 접근방법에 해당한다.

04 행정개혁에 대한 저항극복전략
행정개혁에 대한 저항을 근본적으로 해결할 수 있는 방법은 공리적·기술적 방법이 아니라 규범적·사회적 방법이다.

❶ 행정개혁 시 저항극복전략

규범적·사회적 전략	·참여의 확대 ·의사소통의 촉진 ·집단토론과 사전훈련 ·카리스마나 상징의 활용 ·충분한 시간 부여
공리적·기술적 전략	·개혁의 점진적 추진 ·적절한 범위와 시기의 선택 ·개혁방법·기술의 수정 ·개혁안의 명확화와 공공성 강조 ·적절한 인사배치·호혜적 전략 ·손실의 최소화와 보상의 명확화
강제적·물리적 전략	·의식적인 긴장 조성 ·상급자의 권력 행사 ·물리적 제재나 압력 사용

05 행정개혁에 대한 저항극복전략
교육훈련과 자기계발 기회제공 등은 행정개혁에 대한 저항을 극복하기 위한 규범적·사회적 전략이다.

| 선지분석 |
① 경제적 손실 보상, 임용상 불이익 방지는 공리적·기술적 전략이다.
② 개혁지도자의 신망 개선, 의사전달과 참여의 원활화, 사명감 고취는 규범적·사회적 전략이다.
④ 개혁 시기 조정은 공리적·기술적 전략이다.

06 외국의 행정개혁
최고의 가치(best value) 프로그램은 미국이 아니라 1991년에 영국 정부가 도입한 시장성검증제도가 2000년도에 개편된 것이다.

| 선지분석 |
① 재정관리 프로그램(FMI; Financial Management Initiative)은 영국의 대처(Thatcher) 수상이 1982년에 주도한 재정개혁정책을 말한다.
② 호주정부는 1984년 『예산 개혁(Budget Reform)』이라는 백서를 통해 지출심사위원회(Expenditure Review Committee)를 설치하는 등 재정개혁을 단행하였다.
③ 뉴질랜드는 최초로 산출 중심 예산을 성공시키고, 최초로 발생주의 예산과 회계를 구축하였으며 1988년 「공공부문법(State Sector Act)」을 제정하여 재무·구매·인사에 관하여 모든 권한을 부처에 위임하고 있다.

정답 **03** ① **04** ④ **05** ③ **06** ④

CHAPTER 2 행정개혁론 **835**

1 정보화사회와 행정

1 정보화사회

1. 의의

(1) 정보화사회란 정보의 생산과 관리가 가장 중요한 자원이 되는 사회이다. 즉, 컴퓨터 및 각종 정보통신기술의 혁명적 발전에 기반하여 행정이나 사회전반에 정보통신기술이 보편적인 현상이 된 사회를 의미한다.

(2) 이는 최근 행정환경의 급격한 변화를 주도하는 원동력이 되고 있다.

2. 정보화가 행정에 미치는 영향

(1) 조직형태에 미치는 영향

① 종래의 견해

㉠ 중·하위계층의 업무를 자동화함으로써 중간계층이 축소되어 조직은 피라미드 형태의 조직이 납작하게 되는 종형(danziger) 또는 종 위에 럭비공을 올려놓은 형태로 변한다고 보았다(Leavitt & Whisler).

㉡ 기술에 대한 수용성의 차이는 계층 및 구성원 상호간의 갈등을 증대시킬 것이라고 보았다.

전통적 조직형태   정보화 후 조직형태

② 최근의 견해

㉠ 계층들이 수직적으로 통합되고 수평적 분화수준이 높아진다(Whisler).

㉡ 조직의 형태는 네트워크조직, 팀조직, 가상조직 등으로 다양화된다.

(2) 조직구조에 미치는 영향(상대적)

① 집권화: 통합적 정보관리체계가 구축되면서 정보의 수집·저장·보존 등의 독점적 관리를 하게 되어 중앙집권이나 상위계층의 집권화가 촉진된다는 주장이다.

② **분권화(정보의 폭포화 현상):** 나이스비트(Naisbitt)의 주장처럼 정보기술이 발전함에 따라 분권화된 사회가 도래한다는 것이다. 이 시기에 이르러 집약된 정보는 하위계층이나 지방자치단체로의 폭포효과가 전개되면서 지방분권화가 촉진된다는 주장이다.

2 정보체계시스템

1. IT 기반 지원시스템

PMIS (행정정보시스템)	경영정보시스템(MIS)의 개념을 공공부문으로 연장한 것으로서, 행정의 목적을 달성하기 위해 공공기관의 제반정책과정, 업무수행, 관리, 분석 및 평가를 지원하도록 정보통신기술을 이용하여 인공적으로 설계된 인간과 기계의 통합체로 정의할 수 있다.
EIS (중역정보시스템)	조직의 중역이 그들의 경영기능을 수행하고 경영목적을 달성하는 데 필요한 경영의 주요 정보를 정확하고 신속하게 조회할 수 있도록 지원하는 정보시스템이다.
ES❶ (전문가시스템)	인공지능의 한 분야로서 전문가의 축적된 경험과 지식을 시스템화하여 의사결정을 지원하거나 자동화하는 정보시스템이다.
ERP (전사적 자원관리)	기업의 가치창출활동의 모든 요소, 즉 생산요소뿐만 아니라 판매, 자금, 인사, 회계 등과 관련한 자원의 활용을 최적화하여 기업활동의 생산성을 높이는 기법이자 이를 구현하는 정보시스템이다.
DW (데이터웨어하우징)	수년간의 조직운영시스템에서 생긴 데이터와 외부데이터를 주제별로 통합하여 별도의 프로그램 없이 즉시 여러 각도에서 분석을 가능하게 하는 통합시스템이다.
DSS(의사결정지원시스템)와 GDSS (그룹의사결정지원시스템)	· DSS: 조직이 직면한 많은 문제들 가운데 비구조적이거나 반구조적인 문제에 대한 의사결정을 지원해 주는 응용시스템이 의사결정지원시스템(DSS)이다. · GDSS: 집단의 의사결정을 더욱 효과적으로 지원하기 위해 개발된 응용시스템을 그룹의사결정지원시스템(GDSS)이라고 한다.

2. 전자정부 구현을 위한 시스템

EDMS (전자문서 관리시스템)	정형적 데이터 외에 비정형적 문서까지 정보의 기본단위로 취급하여 전자적으로 처리하는 시스템이다. 즉, EDMS는 전자화된 문서에 대한 접근, 문서의 작성 및 재사용 등을 가능하게 하는 시스템이다.
EDI (전자문서교환)	서로 다른 조직 간에 약속된 포맷을 사용하여 상업적 또는 행정상의 거래를 컴퓨터와 컴퓨터 간에 진행하는 것이다.
Intranet (인트라넷)	조직 내부 구성원들 간의 의사소통과 정보공유 등을 지원하는 네트워크 기반의 정보기술이다.

❶ ES(전문가시스템)
인공지능 응용분야에서 가장 성공한 분야로, 1970년대 의사의 전문지식을 저장·처리하여 인간의 의료행위를 모방한 스탠포드 대학의 MYCIN의 개발 이후 연구가 집중되었다.

3. 정보기술아키텍처(ITA)

(1) 개념

일정한 기준과 절차에 따라 업무, 응용, 데이터, 기술 보안 등 조직전체의 정보화 구성요소들을 통합적으로 분석한 뒤, 이들 간의 관계를 구조적으로 정리한 체계 및 이를 바탕으로 정보시스템을 효율적으로 구성하기 위한 방법이다.

(2) 구성요소

① **전사적 아키텍처(enterprise architecture)**: 아키텍처(컴퓨터의 논리나 구조)와 시스템의 총괄로서 업무 및 관리 프로세스와 정보기술 간의 관계
② **기술 참조 모델(technical referencemodel)**: 업무활동에 필요한 정보서비스
③ **표준 프로파일(standards profile)**: 정보서비스를 지원하는 정보기술 표준

(3) 적용

미국 국방부가 1991년 걸프전을 계기로 군 지휘 통제 시 관계 기관 및 정보시스템 간 상호운용성(interoperability)확보의 중요성을 절감하여 도입한 일종의 방법론이며, 우리나라는 범정부 정보기술아키텍처 적용을 전자정부 핵심과제의 하나로 추진하고 있다.

4. 국가정보기반 관련 시스템

(1) GIS(지리정보시스템)

① 지리정보시스템(Geography Information System)은 수치지도와 DB를 위상적 관계로 연결해 주고 이를 분석하여 활용하는 종합공간정보시스템이다.
② 국토공간에 관한 제반 정보를 전자화하여 공유·활용하며, 다양한 분석을 통해 사용목적에 따라 필요한 결과물을 산출한다.
③ **활용분야**: 재해·재난, 환경 및 농업, 교통 및 시설물 관리, 도시계획·관리, 토지 관련 분야에 활용된다.

(2) 정보자원관리(IRM)

① **의의**: 조직이 필요한 정보를 생산하는 데 사용되는 자원을 관리하는 것을 의미한다.
② **구성**: 정보자원은 크게 조직자원, 자료자원, 및 시스템자원 등 세 가지 자원으로 구성된다. 즉, 정보를 사용하고 생산하는 조직이 있고, 정보를 생산하는 데 투입되는 자료가 필요하며, 마지막으로 자료를 가공하는 데 사용되는 시스템자원이 있어야 한다. 시스템자원은 다시 하드웨어자원과 소프트웨어자원으로 구성된다.
③ **지능정보화책임관(CIO)**[1]: 정보자원관리는 조직활동에 필요한 정보를 체계적으로 관리하고 통제하는 것으로, 지능정보화책임관이 담당한다. 조직정보관리정책의 수립과 집행을 책임지며 효율적인 정보자원관리의 수행을 총괄적으로 책임지는 고위관리자이다.

(3) 행정정보의 공동활용

① **의의**: 행정정보의 공동활용이란 국가기관과 공공기관이 각 기관별로 업무수행목적상 보유하고 있는 정보를 업무수행을 위하여 기관 내부와 부문 또는 기관과 기업, 기관과 개인 사이에 함께 공동으로 이용하는 것을 의미한다.

---

❶ 정보화책임관의 담당업무

1. 「지능정보화 기본법」 제8조【지능정보화책임관】① 중앙행정기관의 장과 지방자치단체의 장은 해당 기관의 지능정보사회 시책의 효율적인 수립·시행과 지능정보화 사업의 조정 등 대통령령으로 정하는 업무를 총괄하는 책임관을 임명하여야 한다.
2. 「지능정보화 기본법 시행령」 제6조【지능정보화책임관의 업무】「지능정보화 기본법」 제8조에서 "지능정보화 사업의 조정 등 대통령령으로 정하는 업무"란 다음의 업무를 말한다.
   · 지능정보화 사업의 조정, 지원 및 평가
   · 지능정보사회 정책의 총괄, 조정 지원 및 평가
   · 지능정보사회 정책과 기관 내 다른 정책 등과의 연계·조정
   · 지능정보기술을 이용한 행정업무의 지원
   · 정보자원의 현황 및 통계자료의 체계적 작성·관리
   · 「전자정부법」 제2조 제12호에 따른 정보기술아키텍처의 도입·활용
   · 건전한 정보문화의 창달 및 지능정보사회윤리의 확립
   · 지능정보화 및 지능정보사회 관련 교육 및 역량강화
   · 그 밖에 다른 법령에서 지능정보화책임관의 업무로 정하는 사항

② **필요성**

    ㉠ 대국민서비스 향상과 국민의 편의를 도모한다.

    ㉡ 정부의 능률성을 향상시키고 질 높은 정책정보를 산출한다.

    ㉢ 부처이기주의를 극복한다.

    ㉣ 복잡한 사회문제를 해결하는 능력을 증대시킨다.

    ㉤ 전자정부 구현을 위한 정보자원관리의 최적화와 정부 리엔지니어링의 수단이 된다.

③ **부정적인 행정정보 공동활용의 관행**

    ㉠ 정보관리에서 존재하는 '정보의 그레샴(Gresham) 법칙'이 나타난다.

    ㉡ 정보나 지식을 공짜로 생각하는 관행이 존재한다.

    ㉢ 현실성을 상실한 제도와 관행이 존재한다.

    ㉣ 각 기관별 이기주의가 존재한다.

    ㉤ 정보의 악용을 방지하는 기술 및 제도가 미비하다.

3 전자정부론

1. 의의

(1) 전자정부란 정보와 IT를 국정전반에 적극 활용하는 정보사회의 새로운 행정 패러다임이다. 전자정부는 단기적으로 행정의 효율성과 고객지향성을 제고하고, 장기적으로 국가의 경쟁력 향상 및 국민의 원활한 행정참여가 이루어지는 전자민주주의의 실현을 목표로 한다.

(2) **미국의 전자정부**

    1990년대 이후 클린턴(Clinton) 정부가 'Access America'라는 프로젝트를 수행하면서 기존의 비효율적인 행정을 개혁하기 위해 등장하였다. 이후 인디애나폴리스(Indianapolis) 정부의 'for the people by the computer', 1980년의 「문서절감법(Paperwork Reduction Act)」에서 1994년의 「문서폐지법(Paperwork Elimination Act)」으로 전개되었다.

(3) **우리나라의 전자정부❶**

    우리나라의 정부는 1980년대 초반부터 행정의 고도화와 대국민 서비스의 질적인 향상을 위해 행정의 모든 분야에서 정보통신기술의 성과를 활용하여 정부조직 및 기능을 개혁·재편하는 행정정보화를 추진하고 있다. 이를 시작으로 사이버코리아 21(Cyber Korea 21), 2001년 「전자정부법」, e-Korea vision 2006, 전자정부사업 총괄 등을 통해 전자정부 구현을 위해 노력하고 있다.

2. 원칙

대민서비스의 전자화 및 국민편익의 증진❷	대민서비스를 전자화하여 민원인의 업무처리과정에 시간과 노력이 최소화되도록 한다.
행정업무의 혁신 및 생산성·효율성의 향상	업무처리과정을 전자적 처리에 적합하도록 혁신하여 생산성을 향상시킨다.

❶ 온-나라 시스템(On-Nara BPS System)
정부 내부의 업무처리 전산화 시스템으로 G2G에 해당한다. 행정 업무의 효율성을 제고하고 비용 절감을 위해 정부가 수행하는 모든 업무를 체계적으로 분류하고, 온라인상에서 실시간으로 업무를 처리하는 전산 시스템이다. 행정자치부(현 행정안전부)가 전자정부의 일환으로 구축(2007)하여 주관하고 있으며 핵심은 정부 내부의 과제관리와 문서관리에 있다.

❷ 대민 전자정부(G2C 또는 G2B)의 사례
우리나라의 전자정부의 사례로는 G2C(Government to Customer)나 G2B(Government to Business)가 있다. 정부가 국민이나 기업을 상대로 전자상거래 내지는 전자적 소통을 하는 것으로 G2C는 민원24, 국민신문고, G2B는 전자조달나라장터, 전자통관시스템이 이에 해당한다.

핵심 OX

01 지리정보시스템(GIS), 지능정보화책임관(CIO)의 확립은 전자정부 구축과 밀접한 관련이 있다. (O, X)

02 전자정부의 등장은 시장실패로 인하여 정부가 정보화를 주도할 수밖에 없는 정부개입의 필요성 때문이다. (O, X)

01 O
02 X 정부개입은 전자정부의 등장과는 거리가 멀다.

정보시스템의 안전성 및 신뢰성의 확보	보안시스템을 철저히 하여 정보시스템의 안전성과 신뢰성을 확보한다.
개인정보 및 사생활의 보호	개인정보는 법령에서 정하는 경우를 제외하고는 당사자의 의사에 반하여 사용되어서는 안 되며, 개인의 사생활을 보장하여야 한다.
행정정보의 공개 및 공동이용의 확대	행정정보는 인터넷을 통하여 적극 공개하고 행정기관은 행정정보를 다른 기관과 공동으로 이용한다.
중복투자의 방지 및 상호운용성 증진	부처 간 소프트웨어 중복개발을 금지하고 비용절감을 위해 상호운용한다.
정보기술아키텍처를 기반으로 하는 전자정부 구현·운영	행정기관 등은 전자정부의 구현·운영 및 발전을 추진할 때 정보기술아키텍처를 기반으로 하여야 한다.
행정기관 확인의 원칙	행정기관이 전자적으로 확인할 수 있는 사항은 민원인에게 제출하도록 요구하여서는 안 된다.

① 기존 전자정부와 스마트 정부의 비교

구분		기존 전자정부 (~2010)	스마트 정부 (2011~)
국민	접근 방법	PC만 가능	스마트폰, 태블릿 PC 등 다매체 활용
	서비스	공급자 중심의 획일적 서비스	개인별 맞춤형 통합 서비스
	민원 신청	개별 신청 (동일서류도 복수 제출)	1회 신청으로 복합민원 일괄 처리
	수혜 방식	국민이 직접 자격 증명 신청	정부가 자격 요건 확인·지원
공무원	근무 위치	지정 사무실 (PC)	시간·위치 무관(스마트 워크센터)
	위기	재난 사후 복구	사전 예방 및 예측

⊘ 개념PLUS   전자정부 신·구 원칙 비교(「전자정부법」)①

종전	개정(2010.5.5.)
· 국민편익 중심의 원칙 · 업무혁신 선행의 원칙 · 전자적 처리의 원칙 · 행정정보 공개의 원칙 · 행정기관 확인의 원칙 · 행정정보 공동이용의 원칙 · 소프트웨어 중복개발 방지의 원칙 · 개인정보보호의 원칙 · 기술개발 및 운영 외주의 원칙	· 대민서비스의 전자화 및 국민편익의 증진 · 행정업무의 혁신 및 생산성·효율성의 향상 · 행정정보의 공개 및 공동이용의 확대 · 행정기관 확인의 원칙 · 중복투자의 방지 및 상호 운용성 증진 · 개인정보 및 사생활의 보호 · 정보시스템의 안전성·신뢰성 확보 · 정보기술아키텍처를 기반으로 하는 전자정부 구현·운영 · 행정기관 보유 개인정보를 당사자 의사에 반하여 사용 금지

3. 전자정부의 유형

능률형 전자정부 (협의)	· 정부 자체의 혁신과 정보기술의 활용으로 정부부문의 효율성을 제고하는 것이 목적인 전자정부이다. · 통제위주로 이용될 가능성이 높으며, 국민과의 쌍방향적인 의사소통이 이루어지지 못함이 문제점이다.
서비스형 전자정부	· 효율성 제고를 넘어 향상된 정보능력을 민간과 공유하면서 행정정보가 국민 생활에 얼마나 기여할 수 있는가에 목적이 있는 전자정부이다. · 매체의 접근가능성을 제고하고 정보의 통합성을 추구하는 것이 중요하다.
민주형 전자정부 (광의)	· 국민이 가지는 정부에 대한 높은 신뢰에 의해서 발전이 가능하기 때문에 이러한 신뢰구축을 위해 정책결정과정에 국민이 직접 참여하도록 행정부문의 참여공간의 확대를 중요하게 생각하는 전자정부이다. · 열린정부와 개인정보보호 등이 중요하다.

4. 지능형 정부[1]

지능형 정부는 인공지능, 빅데이터, 사물인터넷 등 지능정보기술을 활용하여 국민 중심으로 정부서비스를 최적화하고 스스로 일하는 방식을 혁신하며, 국민과 함께 국정 운영을 실현함으로써 안전하고 편안한 상생의 사회를 만드는 디지털 신정부를 의미한다.

❶ 2017년 지능형 정부 기본계획의 4대 목표
1. 마음을 보살피는 정부
2. 사전에 해결하는 정부
3. 가치를 공유하는 정부
4. 안전을 지켜주는 정부

✓ 개념PLUS 지능형 정부

1. 기존 전자정부와 지능형 정부의 비교

구분	전자정부	지능형 정부
정책결정	정부 주도	국민 주도
행정업무	국민/공무원 문제제기 → 개선	디지털 두뇌를 통한 문제 자동 인지 → 스스로 대안 제시 → 개선
현장결정	단순업무 처리 중심	복합문제 해결 가능
서비스 목표	양적·효율적 서비스 제공	질적·공감적 서비스 공동생산
서비스 내용	생애주기별 맞춤형	일상틈새 + 생애주기별 비서형
서비스 전달방식	온라인 + 모바일 채널	수요 기본 온·오프라인 채널

2. 지능형 정부의 비전

전략목표	아젠다
인공지능을 활용한 대국민서비스 혁신	· 먼저 찾아가는 개인맞춤 서비스 · 모두를 포용하는 서비스 확대 · 사용자 우선의 서비스 편의성 제고
알아서 처리하는 똑똑한 행정 구현	· 과학적 정책지원체계 구축 · 정부행정 프로세스 지능화
지속가능한 디지털 안전사회 선도	· 경계 없는 국민참여 확대 · 예방 기반 안전관리체계 구축
범정부 공동 활용 플랫폼 고도화	· 정부업무 인프라 지능화 · 빅데이터 학습·분석 기반 강화

5. 전자거버넌스와 전자민주주의

(1) 의의

① **전자거버넌스**: IT 기술의 발달로 시간적·공간적 제약이 극복되고 다양한 관계의 네트워크가 형성되면서 전자적 공간을 활용하여 거버넌스가 구현된 것을 전자거버넌스(e-governance)라 한다.

② **전자민주주의**[2]

  ㉠ **의의**: 정보통신기반을 이용하여 정치과정에 시민의 참여가 이루어지는 정보사회의 민주주의이다. 즉, 국민과 정책결정자 간의 정책결정관련 정보와 의견의 전달을 돕는 의사소통기술의 운용을 의미하는 것이다. 이는 정책과정에 대해 모든 사람들이 온라인상으로 자유롭게 보고 들을 수 있게 되고 의사를 표명할 수 있어 전자거버넌스의 실효성을 높여준다.

❷ 전자민주주의
고대 그리스 아테네에서 직접민주주의의 시간적·공간적 제약으로 20세기 엘리트 중심적인 대의민주주의(간접민주주의)가 발생하였다면, 이러한 시간적·공간적 제약을 극복하게 되면서 모든 시민이 자유롭고 평등하게 참여하는 제3의 민주주의인 전자민주주의(신직접민주주의)가 대두되었다. 이는 대표를 통하지 않고도 의사결정이 가능한 새로운 직접민주주의 방식으로의 가능성을 열어 놓았으며 심의민주주의(deliberative democracy)와 함께 대의민주주의의 문제점을 보완하는 기능을 한다.

    ⓒ 전자민주주의는 사이버크라시(cybercracy), 클리코크라시(clickocracy), 테크노 폴리틱스(techno politics), 인터넷 민주주의 등 여러 가지 명칭으로 사용된다.

    ⓒ **수단**: 인터넷을 통한 여론수렴과 투표, 국민신문고, 사이버 국회와 정당, 전자 공청회, 전자청원(e-petition), 전자배심원제(e-jury), 트위터(twitter) 정치 등 정책결정에 따른 시민의 온라인 참여 및 토론, 지지 후보나 정책 등을 인터넷을 통해 다른 사람들에게 알리는 일련의 정치적 행위를 통해 이루어진다.

(2) 전자적 참여의 형태(UN, 2008)

전자거버넌스는 전자정보화(e-information) → 전자자문(e-consulting) → 전자결정(e-decision) 순으로 발전하고 있다.

전자정보화단계 (e-information)	전자적 채널(정부 웹사이트)을 통해 국민에게 정보를 공개하는 단계이다.
전자자문단계 (e-consultation)	시민과 선거직공무원 간의 의사소통과 환류(feedback)가 이루어지는 단계이다(전자청원, e-petition).
전자결정단계 (e-decision)	시민의 의견이 정부의 정책과정에 반영되는 단계이다.

(3) 평가

① 긍정적 측면❶

  ㉠ 정보에 접근하는 것이 편리하여 의사표현의 자유가 보장되고 시민참여가 증가한다.

  ㉡ 저비용과 고효율의 정치문화 창출을 통하여 정책결정의 합리성을 제고한다.

  ㉢ 공직자들과 시민들 간의 정보 및 의견 교환이 용이하다.

  ㉣ 무능한 정치인이 도태하고 정치문화 전반에 변화가 생길 수 있다.

② 부정적 측면

  ㉠ 정치의 대중조작 가능성이 증가한다.

  ㉡ 정보의 부익부 빈익빈 현상(마타이효과*)이 심화된다.

  ㉢ 정보의 독점과 조작에 따른 감시기능이 강화된다.

  ㉣ 잘못된 정보 및 정보과다로 인한 시민들의 정치적 무력감이 증가할 수 있다.

  ㉤ 사이버테러 및 사생활 침해의 우려가 있다.

(4) 성공조건

① 정보흐름에 대한 통제 및 독점을 방지하여야 한다.

② 보편적 서비스(정보접근의 용이성 제고)를 확대하여야 한다.

③ 정보활용교육의 강화를 통해 정보 리터러시*를 증대시켜야 한다.

④ 시민의 참여의식과 주인의식을 배양하여야 한다.

---

❶ 모자이크 민주주의(mosaic democracy)

토플러(A. Toffler)는 지식정보화사회에서 공동체의 올바른 규범과 질서를 모자이크 민주주의(mosaic democracy)라고 표현하였다. 이는 다수결에 기반을 둔 대중민주주의가 아닌 소수세력의 다양성과 조화로움을 추구하는 전자민주주의와도 상통하는 개념으로 전자정부의 긍정적 측면에 해당한다.

📖 **용어**

마타이효과(마태효과)*: 부자는 더욱 부자가 되고, 가난한 자는 더욱 가난해지는 현상을 가리키는 말이다. 1968년 미국의 유명한 사회학자인 콜롬비아대학의 로버트 킹 머튼(King Merton) 교수가 '가진 자는 더욱 많이 가지게 되고, 없는 자는 더욱 빈곤해지는 현상'을 분석·설명하면서 '무릇 있는 자는 받아 풍족하게 되고 없는 자는 그 있는 것까지 빼앗기리라'는 성경의 마태복음 25장 29절에 착안하여 이 용어를 만들었다.

📖 **용어**

정보 리터러시(information literacy)*: 정보활용능력을 말한다. 즉, 정보가 필요한 때 해당 정보를 찾아내고 사용할 수 있도록 새로운 정보 시스템 도구들을 충분히 이해하고 능숙하게 사용하기 위하여 개인에게 필요한 능력을 의미한다.

4 우리나라 전자정부사업의 추진과정

1. 태동기(1960~1970년대)

(1) 1960년대

경제기획원 중심의 행정전산화 사업이 시작되었다.

(2) 1970년대

과학기술처 중심의 행정전산화 사업이 지속되었다(과학기술처에 중앙전자계산소 설치).

2. 안정기(1980년대) – 총무처 주관기

(1) 제1·2차 행정전산화 사업(1978~1986)

인사, 급여, 연금 등 행정업무의 전산화를 시작하였다.

(2) 제1·2차 행정전산망 구축(1987~1996)

'국가기간전산망사업'을 본격 추진하였다.

① 제1차 행정전산망사업(1987~1991): 6대 우선업무(주민등록, 부동산, 경제통계, 자동차, 고용, 통관)

② 제2차 행정전산망사업(1992~1996)

　㉠ 7대 우선추진업무: 우체국종합서비스, 국민복지, EDI형 통관자동화, 산업재산권정보관리, 기상정보관리, 어선관리, 물품목록관리

　㉡ 4대 정책업무: 경제통상업무, 농업기술정보, 환경보전, 국세종합관리

3. 전자정부기반 구축기(1997~2001)

(1) '초고속정보통신망' 구축사업(1994) 본격 추진

초고속국가정보통신망(정부투자)과 초고속공중정보통신망(민간투자) 구축사업을 추진하였다.

(2) 정보화촉진기본법(1996)

정보화촉진기본계획을 수립하고 전자정부를 위한 10대 과제를 제시하였다.

4. 전자정부 본격 추진기(2002~2006)

(1) 「전자정부법」을 제정하고(2001), 당시 행정자치부(현 행정안전부) 주관하에 문서감축, 정보공유, BPR 등을 추진하였다.

(2) 2002년에 'e-Korea vision 2006 사업'을 추진하였다.

5 정보화의 역기능

1. 정보격차(digital divide)

(1) 정보 및 정보기기에 대한 접근성과 활용능력의 차이를 나타낸다.

(2) 정보격차는 남녀 간, 세대 간, 지역 간 등 다양하게 나타날 수 있는데, 이의 시정을 통해서 '보편적 서비스❶'를 구현하는 것이 중요하다.

2. 프라이버시 침해와 정보보안문제❷

국가에 의한 전자적 감시와 기업이나 개인에 의한 프라이버시 침해의 위험성이 커지고 있으며, 최근에는 해킹기술의 발달과 바이러스 유포의 일상화에 따른 보안 확보가 중요한 과제로 대두되고 있다. 이는 정보 네트워크의 신뢰성 확보에서도 중요한 문제로 작용한다.

3. 인포데믹스(infordemics)

인포데믹스(infordemics)는 정보(information)와 전염병(epidemics)의 합성어로 정보확산으로 인한 부작용을 의미한다. 추측이나 뜬소문이 덧붙여진 부정확한 정보(가짜뉴스)가 인터넷이나 휴대전화를 통해 전염병처럼 빠르게 전파됨으로써 개인의 사생활 침해는 물론 경제, 정치, 안보 등에 치명적인 영향을 미치는 것이다.

4. 집단극화(group polarization)

집단의 의사결정이 개인의 의사결정보다 더 극단적인 방향으로 이행하는 현상이다. 인터넷 공간에서는 개인보다는 집단, 중도주의자보다는 극단주의자들에 의하여 네티즌들이 쉽게 동원·조작되는 집단극화의 가능성이 더욱 높아지게 된다.

5. 선택적 정보접촉(selective exposure to information)

정보의 범람 속에서 자신의 입장에 유리한 정보만을 선별적으로 흡수하고 배포하는 행태를 말한다.

---

❶ 보편적 서비스(universal service)

1. **개념**: 경제적·신체적·지리적 제약 없이 누구나 쉽게 정보통신 서비스에 접근하여 필요한 정보를 이용할 수 있게 하는 것을 의미하며, 정보격차를 극복하기 위한 방안으로 활용되고 있다.
2. **특성**: 접근성(access), 활용가능성(usability), 요금의 적정성(affordability), 훈련과 지원(training & support), 유의미한 목적성(meaningful purpose) 등을 내용으로 한다.
3. **현황**: 2001년부터 시행되어 온 '정보화마을조성사업'은 인터넷 새마을운동의 일환으로, 도시와 지역 간의 소득격차 및 정보격차를 줄이고 보편적 서비스 확보를 통한 전자정부를 구현하는 행정안전부의 정책이다.

❷ 전자파놉티콘

정보를 장악한 소수가 다수를 감시하고 통제하는 전자감옥을 의미한다. 전자 기기를 이용한 감시 체계를 가리키는 말로써 정보파놉티콘이라고도 불린다. 벤담의 파놉티콘에서의 '시선'을 대신해서 '정보'가 규율과 통제의 기제로 작동하는 것을 의미한다.

핵심 OX

01 유비쿼터스 행정은 프라이버시 침해를 가져올 수도 있다. (O, X)

02 우리나라 전자정부사업으로서 행정전산망사업이 행정전산화사업보다 앞서 시행되었다. (O, X)

01 O
02 X 행정전산화사업이 행정전산망사업보다 앞서 시행되었다.

2 정보공개제도와 지식행정론

1 정보공개제도

1. 의의 및 도입배경

(1) 의의

국가나 지방자치단체 및 공기업 등 공공기관이 보유하고 있는 정보를 국민의 청구에 의하거나 또는 자발적으로 공개하는 것이다.

협의	· 국민 개개인의 청구에 의한 의무적인 정보공개이다. · 행정기관이 보유한 정보에 대하여 국민으로부터의 청구가 있을 때 당해 정보를 청구자에게 의무적으로 공개하도록 하는 제도이다.
광의	행정기관이 보유하고 있는 정보를 외부에게 제공하는 일체의 행위를 의미한다.

(2) 도입배경

① 1992년에 청주시 정보공개조례가 법률의 구체적 위임은 없었지만 위법하지 않다는 헌법재판소의 판결에 의해서 여러 지방자치단체가 행정정보공개조례를 제정하게 되었다.

② 1996년 12월에 「공공기관의 정보공개에 관한 법률」이 제정·시행되었다.

③ **정보공개위원회의 설치❶**: 정보공개에 관한 정책의 수립 및 제도개선에 관한 사항 등을 심의·조정하기 위하여 국무총리 소속으로 정보공개위원회를 둔다.

④ 행정안전부장관은 공공기관의 정보공개에 관한 업무를 종합적·체계적·효율적으로 지원하기 위하여 통합정보공개시스템을 구축·운영하여야 한다.

2. 내용(「공공기관의 정보공개에 관한 법률」)❷

(1) 정보공개청구권자

모든 국민과 외국인(국내에 거소를 가지고 일정기간 거주하는 등록된 자)은 정보의 공개를 청구할 권리를 가진다.

(2) 정보공개기관의 범위

국가, 지방자치단체, 공공기관 및 대통령령이 정하는 기관(각급학교, 지방공사와 지방공단, 정부산하기관, 특수법인, 사회복지법인 등) 등이다.

(3) 공개대상정보

'정보'라 함은 공공기관이 직무상 작성 또는 취득하여 관리하고 있는 문서(전자문서 포함) 및 전자매체를 비롯한 모든 형태의 매체 등에 기록된 사항을 말한다.

(4) 비공개대상정보

국가안위에 관한 사항이나 개인의 생명·신체에 위협이 되는 정보 또는 재판에 간섭하는 정보 등의 경우에 대해서는 공개하지 않을 수 있음을 규정하고 있다.

❶ 정보공개위원회와 정보공개심의회

1. **정보공개위원회**: 정보공개에 관한 다음 사항을 심의·조정하기 위하여 국무총리 소속으로 정보공개위원회를 둔다. 위원회는 성별을 고려하여 위원장과 부위원장 각 1명을 포함한 11명의 위원으로 구성한다. 위원장을 포함한 7명은 공무원이 아닌 사람으로 위촉하여야 하고, 위원장 및 위원의 임기는 2년이다.
   · 정보공개에 관한 정책 수립 및 제도개선에 관한 사항
   · 정보공개에 관한 기준 수립에 관한 사항
   · 심의회 심의결과의 조사·분석 및 심의기준 개선 관련 의견제시에 관한 사항
   · 공공기관의 정보공개 운영실태 평가 및 그 결과 처리에 관한 사항
   · 정보공개와 관련된 불합리한 제도·법령 및 그 운영에 대한 조사 및 개선권고에 관한 사항
   · 그 밖에 정보공개에 관하여 대통령령으로 정하는 사항

2. **정보공개심의회**: 각 공공기관에 설치된 위원회로서 정보공개 여부를 심의한다. 위원은 위원장 1명을 포함하여 5~7인이며 그 중 3분의 2는 외부전문가로 위촉하게 함으로써 공개 여부결정의 공정성을 확보하도록 하고 있다.

❷ 정보공개제도의 평가기준

민주성	국민의 요구와 편의를 최우선적으로 고려
적시성	정보는 필요한 시기에 공개
형평성	공공기관의 비용·편익과 국민의 비용·편익 간의 균형

장점	· 국민의 알권리 충족 · 민주성 향상을 통한 열린 행정 구현 · 국정의 투명성 확보와 행정통제 강화 · 공직자의 부패방지 · 행정의 신뢰성 강화
단점	· 국가기밀의 유출 · 사생활의 침해 · 정보의 왜곡과 남용 · 공직자의 유연성 저해 · 정보공개 혜택의 비형평성 · 정보공개 비용·업무량의 증가

3. 효용 ❶

(1) 국민의 알권리 보장을 통한 정보민주주의(tele-democracy)의 구현

국민주권원리에 기반하여 국민의 알권리를 보장하고 국민참여를 증대시켜 국민의 정보접근권·정보사용권·정보참가권을 보장할 수 있다.

(2) 국정에 대한 국민의 행정참여 신장을 통한 열린행정 구현

정보공개는 국민의 국정참여를 증가시켜 열린행정을 구현할 수 있게 만들어 준다.

(3) 국정의 투명성 확보와 행정통제의 강화

관료에 의한 정보독점을 막고 국민의 알권리를 충족시켜 행정의 투명성을 강화한다.

(4) 행정의 홍보 및 신뢰성 확보

국민에게 객관적이고 정확한 정보를 공개함으로써 국민의 정부정책에 대한 신뢰와 믿음을 확고히 할 수 있다.

4. 폐단

(1) 국가의 기밀 유출

직무상 비밀 보호가 어려워지고 국가기밀 유출의 위험이 커진다. 이를 예방하기 위한 장치를 만들고 운영하는 데에는 많은 비용이 든다.

(2) 사생활의 침해

정부가 획득하여 보유하는 개인정보가 유출되어 국민의 프라이버시를 침해할 우려가 있다.

(3) 정보의 왜곡과 남용

① 정부에 제공된 모든 정보는 공개될 가능성이 있기 때문에 정보의 출처에서 정확한 정보 제공을 기피할 수 있다.

② 공개된 정보가 범죄자나 산업스파이 등에 의하여 남용 또는 악용될 우려가 있고, 투기 등 부당이득의 목적에 악용될 수도 있다.

(4) 공무원의 유연성 저해 및 소극적 행태의 조장

정보공개에 따라 실책이 드러나거나 말썽이 생길 것을 걱정하는 공무원들이 위축되고 업무추진에 소극적인 태도를 보일 수 있다.

(5) 정보공개 혜택의 비형평성

개인이나 집단에 따라 정보접근능력에는 차이(정보격차)가 있기 때문에 정보공개의 혜택이나 배분에 있어서 형평성을 잃을 수 있다.

(6) 비용·업무량의 증가

정보공개제도를 운영하는 데 비용이 많이 들고 행정의 부담이 늘어난다. 특히 정보공개청구가 폭주하는 경우 행정업무를 수행하는 것에 있어 차질과 지연이 우려된다.

핵심 OX

01 「공공기관의 정보공개에 관한 법률」에 의하면 공공기관에 의한 자발적이고 능동적인 정보제공을 의무화하였다. (O, X)

02 국민생활에 큰 영향을 미치는 정책정보는 청구가 없더라도 공개해야 한다. (O, X)

03 직무를 수행한 공무원의 성명·직위는 공개할 수 있다. (O, X)

04 행정정보공개의 확대는 공무원의 도전적이고 적극적인 행태를 조장할 수 있다. (O, X)

01 O 「공공기관의 정보공개에 관한 법률」은 '정보를 투명하고 적극적으로 공개하는 조직문화 형성에 노력하여야 한다.'는 규정 등을 신설하여 능동적인 정보제공을 의무화 하고 있다.
02 O
03 O
04 X 정보공개제도의 지나친 확대는 공무원의 업무수행에 있어서 유연성 저하와 소극적인 행태를 가져올 수 있다.

2 지식행정론

1. 지식의 의의와 형태

(1) 의의

자료(data)가 분석과정과 의미파악을 통해 정보로 산출된 후 일정한 규칙이나 파일을 통해서 데이터베이스화되어 가치평가가 이루어지게 되는데, 이 중 가치 있다고 판단되는 것이 지식(knowledge)이다.

(2) 형태(Nonaka)

① 암묵지(tacit knowledge): 말로는 표현할 수 없는 주관적·신체적인 지식으로서 경험의 반복에 의해 숙련화된다.

　　⑩ 사고 습관과 행동경향(know-how) 등

② 형식지(explicit knowledge): 문장과 말로 표현할 수 있어 객관적으로 공감할 수 있는 형태의 지식으로서 이전이 가능하다.

　　⑩ 문서, 데이터베이스 등

📊 **고득점 공략** 암묵지와 형식지의 비교

구분	암묵지	형식지
정의	언어로 표현하기 힘든 주관적 지식	언어로 표현가능한 객관적 지식
획득	경험을 통해 몸에 밴 지식	언어를 통해 습득된 지식
축적	은유·경험을 통한 전달	언어를 통한 전달
전달	전수하기가 어려움	전수하는 것이 상대적으로 용이함
예	개인경험, 자전거 타기	컴퓨터 매뉴얼, 문서, 데이터베이스

---

2. 지식의 창출과정(지식변환모형, SECI모형)

(1) 지식변환의 과정

암묵지와 형식지는 다음과 같은 과정을 거치면서 변화·발전하는데, 노나카(Nonaka)는 이를 지식변환(knowledge conversion)이라고 정의하고 있다.

① 사회화(socialization): 암묵지를 암묵지로 변환한다. 즉, 개인이 가지고 있는 암묵지를 다른 조직구성원들이 경험함으로써 공유하는 것이다.

② 외부화(externalization): 암묵지가 언어적 또는 상징적 표현수단을 통해 형식지로 변환되는 과정이다. 즉, 개인이 암묵적으로만 알고 있던 지식을 언어적 또는 행동적 표현수단을 통해 다른 사람들에게 전이시킴으로써 더욱 발전된 지식을 창조하는 것이다.

③ 조합화(combination): 형식지들을 모아서 새로운 체계의 형식지로 만드는 것이다. 집단토론 등을 통한 학습과정을 거쳐 형식화된 지식을 모아 연결·결합하는 과정으로서 데이터마이닝이 적용된다. 데이터마이닝은 유용한 정보의 추출을 위한 방법론이라고 할 수 있다.

④ 내부화(internalization)

㉠ 형식지를 다시 암묵지로 변환시키는 과정이다. 즉, 교육받은 내용을 실제 문제에 적용하여(learning by doing) 체화된 암묵지로 만드는 것으로 선임자에 의한 멘토링(mentoring)을 통한 학습이 중요하다.

㉡ 센게(Senge)의 학습조직이론도 내면화방식의 지식창조를 강조한 것이다.

㉢ OJT(On-the-Job Training)나 멘토와 멘티(Mentor- Mentee)같은 도제 제도를 통해서 각 구성원들은 다른 사람이 보유하고 있는 암묵지를 체득함으로써 자신의 암묵지로 만들 수 있다. 이러한 과정을 통해 개인의 암묵지는 조직 전체에 확산될 수 있으며 이것이 노나카(Nonaka)가 지식창조에서 가장 중시하는 과정이다.

(2) 지식변환의 계속성

지식변환은 개인의 지식창조에서 시작되어 조직차원에 이르기까지 그리고 다시 개인으로, 또다시 조직으로 복합 상승하는 나선형의 프로세스를 통해 역동적으로 계속된다.

3. 전통적 행정관리와 지식행정관리

구분	전통적 행정관리	지식행정관리
조직구조	계층제적 조직	학습조직 기반 구축
조직구성원의 능력	조직구성원의 기능과 경험이 일과성으로 소모됨	개인의 전문적 자질 향상
지식소유	지식의 개인 사유화	지식의 조직 공동재산화
지식공유와 활용	• 정보·지식의 중복 활용 • 조직 내 정보 및 지식의 분절·파편화	• 조직의 업무능력 향상 • 지식공유를 통한 가치 향상 및 확대·재생산

4. 지식행정관리의 성공요인❶

(1) 암묵지의 기능을 강화하여야 한다. 암묵지를 형식지화하고, 인적자원이 지닌 지식의 전파를 활성화하여야 한다.

(2) 최고지식관리자(CKO)를 두고 조직 내의 각종 지적 자산을 발굴 및 총괄하여야 한다.

(3) 지식자본의 평가기준을 마련하고 구성원에 대한 평가 및 보상이 있어야 한다.

(4) 계층구조를 축소하고 지식행정조직·연성조직을 구축하여야 한다.

(5) 의사소통 채널을 다양화하며 지식공유를 위한 신뢰와 협력의 문화가 필요하다.

❶ 지식행정 우수사례 – 관세청 '想想異想(상상이상) 시스템'

관세청의 '想想異想(상상이상) 시스템으로 내외부 아이디어 활용'이 행정안전부에서 주관하는 지식행정 우수사례에 선정되었다.

1. 의의: 想想異想(상상이상) 시스템은 집단지성(collective Intelligence) 활용을 극대화하고자 관세청에서 자체 개발한 것으로, 내외부 고객의 모든 의견을 촘촘히 수렴해 행정에 자동으로 반영하는 진일보한 시스템이다.

2. 활용 및 기대: 관세청에서 활용 중인 想想異想(상상이상) 시스템으로 지난해 월평균 93건에 불과하였던 아이디어는 올해 월평균 168건으로 2배 가까이 증가하였다. 또 내부직원의 만족도 설문조사결과 만족도 7.53점, 기대감 8.23점으로 나타났다. 행정안전부 관계자는 "이번 지식행정의 우수사례가 전 행정기관에 확산돼, 업무로 인한 지식의 공유와 활용이 내재화되는 등 범정부 지식행정수준이 한층 높아질 수 있기를 기대한다."라고 밝혔다.

핵심 OX

01 지식정부 공공행정의 기대효과는 지식의 조직 공동재산화, 정보와 지식의 중복 활용, 학습조직의 기반 구축에 있다. (O, X)

01 X 정보와 지식의 중복 활용은 기존 행정관리의 특징이다.

3 연성(soft)행정

1. 의의

(1) 연성행정은 행정환경에 유연하고 민감하게 반응하며, 행정요소들 간 유기적으로 통합되어 단절 없는 기능수행이 이루어지는 행정이다. 즉, 유의미한 가치창출을 위해 행정구조와 양식이 가변적인 행정을 의미한다.

(2) 행정이 유연하다는 점은 행정에의 접근가능성이 높다는 것이다. 따라서 행정이 시민과 기업에 열려 있으며, 조력하는 행정으로서 지속적 협력가능성을 지니고 있음을 의미한다.

2. 경성(전통적)행정과 연성(현대적)행정

경성(hard)행정(전통적)	연성(soft)행정(현대적)
· 전통적 관료제(bureaucracy) · 분절적(fragmented) 행정 · 폐쇄적 독점행정 · 노젓기(rowing) · 규칙 중심의 관리 · 투입 중심예산 · 불신행정 · 관료 중심적 · 집권적 계층제(명령과 통제)	· 국가경영(governance) · 단절 없는(seamless) 행정 · 개방적 경쟁행정 · 방향잡기(steering) · 임무 중심의 관리 · 성과 중심예산 · 신뢰행정 · 고객 중심적 · 참여와 팀워크(협력과 네트워크)

4 정부 3.0과 열린 혁신

1. 의의

(1) 공공정보를 적극 개방·공유하고, 부처 간 칸막이를 없애며 소통·협력하는 정부운영 패러다임이다.

(2) 국정과제에 대한 추진동력을 확보하고 국민 맞춤형 서비스를 제공함과 동시에 일자리 창출과 창조경제를 지원하는 새로운 정부운영의 패러다임이다.

2. 방향❶

(1) 공공정보를 개방·공유하고, 정부와 국민 간의 소통과 협력을 확대한다.

(2) 국가보다 국민 개개인의 행복에 초점을 두어 맞춤형 서비스를 제공한다.

(3) 민간의 창의와 활력이 증진되는 혁신 생태계를 조성한다.

(4) 부처 간 칸막이를 뛰어넘는 통합형 정부운영을 지향한다.

(5) 정부가 직접 개입하지 않고, 민간의 능동적 참여를 유도하는 플랫폼 정부이다.

❶ 정부 3.0의 중점 추진과제

소통하는 투명한 정부	· 공공정보 적극 공개로 국민의 알권리 충족 · 공공데이터의 민간 활용 활성화 · 민관 협치 강화
일 잘하는 유능한 정부	· 정부 내 칸막이 해소 · 협업·소통 지원을 위한 정부운영시스템 개선 · 빅데이터❷를 활용한 과학적 행정 구현
국민 중심의 서비스 정부	· 수요자 맞춤형 서비스 통합 제공 · 창업 및 기업활동 원스톱 지원 강화 · 정보 취약계층의 서비스 접근성 제고 · 새로운 정보기술을 활용한 맞춤형 서비스 창출

❷ 빅데이터의 3대 특징(3V)

크기 (Volume)	엄청난 규모의 데이터(테라바이트, 페타바이트)
속도 (Velocity)	스트리밍 형태, 즉 실시간 라이브 형태로 사용
다양성 (Variety)	정형적인 데이터를 넘어 정형 또는 비정형의 다양한 데이터

3. 정부운영 패러다임의 변화

구분	정부 1.0	정부 2.0(web 1.0)	정부 3.0(web 2.0 이후)
운영방향	정부 중심	국민 중심	국민 개개인 중심
핵심가치	효율성	민주성	확장된 민주성
참여방식	관주도·동원 방식	제한된 공개·참여	능동적 공개와 참여 (개방·공유·소통·협력)
행정서비스	일방향 제공	양방향 제공	양방향·맞춤형 제공
참여수단	직접 방문	인터넷	무선 인터넷, 스마트 모바일 서비스

4. 열린 혁신 전략 및 패러다임 전환

정부 3.0(박근혜 정부)에서 열린 혁신(문재인 정부)으로 전환되었다.

정부 3.0	열린 혁신
국민참여·정책대상	국민주도·정책주체
정부 – 민간 이분법적 사고	민(시민사회)·관 공동생산
소수 엘리트 중심의 방향·과제 지시	국민·공직내부로부터의 상향식 의제설정
폐쇄적 소통 및 공개 제한	정보공개 및 데이터 공유
관행적·경험기반 행정	데이터 기반의 과학적 행정

5 제4차 산업혁명

1. 의의

(1) 인공지능, 로봇기술, 생명과학이 주도하는 차세대 산업혁명을 말한다.

(2) 4차 산업혁명의 핵심은 산업과 산업 간의 초연결성, 초지능성, 초융합성 등을 특성으로 하는 새로운 행정패러다임을 의미한다.

2. 발달과정

(1) 제1차 산업혁명

1784년 영국에서 시작된 증기기관과 기계화로 대표된다.

(2) 제2차 산업혁명

1870년 전기를 이용한 대량생산이 본격화되었다.

(3) 제3차 산업혁명

1969년 인터넷이 이끈 컴퓨터 정보화 및 자동화 생산시스템이 주도하였다.

(4) 제4차 산업혁명

2010년 이후 로봇이나 인공지능(AI)을 통해 실제와 가상이 통합돼 사물을 자동적, 지능적으로 제어할 수 있는 가상 물리 시스템의 구축이 기대되는 4차 산업상의 변화이다.

01 정보화사회의 특징으로 옳지 않은 것은?   2010년 국가직 9급

① 피라미드형 조직구조에서 수평적 네트워크구조로 전환되고 있다.

② 관료가 정보를 독점하여 권력의 오·남용문제가 없어진다.

③ 전자정부가 출현하고 문서 없는 정부가 구현될 수 있다.

④ 정보통신기술을 활용한 원스톱(one-stop)·논스톱(non-stop) 행정서비스가 가능해진다.

02 「공공기관의 정보공개에 관한 법률」의 내용으로 옳은 것은?   2016년 사회복지직 9급

① 지방자치단체는 그 소관 사무에 관하여 법령의 범위에서 정보공개에 관한 조례를 정할 수 있다.

② 모든 국민은 정보의 공개를 청구할 권리를 가지며, 외국인의 정보공개청구에 관하여는 법률로 정한다.

③ 공공기관은 예산집행의 내용과 사업평가 결과 등 행정 감시에 필요한 정보가 다른 법률에서 비밀이나 비공개 사항으로 규정되었더라도 이를 공개하여야 한다.

④ 공공기관은 정보공개의 청구를 받으면 부득이한 사유가 있더라도 그 청구를 받은 날부터 연장 없이 10일 이내에 공개 여부를 결정하여야 한다.

정답 및 해설

01 **정보화사회**

정보화 사회에서 정보의 수집·저장·보존 등의 독점적 관리를 하게 되어 권력의 오남용 우려가 있다.

02 **「공공기관의 정보공개에 관한 법률」의 내용**

지방자치단체는 그 소관 사무에 관하여 법령의 범위에서 정보공개에 관한 조례를 정할 수 있다(「공공기관의 정보공개에 관한 법률」 제4조 제2항).

| 선지분석 |

② 외국인의 정보공개청구에 관하여는 대통령령으로 정한다(동법 제5조 제2항).

③ 다른 법률 또는 법률이 위임한 명령에 의하여 비밀 또는 비공개 사항으로 규정된 정보는 공개하지 않을 수 있다(동법 제9조).

④ 부득이한 사유로 10일 이내에 공개 여부를 결정할 수 없을 때에는 그 기간이 끝나는 날의 다음 날부터 기산하여 10일의 범위에서 공개 여부 결정기간을 연장할 수 있다(동법 제11조 제1항·제2항).

정답 01 ② 02 ①

03 UN에서 제시하는 세 가지 전자적 참여형태에 해당하지 않는 것은?
2011년 국가직 9급

① 전자정보화(e-information) 단계

② 전자자문(e-consultation) 단계

③ 전자결정(e-decision) 단계

④ 전자홍보(e-public relation) 단계

04 다음 중 지식행정관리의 기대효과로 가장 옳지 않은 것은?
2015년 서울시 7급

① 조직구성원의 전문적 자질 향상

② 지식공유를 통한 지식가치의 확대 재생산

③ 학습조직 기반 구축

④ 지식의 개인 사유화 촉진

05 2009년 서울의 한 고등학생이 개발한 '서울버스 앱'은 공공데이터의 무료 개방에 따른 부가서비스 개발의 대표적 사례로
알려져 있다. '서울버스 앱'의 기반이 되는 웹 기술은?
2017년 사회복지직 9급

① 하이퍼링크 중심의 Web 1.0 기술

② 플랫폼 기반의 Web 2.0 기술

③ 시맨틱웹(Semantic) 기반의 Web 3.0 기술

④ 사물인터넷 기반의 Web 3.0 기술

06 기존 전자정부와 비교한 스마트 전자정부의 특징이 아닌 것은?

① 개인별 맞춤형 통합서비스 제공

② 스마트폰, 태블릿 PC, 스마트 TV 등 다매체 활용

③ 공급자 중심의 서비스 개발

④ 1회 신청으로 연관 민원 일괄처리

정답 및 해설

03 전자적 참여형태

전자홍보(e-public relation) 단계는 UN이 제시한 전자적 참여형태(전자거버넌스)에 해당하지 않는다.

❶ 전자적 참여의 형태(UN, 2008)

전자거버넌스는 전자정보화(e-information) → 전자자문(e-consultation) → 전자결정(e-decision) 순으로 발전하고 있다.

(1) 전자정보화(e-information) 단계: 전자적 채널(정부 웹 사이트)을 통해 국민에게 정보를 공개하는 단계이다.

(2) 전자자문(e-consultation) 단계: 시민과 선거직공무원 간 상호 의사소통과 환류(feedback)가 이루어지는 단계(전자청원, e-petition)이다.

(3) 전자결정(e-decision) 단계: 시민의 의견이 정부의 정책과정에 반영되는 단계이다.

04 지식행정관리의 기대효과

지식행정관리에서는 지식의 개인 사유화가 아니라 조직 공유화를 통한 확대생산을 강조한다.

❶ 전통적 행정관리와 지식행정관리

구분	전통적 행정관리	지식행정관리
조직구조	계층제적 조직	학습조직 기반 구축
구성원의 능력	구성원의 기량과 경험이 일과성으로 소모	개인의 전문적 자질 향상
지식공유	조직 내 정보 및 지식의 분절·파편화	공유를 통한 지식가치 향상 및 확대 재생산
지식소유	지식의 개인 사유화	지식의 조직 공동재산화
지식활용	정보·지식의 중복 활용	조직의 업무 능력 향상

05 플랫폼 기반 웹 2.0

서울버스 앱은 서울시의 공공정보를 이용하여 고등학생이 콘텐츠를 개발한 사례로, 실시간으로 버스의 교통상황을 표시하여 승객들이 편리하게 이용할 수 있는 어플리케이션으로서 플랫폼 기반의 Web 2.0 기술을 바탕으로 하는 것이다.

| 선지분석 |

① 하이퍼링크 중심의 Web 1.0 기술은 정보의 연관성을 중시한 웹으로 컴퓨터가 정보나 서비스를 단순히 제공하기만 하지 사용자가 웹사이트에서 데이터나 서비스를 움직이거나 수정·활용할 수 없는 것을 말한다.

③ 시맨틱웹 기반의 Web 3.0 기술은 컴퓨터가 정보의 뜻을 이해하고 논리적 추론까지 할 수 있는 지능형 웹을 말한다.

④ 사물인터넷(IOT) 기반 Web 3.0 기술은 사물들 간의 인터넷을 유·무선으로 서로 연결함으로써 사람과 사물, 사물과 사물 간 상호 연결하여 소통할 수 있는 지능형 정보인프라를 말한다.

06 스마트 전자정부

공급자 중심의 서비스 개발은 기존 전자정부의 특징이다. 스마트 정부는 개인별 맞춤형 서비스를 중시한다.

❶ 기존 전자정부와 스마트 정부의 비교

구분		기존 전자정부(~2010)	스마트 정부(2011~)
국민	접근 방법	PC만 가능	스마트폰, 태블릿 PC, 스마트 TV 등
	서비스	공급자 중심의 획일적 서비스	개인별 맞춤형 통합 서비스, 공공정부 개방을 통해 국민이 직접 원하는 서비스 개발
	민원 신청	개별 신청 (동일서류도 복수 제출)	1회 신청으로 연관 민원 일괄 처리
	수혜 방식	국민이 직접 자격 증명 신청	정부가 자격 요건 확인·지원
공무원	근무 위치	사무실(PC)	위치 무관(스마트워크센터, 모바일오피스)
	위기	사후 복구 위주	사전 예방 및 예측

정답 03 ④ 04 ④ 05 ② 06 ③

07 「전자정부법」상 전자정부에 대한 설명으로 가장 옳지 않은 것은?　　　　　　　　　　　　　2020년 서울시 9급

① 행정기관 등은 전자정부의 구현을 위해 중복투자의 방지 및 상호운용성 증진 등을 우선적으로 고려하여야 한다.

② 행정기관 등의 장은 5년마다 해당 기관의 전자정부의 구현·운영 및 발전을 위한 기본계획을 수립하여 중앙사무관장기관의 장에게 제출하여야 한다.

③ 행정기관 등의 장은 해당 기관의 전자정부서비스에 대한 이용실태 등을 주기적으로 조사하여야 한다.

④ 행정기관 등의 장이 행정안전부장관에게 데이터 활용을 신청한 경우 행정안전부장관은 비공개대상정보라도 반드시 제공하여야 한다.

08 「전자정부법」에서 정의하고 있는 다음의 개념은?　　　　　　　　　　　　　　　　　　2022년 국가직 9급

> 일정한 기준과 절차에 따라 업무, 응용, 데이터, 기술, 보안 등 조직 전체의 구성요소들을 통합적으로 분석한 뒤 이들 간의 관계를 구조적으로 정리한 체제 및 이를 바탕으로 정보화 등을 통하여 구성요소들을 최적화하기 위한 방법

① 전자문서　　　　　　　　　　　　　　　　② 정보기술아키텍처

③ 정보시스템　　　　　　　　　　　　　　　④ 정보자원

09 스마트사회 및 스마트정부의 모습과 거리가 먼 것은?　　　　　　　　　　　　　　　　2013년 지방직 7급

① 유연성·창의성·인간 중심 가치가 중시되는 사회이다.

② 정부는 국민이 요구하기 전에 먼저 알아서 서비스를 제공한다.

③ 스마트워크의 확산으로 현장에서 업무를 처리하고 실시간으로 입력하기 때문에 효율성과 생산성이 제고된다.

④ 재난 발생 후 최대한 빠른 시간 내에 복구하는 것을 정책목표로 추구한다.

10 유비쿼터스 전자정부에 대한 설명으로 옳은 것만을 모두 고르면?

> ㄱ. 기술적으로 브로드밴드와 무선, 모바일 네트워크, 센싱, 칩 등을 기반으로 한다.
>
> ㄴ. 서비스 전달 측면에서 지능적인 업무수행과 개개인의 수요에 맞는 맞춤형 서비스를 제공한다.
>
> ㄷ. Any-time, Any-where, Any-device, Any-network, Any-service 환경에서 실현되는 정부를 지향한다.

① ㄱ, ㄴ

② ㄱ, ㄷ

③ ㄴ, ㄷ

④ ㄱ, ㄴ, ㄷ

정답 및 해설

07 「전자정부법」상 전자정부

행정기관 등의 장이 행정안전부장관에게 데이터 활용을 신청한 경우 행정안전부장관은 비공개대상정보라면 공개하지 않아야 한다.

| 선지분석 |

① 「전자정부법」제4조(전자정부의 원칙)에 규정되어 있다.

② 「전자정부법」제5조의2(기관별 계획의 수립 및 점검)에 규정되어 있다.

③ 「전자정부법」제22조(전자정부서비스의 이용실태 조사·분석)에 규정되어 있다.

> **「전자정부법 시행령」제35조의3 【활용 가능한 데이터의 범위】**
> ① 법 제30조의3 제2항에 따라 데이터활용공통기반시스템을 통하여 활용 가능한 데이터는 「공공기관의 정보공개에 관한 법률」제9조에 따른 비공개대상정보가 포함되지 아니한 데이터로 한다.
> ② 법 제30조의4 제1항에 따라 데이터활용공통기반시스템을 통하여 수집·활용 가능한 공개된 인터넷 데이터는 법인·단체 또는 개인의 정당한 이익을 현저히 침해할 우려가 있다고 인정되는 데이터에 해당하지 아니한 데이터로 한다.
> ③ 제1항 및 제2항에 따라 수집·활용하려는 데이터에 「저작권법」및 그 밖의 다른 법령에서 보호하고 있는 제3자의 권리가 포함되어 있는 경우 해당 법령에 따른 정당한 이용허락을 받아야 한다.

08 정보기술아키텍처(ITA)

제시문은 전자정부를 운영하기 위한 기반기술로서 각 부처 정보자원을 파악하여 구조적으로 정리한 체제 및 방법으로 정보기술아키텍처(ITA)에 대한 설명이다.

> ❶ 「전자정부법」상 주요 용어

> **제2조 【정의】** 이 법에서 사용하는 용어의 뜻은 다음과 같다.
> 7. "전자문서"란 컴퓨터 등 정보처리능력을 지닌 장치에 의하여 전자적인 형태로 작성되어 송수신되거나 저장되는 표준화된 정보를 말한다.

11. "정보자원"이란 행정기관 등이 보유하고 있는 행정정보, 전자적 수단에 의하여 행정정보의 수집·가공·검색을 하기 쉽게 구축한 정보시스템, 정보시스템의 구축에 적용되는 정보기술, 정보화예산 및 정보화인력 등을 말한다.

12. "정보기술아키텍처"란 일정한 기준과 절차에 따라 업무, 응용, 데이터, 기술, 보안 등 조직 전체의 구성요소들을 통합적으로 분석한 뒤 이들 간의 관계를 구조적으로 정리한 체제 및 이를 바탕으로 정보화 등을 통하여 구성요소들을 최적화하기 위한 방법을 말한다.

13. "정보시스템"이란 정보의 수집·가공·저장·검색·송신·수신 및 그 활용과 관련되는 기기와 소프트웨어의 조직화된 체계를 말한다.

09 스마트 전자정부

스마트 전자정부는 재난 발생 후 빠르게 복구하는 것을 추구하는 것이 아니라 사전에 예방하고 예측하는 것을 중시한다.

10 유비쿼터스 전자정부

ㄱ, ㄴ, ㄷ은 모두 유비쿼터스 전자정부의 특징에 해당한다. 유비쿼터스 전자정부(U-Gov)는 언제 어디서나 어떤 것을 이용해서라도 온라인 네트워크상에 있으면서 서비스시스템이 전 국가적으로 모든 분야에 적용·확산되는 것을 말한다. 우리 정부도 새로운 패러다임으로 유비쿼터스 정부를 차세대 전자정부의 모습으로 보고 U-전자정부(Ubiquitous e-Gov) 기본계획의 체계화를 통해 U-전자정부 로드맵을 수립하고 있다.

정답 **07** ④ **08** ② **09** ④ **10** ④

11 우리나라의 전자정부에 대한 설명으로 옳지 않은 것은? 2023년 국가직 9급

① 정부는 '지능정보사회 종합계획'을 3년 단위로 수립하여야 한다.

② 과학기술정보통신부장관은 5년마다 행정기관 등의 기관별 계획을 종합하여 '전자정부기본계획'을 수립하여야 한다.

③ 「전자정부법」상 '전자화문서'는 종이문서와 그 밖에 전자적 형태로 작성되지 아니한 문서를 정보시스템이 처리할 수 있는 형태로 변환한 문서를 말한다.

④ 중앙행정기관의 장과 지방자치단체의 장은 해당기관의 지능정보사회 시책의 효율적 수립·시행과 대통령령이 정하는 업무를 총괄하는 '지능정보화책임관'을 임명하여야 한다.

12 기존 전자정부 대비 지능형 정부의 특징에 대한 설명으로 가장 옳지 않은 것은? 2022년 군무원 9급

① 국민주도로 정책결정이 이루어진다.

② 현장 행정에서 복합문제의 해결이 가능하다.

③ 생애주기별 맞춤형 서비스를 제공한다.

④ 서비스 전달방식은 수요기반 온·오프라인 멀티채널이다.

13 다음은 4차 산업혁명 시대의 주요 정보기술을 설명하고 있다. 이에 해당하는 것은? 2024년 국가직 9급

> 거래정보의 기록을 중앙집중화된 서버나 관리 기능에 의존하지 않고, 분산원장(distributed ledger)을 기반으로 모든 참여자에게 분산된 형태로 배분함으로써, 데이터 관리의 탈집중화된 환경을 제공하는 기술이다.

① 인공지능(AI)

② 블록체인(block chain)

③ 빅데이터(big data)

④ 사물인터넷(IoT)

14 정보화와 전자정부 등에 대한 설명으로 옳지 않은 것은?

① e-거버넌스는 모범적인 거버넌스를 실현하기 위하여 다양한 차원의 정부와 공공부문에서 정보통신기술의 잠재력을 활용하기 위한 과정과 구조의 실현을 추구한다.

② 웹 접근성이란 장애인 등 정보 소외계층이 웹사이트에 있는 정보에 접근할 수 있도록 편의를 제공하는 것을 말한다.

③ 빅데이터(big data)의 3대 특징은 크기, 정형성, 임시성이다.

④ 지역정보화정책의 기본목표는 지역경제의 활성화, 주민의 삶의 질 향상, 행정의 효율성 강화이다.

정답 및 해설

11 우리나라의 전자정부

전자정부기본계획은 중앙사무관장기관의 장(행정안전부장관)이 전자정부의 구현·운영 및 발전을 위하여 5년마다 행정기관 등의 기관별 계획을 종합하여 수립하여야 한다.

❶ 「전자정부법」상 전자정부기본계획

> **제2조【정의】** 이 법에서 사용하는 용어의 뜻은 다음과 같다.
> 4. "중앙사무관장기관"이란 국회 소속 기관에 대하여는 국회사무처, 법원 소속 기관에 대하여는 법원행정처, 헌법재판소 소속 기관에 대하여는 헌법재판소사무처, 중앙선거관리위원회 소속 기관에 대하여는 중앙선거관리위원회사무처, 중앙행정기관 및 그 소속 기관과 지방자치단체에 대하여는 행정안전부를 말한다.
>
> **제5조【전자정부기본계획의 수립】** ① 중앙사무관장기관의 장은 전자정부의 구현·운영 및 발전을 위하여 5년마다 행정기관 등의 기관별 계획을 종합하여 전자정부기본계획을 수립하여야 한다.

| 선지분석 |
① 「지능정보화 기본법」 제6조의 내용이다.
③ 「전자정부법」 제2조 제8호의 내용이다.
④ 「지능정보화 기본법」 제8조의 내용이다.

12 지능형 정부

생애주기별 맞춤형 서비스를 제공하는 것은 지능형 정부 이전인 전자정부의 특징이다. 지능형 정부는 인공지능, 빅데이터, 사물인터넷 등 지능성 보기술을 활용하여 국민 중심으로 정부서비스를 최적화하고 스스로 일하는 방식을 혁신하며, 국민과 함께 국정 운영을 실현함으로써 안전하고 편안한 상생의 사회를 만드는 디지털 신정부를 의미한다.

❶ 기존 전자정부와 지능형 정부의 비교

구분	전자정부	지능형 정부
정책결정	정부 주도	국민 주도
행정업무	국민/공무원 문제제기 → 개선	디지털 두뇌를 통한 문제 자동 인지 → 스스로 대안 제시 → 개선
현장결정	단순업무 처리 중심	복합문제 해결 가능
서비스 목표	양적·효율적 서비스 제공	질적·공감적 서비스 공동생산
서비스 내용	생애주기별 맞춤형	일상틈새 + 생애주기별 비서형
서비스 전달방식	온라인+모바일 채널	수요 기본 온·오프라인 채널

13 블록체인(block chain)

제시문의 주요 정보기술은 블록체인에 대한 설명이다. 블록체인(block chain)은 블록에 데이터를 담아 체인 형태로 연결, 수많은 컴퓨터에 동시에 이를 복제해 저장하는 분산형 데이터 저장 기술이다. 분산 컴퓨팅 기술 기반의 데이터 위변조 방지 기술로서 공공거래장부라고도 부르며 최근 가상화폐로 거래할 때 발생할 수 있는 해킹을 막는 방법으로 활용되고 있다.

14 빅데이터

빅데이터(big data)의 특징은 3V로 요약하는 것이 일반적이다. 즉, 데이터의 양(Volume), 데이터 생성 속도(Velocity), 형태의 다양성(Variety)을 의미한다(O' Reilly Radar Team, 2012). 최근에는 가치(Value)나 복잡성(Complexity)을 덧붙이기도 한다. 빅데이터는 디지털 환경에서 생성되는 데이터로 그 규모가 방대하고 생성 주기도 짧으며, 형태도 수치 데이터뿐만 아니라 문자와 영상 데이터를 포함하는 정형 또는 비정형의 대규모 데이터 집합을 말한다.

❶ 빅데이터의 3대 특징

(1) 양(Volume): 빅데이터는 엄청난 규모의 데이터를 말한다. 기업데이터는 테라바이트 또는 패타바이트 급의 정보가 축적될 정도로 방대한 볼륨을 가지고 있다.

(2) 속도(Velocity): 빅데이터는 분초를 다툴 만큼 시간에 민감한 경우가 많으므로 비즈니스에서 데이터의 가치를 극대화하려면 기업 내에서 스트리밍 형태, 즉 실시간 라이브 형태로 사용되어야 한다.

(3) 다양성(Veriety): 빅데이터는 정형 데이터를 넘어 문자, 오디오, 비디오, 클릭 스트림, 로그 파일 등과 같은 모든 다양한 비정형 데이터를 포함하고 있다.

정답 11 ② 12 ③ 13 ② 14 ③

15 기존 데이터와 비교할 때 빅데이터의 주요 특징이 아닌 것은? 2017년 지방직 9급(6월 시행)

① 속도(velocity)　　　　　　　　② 다양성(variety)

③ 크기(volume)　　　　　　　　④ 수동성(passivity)

16 빅데이터에 대한 설명으로 옳지 않은 것은? 2021년 국가직 7급

① 사진은 빅데이터에 포함되지 않는다.

② 정형 데이터도 포함하는 개념이다.

③ 각종 센서 장비의 발달로 데이터가 늘어나면서 나타났다.

④ 데이터를 실시간으로 처리하기도 한다.

17 우리나라의 공공부문 빅데이터정책에 대한 설명으로 옳지 않은 것은? 2017년 국가직 7급(10월 추가)

① 과거 국가정보화전략위원회에서는 공공부문의 빅데이터 활용 시나리오를 제시하였다.

② 빅데이터의 유통 활성화를 위해서는 데이터 보안, 암호화, 비식별화 등 개인정보보호를 위한 기술 개발이 중요하다.

③ 우리나라는 현재 빅데이터 활성화를 목표로 한 기본법이 시행되고 있지만, 아직 지방자치단체의 조례는 제정되지 않았다.

④ 반정형화된 데이터나 비정형 데이터에 이르기까지 활용하는 데이터의 수준이나 폭이 확대되고 있다.

18 4차 산업혁명에 관한 설명으로 옳지 않은 것은?

① 초연결성, 초지능성 등의 특징이 있다.

② 대량 생산 및 규모의 경제 확산이 핵심이다.

③ 사물인터넷은 스마트 도시 구현에 도움이 된다.

④ 빅데이터를 활용한 맞춤형 공공 서비스 제공이 가능하다.

정답 및 해설

15 빅데이터의 특징

수동성(passivity)은 빅데이터의 3대 특징에 해당하지 않는다. 빅데이터의 주요 특징의 3V는 속도(Velocity), 다양성(Variety), 크기(Volume)를 말한다.

16 빅데이터

사진은 빅데이터의 3대 특징인 다양성(Veriety)에서 정형적인 데이터에 해당한다.

| 선지분석 |

② 빅데이터에는 정형과 비정형 데이터가 모두 포함된다.

③ 각종 센서 장비의 발달로 데이터가 늘어나면서 빅데이터 구축이 가능하게 되었다.

④ 빅데이터는 규모(Volume), 속도(Velocity), 다양성(Variety) 등을 특징으로 하며 엄청난 속도를 갖기 때문에 데이터를 스트리밍 형태로서 실시간으로 처리한다.

❶ 빅데이터의 3대 특징

(1) 규모(Volume): 엄청난 규모의 데이터, 테라바이트 또는 패타바이트

(2) 속도(Velocity): 엄청난 속도의 실시간 스트리밍 형태

(3) 다양성(Veriety): 문자, 사진과 같은 정형 데이터 +오디오, 비디오, 클릭 스트림, 로그 파일 등과 같은 모든 다양한 비정형 데이터를 포함

17 우리나라 공공부문 빅데이터정책

우리나라의 경우 「지능정보화 기본법」에 의하여 이를 시행하고 있으며, 대부분의 지방자치단체에서도 빅데이터의 활용에 관한 조례가 이미 제정·시행되고 있다.

| 선지분석 |

④ 빅데이터(Big Data)란 대량의 정형, 반정형 또는 비정형의 모든 데이터 집합으로 데이터의 수준이나 폭이 확대되고 있다.

18 4차 산업혁명

대량생산 및 규모의 경제 확산은 제1, 2차 산업혁명의 특징에 해당한다. 4차 산업혁명은 로봇이나 인공지능(AI)을 통한 정보통신기술의 융합으로 이뤄지는 차세대 산업혁명을 의미한다.

| 선지분석 |

① 4차 산업혁명은 초연결성, 초지능성, 초융합성 등을 특징으로 한다.

③ 4차 산업혁명은 사물인터넷(IOT)을 활용하여 사물과 인간을 연결하여 스마트도시 구현을 이룩할 수 있다.

④ 4차 산업혁명은 빅데이터를 활용한 과학적 행정으로 개인별 맞춤형 공공서비스를 가능하게 한다.

정답 **15** ④ **16** ① **17** ③ **18** ②

⏱ 10초만에 파악하는 **5개년 기출 경향**

▌최근 5개년(2024~2020) 출제율

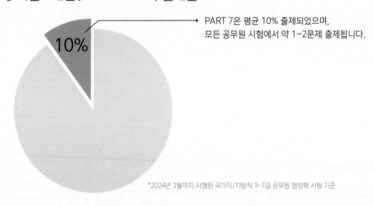

10%

● PART 7은 평균 10% 출제되었으며,
모든 공무원 시험에서 약 1~2문제 출제됩니다.

*2024년 3월까지 시행된 국가직/지방직 9·7급 공무원 행정학 시험 기준

▌CHAPTER별 출제율

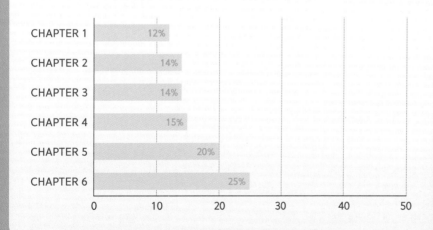

CHAPTER 1	12%
CHAPTER 2	14%
CHAPTER 3	14%
CHAPTER 4	15%
CHAPTER 5	20%
CHAPTER 6	25%

0   10   20   30   40   50

PART 7

지방행정론

1 지방행정의 의의

1. 의의

(1) 지방자치(local government, local autonomie)는 일정한 지역을 기초로 하는 단체가 스스로의 사무를 스스로의 기관에 의해서 처리하는 것이다.

(2) 자치행정의 방식

① 자치행정을 관치방식으로 처리할 것인가, 자치방식으로 처리할 것인가는 국가적 전통이나 시대적 환경에 따라서 다르다.

② 일반적으로는 정치의 형태에 따라 중앙집권적 정치체제에서는 관치방식을, 지방분권적 정치체제에서는 자치방식을 채택하고 있다.

2. 개념

광의	· **자치행정 + 위임행정 + 관치행정**: 행정의 주체가 누구냐를 불문하고 일정한 지역 내에서 수행하는 일체의 행정이다. · 아프리카, 중남미 대륙과 중동의 일부 국가 등이 있다.
협의 (대륙법계)	· **자치행정 + 위임행정**: 일정한 지역 내에서 수행하는 행정 중에서 지방자치단체가 처리하는 행정이다. · 프랑스, 이탈리아, 우리나라 등이 있다.
최협의 (영미법계)	· **자치행정**: 주민들이 일상생활에 관련된 사무를 국가에 의하지 않고 자기들의 의사와 책임하에 스스로 처리하는 행정이다(주민자치). · 영국, 미국 등이 있다.

3. 특징

(1) 종합행정

① 지방행정을 지방자치단체가 처리하는 모든 행정(광의)으로 파악할 때에는 종합행정임을 특징으로 한다.

② 특별지방행정기관❶은 그 기능이 특정적이고 부분적으로 제한되어 있는 데 반하여 지방자치단체의 기능은 상대적으로 포괄적이며 종합적이다.

(2) 생활행정

지방행정은 주로 주민들의 일상생활과 직결되는 사무와 지방주민들의 복지증진에 관한 요구를 처리하는 생활행정이다.

❶ 특별지방행정기관
지방에 있어서의 국가행정사무를 처리하기 위하여 중앙정부가 지역별로 설치하는 일선기관이다.

(3) 대화행정(일선행정)

지방행정은 중앙행정과는 달리 직접적으로 주민들과 접촉하면서 주민들의 의견을 수렴하고, 이를 바탕으로 정책을 결정하고 집행해 나가는 일선행정이다.

(4) 자치행정

특수한 경우(행정협의회)를 제외하고는 원칙적으로 법인격을 가진 지방자치단체가 지역주민이나 대표자의 의사와 책임하에 지방의 사무를 자주적으로 처리한다.

(5) 지역행정

지방행정은 국가 내의 일정한 지역이나 지방을 단위로 지역성의 요청에 입각하여 개별적으로 파악하고 다원적으로 실시하는 행정이다.

(6) 급부(給付)행정

주민들의 요구를 수렴하는 행정으로 중앙으로부터의 행정인 문서(文書)행정에 대비된다.

2 지방자치의 본질

1. 의의

지방자치는 일정한 지역의 주민이 자치기구에 참여하여 그 지역의 공공사무를 자주적으로 처리하는 것이다.

2. 기본요소

(1) 구역(장소적 구성요소)

① 의의: 자치단체의 통치권 또는 자치권이 미치는 지역적 범위를 의미한다.
    ㉠ 자치구역: 자치권이 미치는 지역적 범위이며, 단체구성의 기초가 되고 대체로 공동사회를 토대로 구성된다.
    ㉡ 행정구역: 행정상의 편의나 행정기능을 수행하기 위하여 만들어진 인위적 지역공간이다.
② 구역의 변경❶
    ㉠ 절차: 관계지방의회의 의견을 거치도록 하고 있으며, 지방자치단체의 장은 필요하다고 판단되는 경우에는 주민투표에 부칠 수 있도록 규정하고 있다. 그러나 지방의회의 의견내용이나 주민투표의 결과는 법적인 구속력이 있는 것은 아니다.
    ㉡ 형식: 지방자치단체의 구역변경(전면적 재구획)이나 폐치 및 분합은 원칙적으로 법률로써 하되, 지방자치단체의 관할구역 경계변경(부분적 경계변경)은 대통령령으로 정하여야 한다.
    ㉢ 지방자치단체의 관할구역 경계변경 및 한자 명칭의 변경절차 간소화: 지방자치단체의 관할구역 경계변경 및 한자 명칭 변경을 대통령령으로 정하도록 한다.

❶ 우리나라의 구역변경

법률	· 자치단체의 명칭과 구역을 바꿀때(명칭변경과 구역변경) · 자치단체를 폐지하거나 설치하거나 나누거나 합칠 때(폐치·분합)
대통령령	· 지방단체의 관할구역 경계변경 · 자치단체의 한자 명칭 변경

핵심 OX

01 지방행정은 종합행정, 생활행정, 대화행정, 자치행정, 지역행정, 문서행정 등의 특성이 있다. (O, X)

01 X 문서행정은 중앙부처의 행정과 관련된다.

(2) 주민(인적 구성요소)

① **의의:** 지방자치단체의 구역 안에 주소를 가진 자로서 지방자치단체의 인적 구성요소인 동시에 지방자치단체 운영의 주체이다.

② **권리와 의무**

㉠ **권리:** 주민은 선거권, 피선거권, 청원권, 공공시설의 이용권 등을 가진다. 또한 주민투표권, 조례제정개폐청구권, 주민감사청구권, 주민소송권, 주민소환권 등을 갖는다.

㉡ **의무:** 비용부담의무(지방세, 사용료, 수수료, 분담금 등)와 규칙준수의무를 지닌다.

(3) 자치권(법률적 구성요소)

① **의의:** 지방자치단체가 국가로부터 독립된 법인격을 가진 단체로서 그 구역 내의 업무를 자신의 책임하에 처리할 수 있는 권리능력으로 가장 중요한 요소이다.

② **종류❶**

자치입법권❷	헌법과 법률의 범위 내에서 지방의회가 제정하는 조례❸와, 법령과 조례의 범위 내에서 지방자치단체의 장이 제정하는 규칙을 '자치입법'이라고 하는데, 이들을 제정할 수 있는 권한이다.
자치행정권	지방자치단체가 자신의 사무를 자주적으로 처리할 수 있는 권한이다.
자치조직권	지방자치단체가 지방자치의 행정을 수행하기 위하여 필요한 조직을 스스로 형성하거나 변경 또는 폐지할 수 있는 권한이다.
자치인사권	지방자치단체에 필요한 인력을 채용하고 관리할 수 있는 권한이다.
자치재정권	지방자치단체가 재원을 자주적으로 조달하고 관리할 수 있는 권한이다.

(4) 사무

지방사무에는 고유사무와 위임사무가 있다. 위임사무는 단체위임사무와 기관위임사무로 나눌 수 있다.

(5) 자치기구

지방정부의 자치기구로는 집행기관인 지방자치단체의 장과 의결기관인 지방의회가 있다.

3 지방자치의 유형

1. 주민자치(영미법계 국가)

(1) 의의

주민자치는 자연적 기본권에 근거하여 지방주민의 의사와 책임하에 스스로 또는 주민이 선출한 대표자가 그 지역의 공공사무를 처리하는 것이다.

(2) 특징

① 지방에서의 행정사무는 직·간접적인 주민의 참여하에 지방정부가 처리하는 것을 당연한 것으로 파악한다.

② **고유권설:** 국가 이전에 지역공동체 생활이 선행하였다는 점을 중시하여 자치권의 본질을 국민이 향유하는 당연한 권리로 본다.

③ 지방사무에 있어서도 고유사무와 위임사무를 구별하지 않는다.

2. 단체자치(대륙법계 국가)

(1) 의의

단체자치는 국가와는 별개의 법인격을 가진 지방자치단체가 국가로부터 상대적으로 독립된 권한을 부여받아 일정한 범위 내에서 중앙정부의 통제를 받지 않고 독자적으로 지방의 행정사무를 처리하는 제도이다.

(2) 특징

① 정치는 중앙정부가 하는 것으로 파악한다. 따라서 일정한 범위에서 자치를 허용하는 것도 지방주민이 국가를 위해 정치의 일부분을 담당하는 것으로 파악한다.

② **전래권설:** 자치권의 본질을 주민이 향유하는 당연한 권리로 보지 않고 국가에 의해서 수여된 전래권으로 본다.

③ 중앙정부의 행정사무를 지방자치단체가 처리하는 경우 지방자치단체는 한편으로는 국가의 하급행정기관으로서, 다른 한편으로는 지방의 자치행정기관으로서의 이중적 지위를 가진다.

◈ 핵심정리 　주민자치와 단체자치의 비교

구분	주민자치	단체자치
의미	정치적 의미 (민주적·본질적·대내적 성격)	법률적 의미 (법률적·형식적·대외적 성격)
자치의 중점	지방정부와 주민의 관계 (주민참여)	지방자치단체와 국가의 관계 (지방분권)
사무의 구분	사무구별 없음	자치사무와 위임사무의 구별
권한배분방식	개별적 수권주의	개괄적(포괄적) 수권주의
기관의 형태	기관통합형(최근 대세)	기관대립형
지방세	독립세(자치단체가 과세주체)	부가세(국가가 과세주체)
자치권	국가 이전의 고유권 (고유권설)	국가로부터 부여받은 권리 (전래권설)
자치단체	순수한 자치단체(독립적 지위)	자치단체 + 하급기관(이중적 지위)
통제의 중점	주민통제	중앙통제
중앙통제방식	입법적·사법적 통제	행정적 통제
주요 국가	영국, 미국 등 (영미법계)	프랑스, 독일, 일본, 우리나라 등 (대륙법계)

핵심 OX

01 지방행정의 3대 구성요소에는 장소적 구성요소인 지역, 인적 구성요소인 주민, 법률적 구성요소인 자치권이 있는데, 이 중 법률적 구성요소인 자치권이 가장 중요하다. (O, X)

02 우리나라의 「지방자치법」은 법률의 위임에 의해 제정된 지방자치에 관한 법률이다. (O, X)

03 주민자치의 경우 국가사무와 지방사무의 구별이 엄격하다. (O, X)

04 단체자치는 지방자치단체와 주민과의 관계에 중점을 두고, 주민자치는 지방자치단체와 중앙정부와의 관계에 중점을 둔다. (O, X)

05 주민자치는 권한배분방식이 개별적 지정주의인 반면, 단체자치는 포괄적 위임주의이다. (O, X)

01 O
02 X 우리나라의 「지방자치법」은 헌법의 위임을 받은 법률이다.
03 X 주민자치의 경우 국가사무와 지방사무의 구별이 모호하다. 이는 대부분의 사무가 지방사무이기 때문이다.
04 X 지방자치단체와 주민과의 관계에 중점을 두는 것은 주민자치이고, 지방자치단체와 중앙정부와의 관계에 중점을 두는 것은 단체자치이다.
05 O

1. 상관관계 인정설(Bryce, Tocqueville, Panter-Brick) – 영국의 주민자치에 근거

(1) 지역수준에서의 풀뿌리 민주주의 실현을 가능하게 한다.

(2) 지역주민이 지방자치단체에 참여함으로써 민주주의 학교이자 훈련장(Bryce)으로 기능하게 된다.

(3) 중앙정치의 부패와 부정이 지방으로 확산되는 것을 막을 수 있는 기제가 된다.

(4) 중앙정부의 혼란을 방지하고 지방행정의 안정을 기한다.

2. 상관관계 부정설(Benson, Langrod) – 대륙법계의 지방자치에 근거

(1) 지방자치와 민주주의는 우연한 결합에 불과하다. 즉, 민주주의와 지방자치의 상관관계는 유럽 소수 국가의 역사적 유산에 불과하다.

(2) 오히려 민주주의를 저해할 우려가 있다. 과거 프랑스 지방자치가 반민주적인 봉건 귀족과 결탁하였던 경우가 그 예이다.

---

2 **중앙집권과 지방분권**

1 **중앙집권과 지방분권❶**

1. 의의

(1) 중앙집권

의사결정권이나 지휘·감독권이 중앙정부에 집중되는 현상이다.

(2) 지방분권

의사결정권이나 지휘·감독권이 지방정부에 분산되는 현상이다.

2. 촉진요인❷

(1) 중앙집권의 촉진요인

① 소규모의 영세조직과 신설조직인 경우: 조직규모가 작을수록 조직의 책임자가 조직 전체의 성격을 잘 알 수 있으므로 집권화가 촉진된다. 또한 선례가 없는 불안정한 신설조직에서 하급자는 상급자의 지시에 많이 의존하게 된다.

② 국가적 위기의 존재: 국가적 위기 발생 시 리더에게 권한이 집중된다.

③ 카리스마적 리더십이 필요한 상황: 중앙의 지방에 대한 카리스마적 리더십이 요구되는 상황에서는 집권화가 촉진된다.

④ 교통·통신과 과학기술의 발달: 원거리 소통이 원활해져 집권화가 촉진된다.

---

❶ 중앙과 지방의 관계에 대한 원칙
1. 중앙집권 지지 입장
   · 딜런(Dillon)의 원칙: 미국의 1868년 아이오와 주 대법원 판례로서 지방정부는 주정부의 창조물이며, 주가 명시적으로 부여한 권한이나 그러한 권한에 필연적으로 함축되어 있는 권한만을 행사하여야 한다(전래권설).
   · Doctrine of Ultra Vires: 지방정부의 권한이나 기능이 중앙정부의 위임 범위를 넘을 수 없다는 원칙으로서 영국의 월권금지원칙이다.
2. 지방분권 지지 입장 – 쿨리(Cooley)의 원칙: 1871년 미시간 주 토마스 쿨리(Thomas Cooley) 판사는 판결로서 지방자치단체의 권리란 본래 부여된 고유한 것이라고 보는 입장이다(고유권설).

❷ 집권과 분권의 상대성
유동적이고 불확실한 상황에서는 분권화가 유효하고 국가위기의 존재 시에는 집권화가 필요하다.
1. 환경의 불확실성(uncertainty)과 가변성: 이때의 불확실성이나 가변성은 위기의식이나 위험성이 아니고 종래의 업무 태도로는 예측할 수 없는 상황적 변화가능성을 말한다. 다시 말해서 일관성과 안정성을 띠고 있던 환경이 계속적으로 변화하고 있다는 것이다. 이러한 상황적 변화에 신속하고 적절한 대처를 위해서는 분권화가 요구된다.
2. 전쟁이나 비상사태와 같은 위기의 존재: 평상시에는 분권화를 지향하던 조직도 위기가 발생하면 집권화로 전환한다. 국가가 위기에 처해 있다고 생각될 때에는 정치·경제·사회·문화 등의 제 분야에서 국력을 신속히 총집결할 수 있는 강력한 지도체제가 요구된다. 기업이 존폐의 위기에 처해 있거나 사운을 걸어야 할 상황에 부딪힐 때에는 중요 결정권이 위로 몰리게 된다.

⑤ **하위조직의 능력 부족:** 하급자가 능력이 떨어지는 경우 집권화되는 경향이 있다.

⑥ **국민적 최저수준(national minimum)의 확보:** 국민적 최저수준의 달성을 위해서는 중앙정부의 역할이 필요하다.

(2) 지방분권의 촉진요인

① **대규모 조직과 오래되고 안정된 조직:** 조직이 대규모 조직으로 변화됨에 따라 업무의 이질성과 다양성이 촉진되고 이에 따라 분권화가 촉진된다. 또한 오래되고 안정된 조직일수록 분권화에 유리하다.

② **주변상황이 불확실하고 동태적인 경우:** 이는 하위조직 차원에서의 위기나 불확실성을 말하는 것으로, 위기나 불확실성은 그 하위조직이 가장 잘 알고 있으므로 이때는 분권화가 촉진된다.

③ **신속한 사무처리와 지역실정에 맞는 사무처리가 필요한 경우:** 분권화가 신속화를 가져오기도 하며, 지역실정은 하위조직이나 담당자가 가장 많이 알고 있으므로 분권화를 촉진시키는 요인이다.

④ **권한위임을 통한 관리자 양성이 필요한 상황:** 관리자의 양성을 위해서는 권력을 집중하는 것보다는 분산시키는 것이 바람직하다.

⑤ **시민최저생활기준(civil minimum)의 확보:** 지역의 업무는 지역 주민 스스로 처리하려는 것과 관련된다.

3. 장점

(1) 중앙집권의 장점

① 국가위기 시 신속한 대응이 가능하다.

② 행정통제에 유리하다.

③ 행정의 통일성을 확보하여 전국적·광역적인 계획행정이 용이하다.

(2) 지방분권의 장점

① 지역 실정에 맞는 행정으로 지역사회의 성장에 기여한다.

② 민주주의의 발전에 도움이 된다.

📊 **고득점 공략** 중앙집권과 지방분권의 측정지표

1. 민원사무의 배분비율
2. 중앙정부의 지방정부예산에 대한 통제
3. 지방자치단체 주요직위 선임방식
4. 특별지방행정관서의 종류와 수
5. 지방자치단체의 사무구성(자치사무와 위임사무)
6. 국가재정과 지방재정의 총규모(국세와 지방세의 비율)
7. 국가공무원과 지방공무원의 수
8. 감사 및 보고의 횟수

핵심 OX

01 랭그로드(Langrod)는 지방자치가 민주주의의 발전을 가져온다고 주장한 대표적인 학자이다. (O, X)

02 조직의 분권화는 규모의 경제를 실현한다. (O, X)

03 하부조직의 위기나 불확실성의 존재는 집권화를 촉진한다. (O, X)

04 소규모의 영세조직과 신설조직은 집권화의 동기가 크다. (O, X)

05 지역실정에 맞는 사무를 위해서는 분권화가 필요하다. (O, X)

01 X 랭그로드(Langrod)는 지방자치와 민주주의의 긍정적 상관관계에 대해서 회의적이다.
02 X 조직의 집권화가 규모의 경제를 실현한다.
03 X 하위조직이나 부서의 위기나 불확실성의 존재는 분권화를 촉진한다.
04 O
05 O

2 신중앙집권화와 신지방분권화

1. 신중앙집권화

(1) 의의

① 주민자치가 고도로 발달한 영미법계에서 나타나는 새로운 중앙집권화 현상으로, 지방자치를 부정하지 않는 수평적인 지식 및 기술의 협력관계를 의미한다.

② 행정의 능률성과 민주성을 조화시키려 한다는 점에서 전통적 집권과는 성격이 다르다.

③ 밀(Mill)은 신중앙집권화를 '권력의 분산, 지식의 집권'으로 설명하였다.

(2) 특징❶

① 강압적 · 통제적 관계가 아니라 기능적 · 협력적 관계이다.

② 권력적 · 윤리적 · 수직적 · 후견적 집권성에서 비권력적 · 기술적 · 수평적 · 지도적 집권성을 추진한다.

③ 능률성(집권)과 민주성(분권)을 조화시키려고 하는 노력이다.

(3) 촉진요인

① 교통과 통신의 발달에 따라 행정의 광역화 현상이 나타났다.

② 지방재정의 중앙에의 의존성이 증대되었다.

③ 국제정세가 불안해지고, 국제적 긴장이 고조되었다.

④ 국민적 최저수준(national minimum)의 유지 필요성이 증대되었다.

⑤ 행정권의 강화에 기인한 지방사무의 양적 증대 및 질적 전문화의 요구는 지방정부에 많은 어려움을 주었고, 이에 따라 새로운 형태의 중앙집권화의 필요성이 대두되었다.

⑥ 행정사무의 전국화 · 복잡화 · 전문화 경향과 지방정부의 양적 · 기술적 능력의 한계로 인해서 전국적 차원에서 규율의 필요성이 제기되었다.

2. 신지방분권화

(1) 의의

① 집권적 성향이 강한 국가에서 중앙집권의 폐해를 인식하여 중앙통제를 완화시키고, 지방정부의 자율성 증대를 추구하는 경향이다. ⓔ 프랑스 등

② 최근에 영미권 국가에서도 신지방분권화의 움직임이 일어나고 있다.

(2) 특징❷

① 절대적 분권이 아니라 상대적 분권이다.

② 행정적 분권이 아니라 참여적 분권이다.

③ 배타적 분권이 아니라 협조적 분권이다.

(3) 미국의 신지방분권 관련용어

① 홈 룰 운동(home rule movement)

㉠ 지방의 역량강화를 위해 각 주가 자치헌장을 제정하는 움직임을 일컫는다.

㉡ 세인트루이스 시가 최초로 자주헌장을 지녔고, 1875년 미주리 주에서 처음으로 인구 10만의 시에 자주적 헌법제정권을 인정하였다.

---

❶ 전통적 집권 vs 신중앙집권

전통적 집권	신중앙집권
· 권력적	· 비권력적
· 수직적	· 수평적
· 윤리적	· 기술적
· 후견적	· 지도적

❷ 전통적 분권 vs 신지방분권

전통적 분권	신지방분권
· 절대적	· 상대적
· 소극적	· 적극적
· 배타적	· 협력적
· 저항적	· 참여적

② 신연방주의

　　㉠ 1969년 닉슨(Nixon) 대통령이 존슨(Johnson) 행정부의 '위대한 사회' 건설계획과의 차별을 위해 제창한 국내정책이다.

　　㉡ 복지제도의 근본적 개혁을 기본방침으로 한 이 정책은 '일하지 않는 자, 먹지도 마라'는 원칙을 강력하게 천명함과 동시에 복지정책의 책임을 주정부에 분산하고, 주권(州權)을 옹호함과 아울러 값싼 정부(작은 정부)를 건설할 것을 의도하였다.

　　㉢ 1980년대 초반에 레이건(Reagan) 대통령은 신연방주의 노선에 따라 연방정부의 역할을 축소하는 대신 상대적으로 주정부와 지방정부의 역할과 책임을 증대시켰다.

3. 지방자치의 시대적 흐름

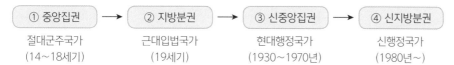

① 중앙집권	→	② 지방분권	→	③ 신중앙집권	→	④ 신지방분권
절대군주국가 (14~18세기)		근대입법국가 (19세기)		현대행정국가 (1930~1970년)		신행정국가 (1980년~)

(1) 영미계는 이 흐름을 잘 따르고 있다.

(2) 대륙계는 ① 중앙집권(14~18세기)에서 바로 ④ 신지방분권화가 되었기 때문에 ② 지방분권, ③ 신중앙집권을 온전히 경험하지 못하였다고 본다.

4. 우리나라 역대 정부의 지방자치와 분권❶

우리나라는 김대중 정부에서부터 박근혜 정부까지 지방분권 추진을 위한 법률과 기구를 설치하여 시행하여 왔다. 문재인 정부는 2022년 1월에 「지방자치법」 전면개정을 통해서 자치행정을 구현하였다. 2022년 5월에 출범한 윤석열 정부는 지방행정의 국정목표를 '대한민국 어디서나 살기 좋은 지방시대'로 정하여 자치행정을 더욱 발전시키고자 한다.

◎ 핵심정리 　지방분권 추진기구의 변천

정부	법 제정연도	근거법률	추진기구(대통령 소속)
김대중 정부	1998	「중앙행정권한의 지방이양 촉진 등에 관한 법률」	지방이양추진위원회
노무현 정부	2004	「지방분권특별법」	정부혁신지방분권위원회
이명박 정부	2008	「지방분권촉진에 관한 특별법」	지방분권촉진위원회
박근혜 정부	2013	「지방분권 및 지방행정체제 개편에 관한 특별법」	지방자치발전위원회
문재인 정부	2018	「지방자치분권 및 지방행정체제 개편에 관한 특별법」	자치분권위원회
윤석열 정부	2023	「지방자치분권 및 지역균형 발전에 관한 특별법」	지방시대위원회

❶ 「지방자치분권 및 지역균형발전에 관한 특별법」의 주요내용

1. 지방시대 종합계획 수립(5년 단위)

　정부와 지방자치단체는 시도별 지방시대 계획을 기초로 중앙부처가 수립한 부문별 계획을 반영해 5년 단위 지방시대 종합계획을 수립하고, 1년 단위의 시행계획 이행상황을 평가한다.

2. 기회발전특구의 지정·운영

　지역의 자생력을 확보하기 위해 지방의 기회발전특구에 이전하는 기업은 감세 등 파격적 혜택을 받을 수 있도록 기회발전특구를 지정하고 운영한다.

01 우리나라 지방자치제에 대한 설명으로 옳지 않은 것은?　　　　　　　　　　　　　　2012년 지방직 9급

① 지방자치단체와 지방의회는 기관대립형이다.

② 지방자치단체는 법인으로 한다.

③ 주민투표제, 주민감사청구제, 주민소환제를 실시하고 있다.

④ 자치입법권, 자치조직권, 자치재정권, 자치사법권을 인정하고 있다.

02 우리나라 지방자치단체의 자치재정권에 대한 설명으로 옳지 않은 것은?　　　　　　　2017년 지방직 9급(6월 시행)

① 지방세 탄력세율제도는 지방자치단체 재정의 신축성과 자율성을 제고하기 위한 제도이다.

② 지방자치단체는 법령의 위임이 없더라도 조례의 제정을 통하여 지방세목을 설치할 수 있다.

③ 지방자치단체의 장은 재정투자사업에 관한 예산안을 편성할 경우 대통령령이 정하는 바에 따라 사전에 그 필요성과 타당성에 대한 심사를 하여야 한다.

④ 지방자치단체의 장은 재해예방 및 복구사업을 위한 자금조달에 필요할 때에는 지방채를 발행할 수 있다.

03 우리나라 지방자치단체의 권한에 대한 설명으로 옳지 않은 것은?　　　　　　　　　　2013년 지방직 9급

① 지방자치단체는 법령이나 상급 지방자치단체의 조례를 위반하여 그 사무를 처리할 수 없다.

② 지방자치단체는 그 사무를 분장하기 위하여 필요한 행정기구와 지방공무원을 둔다.

③ 지방자치단체는 조례와 규칙으로 정하는 바에 따라 지방세를 부과·징수할 수 있다.

④ 지방자치단체는 관할구역의 자치사무와 법령에 따라 지방자치단체에 속하는 사무를 처리한다.

04 지방자치단체의 조례에 관한 설명으로 옳은 것을 모두 고른 것은?

> ㄱ. 지방자치단체의 장은 법령이나 조례가 위임한 범위에서 그 권한에 속하는 사무에 관하여 규칙을 제정할 수 있다.
> ㄴ. 지방의회에서 의결된 조례안은 10일 이내에 지방자치단체의 장에게 이송되어야 한다.
> ㄷ. 재의요구를 받은 조례안은 재적의원 과반수의 출석과 출석의원 과반수의 찬성으로 재의요구를 받기 전과 같이 의결되면, 조례로 확정된다.
> ㄹ. 지방자치단체의 장은 재의결된 조례가 법령에 위반된다고 판단되면 재의결된 날부터 20일 이내에 대법원에 제소할 수 있다.

① ㄱ, ㄴ
② ㄴ, ㄹ
③ ㄱ, ㄹ
④ ㄷ, ㄹ

05 주민자치와 구별되는 단체자치의 특성으로 가장 옳지 않은 것은?

① 지방분권
② 고유사무와 위임사무의 구분
③ 법률적 차원의 자치
④ 정치적 차원의 자치

정답 및 해설

01 우리나라의 지방자치제도
자치사법권은 우리나라와 같은 단방제 국가의 경우 지방자치단체에는 존재하지 않는다.

02 지방자치단체의 자치재정권(조세법률주의)
우리나라는 조세법률주의에 의하여 국세와 지방세의 종목과 세율을 법률로 정하도록 하고 있기 때문에 지방자치단체는 법령의 위임과 관계없이 조례로는 지방세목을 설치할 수 없다.

03 조세법률주의
우리나라는 조세법률주의에 의하여 국세나 지방세 모두 법률로 정하도록 되어 있다. 따라서 지방자치단체는 법률로 정하는 바에 따라 지방세를 부과·징수할 수 있으나, 조례와 규칙으로는 지방세를 부과·징수할 수 없다.

04 지방자치단체의 조례
ㄱ, ㄹ이 옳다. 지방자치단체는 헌법과 법률의 범위 내 지방자치단체의 권한에 속하는 사무(자치사무와 단체위임사무)에 관하여 조례를 제정할 수 있다.

| 선지분석 |
ㄴ. 지방의회에서 의결된 조례안은 5일 이내에 지방자치단체의 장에게 이송되어야 한다.
ㄷ. 재의요구를 받은 조례안은 재적의원 과반수 출석과 출석의원 2/3 이상의 찬성이 있어야 조례로서 확정된다.

05 주민자치와 단체자치
정치적 차원의 실질적 자치는 풀뿌리 민주주의에 의한 주민자치로서 단체자치가 아닌 주민자치의 특징이다. 단체자치는 법률적 차원의 형식적 자치를 특성으로 한다.

| 선지분석 |
① 단체자치는 지방분권, 주민자치는 주민참여를 각각 자치의 핵심으로 본다.
② 단체자치는 고유사무와 위임사무를 구분하지만 주민자치는 모든 사무가 주민 고유의 사무로서 고유사무와 위임사무를 구분하지 않는다.
③ 단체자치는 법률적 차원의 형식적 자치, 주민자치는 정치적 차원의 실질적 자치를 특성으로 한다.

정답 01 ④ 02 ② 03 ③ 04 ③ 05 ④

1 지방자치단체의 의의

1. 의의❶

지방자치단체란 ① 국가 내의 일정한 지역을 관할구역으로 하여 ② 그 주민들에 의해 선출된 기관이 ③ 국가로부터 상대적으로 독립된 지위에서 ④ 주민의 복리에 관한 사무를 자주적으로 처리하는 ⑤ 법인격이 있는 공공단체이다.

2. 종류

(1) 보통방자치단체(일반지방자치단체)

일반적·종합적 성격을 지닌 지역별 자치단체로서 전국적·보편적으로 존재하고 있는 자치단체이며, 광역자치단체와 기초자치단체로 나눌 수 있다.

광역자치단체	특별시, 광역시, 특별자치시, 도, 특별자치도
기초자치단체	시, 군, 자치구

(2) 특별지방자치단체

① **개념:** 2개 이상의 지방자치단체가 공동으로 특정한 목적을 위하여 광역적으로 사무를 처리할 필요가 있을 때 설치하는 자치단체로서 독립된 법인격을 가지는 자치단체이다.

② 특별지방자치단체를 구성하는 지방자치단체(구성 지방자치단체)는 상호 협의에 따른 규약을 정하여 구성 지방자치단체의 지방의회 의결을 거쳐 행정안전부장관의 승인을 받아야 한다.

③ 국가의 일선기관인 특별지방행정기관과 구별해야 하며, 우리나라의 경우 특별지방자치단체로 메가시티 도약을 위한 발판으로 2021년 7월 '부산울산경남특별연합'이 처음으로 설치되었고, 2022년 4월 19일에 공식적으로 출범하여 2023년부터 시행할 예정이었으나 최근 지방선거에서 지방자치단체장이 교체됨으로써 구성자치단체 간에 협의 중에 있다.

1 지방자치단체의 계층구조

1. 의의

(1) 개념

① 일정구역의 지방자치단체 또는 하부행정조직의 계층형태를 의미한다.

② 단층제와 중층제로 구분된다.

(2) 우리나라의 자치계층❶

일반적으로 광역자치단체와 기초자치단체의 중층제(2층제)를 이루고 있으나, 제주특별자치도와 세종특별자치시는 단층제를 이루고 있다. 최근 강원특별자치도(2023. 6.)와 전북특별자치도(2024. 1.)가 새롭게 출범하였으며, 기존의 중층제 구조는 그대로 유지하고 있다.

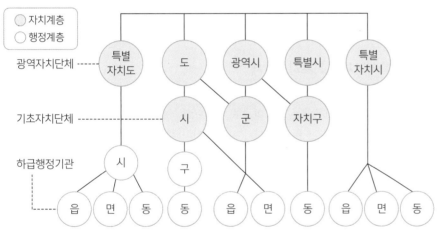

▲ 우리나라의 지방행정 계층구조

❶ 우리나라 지방행정체제
「지방자치법」 제2조 【지방자치단체의 종류】 ① 지방자치단체는 다음의 두 가지 종류로 구분한다.
· 특별시, 광역시, 특별자치시, 도, 특별자치도
· 시, 군, 구
② 지방자치단체인 구(자치구)는 특별시와 광역시의 관할구역 안의 구만을 말하며, 자치구의 자치권의 범위는 법령으로 정하는 바에 따라 시·군과 다르게 할 수 있다.

📊 **고득점 공략** 자치계층과 행정계층

1. 의의

자치계층은 주민(지역)공동체의 정책결정 및 집행의 단위를 의미하고, 행정계층은 중앙집권국가에서 전국을 효율적으로 통치하려는 차원에서 편의상 분할한 것을 의미한다.

2. 자치계층과 행정계층의 예

① **자치계층**: 광역(특별시·광역시, 특별자치시, 도, 특별자치도)자치단체, 기초(시·군·자치구)자치단체가 여기에 해당한다.

② **행정계층**: 일반구(행정구), 읍·면·동, 리 등이 여기에 해당한다.

3. 행정면제의 도입

지방자치단체는 조례가 정하는 바에 따라 2개 이상의 면을 하나의 행정면으로 통합하여 운영할 수 있도록 한다.

2. 단층제와 중층제

(1) 개념

① 단층제: 한 국가에 자치계층이 하나만 있는 경우이다.

② 중층제: 한 국가에 자치계층이 둘 이상 있는 경우이다.

(2) 장단점

구분	단층제	중층제
장점	· 적은 계층수로 인해 신속한 행정 가능 · 낭비의 제거와 행정의 능률성 증진 · 권한과 책임의 명확화 · 자치권 및 지역적 특수성의 인정	· 민주주의 원리 확산에 용이 · 국가의 감독기능 유지에 용이(중간자치단체에 감독권 부여) · 중간자치단체가 기초자치단체의 기능 보완 · 공공기능의 분업적 수행 가능
단점	· 국토가 넓거나 인구가 많으면 적용 곤란 · 중앙집권화의 우려 · 광역사무처리에 부적합 · 중앙정부의 비대화 발생	· 기능 중첩으로 인한 이중행정의 폐단 발생 · 행정책임의 모호성 · 지체와 낭비로 인한 불합리성 · 지역적 특성의 무시 우려(광역자치단체가 주도할 경우)

3. 광역자치단체와 기초자치단체

(1) 광역자치단체

① 의의: 광역자치단체는 국가와 기초자치단체 사이에 위치하는 중간자치단체의 성격을 띠고 있다. 특별시, 광역시, 특별자치시(세종), 도, 특별자치도(제주)가 있다.

② 종류❶

ㄱ 특별시: 수도로서의 특수성을 고려하여 그 지위 · 조직 및 운영에 있어 「서울특별시 행정특례에 관한 법률」에 의해서 특례❷를 인정받는다.

ㄴ 광역시: 대도시(일반적으로 인구 100만 이상의 시) 가운데 법률에 의하여 '도'로부터 분리되어, 도와 동등한 지위를 부여받은 지방자치단체이다. 광역시 설치에 관한 구체적인 기준은 법제화되어 있지 않아, 정치적 판단에 따른 개별법률의 제정에 의해 설치한다.

ㄷ 특별자치시: 특별법에 의하여 특별한 법적 지위를 부여받으며 관할구역 안에 군과 자치구를 둘 수 있다. 현재 세종특별자치시에는 「세종특별자치시 설치 등에 관한 특별법」에 따라 군과 자치구를 두지 않도록 규정하고 있다.

ㄹ 도: 최광역의 지방자치단체로서 관할구역 안에 시와 군을 둔다. 지역주민의 생활권을 중심으로 형성된 것이 아니라 국가의 행정적 편의에 따라 설치한다.

ㅁ 특별자치도: '도' 중에서도 특별법에 의하여 고도의 자치권을 인정하는 정부직할하의 자치단체로서 제주특별자치도가 있다.

(2) 기초자치단체

시 · 군 · 자치구가 있다. 시는 도의 관할구역 안에, 군은 광역시 또는 도의 관할구역 안에 두게 된다. 자치구는 특별시와 광역시의 관할구역 안의 구만을 말하며, 자치구 자치권의 범위는 법령으로 정하는 바에 따라 시 · 군과 다르게 할 수 있다.

---

❶ 특례시(「지방자치법」 제198조)

1. 인구 100만 명 이상의 도시와 실질적인 행정수요, 국가균형발전 및 지방소멸위기 등을 고려해 대통령령으로 정하는 기준과 절차에 따라 행정안전부장관이 지정하는 도시에 특례시 명칭을 부여한다.

2. 수원, 고양, 용인, 창원 등 4개 도시가 특례시 명칭을 부여받았다. 다만 특례시는 지방자치단체의 종류가 아닌 행정적인 명칭으로, 개별법에 의해 지방자치단체의 종류를 명기하도록 하는 주소나 각종 공적 장부에는 사용이 제한될 수 있다.

❷ 운영상의 특례

「서울특별시 행정특례에 관한 법률」 제4조【일반행정 운영상의 특례】① 행정안전부장관이 서울특별시의 지방채 발행의 승인 여부를 결정하려는 경우에는 국무총리에게 보고하여야 한다.
② 행정안전부장관은 서울특별시의 자치사무에 관한 감사를 하려는 경우에는 국무총리의 조정을 거쳐야 한다.

핵심 OX

01 단층제는 국토가 광활하고 인구가 많은 나라에서 주로 채택한다. (O, X)

02 자치단체의 계층구조에서 중층제의 경우 민주주의 원리확산에 용이하다. (O, X)

03 중층제는 국가가 감독기능을 유지할 수 있게 한다. (O, X)

01 X 단층제가 아니라 중층제이다.
02 O
03 O

(3) 광역자치단체와 기초자치단체의 관계

광역자치단체와 기초자치단체는 상하관계가 아니다. 다만, 광역자치단체와 기초자치단체의 사무는 경합되지 않도록 조정되어야 하므로 사무가 경합되는 경우에는 기초자치단체가 우선적으로 처리하게 된다(기초자치단체 우선의 원칙).

📊 **고득점 공략** 특별자치시·도

1. 세종특별자치시(단층제)

「세종특별자치시 설치 등에 관한 특별법」에 근거한다.

① 세종특별자치시의 관할구역에는 「지방자치법」 제2조의 지방자치단체를 두지 아니하며, 세종특별자치시의 관할구역에 도시의 형태를 갖춘 지역에는 동을 두고, 그 밖의 지역에는 읍·면을 둔다.

② 다른 법령에서 지방자치단체, 시·도 또는 시·군·구를 인용하고 있는 경우에는 각각 세종특별자치시를 포함하는 것으로 보아 해당 법령을 적용한다.

③ 세종특별자치시장은 광역시세 및 구세 세목을 세종특별자치시세의 세목으로 부과·징수한다.

2. 제주특별자치도(단층제)

「제주특별자치도 설치 및 국제자유도시 조성을 위한 특별법」에 근거한다.

① 제주특별자치도 관할구역 내에는 '지방자치단체가 아닌 시(행정시 – 제주시, 서귀포시)'를 두고, 행정시장은 일반직(또는 임기제) 지방공무원으로 제주도지사가 임명하되, 제주도지사 선거에서 도지사후보가 예고한 자를 임명하는 경우에는 정무직 지방공무원으로 보한다.

② 「제주특별자치도 설치 및 국제자유도시 조성을 위한 특별법」에 근거하여 지방세, 도세 또는 시·군세를 인용하고 있는 경우에는 제주특별자치도세를 포함한 것으로 보아 당해 법령을 적용한다.

---

2 지방자치단체의 구역

1. 의의

(1) 지방자치단체의 구역이란 자치단체의 통치권 또는 자치권이 미치는 지역적 범위이다.

(2) 지방자치단체의 구역은 자치단체의 기능 및 계층구조와 관계가 있다. 자치단체가 제공하는 서비스의 정도와 내용에 따라 구역의 적정수준은 달라진다.

2. 자치구역의 적정규모(구역 설정기준❶)

구역의 적정규모는 국가나 사회의 역사적 전통, 경제, 사회적 특수성 및 상황에 따라 각기 다르기 때문에 보편적인 기준 설정이 어렵다.

(1) 기초자치단체의 구역 설정기준

① 주민의 자치단체에 대한 참여와 통제가 적절하게 이루어질 수 있어야 한다.

② 자연지리적 조건이나 전통적 요소를 고려하여야 한다.

③ 지역공동체의식의 형성과 공동생활권을 기준으로 한다.

④ 행정의 능률성과 민주성을 조화롭게 고려하여야 한다.

⑤ 재정수요와 재원조달능력을 조화롭게 고려하여야 한다.

⑥ 주민의 편의와 행정의 편의를 조화롭게 고려하여야 한다.

⑦ 지역공동체 개발의 단위여야 한다.

---

❶ 학자들의 구역 설정기준

1. 밀스포(Millspaugh)의 견해

· 공동사회적 요소: 주민의 공동생활권과 일치시켜야 한다.

· 적정한 서비스 단위: 능률적인 자치행정의 요구에 적합한 행정단위를 정하여야 한다.

· 자주적 재원조달: 지방자치단체의 자체수입으로 재정수요를 충족할 수 있어야 한다.

· 행정적 편의성: 주민이 집행기관에의 접근이 용이하고 행정처리에 편리하도록 설정하여야 한다.

2. 페슬러(Fesler)의 견해

· 자연적·지리적 조건을 고려하여야 한다.

· 행정기능을 능률적으로 수행할 수 있는 적정규모로 확정하여야 한다.

· 자주적 재원조달능력을 고려하여야 한다.

· 자치행정에 대한 주민통제가 용이하도록 설정하여야 한다.

핵심 OX

01 세종특별자치시의 관할구역으로 자치구를 둘 수 있다. (O, X)

> **01** X 「지방자치법」에 따르면 특별자치시에 자치구와 군을 둘 수 있도록 하고 있으나, 「세종특별자치시 설치 등에 관한 특별법」에 따르면 시와 군 등 기초자치단체를 두지 않도록 하고 있다. 특별법 우선의 원칙에 따라 특별법이 일반법보다 우선 적용된다.

(2) 광역자치단체의 구역 설정기준

① 기초자치단체의 행정기능을 가장 효과적으로 조정할 수 있어야 한다.

② 가장 효율적으로 대규모 지역 및 경제개발을 추진할 수 있어야 한다.

③ 도시와 농촌의 행정기능을 동시에 가장 효율적으로 수행할 수 있어야 한다.

④ 기초자치단체의 행정기능을 지원·보완하는 데 적절하여야 한다.

3. 구역의 변경

(1) 절차

① 지방자치단체를 폐지·설치하거나 나누거나 합칠 때 또는 그 명칭이나 구역을 변경할 때에는 관계 지방의회의 의견을 들어야 한다. 다만, 주민투표를 한 경우에는 그러하지 아니하다.

② 지방의회의 의견이나 주민투표의 결과는 법적인 구속력이 없다.

(2) 형식

자치단체 명칭변경, 폐치·분합, 구역변경	법률
자치단체 한자명칭변경 및 경계변경	대통령령
자치구가 아닌 구·읍·면·동의 폐치·분합	행정안전부장관 승인 후 조례
자치구가 아닌 구·읍·면·동의 명칭 및 구역변경	조례제정 후 시·도지사에게 보고
리의 폐치·분합·구역변경	조례

(3) 경계변경 조정신청(「지방자치법」 제6조)

① 지방자치단체의 장은 관할 구역과 생활권과의 불일치 등으로 인하여 주민생활에 불편이 큰 경우 등 대통령령으로 정하는 사유가 있는 경우에는 행정안전부장관에게 경계변경이 필요한 지역 등을 명시하여 경계변경에 대한 조정을 신청할 수 있다. 이 경우 지방자치단체의 장은 지방의회 재적의원 과반수의 출석과 출석의원 3분의 2 이상의 동의를 받아야 한다.

② 행정안전부장관은 조정신청에 대한 내용을 공표하고 관계 지방자치단체 등 당사자 간 경계변경에 관한 사항을 효율적으로 협의할 수 있도록 경계변경자율협의체를 구성·운영할 것을 관계 지방자치단체의 장에게 요청하여야 한다.

---

3 지방자치단체의 기관구성

1 기관구성의 유형①

1. 기관통합형

(1) 자치단체의 의결기능과 집행기능을 단일기관인 지방의회에 귀속시키는 형태이다.

① 국가별 기관구성
전통적으로 영미계 국가는 기관통합형을, 대륙계 국가는 기관대립형을 사용하였으나, 독일과 프랑스 등 대부분의 나라가 지금은 기관통합형을 채택하고 있다.

(2) 대표적으로 영국의 시정위원회형, 미국의 위원회형, 프랑스의 의회의장형 등이 있으며, 오늘날 대부분의 나라에서 채택하고 있다.

2. 기관대립형(기관분리형)

(1) 권력분립주의 원칙에 입각하여 의결기관과 집행기능을 분리시켜 견제와 균형의 원리를 추구하는 형태이다.

(2) 대륙계 일부 국가(이탈리아, 일본, 우리나라)가 채택하고 있다.

(3) 지방자치단체 기관구성의 형태 다양화

최근 우리나라는 추후 여건이나 성숙도 및 주민요구 등을 감안하여 주민투표를 거쳐 지방자치단체의 장의 선임방법을 포함한 지방의회와 집행기관의 기관구성 형태를 달리할 수 있도록 규정하였다(「지방자치법」 제4조).

> ☑ **개념PLUS** 기관통합형과 기관대립형의 비교
>
> | 구분 | 기관통합형 | 기관대립형 |
> |---|---|---|
> | 장점 | · 민주정치와 책임정치 구현
· 의결 및 집행기관의 갈등 감소
· 신중하고 공정한 행정
· 정책집행의 실효성과 일관성 향상 | · 견제와 균형의 강화
· 행정의 전문성 향상
· 집행의 종합성과 통일성 향상(분파주의 방지)
· 기관분리로 인한 책임소재의 명확 |
> | 단점 | · 견제와 균형의 곤란
· 행정의 전문성 저해
· 집행의 종합성과 통일성 저해
· 위원회를 통한 업무처리로 책임소재 불명확 | · 집행기관(장)과 의결기관(의회)의 마찰
· 인기영합주의에 치우침
· 집행기관의 독단성 발생 |

3. 지방정부의 기관구성 형태(미국)

시장-시의회형 (mayor-council)	강시장-의회형	시장이 강력한 정치적 리더십을 행사하며 시행정에 대한 전반적인 책임을 수행한다.
	약시장-의회형	의회가 입법권과 행정권을 가지고 집행부(시장)을 감독한다.
위원회형 (commission)		주민직선으로 구성된 위원회가 입법권과 행정권 행사한다.
의회-시지배인형 (council-manager)		시지배인(manager)이 행정에 대한 전반적인 권한을 책임을 지며 시장은 의전지도자, 즉 상징적 존재로서 의례적·명목적 기능만 수행한다.

2 지방자치단체의 기관

1. 지방의회(의결기관)

(1) 의의

지방의회는 헌법상 기관으로, 주민이 선출한 의원들로 구성되어 주민의 의사를 대표하고 지방자치단체의 장을 감시하는 합의제 행정기관이다.

(2) 지방의회의 지위와 의원의 신분

① **지방의회의 지위**: 기관대립형인 우리나라에서 지방의회는 다음 네 가지 지위를 가진다.

    ㉠ 주민의 대표기관

    ㉡ 의결기관

    ㉢ 입법기관

    ㉣ 행정감시기관

② **의원의 신분❶**

    ㉠ 주민 직선으로 선출되며 임기가 4년인 정무직공무원이다.

    ㉡ 유급직(수당직)이며 의정활동에 필요한 최소한의 실비로서 의정활동비, 여비, 월정수당을 지급하여 그 비용은 대통령령의 범위 내에서 조례로 정한다.

(3) 기능 및 권한

① **의결권(「지방자치법」 제47조)**

    ㉠ 조례의 제정·개정 및 폐지

    ㉡ 예산의 심의·확정

    ㉢ 결산의 승인

    ㉣ 법령에 규정된 것을 제외한 사용료·수수료·분담금·지방세 또는 가입금의 부과와 징수

    ㉤ 기금의 설치·운용

    ㉥ 대통령령으로 정하는 중요 재산의 취득·처분

    ㉦ 대통령령으로 정하는 공공시설의 설치·처분

    ㉧ 법령과 조례에 규정된 것을 제외한 예산 외의 의무부담*이나 권리의 포기

    ㉨ 청원의 수리와 처리❷

    ㉩ 외국 지방자치단체와의 교류협력에 관한 사항❸

    ㉪ 그 밖에 법령에 따라 그 권한에 속하는 사항

② **지방의회 소속직원 임용권(「지방자치법」 제103조)**: 지방의회의 의장은 지방의회 사무직원을 지휘·감독하고 법령과 조례·의회규칙으로 정하는 바에 따라 그 임면·교육·훈련·복무·징계 등에 관한 사항을 처리한다.

③ **서류제출 요구권(「지방자치법」 제48조)**: 지방의회의 본회의나 위원회는 그 의결로 안건의 심의와 직접 관련된 서류의 제출을 해당 지방자치단체의 장에게 요구할 수 있다.

④ **행정사무 감사 및 조사권(「지방자치법」 제49조)**

행정사무 감사권	지방의회는 매년 1회 그 지방자치단체의 사무에 대하여 시·도에서는 14일의 범위에서, 시·군 및 자치구에서는 9일의 범위에서 감사를 실시한다.
행정사무 조사권	지방자치단체의 사무 중 특정사안에 관하여 본회의 의결로 본회의 또는 위원회에서 조사하게 할 수 있다.

---

❶ 지방의회의원의 유급직 전환

1. 과거에는 무급 명예직이었으나 의원들의 전문성과 책임성을 높이기 위해서 명예직 규정이 삭제(2003)되고 2006년부터 회의수당이 월정수당으로 변경되어 현재의 유급직으로 전환되었다.

2. 지방의원의 유급화 취지에 따라 성실한 의정활동을 보장하고, 부당한 영향력 행사를 금지하기 위하여 지방의원의 겸직금지 및 영리행위 제한 규정을 강화하였다.

📖 용어

예산 외의 의무부담*: 예산편성 시에 예측할 수 없거나 정확한 소요액을 파악할 수 없어 세출예산에 계상하지 못하고, 미래에 예측할 수 없는 지출행위를 할 것을 예정해 지방의회 의결로 승인을 받은 행위를 의미한다. 확정 채무인 지방채, 채무 부담행위와 달리 구체적인 채무의 존재가 확정되지 않는다는 점에서 '우발부채'의 특성을 지닌다.

❷ 지방의회의 청원수리

지방의회에 청원하려면 청원자의 성명 및 주소를 기재하고 서명·날인하여야 하며 반드시 지방의회의원의 소개를 얻어 청원서를 제출하여야 한다.

❸ 「지방자치법」상 국제교류협력

최근 지방자치법 전면개정으로 국제교류·협력의 근거를 신설하고 국제교류협력 및 국제기구지원, 해외사무소 운영근거를 마련하였다.

⑤ 기관선출 및 자율운영권

선거권과 피선거권	지방의회는 의원 중에서 시·도의 경우는 의장 1인과 부의장 2인을, 시·군 및 자치구의 경우는 의장과 부의장 각 1인을 무기명 투표로 선거하여야 한다.
자율운영권	지방의회는 의회 운영에 있어서 내부조직권, 의사자율권, 의회규칙제정권, 의회운영권(개회·폐회·휴회 등), 의장단 불신임결의권, 의원자격심사 및 징계권, 의견표시권 등의 권한을 가진다.

(4) 지방의회의 운영

① 지방의회의 소집

　㉠ 정례회의: 지방의회는 매년 2회(1차는 6~7월, 2차는 11~12월) 정례회를 개최한다.

　㉡ 임시회의: 지방의회 의장은 지방자치단체의 장이나 재적의원 3분의 1 이상의 요구가 있는 때에는 15일 이내에 임시회를 소집하여야 한다.

　㉢ 총선거 후 최초로 집회되는 임시회는 지방의회 사무처장·사무국장·사무과장이 지방의회의원 임기개시일부터 25일 이내에 소집한다.

② 지방의회의 회기

　㉠ 지방의회의 개회·휴회·폐회와 회기는 지방의회가 의결로 정한다.

　㉡ 연간 회의총일수와 정례회 및 임시회의 회기는 당해 지방자치단체의 조례로 정한다.

③ 지방의회 운영의 자율화: 지방의회의 운영을 조례에 위임하여 그 지역의 특성에 맞게 자율적으로 정하도록 하였다

④ 정보공개의 확대(「지방자치법」 제26조)

　㉠ 지방자치단체는 사무처리의 투명성을 높이기 위하여 「공공기관의 정보공개에 관한 법률」에서 정하는 바에 따라 지방의회의 의정활동, 집행기관의 조직, 재무 등 지방자치에 관한 정보를 주민에게 공개하여야 한다.

　㉡ 행정안전부장관은 주민의 지방자치정보에 대한 접근성을 높이기 위하여 「지방자치법」 또는 다른 법령에 따라 공개된 지방자치정보를 체계적으로 수집하고 주민에게 제공하기 위한 정보공개시스템을 구축·운영할 수 있다.

⑤ 정책지원 전문인력 도입(「지방자치법」 제41조): 지방의회의원의 의정활동을 지원하기 위하여 지방의회의원 정수의 2분의 1 범위에서 해당 지방자치단체의 조례로 정하는 바에 따라 지방의회에 정책지원 전문인력을 둘 수 있다.

⑥ 지방의회의원의 겸직금지 명확화(「지방자치법」 제43조): 지방의회의원의 겸직금지 대상 직위를 구체화하고 겸직신고 내역공개를 의무화하였다.

⑦ 지방의회의원의 윤리와 책임성 확보(「지방자치법」 제65조, 제66조): 지방의회의원의 윤리강령과 윤리실천규범 준수 여부 및 징계에 관한 사항을 심사하기 위하여 윤리특별위원회의 설치를 의무화하고 민간위원으로 구성된 윤리심사자문위원회 설치를 규정하고 의견청취를 의무화하였다.

⑧ 의정활동 투명성 강화 – 기록표결제도 도입(「지방자치법」 제74조): 본회의에서 표결할 때에는 조례 또는 회의규칙으로 정하는 표결방식에 의한 기록표결로 가부(可否)를 결정한다. 다만, 다음 중 어느 하나에 해당하는 경우에는 무기명투표로 표결한다.

ⓐ 의장 · 부의장 선거

ⓑ 임시의장 선출

ⓒ 의장 · 부의장 불신임 의결

ⓓ 자격상실 의결

ⓔ 징계 의결

ⓕ 재의 요구에 관한 의결

ⓖ 지방의회에서 하는 각종 선거 및 인사에 관한 사항

2. 집행기관

(1) 의의

① 지방의회(의결기관)가 결정한 의사에 따라 행정사무를 구체적으로 실현하는 기관으로서 주로 지방자치단체의 장을 말한다.

② **지위**: 지방자치단체의 수장으로서의 지위와 국가의 하급 행정기관으로서의 지위를 동시에 가진다.

③ 지방자치단체의 장의 임기는 4년으로 하며, 계속 재임은 3기에 한한다.

④ **지방자치단체장 인수위원회(「지방자치법」 제105조)**: 인수위원회는 위원장 1명 및 부위원장 1명을 포함하여 다음에 따른 위원으로 구성한다.

ⓐ 시 · 도는 20명 이내

ⓑ 시 · 군 및 자치구는 15명 이내

⑤ **우리나라 「지방자치법」상 집행기관**

지방자치단체의 장	특별시장, 광역시장, 특별자치시장, 도지사, 시장, 군수, 자치구청장
보조기관	부자치단체장(부지사 · 부시장 · 부군수 · 부구청장), 행정기구, 지방공무원
소속 행정기관❶	직속기관, 사업소, 출장소, 합의제 행정기관, 자문기관
하부 행정기관	자치구가 아닌 구(구청장), 읍(읍장), 면(면장), 동(동장)
교육 · 과학 · 체육기관	지방자치단체의 교육 · 과학 · 체육에 관한 사무 분장

❶ 소속기관의 설치근거

직속기관	대통령령, 대통령령에 따른 조례
사업소, 출장소	대통령령에 따른 조례
합의제 행정기관, 자문기관	법령 또는 조례

(2) 권한

① **자치단체의 대표 및 사무통할권**: 집행기관은 자치단체를 대표하고 사무를 통할한다.

② **사무의 관리집행권**: 자치사무와 법령에 의하여 지방자치단체의 장에게 위임된 사무를 집행한다.

③ **지휘감독권**: 시 · 도지사는 시장, 군수, 구청장에 대한 지휘감독권을 가지며 자치사무에 관해서는 위법 · 부당한 명령 · 처분에 대한 취소 · 정지를 할 수 있다.

④ **임면권과 기관시설의 설치권**: 소속직원을 임면하고 교육훈련, 복무, 징계 등을 처리하며 대통령령이 정하는 바에 따라 조례로 소방, 교육훈련, 보건진료, 사업소, 출장소, 합의제 행정기관 등을 설치할 수 있다.

⑤ **규칙제정권**: 법령 또는 조례가 위임한 범위 내에서 그 권한에 속하는 자치사무 및 위임사무에 관하여 규칙을 제정할 수 있다.

⑥ **재의요구권❶**: 지방자치단체장은 일정한 경우 지방의회의 의결사항에 대하여 재의요구가 가능하다. 재의요구사항에 대하여 재적 과반수의 출석과 출석 2/3의 찬성으로 재의결하면 확정된다. 재의결된 사항이 법령에 위반되는 경우 지방자치단체장은 대법원에 제소가 가능하다.

⑦ **선결처분권**: 지방자치단체장은 지방의회가 성립되지 아니한 때와 의회를 소집할 시간적 여유가 없거나 의회에서 의결이 지체될 때에는 일정한 사항에 대하여 선결처분이 가능하다. 선결처분은 지방의회에 지체 없이 보고하여야 하며, 승인을 얻지 못한 때에는 그때부터 효력이 상실된다.

⑧ **기타**: 사무위임권, 임시회요구권, 예산안편성제출권, 의안발의권 등이 있다.

📊 **고득점 공략** 지방자치단체장과 지방의회의 상호 간의 권한

장이 의회에 대해 갖는 권한	의회가 장에 대해 갖는 권한
• 의회 의결에 대한 재의요구 및 제소권 • 지방자치단체장의 선결처분권 • 의안발의권 • 임시회 소집요구권 • 의회해산권은 없음	• 행정사무 감사 및 조사권 • 행정사무처리상황의 보고와 질문, 응답권 • 서류제출 요구권 • 예산·결산 승인권 • 지방자치단체장에 대한 불신임결의권은 없음. 단, 지방의회의 의장단에 대한 불신임결의권은 인정

---

(3) 부단체장

① **의의❷**: 단체장을 보좌하는 집행기관으로 부단체장의 정수와 직급은 법령에 규정되어 있다.❸

② **부단체장의 권한**: 부단체장의 보좌권한에는 권한대행과 직무대리가 있다.

권한대행	• 지방자치단체의 장이 다음 하나에 해당하면 부지사·부시장·부군수·부구청장이 그 권한을 대행한다. 　- 궐위된 경우 　- 공소제기된 후 구금상태에 있는 경우 　- 「의료법」에 따른 의료기관에 60일 이상 계속하여 입원한 경우 • 지방자치단체의 장이 그 직을 가지고 그 지방자치단체의 장 선거에 입후보하면 예비후보자 또는 후보자로 등록한 날부터 선거일까지 부단체장이 그 지방자치단체의 장의 권한을 대행한다.
직무대리	• 지방자치단체의 장이 출장·휴가 등 일시적 사유로 직무를 수행할 수 없으면 부단체장이 그 직무를 대리한다. • 지방자치단체의 장은 직무대리의 사유가 발생한 경우에는 부단체장이 직무를 대리할 범위와 기간을 미리 서면으로 정하여야 한다(「지방자치법 시행령」 제74조 제2항).

📊 **고득점 공략** 도시행정론

1. 도시행정의 개념❹

① **광의**: 지방행정의 한 분야인 도시행정(urban administration)은 도시문제의 해결을 위해 제도를 만들고 운영하는 공공적 개입의 총체를 의미한다.

❶ 재의요구사유
1. 조례안에 이의가 있는 경우
2. 지방의회의 의결이 월권 또는 법령에 위반되거나 공익을 현저히 해한다고 인정되는 경우
3. 지방의회의 의결에 예산상 집행할 수 없는 경비가 포함되어 있는 경우 또는 의무적 경비나 재해복구비를 삭감한 경우
4. 지방의회의 의결이 법령에 위반되거나 공익을 현저히 해한다고 판단되어 주무부장관 또는 시·도지사가 재의요구를 지시한 경우

❷ 지방공무원으로 보하는 부단체장의 임용자격 확대
지방공무원으로 보하는 부단체장의 신분을 현행 정무직 또는 별정직에다가 일반직 지방공무원이 추가되었다.

❸ 부단체장의 정수와 신분
1. 특별시(3인 이내)
　• 행정부시장(2인, 정무직 국가공무원)
　• 정무부시장(1인, 정무직 지방공무원)
2. 기타 시·도(2인 이내)
　• 행정부시장·부지사[일반직 국가공무원(고위공무원단)]
　• 정무부시장·부지사(별정직 지방공무원)
3. 시·군·자치구(1인): 부시장·부군수 등(일반직 지방공무원)

❹ 도시행정의 특징
1. 종합성: 도시행정은 포괄적이고 종합적이다. 주택, 교통, 상하수도 행정, 교육, 문화 등 국가행정의 축소판이다.
2. 지역성: 행정서비스가 도시지역에 거주하는 지역주민에 한정된다.
3. 생활성: 주민들의 일상생활과 직결된 생활행정을 수행한다.
4. 자치성: 주민들이 자기의사와 책임하에 스스로 또는 대표자를 통하여 처리하는 행정이다.
5. 사회조직성: 도시는 복잡성·전문성·이질성을 특징으로 하는 사회조직이다.

② 협의: 도시를 중심으로 일정 구역단위를 기초로 하여 수행되는 지역행정을 의미한다.
③ 일반적 개념: 도시정부가 공익적 차원에서 공공복지의 증진을 도모하고 도시의 건전한 발전을 모색하는 일체의 정치적·행정적 작용을 의미한다.

2. 도시의 분류와 형태 ❶
① 분류

단핵도시 (핵심도시)	도시의 중추기능을 하나의 중심부에 집중시키고 있는 도시로서 '핵심도시'라고도 하며, 버제스(Burgess)의 동심원이론(concentric theory), 호이트(Hoyt)의 선형이론(sector theory) 등이 있다.
다핵도시 (multi-core city)	도시가 성장함에 따라 기능적으로 상호 연결되면서 메트로폴리스를 형성하게 될 때 제각기 기능의 중심성이 있어서 상호 간의 배치가 정해지고 기능별로 많은 핵심이 생김
선상도시	한 줄의 도로를 따라 길쭉하게 선(線)처럼 뻗은 도시로서 대상도시의 초기단계이며, 도시의 중심축에 주요 교통노선과 도시의 중추기능을 집중시키고 있는 도시
대상도시	도시의 집중적 활동이 선상(線狀)을 띠고 형성된 도시로서 강력한 교통시설의 축이 그 내부 또는 주변부를 관통하는 도시

② 형태(행정구역과 시가화 지역과의 관계)

과대경계도시 (over-bounded city)	시가화 지역이 행정구역의 경계선보다 작은 도시로서 대체로 도시의 형성 초기에는 과대경계도시를 이룸(법률적 시의 경계 > 시가화 지역)
과소경계도시 (under-bounded city)	시가화 지역이 행정구역의 경계선을 초과하는 도시(법률적 시의 경계 < 시가화 지역)
적정경계도시 (true-bounded city)	시가화 지역이 행정구역의 경계선과 일치하는 도시(법률적 시의 경계 = 시가화 지역)

3. 도시화의 단계(Klaassen)
① 집중적 도시화 단계: 도시중심지역으로의 대폭적인 인구 집중과 교외지역의 인구 감소가 이루어지는 단계
② 분산적 도시화 단계: 도시의 평면적·외면적 확대에 의한 도시화가 이루어지는 단계
③ 역도시화 단계: 인구분산이 광역적으로 이루어져 중심부와 교외를 포함한 대도시권 전체의 인구가 감소하는 단계로, 도시의 쇠퇴현상, 슬럼(slum)화·노령화 등이 나타나며 이 경우 도시재개발이 필요하게 됨
④ 재도시화 단계: 고소득층을 중심으로 도심 부근에 고급주택지 등이 재집중되는 단계

4. 도시화의 요인 ❷
① 도시화의 요인

흡인요인 (pulling factor)	도시공업화(산업화), 고용기회의 확대, 규모의 경제, 집적의 이익(cluster 현상), 정치적 안정, 교육·여가기회, 교통통신의 발달, 인력자원 및 시장성 등
추출요인 (pushing factor)	영농기계화 및 과학화, 농촌사회의 안정 또는 상대적 빈곤, 도농격차, 가치관의 변화(도시에 대한 동경) 등

② 도시화지표
  · 도시화율 = (도시인구 / 전국인구) × 100
  · 종주화 지수 = 최대도시(종주도시)의 인구 / 차하위 3개 도시인구의 합
  · 수위도(종주도시지수) = 제1위의 도시인구 / 제2위의 도시인구

---

❶ 우리나라 도시화의 특징
1. 가(假)도시화: 산업화가 안 된 도시의 흡인요인 부재상태에서 일방적으로 농촌의 추출요인이 먼저 작용하여 생긴 도시화로서 각종 도시문제가 발생할 수 있다.
2. 과잉도시화: 도시화 수준이 산업화 수준보다 더 높은 상태이다.
3. 간접도시화: 도시지역 내의 농촌인구 비율이 높고 그들이 도시인구로 간주되는 도시화이다.
4. 종주(宗主)도시화: 다른 도시들에 비교하여 제1도시로 인구가 집중된 현상으로서 제1도시와 제2도시 등과의 격차가 발생한다.

❷ 도시의 적정 규모
1. 대도시집적론: 도시 규모가 커질수록 편익이 비용보다 증가하며 국가 전체의 생산성도 증대한다고 파악하는 이론이다.
2. 최소비용접근론: 1인당 소요되는 서비스 공급비용이 최소가 되도록 하는 인구 규모를 적정 규모로 파악하는 이론이다.
3. 비용편익분석이론: 도시 순이익의 극대화점을 달성하는 규모를 적정 규모로 파악하는 이론이다.
4. 티부가설: 주민들의 자유로운 선호에 의해 적정 규모가 결정된다는 이론이다.
5. 오츠(Oates)의 조화 원칙: 누출효과(spillover)를 최소화할 수 있을 만큼 크면서 주민들의 선호를 충족시킬 수 있게 작아야 한다는 상충된 두 목표를 조화시키고자 하는 이론이다.

학습 점검 문제

01 우리나라 지방자치기관의 구조는? 2012년 서울시 9급

① 기관통합형

② 기관대립형

③ 기관절충형

④ 기관타협형

⑤ 기관승인형

02 우리나라의 중앙정부와 지방자치단체 간의 관계에 대한 설명으로 옳지 않은 것은? 2014년 국가직 9급

① 보충성의 원칙에 따라 중앙정부가 처리하기 곤란한 사무는 지방자치단체가 보충적으로 처리해야 한다.

② 자치권은 법적 실체 간의 권한배분관계에서 배태된 개념으로 중앙정부가 분권화시킨 결과이다.

③ 적절한 재원조치 없는 사무의 지방이양은 자치권을 오히려 제약하는 문제를 야기한다.

④ 사무처리에 필요한 법규를 자율적으로 제정할 수 있는 자치 입법권에 대해 제약적인 규정을 두고 있다.

정답 및 해설

01 **우리나라 지방자치단체의 구조**

우리나라의 지방자치단체구조는 집행기관(지방자치단체장)과 의결기관(지방의회)이 분리되어 상호견제와 균형을 유지하는 기관대립형(대통령중심제)에 해당한다. 특히 집행기관(지방자치단체장)이 우위를 점하는 집행기관우위형이다.

02 **보충성의 원칙**

보충성의 원칙은 지방자치단체가 먼저 사무를 처리하고 지방자치단체가 처리하기 곤란한 사무는 중앙정부가 처리하는 원칙을 말한다. 우리나라는 이 원칙을 「지방자치분권 및 지방행정체제개편에 관한 특별법」 제9조에 규정하고 있다.

| 선지분석 |

② 자치권은 전래권설로 보기 때문에 옳은 지문이다.

③ 기능분담과 재원배분이 일치하지 않아 적절한 재원조치 없는 사무의 지방이양이 자치권을 오히려 제약한다.

④ 조례나 규칙 제정 시 상위법령의 제약이 많다.

정답 01 ② 02 ①

우리나라 지방행정체제와 관련된 내용으로 옳지 <u>않은</u> 것은?

① 자치구의 자치권 범위는 시·군의 경우와 같다.

② 특별시·광역시·도는 같은 수준의 자치행정계층이다.

③ 광역시가 아닌 시라도 인구 50만 이상의 경우에는 자치구가 아닌 구를 둘 수 있다.

④ 군은 광역시나 도의 관할구역 안에 둔다.

04 지방정부의 기관구성 형태에 대한 설명으로 옳지 <u>않은</u> 것은?

① 강시장 – 의회(strong mayor-council) 형태에서는 시장이 강력한 정치적 리더십을 행사한다.

② 위원회(commission) 형태에서는 주민 직선으로 선출된 의원들이 집행부서의 장을 맡는다.

③ 약시장 – 의회(weak mayor-council) 형태에서는 일반적으로 의회가 예산을 편성한다.

④ 의회 – 시지배인(council-manager) 형태에서는 시지배인이 의례적이고 명목적인 기능을 수행한다.

05 우리나라의 지방자치계층에 대한 설명으로 옳지 않은 것은?　　　　　　　2017년 국가직 9급(4월 시행)

① 제주특별자치도는 자치계층 측면에서 단층제로 운영되고 있다.

② 자치계층은 주민공동체의 정책결정 및 집행의 단위로서 정치적 민주성 가치가 중요시된다.

③ 세종특별자치시의 관할구역으로 자치구를 둘 수 있다.

④ 자치계층으로 군을 두고 있는 광역시가 있다.

정답 및 해설

03 우리나라의 지방행정체제

자치구의 자치권의 범위는 법령으로 정하는 바에 따라 시·군과 다르게 할 수 있다.

❶ 「지방자치법」상 지방자치단체의 종류

> **제2조 【지방자치단체의 종류】** ① 지방자치단체는 다음의 두 가지 종류로 구분한다.
> 1. 특별시, 광역시, 특별자치시, 도, 특별자치도
> 2. 시, 군, 구
> ② 지방자치단체인 구(이하 '자치구'라 한다)는 특별시와 광역시의 관할구역 안의 구만을 말하며, 자치구의 자치권의 범위는 법령으로 정하는 바에 따라 시·군과 다르게 할 수 있다.

04 지방정부의 기관구성 형태

20세기 초에 미국의 소도시들을 중심으로 시행된 의회 - 시지배인(council-manager) 형태는 시지배인(manager)이 행정에 대한 전반적인 권한을 가지고 동시에 책임을 진다. 시장은 의전지도자 즉, 상징적 존재로서 의례적·명목적 기능만 수행하고 실질적으로는 시민이 직접 선출한 의회가 임명한 전문행정관 즉, 시지배인이 집행기능을 총괄한다.

| 선지분석 |

① 강시장 - 의회 형태는 주로 미국의 대도시에서 채택하는 제도로서 책임행정을 강화하기 위하여 시장이 강력한 정치적 리더십을 발휘한다.

② 위원회 형태는 주민들 직선으로 선출된 의원들로 구성된 위원회가 모든 권한과 책임을 갖기 때문에 의원들이 집행부서의 장을 겸직하게 된다.

③ 약시장 - 의회 형태는 미국의 소도시들이 남북전쟁 이전에 채택했던 제도로서 시장의 권한이 약하기 때문에 의회가 입법권과 행정권(예산편성권 등)을 가지고 집행부(시장)를 감독한다.

❶ 지방정부의 기관구성 형태(미국)

시장 - 시의회 형태 (mayor-council form)	강시장 - 의회 형태	시장이 강력한 정치적 리더십을 행사하며 시행정에 대한 전반적인 책임을 수행
	약시장 - 의회 형태	의회가 입법권과 행정권을 가지고 집행부(시장)을 감독
위원회 형태 (commission)		주민직선으로 구성된 위원회가 입법권과 행정권 행사
의회 - 시지배인 형태 (council-manager)		시지배인(manager)이 행정에 대한 전반적인 권한을 책임을 지며 시장은 의전지도자, 즉 상징적 존재로서 의례적·명목적 기능만 수행

05 우리나라의 지방자치계층

「지방자치법」 제3조에 따르면 특별자치시에 자치구와 군을 둘 수 있으나, 「세종특별자치시 설치 등에 관한 특별법」 제6조에 따르면 시와 군 등 기초자치단체를 두지 않도록 하고 있다. 특별법우선의 원칙에 따라 특별법이 일반법보다 우선 적용되므로, 세종특별자치시의 관할구역으로 자치구를 둘 수 없다.

❶ 우리나라 지방자치계층 관련 법률

(1) 「지방자치법」상 지방자치계층

> **제3조 【지방자치단체의 법인격과 관할】** ② 특별시, 광역시, 특별자치시, 도, 특별자치도는 정부의 직할(直轄)로 두고, 시는 도의 관할구역 안에, 군은 광역시, 특별자치시나 도의 관할구역 안에 두며, 자치구는 특별시와 광역시, 특별자치시의 관할구역 안에 둔다.

(2) 「세종특별자치시 설치 등에 관한 특별법」상 지방자치계층

> **제6조 【설치 등】** ① 정부의 직할(直轄)로 세종특별자치시를 설치한다.
> ② 세종특별자치시의 관할구역에는 「지방자치법」 제2조 제1항 제2호의 지방자치단체를 두지 아니한다.

정답 **03** ① **04** ④ **05** ③

06 「지방자치법」상 지방의회의 의결사항으로 옳은 것만을 모두 고른 것은?

> ㄱ. 예산의 심의·확정
> ㄴ. 법령에 규정된 수수료의 부과 및 징수
> ㄷ. 외국 지방자치단체와의 교류협력에 관한 사항

① ㄱ, ㄴ   ② ㄱ, ㄷ

③ ㄱ, ㄴ, ㄷ   ④ ㄴ, ㄷ

07 「지방자치법」상 지방의회에 대한 내용으로 옳지 않은 것은?

① 지방의회는 조례로 정하는 바에 따라 위원회를 둘 수 있으며, 위원회의 종류는 상임위원회와 특별위원회로 한다.

② 지방의회는 그 의결로 소속 의원의 사직을 허가할 수 있다. 다만, 폐회 중에는 의장이 허가할 수 있다.

③ 의장은 의결에서 표결권을 가지지 못하며, 찬성과 반대가 같으면 부결된 것으로 본다.

④ 지방의회에서 부결된 의안은 같은 회기 중에 다시 발의하거나 제출할 수 없다.

08 우리나라 지방자치단체의 권한(자치권)으로 옳지 않은 것은?

① 지방자치단체는 법률의 위임이 있어야 주민의 권리를 제한하는 조례를 제정할 수 있다.

② 지방자치단체는 주민의 복지증진과 사업의 효율적 수행을 위하여 지방공기업을 설치·운영할 수 있다.

③ 지방자치단체는 조례를 위반한 행위에 대하여 조례로써 1,500만 원 이하의 과태료를 정할 수 있다.

④ 지방자치단체조합도 따로 법률로 정하는 바에 따라 지방채를 발행할 수 있다.

09 지방행정제도에 대한 설명으로 옳지 않은 것은?

① 일정 조건을 충족한 주민은 해당 지방의회에 조례를 제정하거나 개정 또는 폐지할 것을 청구할 수 있다.

② 지방자치단체 간 관할 구역의 경계변경 조정 시 일정기간 이내에 경계변경자율협의체를 구성하지 못 한 경우 행정안전부장관은 지방자치단체 중앙분쟁조정위원회의 심의·의결을 거쳐 조정할 수 있다.

③ 정책지원 전문인력인 정책지원관 제도는 지방자치단체장의 정책기능을 강화하기 위해 도입되었다.

④ 자치경찰사무는 합의제 행정기관인 시·도지사 소속 시·도 자치경찰위원회가 관장하며 업무는 독립적으로 수행한다.

정답 및 해설

06 지방의회의 의결사항

ㄱ. 예산의 심의·확정, ㄷ. 외국 지방자치단체와의 교류협력에 관한 사항이 지방의회의 의결사항이다.

| 선지분석 |

ㄴ. 법령에 규정된 수수료는 법령에 의거하여 징수하므로 지방의회 의결을 거칠 필요가 없다. 법령에 규정되지 아니한 사용료나 수수료 등의 부과 및 징수가 지방의회의 의결대상이다.

❶ 「지방자치법」상 지방의회의 의결사항

> 제47조【지방의회의 의결사항】① 지방의회는 다음 각 호의 사항을 의결한다.
> 1. 조례의 제정·개정 및 폐지
> 2. 예산의 심의·확정
> 3. 결산의 승인
> 4. 법령에 규정된 것을 제외한 사용료·수수료·분담금·지방세 또는 가입금의 부과와 징수
> 5. 기금의 설치·운용
> 6. 대통령령으로 정하는 중요 재산의 취득·처분
> 7. 대통령령으로 정하는 공공시설의 설치·처분
> 8. 법령과 조례에 규정된 것을 제외한 예산 외의 의무부담이나 권리의 포기
> 9. 청원의 수리와 처리
> 10. 외국 시방자치단체와의 교류협력에 관한 사항
> 11. 그 밖에 법령에 따라 그 권한에 속하는 사항

07 「지방자치법」상 지방의회

의장은 의결에서 표결권을 가지며, 찬성과 반대가 같으면 부결된 것으로 본다(「지방자치법」 제73조).

❶ 「지방자치법」상 의결정족수

> 제73조【의결정족수】① 의결 사항은 이 법에 특별히 규정된 경우 외에는 재적의원 과반수의 출석과 출석의원 과반수의 찬성으로 의결한다.
> ② 의장은 의결에서 표결권을 가지며, 찬성과 반대가 같으면 부결된 것으로 본다.

08 지방자치단체의 권한

지방자치단체는 조례를 위반한 행위에 대하여 조례로서 1천만 원 이하의 과태료를 정할 수 있다.

| 선지분석 |

④ 지방자치단체의 장이나 지방자치단체조합도 따로 법률로 정하는 바에 따라 지방채를 발행할 수 있다.

❶ 「지방자치법」상 자치권

> 제34조【조례 위반에 대한 과태료】① 지방자치단체는 조례를 위반한 행위에 대하여 조례로써 1천만 원 이하의 과태료를 정할 수 있다.
> 제139조【지방채무 및 지방채권의 관리】① 지방자치단체의 장이나 지방자치단체조합은 따로 법률로 정하는 바에 따라 지방채를 발행할 수 있다.

09 지방자치단체의 정책지원관 제도

정책지원 전문인력인 정책지원관 제도는 지방자치단체장이 아닌 지방의회의원의 정책기능을 강화하기 위해 도입되었다(2021년 「지방자치법」 전면개정사항).

❶ 「지방자치법」상 정책지원 전문인력

> 제41조【의원의 정책지원 전문인력】① 지방의회의원의 의정활동을 지원하기 위하여 지방의회의원 정수의 2분의 1 범위에서 해당 지방자치단체의 조례로 정하는 바에 따라 지방의회에 정책지원 전문인력을 둘 수 있다.
> ② 정책지원 전문인력은 지방공무원으로 보하며, 직급·직무 및 임용절차 등 운영에 필요한 사항은 대통령령으로 정한다.

정답 06 ② 07 ③ 08 ③ 09 ③

지방자치단체의 사무

1 의의 및 원칙

1. 의의

사무(기능)배분은 국가와 지방 간의 사무를 합리적으로 배분하고 권한과 책임의 한계를 명확히 하여 분쟁을 없애주는 것으로, 이에 따라 중앙집권과 지방분권의 실질적 여부가 결정되기 때문에 지방자치의 활성화를 위해 반드시 필요하다.

2. 원칙❶

(1) 보충성의 원칙(principle of subsidiarity)

기초(하급)정부에서 할수 있는 사무는 광역(상급)정부가 관여하지 않는 것을 말하며 예외적으로 필요시에만 보충하여야 한다는 원칙이다.

① **소극적 의미**: 기초정부가 할 수 있는 일을 광역정부가 관여해서는 안 된다는 것을 의미한다. 업무처리능력의 여부와 관계없이 개별적인 사회구성단위의 활동을 파괴하거나 박탈해서는 안 된다는 관점이다.

② **적극적 의미**: 광역정부는 기초정부가 일차적으로 활동할 수 있는 조건을 갖출 수 있도록 지원해 주어야 한다는 의미이다. 예컨대 기초정부가 일할 수 있도록 재정적인 여건 등을 조성해 주는 것을 말한다.

(2) 책임 명확화의 원칙

사무는 엄격히 구분하여 행정책임을 명확히 할 수 있어야 한다.

(3) 능률성의 원칙

능률성을 위해 각 단체의 규모, 재정능력, 인구수 등을 고려하여야 한다.

(4) 현지성의 원칙

모든 사무는 지방주민의 요구와 그 지역의 행정수요에 적합하도록 도시와 농촌, 대규모와 소규모 자치단체 등 지역적 특수성을 고려하여 배분하여야 한다.

(5) 기초자치단체 우선의 원칙❷

주민생활 관련 사무는 주민과 가까운 최저단위의 행정기관에 배분하여야 한다.

(6) 종합성의 원칙

행정의 종합성이 확보될 수 있도록 사무를 배분하여야 한다.

(7) 계획·집행 분리의 원칙

정책을 계획하고 기준을 설정하는 것은 중앙이, 그 계획 및 기준에 따라서 업무를 처리하는 것은 지방이 하여야 한다.

❶ 사무배분의 기본원칙(「지방자치법」 제11조)

1. 중복배제의 원칙: 국가는 지방자치단체가 사무를 종합적·자율적으로 수행할 수 있도록 국가와 지방자치단체 간 또는 지방자치단체 상호 간의 사무를 주민의 편익증진, 집행의 효과 등을 고려하여 서로 중복되지 아니하도록 배분하여야 한다(제1항).

2. 포괄적 배분원칙: 국가가 지방자치단체에 사무를 배분하거나 지방자치단체가 사무를 다른 지방자치단체에 재배분할 때에는 사무를 배분받거나 재배분받는 지방자치단체가 그 사무를 자기의 책임하에 종합적으로 처리할 수 있도록 관련 사무를 포괄적으로 배분하여야 한다(제3항).

❷ 기능배분원칙
「지방자치법」 제14조 【지방자치단체의 종류별 사무배분기준】③ 시·도와 시·군 및 자치구는 사무를 처리할 때 서로 경합하지 아니하도록 하여야 하며, 사무가 서로 경합하면 시·군 및 자치구에서 먼저 처리한다(불경합의 원칙과 기초자치단체 우선의 원칙).

2 자치권의 부여방식 [1]

1. 포괄적 수권형[대륙법계(단체자치)]

(1) 의의

법률이 특히 금지한 사항이나 중앙정부가 반드시 처리하여야 할 사항을 제외하고는 지방자치단체가 그 주민의 일반적 이익을 위하여 어떠한 사무라도 처리할 수 있도록 헌법이나 법률에 일괄적으로 권한을 부여하는 방식이다.

(2) 장단점

① 장점: 지방행정에 융통성을 부여하고 권한부여방식이 간단하다.
② 단점: 사무배분이 불분명하고 자치단체의 권한을 침해할 우려가 있다.

2. 개별적 수권형[영미법계(주민자치)]

(1) 의의

지방자치단체의 권한을 자치단체별·사무분야별로 특별법을 통해 개별적으로 부여한다.

(2) 장단점

① 장점: 사무배분의 한계가 명확하고, 자치단체의 특수성과 개별성에 적합한 자치행정이 가능하다.
② 단점: 모든 자치단체에 대한 개별법 지정이 어렵다.

---

2 지방자치단체의 사무

1 우리나라의 사무배분

1. 자치사무(고유사무)

(1) 의의

지방자치단체가 자기 책임과 부담 아래 자주적으로 주민의 복리증진을 위하여 처리하는 사무로서 지방자치단체의 존립을 위한 본래적 사무이다.

(2) 특징

① 경비 전액을 지방자치단체가 부담한다.
② 국가의 감독은 원칙적으로 합법성 감독, 사후적·교정적 감독에 그친다. 즉, 합목적적 감독은 허용되지 않는다.
③ 조례와 규칙 모두 제정이 가능하고 지방의회의 관여가 가능하다.
④ 국가배상의 경우 지방자치단체가 부담한다.

[1] 우리나라의 수권방식(예시적 포괄주의)
1. 우리나라의 경우 개별적 수권방식과 포괄적 수권방식의 특징을 절충한 방식이다. 사무를 예시하되 모든 지방자치단체에 포괄되는 사무를 배분하는 방식으로 예시적 포괄주의를 따르고 있다.
2. 예시적 포괄주의를 따르고 있어 국가와 지방자치단체 간, 광역자치단체와 기초자치단체 간, 자치사무와 단체위임사무 간 기능배분이 모호하고 재원배분과도 일치하지 않는다.

핵심 OX

01 주민참여와 통제가 용이한 최저단위에 가능한 많은 사무를 배분해야 한다. (O, X)

02 포괄적 수권형은 배분방식이 간단하고 유연성을 확보할 수 있다는 장점이 있다. (O, X)

03 개별적 수권형은 사무배분에 있어 지방자치단체의 특성을 파악할 수 있다. (O, X)

04 지방자치단체의 사무 중 고유사무에 대한 국가의 감독은 원칙적으로 합법성 감독, 사후적·교정적 감독에 그친다. (O, X)

05 보건소의 운영, 시·군의 재해구호사무, 조세 등 공과금의 징수업무 등은 고유사무의 대표적인 예에 해당한다. (O, X)

01 O
02 O
03 O
04 O
05 X 이들은 단체위임사무에 해당한다.

(3) 자치사무의 종류(「지방자치법」 제13조)

지방자치단체의 구역·조직·행정관리 등에 관한 사무, 주민의 복지증진에 관한 사무, 농림·상공업 등 산업 진흥에 관한 사무, 지역개발과 주민의 생활환경시설의 설치·관리에 관한 사무, 교육·체육·문화·예술의 진흥에 관한 사무, 지역민방위 및 지방소방에 관한 사무 등이 있다.❶

2. 단체위임사무

(1) 의의

① 지방자치단체가 법령의 특별한 규정에 의하여 국가 또는 다른 지방자치단체로부터 위임받아 처리하는 사무로서 지방자치단체에 위임한 사무이다.

② 일반적으로 지역적 이해관계와 국가적 이해관계가 공존한다.

(2) 특징

① 위임자가 경비를 부담한다.

② 합법성·합목적성 감독이 허용되나 사후적 감독에 그친다.

③ 조례와 규칙의 제정이 가능하고 지방의회의 관여가 허용된다.

④ 위임기관과 수임기관이 함께 배상책임을 지게 된다.

3. 기관위임사무❷

(1) 의의

① 법령의 규정에 의하여 국가 또는 상급 자치단체로부터 지방자치단체장과 기타 집행기관에 위임된 사무이다.

② 개별법에 법적 근거가 없는 직권위임사무로서 우리나라의 위임사무의 대부분이 이에 해당한다.

(2) 특징

① 개별적 수권이 아니라 포괄적으로 위임이 이루어진다.

② 사무처리비용을 위임자가 전액 부담한다.

③ 국가의 감독은 합목적성·합법성 감독, 사전·사후적 감독이 모두 허용된다.

④ 조례의 제정은 허용되지 않고 규칙의 제정만 가능하다.

⑤ 지방의회의 관여가 원칙적으로 불가능하다. 다만, 국회와 시·도 의회가 직접 감사하기로 한 사무 이외의 사무에 대해서는 지방의회가 감사 또는 조사할 수 있도록 규정하고 있다.

구분	자치사무	단체위임사무	기관위임사무
개념	지방자치단체가 자기의 책임과 부담으로 처리하는 지방적 공공사무	법령에 의하여 국가 또는 상급 지방자치단체로부터 그 지방자치단체에 위임된 사무	법령에 의하여 국가 또는 상급 지방자치단체로부터 지방자치단체의 집행기관에 위임된 사무
결정주체	지방의회 (본래의 사무)	지방의회 (지방자치단체에 위임)	국가 (지방자치단체 개입 불가)
사무처리 주체	지방자치단체	지방자치단체	지방자치단체장 (일선행정기관의 성격)
조례제정권	○	○	×
국가의 감독	합법성 중심의 사후·교정적 감독	합법성 + 합목적성의 교정적 감독	교정적 감독 + 사전·예방적 감독
경비의 부담	지방자치단체 (보조금 = 장려적 보조금)	공동부담 (국가 + 지방자치단체) (보조금 = 부담금)	국가 전액부담 (보조금 = 교부금)
예시	지방자치단체의 존립·유지사무, 주민복지사무(상하수도, 민방위, 소방, 도서관, 주민등록, 학교, 병원, 도로, 도시계획, 쓰레기 처리 등)	보건소, 생활보호, 의료보호, 재해구호, 국세징수, 공과금 징수, 직업안정, 하천유지보수, 국도유지보수 등	대통령·국회의원선거, 경찰, 근로기준 설정, 호적, 의약사면허, 도량형, 외국인등록, 여권발급, 외교, 국방, 경제계획업무 등

2 우리나라 사무배분의 문제점

1. 사무·기능에 관한 규정의 모호성

우리나라는 예시적 포괄주의를 따르고 있어 행정주체 간 사무(기능)배분이 불명확하고 구체성이 떨어진다.

2. 획일적 사무배분

대도시 특례 등 일부 예외적 규정을 두고 있지만, 지역적 특성을 살리지 못하고 아직도 획일적으로 배분되고 있다.

3. 사무배분규정의 실효성 미흡

개별 법령에 다른 규정이 있는 경우 「지방자치법」의 사무배분규정은 적용되지 않는다.

4. 사무배분과 재원배분의 불일치

국가와 지방 간의 사무배분과 재원배분의 불일치로 인하여 지방자치단체의 사무처리에 재정상의 어려움이 불가피하다.

5. 기관위임사무의 높은 비중

지방자치단체의 사무 중 약 70% 정도가 기관위임사무로서 이의 비중이 지나치게 높다. 따라서 기관위임사무의 고유사무로의 전환이 필요하다.

📊 고득점 공략 교육자치와 자치경찰

1. 교육자치 ❶

① 교육행정의 지방분권을 통해 주민의 참여 의식을 높이고 지역의 실정에 맞는 정책을 실시하여 지방자치 정신에 맞추어 교육의 자주성, 전문성, 정치적 중립성을 확립하여 민주적인 교육제도 정착을 위한 제도이다.

② 교육자치는 중앙으로부터의 자치와 일반행정으로부터의 자치라는 두 가지 요소를 포함하는 개념이다.

③ 우리나라의 교육자치
- **자치단위:** 교육 · 학예에 관한 사무는 광역자치단체의 사무로 한다.
- **의결기관(통합방식 − 교육위원회):** 시 · 도의 교육 · 학예에 관한 의안과 청원 등을 심사 · 의결하기 위해서 교육위원회를 시 · 도 의회 내 상임위원회로 둔다.
- **집행기관(분리방식 − 교육감):** 시 · 도지사와 별도로 교육감을 주민직선으로 선출하되 정당공천은 배제한다. 임기는 4년으로 하되, 계속 재임은 3기에 한한다.

2. 자치경찰

① **의의:** 지방분권의 이념에 따라 지방자치단체에 경찰권을 부여하고, 경찰의 설치 · 유지 · 운영에 관한 책임을 지방자치단체가 담당하는 제도를 말한다.

② **배경:** 자치경찰제는 '경찰법 · 경찰공무원법' 전부개정안이 시행되는 2021년 1월 1일부터 도입돼 6월 30일까지 시범운영을 거쳐 7월 1일부터 전국에서 전면 시행되었다.

③ **우리나라의 자치경찰제도:** 참여정부는 「지방분권특별법」을 제정, 자치경찰제를 전면 도입하기로 하였으며, 제주특별자치도의 경우 특별법에 의하여 2006년 7월 1일부터 자치경찰을 구성 · 실시하고 있다. 자치경찰제도가 전국적으로 시행됨에 따라 자치경찰사무를 관장하기 위하여 광역자치단체별로 시 · 도 자치경찰위원회를 설치하였다.

④ **자치경찰과 국가경찰:** 경찰의 업무를 국가경찰과 자치경찰로 나누고, 각각 국가경찰위원회와 시도 자치경찰위원회의 통제를 받는다. 이에 따라 자치경찰은 관할 지역 내 주민의 생활과 밀접한 생활안전, 교통 및 안전관리 등을 담당하며 국가경찰은 자치경찰 사무를 제외한 보안 · 외사 · 경비 등 임무를 맡게 되었다.

01 중앙정부의 지방자치단체 사무배분 원칙에 대한 설명으로 옳은 것만을 모두 고르면? 　　2021년 국가직 7급

> ㄱ. 지역주민생활과 밀접한 관련이 있는 사무는 원칙적으로 시·군 및 자치구의 사무로 배분하여야 한다.
>
> ㄴ. 서로 관련된 사무들을 배분할 때는 포괄적으로 배분하여야 한다.
>
> ㄷ. 시·군 및 자치구가 처리하기 어려운 사무는 국가보다는 시·도에 우선적으로 배분하여야 한다.
>
> ㄹ. 시·군 및 자치구가 해당 사무를 원활히 처리할 수 있도록 행정적·재정적 지원을 병행하여야 한다.
>
> ㅁ. 주민의 편익증진과 집행의 효과 등을 고려하여 지방자치단체 상호 간 중복되지 않도록 해야 한다.

① ㄱ, ㄷ, ㅁ

② ㄴ, ㄷ, ㄹ

③ ㄱ, ㄴ, ㄹ, ㅁ

④ ㄱ, ㄴ, ㄷ, ㄹ, ㅁ

02 지방분권 추진 원칙 중 다음 설명에 해당하는 것은? 　　2020년 지방직 9급

> • 기능 배분에 있어 가까운 정부에게 우선적 관할권을 부여한다.
>
> • 민간이 처리할 수 있다면 정부가 관여해서는 안 된다.
>
> • 가까운 지방정부가 처리할 수 있는 업무에 상급 지방정부나 중앙정부가 관여해서는 안 된다.

① 보충성의 원칙

② 포괄성의 원칙

③ 형평성의 원칙

④ 경제성의 원칙

정답 및 해설

01 사무배분 원칙

중앙정부와 지방자치단체 간 사무배분의 원칙으로 모두 옳은 설명이다.

ㄱ. 기초자치단체 우선의 원칙에 대한 설명이다.

ㄴ. 포괄적 배분의 원칙에 대한 설명이다.

ㄷ. 보충성의 원칙에 대한 설명이다.

ㄹ. 행정적·재정적 지원병행의 원칙에 대한 설명이다.

ㅁ. 중복(경합)금지의 원칙에 대한 설명이다.

02 보충성의 원칙

제시문은 지방분권 추진 원칙 중 보충성의 원칙에 해당한다. 보충성의 원칙은 기초(하급)정부에서 할 수 있는 사무는 광역(상급)정부가 관여하지 않는 것을 말하며 예외적으로 필요시에만 보충하여야 한다는 원칙이다.

| 선지분석 |

② 포괄성의 원칙이란 사무를 이양할 때 세분하여 이양하지 말고 포괄적으로 이양을 해야 한다는 원칙이다.

③ 형평성의 원칙이란 지방정부 간에 차등을 두지 말고 가급적 평등하게 이양해야 한다는 원칙이다.

④ 경제성의 원칙이란 각 지방정부의 규모, 재정능력, 인구수 등을 고려하여 능률적으로 분배해야 한다는 것이다.

정답 01 ④ 02 ①

03 기관위임사무에 대한 설명으로 옳지 않은 것은?

① 법령에 의하여 국가 또는 상급 지방자치단체로부터 지방자치단체의 장에게 위임된 사무를 말한다.

② 국가와 지방자치단체 사이의 행정적 책임의 소재를 명확하게 해준다.

③ 지방자치단체를 국가의 하급기관으로 전락시키는 요인으로 작용할 수 있다.

④ 전국적으로 획일적인 행정을 강조함으로써 지방적 특수성이 희생되기도 한다.

04 지방자치단체의 사무에 관한 설명 중 가장 옳지 않은 것은?

① 기관위임사무에 소요되는 비용은 원칙적으로 자치단체와 위임기관이 공동으로 부담한다.

② 지방의회는 단체위임사무에 대해 조사·감사를 시행한다.

③ 예방접종에 관한 사무는 통상 자치단체에 위임된 사무로 본다.

④ 자치사무에 대한 국가의 감독에서 적극적 감독, 즉 예방적 감독과 합목적성의 감독은 배제되는 것이 원칙이다.

05 우리나라의 지방자치제도에 대한 설명으로 옳지 않은 것은?

① 주민의 지방정부에 대한 참정권은 법률에 의해 제한되며 지방정부의 과세권 역시 법률로 제한된다.

② 우리나라 지방자치단체의 구성은 기관통합형이 아닌 기관대립형을 택하고 있다.

③ 지방자치단체는 법령의 범위 안에서 자치에 관한 규정을 제정할 수 있다.

④ 지방세무서, 지방노동청, 지방산림청 등의 특별지방행정기관은 중앙부처에서 설치한 일선 집행기관으로서 고유의 법인격은 물론 자치권도 가지고 있지 않다.

⑤ 기관위임사무는 지방자치단체장이 국가사무를 위임받아 수행하는 것이며 소요 경비는 지방의회의 심의를 거쳐 지방정부 예산으로 부담한다.

06 우리나라 지방자치제에 대한 설명으로 옳지 않은 것은?

① 지방자치단체의 의사를 결정하는 의결기관과 의사를 집행하는 집행기관을 이원적으로 구성하는 기관대립(분립)형이다.

② 지방분권화의 세계적 흐름에 따라 지방사무의 배분방식은 제한적 열거방식을 채택하고 있다.

③ 자치경찰제는 현재 제주특별자치도에서만 실시되고 있다.

④ 특별지방행정기관은 중앙행정기관이 소관사무를 집행하기 위해 설치한 지방행정기관이며, 세무서와 출입국관리사무소는 특별지방행정기관에 해당한다.

정답 및 해설

03 기관위임사무의 특징

기관위임사무는 국가사무로서 지방자치단체와는 아무런 관계가 없으면서 국가를 대신하여 처리하는 사무이므로 책임소재를 불명확하게 한다는 단점이 있다.

| 선지분석 |

① 기관위임사무는 일반적으로 개별법령에 의하여 위임된 사무는 아니지만 지방자치단체의 장에게 위임된 사무라고 하였고 「지방자치법」 제115조에 의한 포괄적 위임근거가 있으므로 맞는 지문으로 볼 수 있다. 「지방자치법」 제115조에 따르면 '국가사무는 법령에 다른 규정이 없는 한 지방자치단체의 장에게 위임하여 행한다.'고 규정되어 있다.

🔔 **기관위임사무의 문제점**

(1) 지방자치단체를 국가의 하급기관으로 전락시킴
(2) 국가의 지방자치단체에 대한 강력한 통제장치
(3) 국가와 지방자치단체 사이의 행정적 책임의 소재 불명확화
(4) 행정에 대한 지방의회의 관여와 주민의 의사개진 및 주민통제의 통로 폐쇄
(5) 지방적 특수성과 배분적 형평 희생

04 지방사무의 비용부담

기관위임사무는 모두 국가의 사무로서 지방자치단체장이 위임받아 수행하는 것으로, 소요되는 비용은 전액 국가예산으로 부담한다.

| 선지분석 |

③ 예방접종은 보건소의 사무로 통상 단체위임사무로 본다.

🔔 **기관위임사무와 단체위임사무의 구분**

구분	기관위임사무	단체위임사무
중앙감독	적극적(교정 + 예방)	소극적(교정)
지방의회의 관여여부	불가	가능
경비부담	국가	국가 및 지방
법정조치	불요(직권위임)	필요(법정위임)

05 기관위임사무의 특징

기관위임사무는 본질적으로 국가사무이고, 이를 지방자치단체장이 위임받아 수행하는 것이므로 소요 경비는 국가가 전액 부담하며 지방의회가 관여할 수 없다.

06 우리나라의 사무배분방식

우리나라의 지방자치사무배분방식은 세계적 흐름과는 달리 예시적 포괄주의방식을 채택하고 있다. 열거주의(positive system)는 원칙적으로 모든 것을 금지하고 예외적으로 규제나 금지가 되지 않는 사항을 나열하는 원칙을 말한다. 이에 반해 포괄주의(negative system)는 제한·금지하는 규정 및 사항을 나열하고 나머지는 원칙적으로 자유화하는 원칙을 말한다. 따라서 포괄주의가 열거주의보다 훨씬 자유로운 제도라고 할 수 있다. 제한적 열거주의란 「지방자치법」에 구체적으로 열거된 사항 외에 지방자치단체가 조례로 처리할 사무를 따로 정해야 하는 방식인데 우리나라의 「지방자치법」에서는 지방자치단체가 처리하는 사무를 개략적으로 예시로만 규정하고 「지방자치법 시행령」에서 광역자치단체와 기초자치단체 간 사무배분을 나열하고 있으므로 예시적 포괄주의라고 보아야 한다.

07 자치경찰제도에 대한 설명으로 옳지 않은 것은? 2021년 지방직 9급

① 지역 실정에 맞는 치안 행정을 펼칠 수 있다.

② 경찰 업무의 통일성과 효율성을 높일 수 있다.

③ 제주자치경찰단은 주민의 생활안전 활동에 관한 사무를 수행한다.

④ 자치경찰사무를 관장하기 위하여 광역자치단체에 시·도자치경찰위원회를 둔다.

08 지방정부의 사무에 대한 설명으로 옳지 않은 것은? 2023년 지방직 9급

① 기관위임사무의 처리에 드는 경비는 중앙정부와 지방정부가 공동 부담하는 것이 원칙이다.

② 단체위임사무는 집행기관장이 아닌 지방정부 그 자체에 위임된 사무이다.

③ 지방의회는 단체위임사무의 처리 과정에 관한 조례를 제정할 수 있다.

④ 중앙정부는 자치사무에 대해 합법성 위주의 통제를 주로 한다.

09 우리나라 지방자치단체의 사무에 대한 설명으로 옳지 않은 것은? 2017년 국가직 7급(10월 추가)

① 「지방자치법」에서 지방자치단체의 사무를 예시하고 있지만, 법률에 이와 다른 규정이 있으면 그렇지 않다.

② 제주특별자치도에서는 국가경찰과 자치경찰이 함께 활동할 수 있다.

③ 병역자원의 관리업무 등 주로 국가적 이해관계가 크게 걸려있는 사무는 단체위임사무에 속한다.

④ 위임사무와 자치사무로 구분되며, 위임사무는 다시 기관위임사무와 단체위임사무로 구분된다.

10 「지방자치법」상 지방자치단체의 사무처리에 관한 설명으로 가장 옳지 않은 것은? 2018년 서울시 9급

① 지방자치단체는 법령을 위반하여 그 사무를 처리할 수 없다.

② 행정처리 결과가 2개 이상의 시·군 및 자치구에 미치는 광역적 사무는 시·도가 처리한다.

③ 시·도와 시·군 및 자치구의 사무가 서로 경합하면 시·도에서 먼저 처리한다.

④ 지방자치단체는 법률에 다른 규정이 있는 경우를 제외하고 외교, 국방, 사법, 국세 등 국가의 존립에 필요한 사무를 처리할 수 없다.

정답 및 해설

07 자치경찰제도

경찰 업무의 통일성과 효율성을 높일 수 있는 것은 국가경찰제도의 장점이다.

| 선지분석 |

① 자치경찰은 주민의 생활안전 활동에 관한 사무에 주력하므로 그 지역 실정에 맞는 치안 행정을 펼칠 수 있다.

③ 제주자치경찰단은 자치경찰조직(지방공무원)으로 주로 주민들의 생활안전 활동에 관한 사무를 수행한다.

④ 2021년 1월부터 자치경찰제도가 전국적으로 시행됨에 따라 자치경찰사무를 관장하기 위하여 광역자치단체별로 시·도 자치경찰위원회를 설치하였다.

❶ 「국가경찰과 자치경찰의 조직 및 운영에 관한 법률」상 자치경찰위원회

> 제18조【시·도 자치경찰위원회의 설치】① 자치경찰사무를 관장하게 하기 위하여 특별시장·광역시장·특별자치시장·도지사·특별자치도지사 소속으로 시·도자치경찰위원회를 둔다.
> ② 시·도자치경찰위원회는 합의제 행정기관으로서 그 권한에 속하는 업무를 독립적으로 수행한다.

08 지방사무의 비용부담과 감독

기관위임사무는 전부 국가의 사무이기 때문에 처리에 드는 경비는 중앙정부가 모두 부담하는 것이 원칙이다.

| 선지분석 |

④ 자치사무에 대한 중앙정부의 감독은 법령위반사항에 한정되어 있기 때문에 소극적인 사후·교정적 감독인 합법성 감독 위주로 한다.

09 단체위임사무와 기관위임사무

병역자원의 관리업무 등 주로 국가적 이해관계가 크게 걸려있는 사무는 기관위임사무에 해당한다.

| 선지분석 |

① 우리나라는 개별 법령에 다른 규정이 있는 경우 「지방자치법」상의 지방자치단체의 사무배분규정은 적용되지 않는 포괄적 예시주의를 취하고 있어 구속력이 약하다.

② 제주특별자치도에서는 특별법에 의해 자치경찰이 국가경찰과 함께 활동하는 이원체제의 절충형 자치경찰제를 시행하고 있다.

④ 우리나라의 지방자치단체 사무는 크게 자치사무와 위임사무로 구성되며, 위임사무는 단체위임사무와 기관위임사무로 구분되어 총 세 가지의 사무배분이 이루어지고 있다.

10 「지방자치법」상 지방자치단체의 사무처리 원칙

시·도(광역자치단체)와 시·군 및 자치구(기초자치단체) 간의 사무가 서로 경합할 경우에는 보충성의 원칙에 따라 기초자치단체인 시·군 및 자치구에서 먼저 처리해야 한다.

정답 **07** ② **08** ① **09** ③ **10** ③

1 정부 간 관계론(IGR)

1 중앙과 지방과의 관계

1. 의의

(1) 중앙정부와 지방자치단체 간의 관계에서 지방자치권이 고유의 권한이냐 아니면 전래된 권한이냐의 논의와 밀접한 관련이 있다.

(2) 불가분의 관계

양자는 불가분의 관계를 갖는데 우리나라처럼 수직적인 상하관계로 인식되기도 하고, 미국처럼 수평적인 협력관계로 인식되기도 한다. 향후 우리나라도 수평적·기능적인 협력과 조화의 관계로 나아가야 한다.

2. 중앙정부와 지방자치단체의 관계모형(IGR; Inter-Goverment Relation)❶

(1) 라이트(Wright)의 모형

① **분리권위형(the separated-authority model, 대등권위형❷):** 중앙과 지방의 관계가 서로 독립적이고 자치적으로 운영되는 것이다. 각각은 상호 권한영역 내에서만 통치할 뿐 양자의 관계는 그리 긴밀하지 않다. 충돌이 일어날 경우 대법원이 중재한다.

⑩ 미국의 연방정부와 주정부와의 관계

② **포괄권위형(the inclusive-authority model)**

㉠ 지방이 중앙에 전적으로 의존하는 계서적 관계를 갖는다.

㉡ 지방자치단체는 국가의 재량권으로 창조하거나 폐지할 수 있으며, 법적인 보장에 좌우된다는 딜런(Dillon)의 법칙으로 설명할 수 있다.

⑩ 우리나라 혹은 과거 미국의 주정부와 지방자치단체와의 관계

③ **중첩권위형(the overlapping-authority model) – 이상적 모형**

㉠ 상당한 규모의 정부활동과 기능들은 연방정부 및 지방정부를 동시에 포함하며, 특정수준의 정부가 지니는 자치영역과 재량권이 상대적으로 협소하다.

㉡ **상호의존성:** 특정수준의 정부가 행사할 수 있는 권한 또는 영향력이 매우 제한되어 있어 각 정부들 간에 긴밀한 관계를 유지하며 협상이 이루어진다.

(2) 로즈(Rhodes)의 '권력 – 의존모형(power-dependency model)'

① **개념:** 로즈(Rhodes)의 '권력 – 의존모형'은 중앙정부의 우월적 입장을 인정하면서도 지방정부의 능력을 어느 정도 인정하는 일종의 절충형 모형이다. 지방정부는 중앙정부에 완전히 예속되는 것도 아니고 완전히 동등한 관계가 되는 것도 아닌 상태에서 상호의존한다.

❶ 라이트(Wright)의 IGR 이론

▲ 분리권위형

▲ 포괄권위형

▲ 중첩권위형

❷ 대등권위형
대등권위형(조정권위형, coordinate-authority model)은 원래 분리권위형(seperated-authority model)이 명칭 변경된 것인데 연방정부와 주정부는 동등하지만, 지방정부는 주정부에 종속되어 있는 모형이다.

② **다섯 가지 자원**: 정부가 보유하는 자원에는 다섯 가지(법적 자원, 정치적 자원, 재정적 자원, 조직자원, 정보자원)가 있으며, 정부 간의 상호작용은 이러한 자원의 교환과정으로 다룰 수 있다. 중앙정부는 법적 자원, 정치적 자원, 재정적 자원에서 우위를 점하며, 지방정부는 정보자원과 조직자원의 측면에서 우위를 점한 상태에서 상호의존과정을 거친다.

(3) 엘콕(Elcock)의 모형
① **대리인모형(agent model)**: 지방은 중앙의 단순한 대리자에 불과하기 때문에 중앙의 감독하에 국가정책을 집행한다는 모형이다. 이는 라이트(Wright)의 포괄권위형과 유사하다.
② **동반자모형(partnership model)**: 중앙과 지방이 상호대등한 입장에 놓이는 형태로 지방자치단체는 자치권과 고유사무를 가진다. 이에 대해 중앙정부는 간섭을 최소화하고 지방자치단체와는 기능적 협력을 해야 한다. 지방이 독자적으로 결정을 내릴 수 있다는 입장으로서, 라이트(Wright)의 분리권위형과 유사하다.
③ **교환모형(절충모형)**: 중앙과 지방이 상호의존적 관계에 있다고 보는 모형으로서, 라이트(Wright)의 중첩권위형과 유사하다.

(4) 나이스(Nice)의 모형
① **경쟁형**: 정책을 둘러싸고 정부 간 경쟁관계를 유지하는 형태이다.
② **상호의존형**: 중앙과 지방이 분리되거나 경쟁하지 않고 상호의존관계를 유지하는 형태이다.

(5) 무라마츠(Muramatsu)의 모형
① **수직적 통제모형**: 중앙정부는 지방정부에 대하여 일방적으로 통제하는 형태이다.
② **수평적 경쟁모형**: 중앙정부와 지방정부가 정책을 둘러싸고 서로 협력하면서 경쟁하는 형태이다.

2 정부 간 관계를 보는 네 가지 시각(Dunleavy)

던리비(Dunleavy)는 정치·사회학분야에서 발전되어 온 네 가지 이론모형을 중앙정부와 지방정부 간의 관계를 이해하는 데 어떻게 활용할 것인가에 대하여 자신의 견해를 피력하였다. 이는 독창적으로 개발한 것이 아니고 이미 보편화된 시각으로 새로운 대상을 조명하면서 여러 가지 이슈를 제기하고 본인의 견해를 밝힌 것이다.

1. 다원주의(역사적인 진화의 산물)
(1) 중앙과 지방 간 기능배분은 지방적 기능(⑩ 지역계획❶, 초등교육 등)과 전국적 기능(⑩ 조세, 국방정책 등)으로 구별될 수 있으며, 이러한 기능들이 역사적으로 오랜 진화과정을 거치면서 점진적으로 제도화된 것이라고 본다.
(2) 구체적으로 중복의 배제, 책임성의 증진, 규모의 경제 실현, 시민참여의 촉진 및 분권화, 중앙정부의 과부하 방지, 중앙정부에 의한 통제가능성의 고려 등 행정적인 합리성을 증진시키기 때문에 기능 분담이 이루어져야 한다고 본다.

❶ 지역계획
1. 지역계획(regional plan)은 국가계획에 대한 지방계획의 개념이다. 이는 곧 국토전체에 대한 부분적 공간단위의 계획을 말한다.
2. 광의로서 광역개발계획을 뜻한다. 국토종합개발계획에서 설정하고 있는 개발권을 단위로 한 계획을 말하며, 여기서 개발권은 행정구역과는 일치하지 않는 경제활동 및 자원분포의 영역으로 설정된 것이다.
3. 협의의 지역계획으로서 시·도 단위의 계획을 말한다. 도는 하나의 자치단체로서의 단일성과 시·군을 포괄하고 있다는 복합성을 함께 보유하고 있어 도(道) 계획은 지방계획과 지역계획의 두 가지 성격을 지니고 있다.

핵심 OX

01 라이트(Wright)의 모형은 분리권위형, 포괄권위형, 중첩권위형이 있는데 이 중 가장 이상적이고 바람직한 모형은 중첩권위형이며, 미국의 연방정부와 주정부와의 관계를 나타내는 예는 분리권위형이다. (O, X)

02 중앙과 지방 간의 기능배분은 역사적으로 오랜 진화과정을 거치면서 점진적으로 제도화된 것으로서 행정적 합리성이 중요하다고 보는 것은 다원주의적 시각이다. (O, X)

01 ○
02 ○

2. 신우파론(공공선택론적 시각)

(1) 중앙과 지방의 관계를 방법론적 개체주의와 합리적이고 이기적인 경제인을 가정하는 공공선택론적 시각으로 본다.

(2) 중앙과 지방 간의 기능배분문제도 개인후생을 극대화하고자 하는 시민과 공직자들의 합리적 선택행동에서 비롯된 것으로 본다. ⑩ 티부가설 등

(3) 비용은 극소화하고 효용은 극대화하기 위한 연역적 추론이 사용된다. 이 기준에 의하면 지방정부의 활동을 재분배정책(⑩ 사회보장정책 등), 배당정책, 개발정책(⑩ 교통, 통신, 관광 등)의 세 가지 유형으로 구분하였을 때, 재분배정책은 중앙정부가, 개발정책은 지방 혹은 중앙정부가, 배당정책(⑩ 치안, 소방, 쓰레기 등)은 지방정부가 각각 관장하게 된다.

📊 **고득점 공략** 티부가설 – '발로 뛰는 투표(vote by foot)'

1. 의의
① 주민들의 자유로운 선호에 의하여 도시의 적정공급규모가 결정된다는 이론으로서, 지방공공재는 지방정부가 독자적으로 결정을 내리는 분권화된 체제가 효율적인 배분을 가져온다는 것으로 지방자치의 당위성을 강조한 모형이다.
② 지방공공재의 시장배분적 과정을 중시한 모형으로 '공공재는 분권적인 배분체제가 효율적이지 못하다'는 전통적인 사무엘슨(Samuelson)의 이론을 반박한 것이다.

2. 기본가정
① **다수의 지역사회 존재:** 상이한 재정 프로그램을 제공하는 다양한 지방정부가 존재한다.
② **완전한 정보:** 각 지역의 재정프로그램에 대해 정확히 알고 있어야 한다.
③ **지역 간 자유로운 이동가능성(완전한 이동):** 지역 간 이동에 필요한 거래비용 등 제약 없이 지역 간 이동이 가능해야 한다는 것과 불완전한 이동이 아닌 '완전한 이동성'을 전제한다.
④ **단위당 평균비용 동일:** 공공재 생산을 위한 단위당 평균비용이 동일해야 한다는 것으로서 규모의 경제가 작용하지 않아야 한다는 '규모수익의 불변의 원리'가 적용된다.
⑤ **외부효과의 부존재:** 당해 지역의 프로그램의 이익은 당해 지역 주민들에게만 돌아가며 이웃 지역의 주민들에게 이익(경제) 또는 불이익(불경제)을 주지 말아야 한다. 외부효과가 존재한다면 지역 간 이동이 불필요해질 수도 있기 때문이다.
⑥ **고정적 생산요소의 존재와 최적규모의 추구:** 모든 지방정부에서는 최소한 한 가지 고정적인 생산요소(fixed factor)가 존재하며, 이와 같은 제약 때문에 각 지방정부는 자신에게 맞는 최적 규모(optimal size)를 갖는다. 여기서 최적 규모란 일정 수준의 지방공공재가 최저평균비용으로 생산될 수 있는 인구 규모를 뜻한다.
⑦ 소득은 배당수입에 의하며, 재원은 당해지역 주민들의 재산세(property tax)로 충당한다. 국고보조금 등은 존재하지 않는 것으로 한다.

3. 결론과 시사점
① 지방공공재는 각 지방정부가 독자적으로 세금을 징수하여 공급에 관한 결정을 내리는 분권적인 체제가 효율적인 자원배분(파레토 최적)이 된다는 것이다.
② 티부가설에 따를 경우 주민들의 선호가 표출되어 지방공공자원이 경쟁의 원리에 의하여 효율적으로 공급될 수 있다.
③ 우리나라의 경우 시·군 통폐합 등의 행정구역조정이나 지방교부세, 국고보조금 지급 등의 지방재정조정제도에 있어서 티부가설의 효용과 한계를 잘 고려하여 결정할 필요성이 있다.
④ 인위적인 행정구역 통합이나 보조금의 확대는 효율성이라는 티부가설의 효용을 상실하게 되며, 개입하지 않고 그대로 두는 것은 형평성 저하라는 티부가설의 한계를 방치하는 결과가 될 것이기 때문이다.

> **📊 고득점 공략** 오츠(Oates)의 분권화 정리
>
> **1. 의의**
>   지방정부의 규모는 작을수록 효율적이다. 즉, 소규모 자치정부에 의한 행정이 효율적이라는 티부가설과 유사한 맥락이다. 중앙정부는 지역 고유의 특성을 잘 알지 못하므로 공공재를 획일적으로 공급함에 반해, 지방정부는 지역의 특성과 수요에 대한 정보를 가지고 있으므로 지방공공재를 공급함에 있어서 보다 효율적이다.
>
> **2. 기본가정**
>   지역 간 외부효과는 존재하지 않는다.
>
> **3. 결론**
>   중앙정부가 획일적으로 모든 지역에 지역공공재를 공급하는 것보다는 선호의 차이를 반영할 수 있는 지방정부가 공급하는 것이 더 효율적이다.

3. 계급정치론

마르크스주의적 입장에 따른 시각으로 정부수준 간에 기능배분에 관한 구체적 기준에 별로 관심을 가지지 않고 정부 간의 기능배분문제를 지배계급들 간의 계급갈등으로 보는 시각이다.

4. 엘리트론

정치적 영향력이 대중에게 분산되어 있지 않고 일군의 응집력 있는 지배집단에 집중되어 있다고 보는 시각으로, 중앙정부를 움직이는 엘리트들은 지방의 주민들과는 상당히 유리된 관계를 가지며 정책과정에서 지방 엘리트의 영향력을 배제하려고 한다.

3 정부 간 갈등과 분쟁조정

1. 의의

다양한 원인으로 인하여 중앙정부와 지방정부 간 또는 지방정부 간에 상호대립하는 상황이다. 특히 입지갈등 등에서 문제가 되고 있다.

2. 정부 간 분쟁의 원인

(1) 정책의 우선순위에 괴리가 있을 때 분쟁이 발생한다.

(2) 비용과 편익의 범위가 일치하지 않을 때 분쟁이 발생한다.

(3) 광역적 사무의 증가로 정부 간 상호의존성이 증가할 때 분쟁이 발생한다.

(4) 자율성의 강화 이후 책임성이 뒷받침되지 못할 때 분쟁이 발생한다.

(5) 국가나 공동의 이익보다 자기지역의 이익을 우선시할 때 분쟁이 발생한다.

(6) 확정 - 공표 - 방어(DAD; Decide - Announce - Defense) 방식으로 처리되는 정책과정일 때 분쟁이 발생한다.

(7) 인지의 차이, 정부 상호 간의 관할권 다툼, 기능 및 권한배분의 불합리 등이 있을 때 분쟁이 발생한다.

핵심 OX

01 집권과 분권의 원리 중 딜런(Dillon)의 법칙과 티부가설은 중앙집권형이고, 보충성의 원리, 자치의 원칙(Home rule), 다원주의 이론 등은 지방분권형 원리이다. (O, X)

02 중앙행정기관의 장과 지방자치단체의 장이 사무를 처리할 때 의견을 달리하는 경우 이를 협의·조정하기 위하여 국무총리 소속으로 갈등조정협의회를 둔다. (O, X)

01 X 티부가설은 주민들이 자신의 선호에 따라 마음에 드는 지방서비스나 재정프로그램을 제공하는 지방정부를 선택하여 지역 간에 자유로운 이동이 가능하다는 이론으로, 지방분권형 모형이다.

02 X 행정협의조정위원회를 둔다.

3. 분쟁조정제도❶

(1) 중앙과 지방 간 분쟁조정

① **행정적 분쟁조정제도:** 취소정지권, 직무이행명령, 감사제도, 기타 사전승인제도 등이 있다.

② **사법적 분쟁조정제도:** 헌법재판소의 권한쟁의심판, 대법원의 기관소송 등이 있다.

③ **제3자에 의한 분쟁조성제도:** 행정협의조정위원회(국무총리 소속) 등이 있다.

  ㉠ **신청에 의한 조정:** 행정협의조정위원회는 중앙행정기관의 장이나 지방자치단체의 장의 신청에 의하여 당사자 간에 사무를 처리할 때에 의견을 달리하는 사항에 대하여 협의·조정한다.

  ㉡ **결과 이행의무**

    ⓐ 행정협의조정위원회의 위원장은 협의·조정사항에 관한 결정을 하면 지체 없이 서면으로 국무총리에게 보고하고 행정안전부장관, 관계 중앙행정기관의 장 및 해당 지방자치단체의 장에게 통보하여야 하며, 통보를 받은 관계 중앙행정기관의 장과 그 지방자치단체의 장은 그 협의·조정 결정사항을 이행하여야 한다.

    ⓑ 직무이행명령권과 대집행권이 없어 강제력은 약하다(실질적 구속력은 약함).

(2) 지방자치단체 간 분쟁조정

① **당사자 간 분쟁조정제도:** 행정협의회, 지방자치단체조합 등이 있다.

② **사법적 분쟁조정제도:** 헌법재판소의 권한쟁의심판, 대법원의 기관소송 등이 있다.

③ **제3자에 의한 분쟁조정제도:** 지방자치단체 상호 간 분쟁과 조정에 필요한 사항을 심의·의결하기 위하여 행정안전부에 중앙분쟁조정위원회와 시·도에 지방분쟁조정위원회를 둔다.

📈 **고득점 공략** 중앙·지방분쟁조정위원회

1. 의의(「지방자치법」 제165조 제1항)

지방자치단체 상호 간이나 지방자치단체의 장 상호 간 사무를 처리할 때 의견이 달라 다툼이 생길 경우, 다른 법률에 특별한 규정이 없으면 행정안전부장관이나 시·도지사가 당사자의 신청에 따라 조정할 수 있다. 다만, 그 분쟁이 공익을 현저히 저해하여 조속한 조정이 필요하다고 인정되면 당사자의 신청이 없어도 직권으로 조정할 수 있다.

2. 심의·의결사항(「지방자치법」 제166조 제1항~제3항)

지방자치단체 상호 간 분쟁의 조정과 협의사항의 조정에 필요한 사항을 심의·의결하기 위하여 행정안전부에 중앙분쟁조정위원회와 시·도에 지방분쟁조정위원회를 둔다.

중앙 분쟁조정위원회	• 시·도 간 또는 그 장 간의 분쟁 • 시·도를 달리하는 시·군 및 자치구 간 또는 그 장 간의 분쟁 • 시·도와 시·군 및 자치구 간 또는 그 장 간의 분쟁 • 시·도와 지방자치단체조합 간 또는 그 장 간의 분쟁 • 시·도를 달리하는 시·군 및 자치구와 지방자치단체조합 간 또는 그 장 간의 분쟁 • 시·도를 달리하는 지방자치단체조합 간 또는 그 장 간의 분쟁
지방 분쟁조정위원회	중앙분쟁조정위원회의 심의·의결사항에 해당하지 아니하는 지방자치단체·지방자치단체조합 간 또는 그 장 간의 분쟁을 심의·의결

3. 의결사항의 효력(「지방자치법」 제189조)

① 강제적 구속력이 있다.

② 이행하지 않을 시 직무이행명령과 대집행이 가능하다(실질적 구속력 있음).

4. 위원의 구성과 임기

① 구성: 중앙분쟁조정위원회와 지방분쟁조정위원회는 각각 위원장을 포함한 11명 이내의 위원으로 구성한다.

② 임기: 공무원이 아닌 위원장 및 위원의 임기는 3년으로 하되, 연임할 수 있다. 다만, 보궐위원의 임기는 전임자의 남은 임기로 한다.

4. 지역이기주의

(1) 의의

지역주민들이 자신들의 피해는 줄이면서 이익을 극대화하려는 비제도화된 집단적 행동이나 행위이다.

(2) 종류❶

기피갈등	자기 지역에 위험시설(예 핵발전소 등)이나 혐오시설(예 쓰레기 소각장, 화장터 등)이 들어오는 것을 기피하는 현상이다.
유치갈등	지역개발에 유리한 시설(예 공원, 월드컵 등)을 적극 유치하려는 현상이다.

(3) 지역이기주의에 대한 시각

① 부정론(전통적 입장)

㉠ '최대 다수의 최대 행복'이라는 벤담(Bentham)의 공리주의에 기초한다. 다수의 이익을 위해서는 소수의 이익이 희생되어야 한다는 전통적인 입장이다.

㉡ 지역이기주의는 지역보호주의와 협소한 국지적 합리성의 주장의 결과로서 지역의 탈을 쓴 개인적 이기주의로 치부한다.

② 긍정론(현대적 입장)

㉠ 소수의 정당한 권리가 보장되어야 한다는 롤스(Rawls)의 정의론에 기초한다.

㉡ 지역이기주의는 지방자치 정착을 위해 필수적으로 거쳐야 할 학습과정으로 이해하고 건설적인 대안을 마련하여야 한다고 본다.

㉢ 의사결정에의 주민참여를 통해서 주민의 의사를 가급적 반영하여야 한다.

㉣ 피해의 최소화 및 적절한 보상책의 제공(예 피해보상금, 지역발전기금 등)과 같은 방법들을 강구하여야 한다는 것으로서 오늘날의 지배적인 입장이다.

(4) 극복방안

강제적(물리적) 전략	이해관련 주민들의 주장을 무시하고 공권력을 통해서 강압적으로 추진하는 고전적인 전략이다.
공리적(기술적) 전략❷	피해에 대한 반대보상 등을 통하여 저항을 최소화시키려는 전략이다.
규범적(사회적) 전략	정책결정과정에서 주민참여와 같은 이해관계집단의 참여를 보장하는 전략이다.

---

❶ 지역이기주의의 예

1. 기피갈등
   - NIMBY(Not In My Back Yard)
   - LULU(Locally Unwanted Land Use)
   - NIMTOO(Not In My Term Of Office)
   - BANANA(Build Absolutely Nothing Anywhere Near Anybody)
   - NOOS(Not On Our Street)

2. 유치갈등
   - PIMFY(Please In My Front Yard)
   - PIMTOO(Please In My Term of Office)

❷ 공리적 전략의 예

재산권 침해의 폭을 최소화시키거나 기피시설의 설치 시 지역발전기금과 같은 적절한 보상을 실시하거나 예기치 못한 피해 발생 시 그 피해를 보상하기 위한 우발 위험준비금을 예치하도록 하는 방법 등이 있다.

핵심 OX

01 시·도를 달리하는 시·군 및 자치구 간 또는 그 장 간의 분쟁은 중앙분쟁조정위원회에서 심의·의결한다. (O, X)

02 혐오시설의 입지에 대한 반대를 나타내는 기피갈등으로서 NIMTOO, LULU, NIABY, PIMFY 현상 등이 있다. (O, X)

01 O

02 X NIMTOO(Not In My Term Of Office)는 자기 임기 중의 입지반대를 의미하고, LULU(Locally Unwanted Land Use)는 원하지 않는 토지이용 반대를 의미하며, NIABY(Not In Anybody's Back Yard)는 어느 지역에든 위험시설물 입지반대를 의미한다. 그러나 PIMFY(Please In My Front Yard)는 입지반대가 아니라 유치경쟁을 나타내는 용어이다.

(5) 지역이기주의의 대안으로서 담론 형성과 제도주의

지역이기주의가 발생하면 공익과 사익 또는 사익 간의 이해관계가 서로 충돌하게 된다. 이러한 경우 서로 간의 이해관계를 통한 상호작용으로서 담론을 형성하고, 대안으로서 제도적 행동의 틀을 구성함으로써 합의를 도출해 낼 수 있다.

4 중앙정부의 통제

1. 의의

(1) 중앙통제란 일반적으로 중앙정부가 우월한 지위에서 지방정부의 조직과 기능에 대하여 행하는 통제이다.

(2) 민주정치에 있어서 참여와 분권이 매우 중요시되지만 국정의 전반적인 통합·조정과 능률적인 정책집행을 위하여 최종책임자인 중앙정부의 지방정부에 대한 통제 역시 불가피하다.

2. 필요성과 한계

(1) 필요성
① 행정의 양적 증대와 질적 전문화로 정부의 행정적·재정적 지원이 필요하다.
② 국민적 최저수준의 설정을 위한 중앙정부의 개입이 필요하다.
③ 지방사무의 광역화 및 전국화로 인한 중앙정부의 개입이 필요하다.
④ 지방정부의 부족한 행정기술을 중앙정부로부터 지원받아야 한다.

(2) 한계
① 지나친 중앙통제는 주민들의 참여의지를 감소시킨다.
② 지방정부의 자치권을 서해하여 지방자치의 본질을 훼손한다.
③ 지방정부의 개별성과 특수성을 저해하여 사기와 행정능률을 감소시킨다.

3. 방식

(1) 입법통제
① **의의**: 의회에 의한 통제로서 중앙통제의 기본적 방식이다. 입법통제는 역사가 오래되고, 실질적인 효과가 크다.
② **수단**: 입법과 예산심의, 공공정책의 결정, 각종 상임위원회의 활동, 국정조사 및 국정감사 활동, 임명동의 및 해임건의 또는 탄핵권, 기구개혁, 청원제도 등이 있다.
③ **한계**: 전문지식과 능력의 부족, 정보부족과 체제의 미비, 정치자금 취득 및 운용의 문제, 공천과정의 비민주성 등이 있다.

(2) 사법통제
① **의의**: 행정에 의한 위법·부당한 권익침해의 구제 또는 행정명령의 위헌·위법 여부를 심사함으로써 사법부가 행정을 통제하는 것이다.
② **수단**: 행정소송의 심판, 명령, 규칙, 처분의 심사권 등이 있다.
③ **한계**: 사후적 구제조치, 많은 비용과 시간의 소요, 전문성의 결여, 사법권의 독립성과 공정성에 대한 권력적·금전적 위협 등이 있다.

(3) 행정통제

설정된 행정목표 또는 정책목표와 기준에 따라 행정성과를 측정하고 이에 맞출 수 있도록 시정하는 제반노력이다.

5 우리나라의 중앙통제

1. 행정상 통제[1]

(1) 지방자치단체의 사무에 대한 지도 및 지원

① 중앙행정기관의 장은 지방자치단체의 사무에 관하여 조언 또는 권고하거나 지도할 수 있으며, 필요한 경우 자료의 제출을 요구할 수 있고 재정지원 또는 기술지원을 한다.

② 지방자치단체의 장은 조언·권고 또는 지도와 관련하여 중앙행정기관의 장이나 시·도지사에게 의견을 제출할 수 있다.

(2) 국가사무처리의 지도·감독

지방자치단체 또는 그 장이 위임받아 처리하는 국가사무에 관하여는 주무부장관의 지도·감독을 받는다.

(3) 위법·부당한 명령·처분의 시정명령 및 취소·정지

① 지방자치단체의 사무에 관한 그 장의 명령이나 처분이 법령에 위반되거나 현저히 부당하여 공익을 해한다고 인정될 때에는 주무부장관이 기간을 정하여 시정을 명하고 그 기간 내에 이행하지 아니할 때에는 이를 취소하거나 정지할 수 있다.

② 이 경우 자치사무에 관한 명령이나 처분에 있어서는 법령에 위반하는 것에 한하며, 지방자치단체의 장이 이에 이의가 있는 때에는 대법원에 소를 제기할 수 있다.

(4) 지방자치단체의 장에 대한 직무이행명령

① 지방자치단체의 장이 그 의무에 속하는 국가위임사무의 관리 및 집행을 명백히 게을리하고 있다고 인정되면 시·도에 대하여는 주무부장관이, 시·군·자치구에 대하여는 시·도지사가 기간을 정하여 서면으로 이행할 사항을 명령할 수 있다.

② 주무부장관은 시장·군수 및 자치구의 구청장이 법령에 따라 그 의무에 속하는 국가위임사무의 관리와 집행을 명백히 게을리하고 있다고 인정됨에도 불구하고 시·도지사가 이행명령을 하지 아니하는 경우 시·도지사에게 기간을 정하여 이행명령을 하도록 명할 수 있다.

(5) 자치사무에 대한 감사

행정안전부장관은 지방자치단체의 자치사무에 관하여 보고를 받거나 서류·장부·회계 등을 감사할 수 있다. 이 경우 감사는 법령위반사항에 한한다.

(6) 지방의회의결의 재의요구지시와 제소

① 지방의회의 의결이 법령에 위반되거나 공익을 현저히 해한다고 판단될 때에는 주무부장관이 당해 지방자치단체의 장에게 재의를 요구하도록 지시할 수 있고, 이 경우 지방자치단체의 장은 지방의회에 재의를 요구하여야 한다.[2]

② 재의의 결과 재적의원 과반수의 출석과 출석의원 3분의 2 이상의 찬성으로 전과 같은 의결을 하면 그 의결사항은 확정된다.

[1] 우리나라의 행정통제
우리나라는 행정통제 중심으로 중앙통제가 이루어져 왔다. 이는 우리나라가 전통적으로 중앙집권적·관료주의적 국가였으며 지방자치의 역사가 일천하고 경험이 부족하였기 때문이다. 또한 국가와 자치단체의 관계가 수직적인 명령복종관계였기 때문에 지방자치의 성공에 대해 불신하는 의식이 아직도 남아있다.

[2] 재의요구사유
1. 조례안에 이의가 있는 경우
2. 지방의회의 의결이 월권 또는 법령에 위반되거나 공익을 현저히 해한다고 인정되는 경우
3. 지방의회의 의결에 예산상 집행할 수 없는 경비가 포함되어 있는 경우 또는 의무적 경비나 재해복구비를 삭감한 경우
4. 지방의회의 의결이 법령에 위반되거나 공익을 현저히 해한다고 판단되어 주무부장관 또는 시·도지사가 재의요구를 지시한 경우

③ 지방자치단체의 장은 재의결된 사항이 법령에 위반된다고 판단되는 때에는 대법원에 소를 제기할 수 있다. 필요시 그 의결의 집행을 정지하게 하는 집행정지결정을 신청할 수도 있다.

④ 주무부장관은 재의결된 사항이 법령에 위반된다고 판단되면 당해 지방자치단체 장에게 제소를 지시하거나 직접 제소 및 집행정지결정을 신청할 수 있다.

⑤ 지방자치단체의 장이 법령위반을 이유로 재의요구지시를 받았음에도 불구하고 이에 불응할 경우 및 재의요구지시를 받기 전에 법령에 위반된 조례안을 공포한 경우 주무부장관은 대법원에 직접 제소 및 집행정지결정을 신청할 수 있다.

(7) 감사원의 회계검사와 직무감찰
지방자치단체는 감사원의 필요적(필수적) 검사대상기관으로 되어 있으며 감사원은 지방공무원에 대해서도 직무감찰을 실시할 수 있다.

(8) 각종 유권해석 및 지침의 제공
중앙행정기관은 소관위임사무 등의 처리에 대한 법령해석 및 지침을 제공한다.

2. 인사상 통제

(1) 행정기구의 편제 및 공무원의 정원에 대한 통제
지방자치단체의 행정기구의 설치와 지방공무원의 정원은 인건비 등 대통령령이 정하는 기준에 따라 당해 지방자치단체의 조례로 정한다.

(2) 기준인건비에 의한 통제❶
중앙정부가 정해주는 기준인건비 범위 안에서 각 지방자치단체가 자율적으로 정원을 운영할 수 있다.

(3) 지방자치단체에 두는 국가공무원의 임용 및 감독
① 지방자치단체에는 법률이 정하는 바에 의하여 국가공무원(시·도의 부시장·부지사 등)을 둘 수 있다.

② 5급 이상 및 고위공무원단에 속하는 공무원은 당해 지방자치단체의 장의 제청으로 대통령이, 6급 이하는 당해 지방자치단체의 장의 제청으로 소속장관이 각각 임명한다.

3. 재정상 통제❷
행정안전부장관의 지방채발행승인제 및 예산편성지침시달제가 폐지되는 등 지방재정에 대한 통제가 다소 완화되고 있으나, 아직도 과도한 재정상 통제가 남아 있다.

(1) 예산 및 결산 보고
광역지방자치단체의 장은 예산 및 결산이 지방의회의 의결을 거쳐 확정된 때에는 행정안전부장관에게 이를 보고하여야 한다.

(2) 자치단체재정운용업무편람 시달
행정안전부장관은 국가 및 지방재정운용의 여건, 지방재정제도의 개요 등 지방재정운용에 필요한 정보를 담은 자치단체재정운용업무편람을 작성하여 지방자치단체에 보급할 수 있다.

---

❶ 기준인건비제로 지방자치단체의 자율성 확대
1. 총정원관리제의 폐지: 지금까지는 총액인건비제에 따라 중앙정부에서 지방자치단체의 총정원과 인건비 총액한도를 이중으로 관리하였기 때문에 지방이 자율적으로 조직을 운영하는 데 있어서 상당한 제약이 있었다.
2. 기준인건비제도의 도입: 2014년 2월부터 지방자치단체에 기준인건비제도가 도입됨에 따라 지역별 여건과 특정 행정수요에 맞게 조직을 운영할 수 있도록 정원관리의 자율성이 대폭 확대되었다.

❷ 지방재정에 대한 통제 완화
1. 지방채발행승인제 폐지: 종전에는 지방자치단체가 지방채를 발행하고자 하는 경우 행정자치부장관의 승인을 얻도록 하였으나, 이를 폐지하고 재정상황 및 채무규모 등을 고려하여 대통령령이 정하는 지방채 발행한도액 범위 안에서 지방의회의 의결을 얻어 발행하도록 하되 단, 범위를 초과하여 발행하는 경우나 외채를 발행하는 경우, 지방자치단체조합이 발행하는 경우에는 지방의회의 의결을 거치기 전에 행정자치부장관(현 행정안전부장관)의 승인을 얻어야 한다.
2. 예산편성지침시달제 폐지: 안전행정부장관(현 행정안전부 장관)의 지방자치단체 예산편성지침시달제를 폐지하고 자치단체재정운용업무편람을 작성하여 지방자치단체에 보급하며, 지방자치단체 예산편성과 관련한 최소한의 기준만 안전행정부령(현 행정안전부령)으로 정하도록 한다.

(3) 지방채 발행의 통제
지방자치단체의 장은 항구적 이익이 되거나 비상재해복구 등의 필요가 있는 경우에는 대통령령이 정한 범위 안에서 지방의회의 의결을 거쳐 지방채를 발행할 수 있다.

(4) 보조금 사용에 관한 감독
지방자치단체가 보조금을 다른 용도로 사용한 경우 등에는 중앙관서의 장은 보조금교부 결정을 취소하고 보조금을 반환하게 할 수 있다.

(5) 중기지방재정계획에 대한 통제
① 지방자치단체의 중기지방재정계획은 행정안전부장관이 작성·시달하는 지침에 따라 지방자치단체가 작성·운용하는 중장기재정운영지침서로 기획과 예산을 연계시키고 중장기재정수요를 예측하여 필요한 재원을 확보하기 위한 것이다.
② 실질적으로는 정부의 지침이 지방의 의견을 무시하고 중앙정부 간 협의 결과만을 일방적으로 반영한 것이어서 지방자치단체 재정운용의 자율성을 저해한다는 지적을 받고 있다.

(6) 지방재정진단제도
행정안전부장관은 시·도에 대하여, 시·도지사는 시·군·구에 대하여 각각 재정상태를 진단하고 그에 따라 필요한 권고 및 지도를 실시하는 것이 가능하다.

6 특별지방행정기관(일선기관)

1. 의의
(1) 개념
국가의 특정한 행정부서에 소속되어 당해 관할구역 내에서 시행되는 소속중앙행정기관에 속하는 사무를 관장하고 당해 부서로부터 지휘·감독을 받는 국가의 지방행정기관이다.
ⓔ 지방경찰청, 지방세무서, 지방국토관리청, 유역환경청, 국립검역소 등

(2) 특징
특별지방행정기관은 독립된 법인격이 없는 국가기관으로서 관치행정의 성격이 강하므로 지방자치의 발전을 저해할 수 있다는 우려가 있다.

2. 장단점❶
(1) 장점
① **신속하고 통일적인 행정수행에 유용**: 국가에 의한 신속한 업무처리가 가능하고 중앙정부의 정책을 일관성 있게 추진할 수 있다.
② **국가의 업무부담 경감**: 국가의 행정업무량을 감소시키고 정책수립 및 기획 기능에 전념하도록 한다.
③ **광역행정 및 협력 용이**: 국가차원에서 인접지역과 협동관계 수립이 용이하고 광역행정의 수단으로 활용이 가능하다.

❶ 특별지방행정기관의 장단점

장점	·신속하고 통일적 행정수행에 유용 ·지역별 특성을 확보하는 정책 집행(근린행정) ·국가의 업무부담 경감 및 전문행정 ·중앙과 지역 간 협력 및 광역행정의 수단
단점	·행정책임 저하와 비효율성 증대 ·주민의 참여 저하와 중앙통제 강화 ·종합행정 및 현지행정 저해 ·지방자치단체와의 갈등 가능성 증대 ·지방자치단체와 수평적 협조 및 조정 곤란

(2) 단점

① **행정책임 저하와 비효율성 증대**: 기능의 중복으로 인해 책임이 분산되고 인력과 예산이 낭비되는 등 행정의 비능률을 초래한다.

② **주민의 참여 저하와 중앙통제 강화**: 주민의 의사를 반영할 수 있는 통로가 거의 없으며 중앙통제가 강화된다. 따라서 일선기관의 강화는 지방자치의 발전을 저해할 수 있다.

③ **종합행정의 저해**: 일선기관은 국가에 의한 행정의 통일성 확보에 기여하나 분야별로 설치되어 있어 종합적인 행정서비스의 제공을 저해할 수 있다.

④ **지방자치단체와의 갈등 가능성 증대**: 국가와 지방자치단체 간에 동일한 업무를 관장하는 경우 지방행정의 영역을 침해하여 그에 따른 분쟁이 발생할 수 있다.

2 광역행정

1 의의

1. 개념

(1) 광역행정이란 상호인접된 몇 개의 지방자치단체가 기존의 행정구역을 초월하여 발생되는 공동의 행정수요를 계획적이고 종합적으로 처리하여 행정의 능률성과 민주성의 조화를 추구하려는 행정이다.

(2) 광역행정이 지향하는 가치는 국가행정의 효율적 수행인 능률성과 주민의 자치권을 통한 민주성 향상을 조화시키는 것으로, 자치의 능률화를 구현한다.

2. 성격

(1) 집권과 분권의 조화(능률성과 민주성의 조화)

단일한 광역지방계획체제를 구축하여 행정의 효율성을 추구하면서도 지역주민의 자치권을 보장하는 중앙집권과 지방분권의 절충·조화로서의 성격을 가진다.

(2) 지리적·역사적 요인에 대한 고려

정치체제가 무시할 수 없는 지역의 특수한 지리적·역사적 요인을 존중하는 행정방식이다.

(3) 지방자치단체의 기능배분 재편성

새로운 협력단위를 형성하여 그 새로운 협력행정단위와 기존 지방자치단체 간 기능을 재분담함으로써 지방자치단체의 구역과 계층구조 및 기능배분을 재편성하게 된다.

(4) 사회변화에 대한 대응능력 강화

지방자치단체 간의 협력을 통해 도시화·산업화의 진전에 따른 사회·경제·문화적 여건의 변화와 확대에 대처한다.

3. 필요성과 한계

(1) 필요성

① **교통·통신의 발달:** 교통과 통신의 발달은 지역주민의 생활권을 확대하였고, 이로 인해 서로 분리되었던 행정을 유기적·통합적으로 운영할 필요가 발생하였다.

② **사회·경제권의 확대:** 과학·기술의 보급 등으로 사회·경제권역이 확대되고 있으므로 기존의 행정구역을 광역화하여야 한다. 즉, 국민의 생활권역과 행정구역을 일치시킴으로써 행정의 효율성과 주민의 편의를 높일 필요가 발생하였다.

③ **산업사회의 고도성장과 지역개발 추진:** 도시화의 급속한 진전을 통하여 광역도시권이 형성되었고 기능적으로 상호의존성을 요구하는 경향이 강화되었다.

④ **행정서비스 평준화의 요구:** 지방자치단체 간 행정서비스의 불균형을 해결하기 위해서 광역행정이 필요하다.

⑤ **지방분권과 중앙집권의 조화:** 광역행정은 행정의 능률성을 추구하는 중앙집권과 민주성을 추구하는 지방분권을 조화시키는 행정방식이다.

⑥ **규모의 경제를 통한 능률성 향상:** 지방자치단체 간의 중복투자로 인한 예산의 낭비를 막고 비용절감을 통한 규모의 경제를 추구할 수 있다.

⑦ **지역이기주의 문제의 해결:** 최근 혐오시설의 입지와 관련하여 지방자치단체 간의 지역이기주의가 만연되는 추세에 있는데 이를 해결하기 위해서 광역행정이 필요하다.

(2) 한계

① **지역 공동체의식의 감소:** 의도적인 광역행정으로 인하여 기존의 생활테두리 내의 주민들의 공동체의식이 감소할 우려가 있다.

② **지방자치발전의 저해 우려:** 광역행정은 중앙의 입장을 강조하는 것이므로 지방자치의 발전에 역행할 우려가 있다. 지역주민의 참여를 저해하기 때문에 주민의 자치의식을 결여시킬 가능성이 있는 것이다.

③ **지역의 특수성 무시:** 광역행정은 넓은 범위의 행정을 지향하기 때문에 개별지역의 특수성이 무시되고 획일적인 행정이 이루어질 수 있다.

④ **지역지구제(zoning)와의 충돌:** 광역행정은 토지의 이용을 용도별로 지정하는 경직된 지역지구제와는 조화되지 않는다. 지역지구제는 토지이용의 경직화와 획일성을 증가시키므로 광역행정을 오히려 제약한다.

2 방식

1. 접근방법별 분류

(1) 종합적 접근방법

① 지방자치단체의 행정조직에 상당한 구조적 변화와 권한의 집중화를 가져오는 접근방법이다.

② 합병, 통합, 연합 등의 방식이 있다.

(2) 점진적 접근방법

① 광역권 문제를 효율적으로 처리하지 못하는 종합적 접근방법의 한계를 해결하기 위해서 다핵적인 대도시 형성을 통하여 구역을 유지하는 것이다.

② 정부 간 협정, 기능이양, 지방자치단체조합, 특별구, 협의회 등의 방식이 있다.

2. 처리사업별 분류

(1) 특정사업별 방식

특정사업별로 공동처리, 권한흡수, 사업이관, 특별구역 설치, 특별행정기관 설치 등의 방식이 있다.

(2) 종합사업별 방식

종합적 기능을 수행하기 위해 공동처리, 연합, 합병, 지위흡수 등의 방식이 있다.

3. 처리수단별 분류

(1) 단일정부방식

여러 개의 기존 지방자치단체를 해체하고 단일정부로 통합하여 광역업무를 수행하는 방식이다. 단일정부방식의 유형에는 통합방식과 연합방식이 있다.

① **통합방식**

㉠ 의의: 일정한 광역권 안에 여러 지방자치단체를 포괄하는 단일의 정부를 설립하여 단일정부의 주도로 광역사무를 처리하는 방식으로, 기존 지방자치단체의 자치권이 가장 크게 제약된다.

㉡ 장점: 규모의 경제를 실현하며, 광역행정문제를 신속·용이하게 처리한다.

㉢ 단점: 각 지방자치단체의 특수성을 고려하지 못하고, 주민들의 소속감을 저하시켜 주민참여가 어려워진다.

㉣ 유형

합병	몇 개의 기존 지방자치단체를 통·폐합하여 하나의 법인격을 가진 새로운 지방자치단체를 신설하는 방식으로, 우리나라의 시·군 통합, 일본의 시정촌 합병추진 등이 있다.
흡수통합❶	하급 지방자치단체의 권한이나 지위를 상급 지방자치단체가 흡수하는 방식이다.
전부사무조합	둘 이상의 지방자치단체가 계약에 의해 모든 사무를 공동으로 처리하기 위해 설치하는 조합으로서 기존 지방자치단체는 사실상 소멸된다.

② **연합방식❷**

㉠ 의의

ⓐ 둘 이상의 지방자치단체가 법인격을 그대로 유지하면서 연합하여 새로운 단체를 구성하고 사무를 처리하는 방식이다. 즉, 소속 지방자치단체가 모두 자치권을 누리면서 작은 지방자치단체는 지방적 사무만을 처리하고 중심도시는 구역 전체에 대한 행정기능을 집행하는 형태이다.

ⓑ 자치단체연합체, 도시공동체, 복합사무조합 등의 방법을 이용한다.

㉡ 장점: 연합체가 의결권과 집행권을 가지고 광역행정을 활성화시키고, 광역행정기능의 조정을 원활하게 한다.

❶ 흡수통합의 예
과거에 기초자치단체사무였던 소방사무를 광역자치단체가 흡수한 것은 기능의 흡수에 해당하고, 2006년 제주특별자치도에서 시·군의 지방자치단체적 지위를 도가 흡수한 것은 지위의 흡수에 해당한다.

❷ 연합방식의 예
캐나다의 토론토와 위니펙 도시연합, 미국의 마이애미 도시연합, 영국의 대런던회의, 우리나라의 부울경연합 등이 대표적인 예이다.

ⓒ 단점: 이중행정이나 이중감독이 존재하며, 기존 지방자치단체들의 자주성과 자율성을 해칠 우려가 있다.

ⓔ 유형

자치단체연합체	둘 이상의 지방자치단체가 독립된 법인격을 유지하면서, 특별지방 자치단체인 연합정부를 구성하는 방식이다.
도시공동체	대도시권의 기초자치단체인 시(市)들이 광역자치단체 내지 광역 행정단위를 구성하는 방식이다.
복합사무조합	둘 이상의 지방자치단체가 계약에 의해 몇 개의 사무를 공동처리 하기 위해 규약을 정하고 설치하는 조합이다.

(2) 공동처리방식

둘 이상의 지방자치단체 또는 행정기관이 상호협력관계를 형성하여 광역행정사무를 공동으로 처리하는 방식으로 일부사무조합, 행정협의회, 사무의 위탁, 공동기관, 연락회의, 직원파견 등의 방법이 있다.

① 사무조합

ⓐ 2개 이상의 지방자치단체가 그 권한에 속하는 특정 사무의 일부 또는 전부를 공동처리하기 위하여 관련 지방자치단체 간에 합의에 의해 설립한 법인(法人). 우리나라 「지방자치법」은 이를 '지방자치단체조합'이라 규정한다.

ⓑ 사무조합에는 특정한 사무 하나(쓰레기 처리 등)만을 위하여 설립되는 일부 사무조합과 상호 관련된 몇 개의 사무(도로건설, 상하수도 공사, 쓰레기 처리 등)를 공동처리하기 위하여 설립되는 복합사무조합이 있다.

ⓒ 사무조합은 특별자치단체로서 특정한 사무·구역·기구·재산을 갖고 독자적 인 권능을 가지며 법인격을 갖고 있다는 점에서 행정협의회와 구별된다.

ⓓ 각국에서 매우 일반화된 광역처리방식으로서 행정협의회보다는 협력의 효과 가 크고 연합보다는 약하다.

② 행정협의회: 둘 이상의 행정단위가 상호합의하에 광역적 행정사무를 공동으로 처리하는 방식이다. 이는 법인격이 없고 구속력도 없다.

③ 사무위탁 및 정부 간 협정: 지방자치단체가 다른 지방자치단체와 협의하여 그 사무의 일부를 다른 지방자치단체에 위임하여 처리하게 하는 방식이다.
㉘ 미국의 레이크우드 플랜(Lakewood Plan) 등

④ 공동기관: 둘 이상의 지방자치단체가 기관의 간소화, 전문직원 확보, 재정 절약 등을 위하여 별도의 계약에 의해 기관장, 위원, 직원 등을 공동으로 두는 방식이다.

⑤ 연락회의: 둘 이상의 지방자치단체가 일정한 상호관련적 사무에 관한 연락을 원활히 하기 위하여 각 지방자치단체의 대표들로 구성되는 연락회의를 두는 방식이다.

(3) 특별구방식

특정 광역행정사무를 처리하기 위해 기존의 일반행정구역 또는 자치구역과는 별도의 구역을 설치하는 방식이다.
㉘ 우리나라의 교육구나 관광특구 등

(4) 특별지방행정기관

특정한 광역행정사무를 처리하기 위하여 인접자치단체 간의 합의에 의하여 특정한 기능만을 수행하는 국가행정기관을 일반행정기관과는 별도로 설치하는 방식이다.

⑩ 뉴욕 항만청, 우리나라의 지방경찰청, 지방병무청, 지방국토관리청 등

3 우리나라의 광역행정

1. 의의

(1) 지방자치단체의 기존의 행정구역을 초월하여 더 넓은 구역을 행정단위로 하는 행정의 광역화를 광역행정이라 한다. 오늘날 교통·통신의 발달로 생활영역과 이해관계영역이 확대되면서 우리나라에서도 종래 지방자치단체의 규모와 능력으로 처리가 곤란한 광역행정수요가 증대되고 있다.

(2) 우리나라의 광역행정을 위한 제도적 장치로는 단일정부방식, 행정협의회, 지방자치단체조합, 특별지방행정기관, 사무의 위탁 등이 있다.

2. 방식

(1) 단일정부방식[구역변경에 의한 광역행정(시·군 통합, 합병)]

① 우리나라에서 광역행정 처리방식으로 가장 많이 이용되어 온 것이 합병방식이다. 그 중 특정 기초자치단체나 행정계층이 일정한 자격을 갖추게 되면 법률에 의하여 광역자치단체나 지방자치단체로 승격시켜 주는 방식이 보편적이다.

② 주로 대도시의 성장에 따라 합병이나 편입·분리의 형태로 이루어져 왔다. 1990년대에 와서는 시·군 통합을 통한 이른바 통합시를 설치하여 행정구역과 생활권·경제권·문화권을 일치시키려는 경향이 증가하고 있다.

③ 중앙정부가 지방자치단체의 구역변경에 대해서 강한 결정권을 가지고 있는 것에 비하여 편입지역 주민들의 저항은 비교적 약하다는 점에서 단일정부방식이 많이 이용된다.

(2) 행정협의회

① 의의: 지방자치단체는 두 개 이상의 지방자치단체에 관련된 사무의 일부를 공동으로 관리·처리하기 위해서 행정협의회를 구성할 수 있다.

② 지위 및 구속력: 행정협의회는 법인격이 없으며, 강제력을 가지지 않기 때문에 행정협의회의 협의사항은 지방자치단체를 구속하지 않는다.

📊 고득점 공략 행정협의회의 협의 및 사무처리의 효력

1. 강학상 효력

행정협의회는 법인격이 없으며, 강제력을 가지지 않기 때문에 행정협의회의 협의사항은 지방자치단체를 구속하지 않는다.

2. 법령상 효력

「지방자치법」 제174조 제1항 "협의회를 구성한 관계 지방자치단체는 협의회가 결정한 사항이 있으면 그 결정에 따라 사무를 처리하여야 한다."에 따라 협의회에서 합의된 사항에 대하여 법적 구속력을 부여하는 것으로 보는 견해도 있다.

---

③ **구성:** 지방의회에 보고로 간소화
- ㉠ 지방자치단체의 장은 시·도가 구성원이면 행정안전부장관과 관계 중앙행정기관의 장에게, 시·군 또는 자치구가 구성원이면 시·도지사에게 이를 보고하여야 한다.
- ㉡ 지방자치단체는 협의회를 구성하려면 관계 지방자치단체 간의 협의에 따라 규약을 정하여 관계 지방의회에 각각 보고한 다음 고시하여야 한다.
- ㉢ 공익상 필요한 경우에는 행정안전부장관 또는 시·도지사는 관계 지방자치단체에 대하여 협의회의 구성을 권고할 수 있다.

④ **집행:** 「지방자치법」에서는 행정협의회에 일정한 권한을 주고, 그의 활동에 일정한 법적인 구속력을 부여하고 있으나, 협의회 내에는 집행기구가 없어 협의회에서 협의된 사항은 지방자치단체에 의해 수행된다.

⑤ **현황:** 현재 수도권, 대도시권, 연담도시권, 단핵도시권 협의회 등이 있다.

⑥ **문제점❶**
- ㉠ 도시문제의 광역적 해결을 위한 협의회의 성격만을 가질 뿐, 군이나 도 간의 문제해결을 위한 행정협의회가 구성되지 못하고 있다.
- ㉡ 지방의회와 주민의 참여가 배제되어 있다.
- ㉢ 소극적인 문제만 해결되고 혐오시설이나 비용부담이 요구되는 사안에 있어서는 협의회의 역할이 미미하다.
- ㉣ 행정협의회는 결정사항의 집행에 대해서 법적 구속력이 없고, 불이행에 대한 강제수단도 가지지 못하고 있다.
- ㉤ 사업시행에서 중요한 경비부담에 대한 내용이 없어 재원조달이 어렵다.

(3) 특별지방자치단체

① **의의**

2개 이상의 지방자치단체가 공동으로 특정한 목적을 위하여 광역적으로 사무를 처리할 필요가 있을 때 상호 협의에 의해 규약을 정하고 설치하는 법인체, 즉 법인격을 지닌 자치단체이다.

② **설치 및 설치권고**
- ㉠ **설치:** 구성지방자치단체는 상호 협의에 따른 규약을 정하여 구성 지방자치단체의 지방의회 의결을 거쳐 행정안전부장관의 승인을 받아야 한다(「지방자치법」 제199조).
- ㉡ **설치권고:** 행정안전부장관은 공익상 필요하다고 인정할 때에는 관계 지방자치단체에 대하여 특별지방자치단체의 설치, 해산 또는 규약 변경을 권고할 수 있다(「지방자치법」 제200조).

③ **의회의 조직**

특별지방자치단체의 의회는 규약으로 정하는 바에 따라 구성 지방자치단체의 의회 의원으로 구성하며, 구성 지방의회의원은 특별지방자치단체의 의회 의원을 겸할 수 있다.

④ **집행기관의 조직**

특별지방자치단체의 장은 규약으로 정하는 바에 따라 특별지방자치단체의 의회에서 선출하며, 구성 지방자치단체의 장은 특별지방자치단체의 장을 겸할 수 있다.

❶ 지역발전정책의 패러다임 전환

1. **산술적 균형·지역 안배 → 상대적·역동적 균형:** 지역의 다양성과 차별성을 인정하고, 지역 간 비교보다는 절대적 발전역량을 극대화하는 역동적 지역발전을 촉진한다.

2. **중앙집권적 시혜 → 분권과 자율(지방주권 확립):** 중앙정부 주도의 상명하달식 집행방식을 극복하고, 지역의 자율성과 책임성을 강화하는 분권적 지역발전을 실현한다.

3. **소규모 분산투자 → 통합·네트워크를 통한 규모의 경제:** 행정구역 단위의 소규모 분산투자에서 광역화 및 네트워크화를 통하여 규모의 경제, 집적의 경제를 추구한다.

4. **소모적·모방적 지역주의 → 생산적·창조적 지역주의:** 기존의 낭비적이고 따라하기식 지역주의보다는 지역의 특징과 장점을 살리는 생산적이고 창조적인 지역주의를 지향한다.

5. **닫힌 국토 → 열린 국토:** 내국적 균형에서 탈피하여 동북아시대를 향한 열려진 지역 발전을 도모한다.

핵심 OX

01 우리나라의 광역행정제도 중 행정협의회는 의결기관을 통해 강제이행권한을 가진다. (O, X)

01 X 행정협의회는 법인격이 없으며, 강제이행권한도 없다.

(4) 지방자치단체조합

① **의의**: 2개 이상의 지방자치단체가 사무의 일부나 여러 개의 사무를 공동으로 처리하기 위해서 합의에 의해 규약을 정하고 설치하는 법인체, 즉 법인격을 지닌 공공기관이다.

② **설치 및 설치 권고**

　㉠ **설치**: 우리나라의 경우 2개 이상의 지방자치단체가 하나 또는 둘 이상의 사무를 공동으로 처리할 필요가 있을 때, 규약을 정하여 지방의회의 의결을 얻어 시·도의 경우에는 행정안전부장관, 시·군 및 자치구의 경우에는 시·도지사의 승인을 얻어 설치할 수 있다.

　㉡ **설치 권고**: 행정안전부장관은 공익상 필요하다고 인정할 때에는 관계 지방자치단체에 대하여 특별지방자치단체의 설치, 해산 또는 규약 변경을 권고할 수 있다. 이 경우 행정안전부장관의 권고가 국가 또는 시·도 사무의 위임을 포함하고 있을 때에는 사전에 관계 중앙행정기관의 장 또는 시·도지사와 협의하여야 한다.

③ **현황**: 과거의 수도권 쓰레기 매립조합, 부산 – 진해 경제자유구역 건설조합, 부산 – 거제 간 연결도로 건설조합 등이 있었으나 지방공사화되거나 폐지되고, 자치정보화조합이 남아 있다가 최근 지역정보화 전문기관인 한국지역정보개발원으로 변경되었다.

④ **문제점**

　㉠ 지방자치단체조합은 독자적 권리능력이 매우 미약하여 조직·운영의 측면에서의 권한이 한정적이다.

　㉡ 중앙집권적인 행정체제하에서 중앙정부의 일선기관들이 직접 해당 사무를 하고 있을 뿐만 아니라, 지방자치단체들이 광역행정에 대해서 안일하게 여기고 현실적인 필요성을 많이 느끼지 못하기 때문에 우리나라에서는 활용실적이 미미하다.

(5) 특별지방행정기관(일선기관)

① **의의**: 국가사무가 중앙정부에 의해서만 직접 처리될 수는 없으므로 지방별로 소관사무를 분담시키고 이를 처리하기 위해 중앙정부의 하부기관을 설치하는데 이를 일선기관이라 한다.

② 일선기관은 국가의 사무로서 특정한 광역서비스의 지속적이고 안정적인 공급을 목적으로 특정 기능만을 수행한다.

③ 일반행정기관과는 별도로 설치하는 방식으로 중앙부처의 거의 모든 부서에서 설치하여 운영하고 있다.

　㉠ 지방병무청, 지방경찰청, 지방국토관리청, 유역환경청, 국립검역소 등

| ✅ 개념PLUS | 지방자치단체와 특별지방행정기관 |

구분	지방자치단체	특별지방행정기관(일선기관)
특징	• 종합성 • 법인격 있음 • 자치행정 관련	• 전문성 • 법인격 없음 • 관치행정 관련
계층	자치계층	행정계층
구역	자치구역	행정구역

(6) 사무의 위탁

① **의의**: 지방자치단체는 다른 지방자치단체와 협의하여 그 소관사무의 일부를 다른 지방자치단체 또는 그 장에게 위탁하여 처리할 수 있다. 여기서 협의는 공법상의 계약으로서 사무의 위탁을 그 내용으로 한다.

② 사무가 위탁된 경우에 위탁된 사무의 관리 및 처리에 관한 조례 또는 규칙은 규약에 달리 정해진 경우를 제외하고는 사무를 위탁받은 지방자치단체에 대해서도 적용된다.

③ **장점**: 사무위탁은 다른 기관의 설치가 없어 비용이 비교적 적게 들고, 자치단체 간 규약만 정하면 손쉽게 활용할 수 있어 가장 간편하고 융통성 있게 광역문제를 해결할 수 있는 방식이다.

④ **단점**: 사무위탁에 대한 처리비용의 산정문제 등으로 인해 광범위하게 이용되지 못하고 있다.

3. 문제점

(1) 기초자치단체인 군, 광역자치단체인 도의 규모가 지나치게 방대하다.

(2) 행정협의회나 지방자치단체조합의 기능이 미약하다.

(3) 지방자치단체 간 분쟁 조정의 어려움이 있다.

(4) 행정서비스 공급의 비효율성과 편중성이 심하다.

(5) 주민참여의 배제, 재정상의 부족 등이 문제된다.

4. 발전방향

(1) 앞으로 광역행정의 필요성은 더욱 증대할 것이므로 효율적인 광역행정 서비스를 위해서는 필요성에 대한 인식의 확대와 더불어 관련 법령 및 제도의 정립도 필요하다.

(2) 그 구성과 운영에 있어서 지방의회와 주민의 참여를 제도화하고, 관리와 운영에 따른 재정기반을 확립시키고 전문인력을 확보하여야 한다.

핵심 OX

01 우리나라의 경우 기초자치단체나 광역자치단체의 규모가 너무 작다는 문제점이 있다. (O, X)

01 X 우리나라는 기초자치단체나 광역자치단체의 규모가 너무 크다는 문제점을 가지고 있다.

01 라이트(Wright)의 정부 간 관계모형에 대한 설명 중 옳지 않은 것은? 2011년 지방직 9급

① 분리형(separated model)은 중앙 – 지방 간의 독립적인 관계를 의미한다.

② 내포형(inclusive model)은 지방정부가 중앙정부에 완전히 의존되어 있는 관계를 의미한다.

③ 중첩형(overlapping model)은 정치적 타협과 협상에 의한 중앙 – 지방 간의 상호의존관계를 의미한다.

④ 경쟁형(competitive model)은 정책을 둘러싼 정부 간 경쟁관계를 의미한다.

02 정부 간 관계(IGR)모형에 대한 설명으로 옳은 것만을 모두 고른 것은? 2016년 지방직 9급

> ㄱ. 로즈(Rhodes)모형에서 지방정부는 중앙정부에 완전히 예속되는 것도 아니고 완전히 동등한 관계가 되는 것도
>   아닌 상태에서 상호의존한다.
> ㄴ. 로즈(Rhodes)는 지방정부는 법적 자원, 재정적 자원에서 우위를 점하며, 중앙정부는 정보자원과 조직자원의 측
>   면에서 우위를 점한다고 주장한다.
> ㄷ. 라이트(Wright)는 정부 간 관계를 포괄형, 분리형, 중첩형의 세 유형으로 나누고, 각 유형별로 지방정부의 사무내
>   용, 중앙 · 지방 간 재정관계와 인사관계의 차이가 있음을 밝히고 있다.
> ㄹ. 라이트(Wright)모형 중 포괄형에서는 정부의 권위가 독립적인 데 비하여, 분리형에서는 계층적이다.

① ㄱ, ㄴ

③ ㄱ, ㄷ

② ㄴ, ㄷ, ㄹ

④ ㄱ, ㄴ, ㄷ

03 라이트(Wright)의 정부 간 관계(Inter-Governmental Relations: IGR)모형에 대한 설명으로 옳지 않은 것은?

2023년 지방직 9급

① 정부 간 상호권력관계와 기능적 상호의존관계를 기준으로 정부간관계(IGR)를 3가지 모델로 구분한다.

② 대등권위모형(조정권위모형, coordinate-authority model)은 연방정부, 주정부, 지방정부가 모두 동등한 권한
을 가지고 있다고 설명한다.

③ 내포권위모형(inclusive-authority model)은 연방정부, 주정부, 지방정부를 수직적 포함관계로 본다.

④ 중첩권위모형(overlapping-authority model)은 연방정부, 주정부, 지방정부가 상호 독립적인 실체로 존재하며
협력적 관계라고 본다.

04 티부(Tiebout)모형의 가정(assumptions)으로 옳지 않은 것은? 2016년 국가직 9급

① 충분히 많은 수의 지방정부가 존재한다.

② 공급되는 공공서비스는 지방정부 간에 파급효과 및 외부효과를 발생시킨다.

③ 주민들은 언제나 자유롭게 이동할 수 있다.

④ 주민들은 지방정부들의 세입과 지출 패턴에 관하여 완전히 알고 있다.

05 오츠(Oates)의 분권화 정리가 성립하기 위한 조건에 대한 설명으로 옳은 것만을 모두 고르면? 2021년 국가직 7급

> ㄱ. 중앙정부의 공공재 공급 비용이 지방정부의 공공재 공급 비용보다 더 적게 든다.
> ㄴ. 공공재의 지역 간 외부효과가 없다.
> ㄷ. 지방정부가 해당 지역에서 파레토 효율적 수준으로 공공재를 공급한다.

① ㄱ   ② ㄷ

③ ㄱ, ㄴ   ④ ㄴ, ㄷ

정답 및 해설

01 라이트(Wright)의 정부 간 관계모형(IGR)

경쟁형은 라이트(Wright)가 제시한 IGR모형에 해당하지 않는다.

| 선지분석 |

라이트(Wright)는 ① 분리권위형, ② 포괄(내포)권위형, ③ 중첩권위형의 세 가지로 유형화하였다.

02 정부 간 관계모형(IGR)

ㄱ, ㄷ이 옳은 설명이다.

ㄱ. 로즈(Rhodes)의 '권력 - 의존모형'은 중앙정부의 우월적 입장을 인정하면서도 지방정부의 능력을 어느 정도 인정하는 일종의 절충형 모형이다. 지방정부는 중앙정부에 완전히 예속되는 것도 아니고 완전히 동등한 관계가 되는 것도 아닌 상태에서 상호의존한다.

| 선지분석 |

ㄴ. 로즈(Rhodes)는 정부가 보유하는 자원에는 법적 자원, 정치적 자원, 재정적 자원, 조직자원, 정보자원이 있으며, 정부 간의 상호작용은 이러한 자원의 교환과정으로 다룰 수 있다는 것인데 중앙정부는 법적 자원, 정치적 자원, 재정적 자원에서 우위를 점하며, 지방정부는 정보자원과 조직자원의 측면에서 우위를 점한다고 주장한다.

ㄹ. 라이트(Wright)모형 중 분리형에서는 정부의 권위가 독립적인 데 비하여, 포괄형에서는 계층적·종속적이다.

03 라이트(Wright)의 정부 간 관계(IGR)모형

대등권위모형(조정권위모형, coordinate-authority model)은 원래 분리권위모형(seperated-authority model)이 명칭이 변경된 것인데, 연방정부와 주정부는 동등하지만 지방정부는 주정부에 종속되어 있는 모형이다.

04 티부모형의 가정(assumptions)

지방정부 공공재 공급의 효율성을 주장한 티부모형은 지방정부의 공공서비스에는 지방정부 간 파급효과 및 외부효과를 발생시키지 않는다고 전제하고 이론을 전개한다.

🛈 **티부가설의 전제조건**

(1) 다수의 지역사회(지방정부) 존재

(2) 지역 간 자유로운 이동(완전한 이동, 이사비용 없음)

(3) 완전한 정보(모든 정보 공개)

(4) 단위당 평균비용 동일(규모의 경제 없음, 규모수익 불변)

(5) 외부효과의 부존재(외부효과 = 0)

(6) 조세는 재산세로 국고보조금은 인정하지 않음

(7) 최적규모의 추구(규모가 크면 주민 유출, 작으면 주민 유입)

05 오츠(Oates)의 분권화 정리

오츠(Oates)의 분권화 정리(the Decentralization Theorem)는 티부가설의 전제조건과 유사한 모형으로, 어떤 특정한 지역 내의 사람들에게 재화나 서비스의 소비가 한정되는 공공서비스의 경우, 이것을 중앙정부가 공급하는 것은 바람직하지 않고 지방정부가 공급하는 것이 더 효율적이라는 것이다. 즉, 주민들의 소비가 특정지역에 그치는 경우, 그 지역을 행정구역으로 하는 지방정부가 공급하는 것이 비용도 절감되고 자원배분의 효율성도 높아진다는 것이다.

ㄴ. 티부가설과 마찬가지로 지역 간 외부효과(파급효과)는 없는 것으로 전제한다.

ㄷ. 지방공공서비스는 지방정부가 공급하는 것이 자원의 효율적 배분(파레토 최적)을 구현할 수 있다고 전제한다.

정답 01 ④ 02 ③ 03 ② 04 ② 05 ④

06 중앙과 지방의 권한배분에 대한 설명으로 옳지 않은 것은? 2017년 국가직 9급(4월 시행) 수정

① 자치분권 및 지방행정체제 개편을 추진하기 위하여 국무총리 소속으로 자치분권위원회를 둔다.

② 국가는 지방자치단체에 이양한 사무가 원활히 처리될 수 있도록 행정적·재정적 지원을 병행하여야 한다.

③ 중앙행정기관의 장과 지방자치단체의 장이 사무를 처리할 때 의견을 달리하는 경우 이를 협의·조정하기 위하여 국무총리 소속으로 행정협의조정위원회를 둔다.

④ 「지방자치법」은 원칙적으로 사무배분방식에 있어서 포괄적 예시주의를 취하고 있다.

07 특별지방행정기관에 대한 설명으로 옳지 않은 것은? 2015년 국가직 9급

① 관할지역 주민들의 직접적인 통제와 참여가 용이하기 때문에 책임행정을 실현할 수 있다.

② 출입국관리, 공정거래, 근로조건 등 국가적 통일성이 요구되는 업무를 수행한다.

③ 현장의 정보를 중앙정부에 전달하거나 중앙정부와 지방자치단체 사이의 매개 역할을 수행하기도 한다.

④ 국가의 사무를 집행하기 위해 중앙정부에서 설치한 일선행정기관으로 자치권을 가지고 있지 않다.

08 중앙정부와 지방정부 간 갈등관계에 대한 설명으로 가장 옳지 않은 것은? 2015년 서울시 7급

① 중앙정부와 지방정부 간 공식적인 갈등조정기구는 대통령 소속의 행정협의조정위원회이다.

② 중앙정부와 지방정부 간 국책사업갈등에는 지역주민이 갈등의 당사자로 참여하는 경우가 있다.

③ 중앙정부와 지방정부는 사무권한과 관련한 갈등의 경우 헌법재판소에 권한쟁의심판을 청구할 수 있다.

④ 취득세 감면조치는 중앙정부와 지방정부의 갈등요인으로 작용할 수 있다.

09 특별지방자치단체에 대한 설명으로 옳지 않은 것은? 2022년 국가직 9급

① 2개 이상의 지방자치단체가 공동으로 특정한 목적을 위하여 광역적으로 사무를 처리할 필요가 있을 때에는 특별지방자치단체를 설치할 수 있다.

② 보통의 지방자치단체와 같이 법인격을 갖는다.

③ 특별지방자치단체의 의회는 규약으로 정하는 바에 따라 구성 지방자치단체의 의회 의원으로 구성한다.

④ 구성 지방자치단체의 장은 「지방자치법」상 겸임 제한 규정에 의해 특별지방자치단체의 장을 겸할 수 없다.

10 자치단체 상호 간의 적극적 협력을 제고하기 위한 제도적 · 비제도적 방식에 해당하지 않는 것은? 2016년 서울시 9급

① 자치단체조합

② 전략적 협력

③ 분쟁조정위원회

④ 사무위탁

정답 및 해설

06 중앙과 지방의 권한배분

문재인 정부 때 「지방자치분권 및 지방행정체제 개편에 관한 특별법」에 의해서 설치된 자치분권위원회는 국무총리 소속이 아니라 대통령 소속이다.

❶ 「지방자치분권 및 지방행정체제개편에 관한 특별법」상 자치분권위원회

> 제44조 【자치분권위원회의 설치】 자치분권 및 지방행정체제 개편을 추진하기 위하여 대통령 소속으로 자치분권위원회를 둔다.

07 특별지방행정기관의 장단점

특별지방행정기관은 국가행정사무를 처리하게 하기 위하여 설치한 일선기관으로, 주민참여가 불가능하기 때문에 자치행정이나 책임행정을 저해한다.

❶ 특별지방행정기관의 필요성과 한계

필요성	· 국가의 업무부담 경감 · 지역별 특성을 확보하는 정책집행(근린행정) · 신속한 업무처리 및 통일적 행정 수행 · 중앙과 지역 간 협력 및 광역행정의 수단 · 전문적 행정의 강화
한계	· 책임성의 결여와 자치행정 저해 · 주민에 의한 민주통제 곤란으로 행정의 민주화 저해 · 기능 중복으로 인한 비효율성 · 고객의 혼란과 불편 · 종합행정 및 현지행정 저해 · 경비 증가 및 중앙통제의 강화 수단 · 지방자치단체와 수평적 협조 및 조정 곤란

08 중앙정부와 지방정부 간 갈등조정

중앙정부와 지방정부 간 공식적인 갈등조정기구인 행정협의조정위원회는 대통령 소속이 아니라 국무총리 소속이다.

09 특별지방자치단체

구성 지방자치단체의 장은 「지방자치법」상 겸임 제한 규정에도 불구하고 특별지방자치단체의 장을 겸할 수 있다(「지방자치법」 제205조 제2항).

| 선지분석 |

① 「지방자치법」상 특별지방자치단체의 설치근거이다(「지방자치법」 제199조 제1항).

② 「지방자치법」상 특별지방자치단체는 보통의 지방자치단체와 같이 법인격을 갖는다(「지방자치법」 제199조 제3항).

③ 특별지방자치단체의회는 규약으로 정하는 바에 따라 구성자치단체의 의회의원으로 구성된다(「지방자치법」 제204조 제1항).

❶ 「지방자치법」상 특별지방자치단체

> 제199조 【설치】 ① 2개 이상의 지방자치단체가 공동으로 특정한 목적을 위하여 광역적으로 사무를 처리할 필요가 있을 때에는 특별지방자치단체를 설치할 수 있다.
> ③ 특별지방자치단체는 법인으로 한다.
>
> 제204조 【의회의 조직 등】 ① 특별지방자치단체의 의회는 규약으로 정하는 바에 따라 구성 지방자치단체의 의회 의원으로 구성한다
>
> 제205조 【집행기관의 조직 등】 ① 특별지방자치단체의 장은 규약으로 정하는 바에 따라 특별지방자치단체의 의회에서 선출한다.
> ② 구성 지방자치단체의 장은 제109조에도 불구하고 특별지방자치단체의 장을 겸할 수 있다.

10 자치단체 상호 간의 적극적 협력방식

분쟁조정위원회는 지방자치단체 상호 간의 적극적 협력방식이 아니라 지방자치단체 간에 갈등이 발생할 때 이를 조정하기 위한 소극적 협력방식이다. 지방자치단체 간의 협력방식에서 적극적 협력이란 자발적 · 사전적 · 수평적 · 능동적인 협력, 즉 광역행정을 말하고, 소극적 협력이란 수동적 · 수직적 · 타율적 · 하향적 협력, 즉 분쟁조정을 말한다.

| 선지분석 |

① 자치단체조합, ② 전략적 협력, ④ 사무위탁은 지방자치단체 상호 간의 적극적 협력을 위한 방식이다. 이 중 ① 자치단체조합과 ④ 사무위탁은 「지방자치법」에 규정된 제도적 방안이다.

정답 06 ① 07 ① 08 ① 09 ④ 10 ③

1 주민참여의 의의

1. 의의

(1) 지방자치단체 또는 그 기관의 정책과정에 직·간접적으로 영향을 미치거나 미치고자 하는 주민들의 일체의 목적적 행동이다.

(2) 참여방법

선거과정에서 투표를 함으로써 대표자를 선출하는 간접적 참여와 정책결정과정이나 집행과정에 직접 의사를 반영하는 직접적 참여가 있다. 주민참여는 주민통제를 위한 중요한 수단으로 로컬거버넌스, 시민단체(NGO)와 주민발안, 주민투표, 주민소환 등의 직접민주주의 방식을 통하여 이루어진다.

2. 필요성

(1) 행정기관의 입장

① 주민이 참여함으로써 행정수요를 명확히 파악할 수 있다.

② 행정의 민주성과 정책의 질이 향상된다.

③ 공동의 협조체제 모색에 기여한다.

④ 정책의 순응성을 제고시킨다.

(2) 주민의 입장

① 주민 주체적 행정통제의 실현을 가능하게 한다.

② 행정의 책임성 확보에 기여한다.

③ 주민이해의 조정과 주민협력의 증진에 기여한다.

④ 투입기능을 강화시키고 행정의 대응성을 촉진한다.

3. 효용❶

(1) 정치적 측면(민주성 확보)

① **대의민주주의의 보완:** 대의제인 간접민주주의의 한계를 보완하고 직접민주주의를 실현하는 것으로 대의민주주의를 대체하는 것은 아니다.

② 행정의 독선화를 방지하고 책임성을 확보할 수 있다.

③ 주민을 위한 교육장이 되며 이를 통한 절차적 민주주의의 실현에 기여한다.

(2) 행정적 측면(효율성 확보)

① 행정서비스의 개선에 기여한다.

② 행정에 대한 이해와 협력을 확보할 수 있다.

③ 정책집행의 순응성과 용이성을 제고시킨다.

❶ 주민참여의 순기능과 역기능

순기능	역기능
· 대의민주주의의 한계 보완	· 행정의 능률성 저하(시간·비용 증가)
· 행정의 대응성과 책임성 제고	· 주민 대표성의 문제(활동적 소수의 문제)
· 절차적 민주성 확보를 통한 정책의 질적 향상	· 행정의 전문성 저하
· 정책의 신뢰성과 순응 확보	· 행정책임의 전가
· 정책의 현실성 및 적실성 제고	· 갈등의 증대(거부점 작용)

④ 주민 간 이해관계를 조정하고, 행정의 대응성을 제고한다.

4. 문제점

(1) 행정의 능률성 저하
주민참여에 따른 비용이 많이 들고 결정이 지연될 수 있다.

(2) 참여의 대표성 문제
주민참여의 대표성·공정성에 있어서 문제를 야기한다. 즉, 주민전체의 이익이 아니라 지엽적 이익이나 특수한 이익을 대표할 가능성이 높다.

(3) 행정의 전문성 저하
시민들은 전문적인 지식과 경험이 부족하므로 행정의 전문성이나 실현가능성이 저하될 우려가 있다.

(4) 대중조작의 가능성
주민참여가 형식화될 수 있고 조작적 참여의 가능성이 있다.

(5) 행정책임의 전가
주민참여는 행정통제라는 측면에서 책임성 확보에 기여하지만, 잘못된 정책에 대한 책임을 주민에게 전가시킬 가능성이 있다.

5. 유형

(1) 아른스타인(Arnstein)의 주민참여 8단계론❶
쉐리 아른스타인(Sherry Arnstein)은 1969년 미국도시계획저널에 발표한 『시민참여의 사다리』란 논문에서 주민참여의 정도에 따라 8가지 형태로 주민참여 단계를 나눈바 있다.

비참여	조작	• 관료들의 일방적으로 지시나 전달 • 주민들이 수동적으로 대응하는 단계
	치료 (치유)	• 행정기관이 책임회피를 위하여 행하는 조치 • 주민들은 실제적으로 정책결정에 참여하지 못하고 책임만을 부여받는 단계
명목적 참여	정보제공	• 행정기관은 일방적인 정보전달 • 주민과의 환류를 통한 협상이나 타협에는 이르지 못하는 단계
	상담	• 행정기관은 주민의 의사수렴보다는 요구과정을 거친다는 형식중시 • 주민이 정책에 대해 권고하는 정도의 채널이 열려 있는 단계
	유화 (회유)	• 각종 위원회에서 의견 제시 등을 통한 회유가 이루어짐 • 주민참여 등의 영향력은 높지 않은 단계
주민권력	협력관계	• 행정기관이 정책결정에 대한 최종결정권을 보유 • 주민이 행정기관과 위원회를 구성하고 주민의 주장을 내세울 만큼의 영향력을 가지고 있는 단계
	권한위임	주민들이 정책결정이나 집행에 우월한 권력을 가지고 참여하는 단계
	주민통제	주민들이 위원회 등을 통하여 행정활동을 실제로 통제하고 지배하는 단계

❶ 아른스타인(Arnstein)의 주민참여 단계
1. 비참여: 본래 목적이 주민을 참여시키는 데 있는 것이 아니라 지방자치단체가 참여자를 교육시키거나 치료(치유)하는 단계
2. 명목적 참여: 주민은 정보를 제공받아 권고·조언하고 공청회 등에 참여하여 정책결정과 관련한 의견을 제시할 수 있지만 판단결정권은 지방자치단체에 유보되어 있는 단계
3. 주민권력: 기존의 권력체계가 주민과 지방자치단체에 재배분되며, 일정한 권한과 책임이 주민에게 맡겨져 주민이 정책결정에 있어서 주도권을 획득하는 단계

핵심 OX

01 주민참여를 8단계로 나눈 학자는 아른스타인(Arnstein)이다. (O, X)

02 아른스타인(Arnstein)의 주민참여단계에서 명목적 참여단계에는 정보제공, 상담, 치료가 있다. (O, X)

01 O
02 X 치료가 아니라 유화(회유)이다.

(2) 제도화 여부에 따른 분류

① **제도적 참여**: 명문화된 법규 등에 의거하여 공식적으로 보장되어 있다.

⠀⠀⠀⠀예 각종 자문위원회, 공청회, 심의회, 청원, 민원, 주민투표 등

② **비제도적 참여**: 제도적 참여 이외의 형태이다.

⠀⠀⠀⠀예 비폭력집단시위, 주민운동, 주민불복종, 교섭 등

(3) 주민참여제도의 새로운 흐름

① 과거의 수동적 고객으로서의 제한적인 주민참여가 아니라 능동적 주인으로서의 실질적·적극적인 주민참여가 강조되고 있다.

② 과거에는 자문위원회, 도시계획위원회, 환경연합회, 협의회 등을 통한 간접적인 참여제도가 주류를 이루어 왔으나, 최근에는 주민과의 공개적 대화는 물론 주민감사청구제도, 주민투표제도, 주민소환제도, 주민참여예산제도, 납세자소송제도, 시민 옴부즈만제도 등 다양하고 실질적·직접적인 참여가 마련되고 있다.

③ **방법**❶

⠀㉠ **실질적·직접적 참여**: 주민발안, 주민투표, 주민소환, 주민감사청구제도 등이 있다.

⠀㉡ **소외계층에 대한 참여기회의 확대**: 정치적 시민권과 실천적 시민권의 조화가 실현된다.

⠀㉢ **적극적인 참여방식**: 공동생산(co-production)과 파트너십이 강조된다.

⠀㉣ **지방자치단체 내 커뮤니티를 활용한 참여**: 주민자치센터 등이 있다.

⠀㉤ **IT기술에 의한 원격 참여(tele-participation)**: 전자정부 구현, 화상회의를 통한 전자적 참여 등이 있다.

❶ 주민총회(타운미팅)

1. **개념**: 지방자치단체에 있어서 그 지역 주민들이 정책결정권을 직접 가지는 주민참여의 한 형태이다.

2. **현황**: 타운미팅은 미국의 여러 주(州)에서 실시되고 있는 대표적인 주민참여의 형태로서, 이는 행정위원이 정책결정과 관련된 특정한 안건을 사전에 제시하고 그 지역의 주민들을 참여케 하여 토의(討議)를 통해 정책을 표결로 결정하는 형태이다. 우리나라의 경우 현재 공식적으로 시행하고 있지 않은 주민참여제도이다.

2　우리나라의 주민참여제도

1 주민직접참정제도

1. 주민조례발안

(1) 청구권자❷

18세 이상의 주민으로서 해당 지방자치단체의 관할 구역에 주민등록이 되어 있는 사람, 「출입국관리법」 제10조에 따른 영주(永住)할 수 있는 체류자격 취득일 후 3년이 지난 외국인으로서 해당 지방자치단체의 외국인등록대장에 올라 있는 사람(「공직선거법」 제18조에 따른 선거권이 없는 사람은 제외)은 해당 지방의회에 조례를 제정하거나 개정 또는 폐지할 것을 청구할 수 있다.

(2) 청구요건

청구권자가 주민조례청구를 하려는 경우에는 다음에 따른 기준 이내에서 해당 지방자치단체의 조례로 정하는 청구권자 수 이상이 연대 서명하여야 한다.

❷ 국내 거주 외국인·재외국민의 주민참여권 확대

국내거주 외국인·재외국민 중 국내거소신고인명부에 올라 있는 자와 18세 이상 외국인으로서 영주의 체류자격을 취득하고 3년이 경과한 자로서 해당 지방자치단체의 외국인등록대장에 올라 있는 자에게 조례 제정·개폐 및 주민감사청구권을 부여한다.

① 특별시 및 인구 800만 이상의 광역시·도: 청구권자 총수의 200분의 1

② 인구 800만 미만의 광역시·도, 특별자치시, 특별자치도 및 인구 100만 이상의 시: 청구권자 총수의 150분의 1

③ 인구 50만 이상 100만 미만의 시·군 및 자치구: 청구권자 총수의 100분의 1

④ 인구 10만 이상 50만 미만의 시·군 및 자치구: 청구권자 총수의 70분의 1

⑤ 인구 5만 이상 10만 미만의 시·군 및 자치구: 청구권자 총수의 50분의 1

⑥ 인구 5만 미만의 시·군 및 자치구: 청구권자 총수의 20분의 1

(3) 제외대상

① 법령을 위반하는 사항

② 지방세·사용료·수수료·부담금을 부과·징수 또는 감면하는 사항

③ 행정기구를 설치하거나 변경하는 사항

④ 공공시설의 설치를 반대하는 사항

2. 주민감사청구권

(1) 청구요건

① **주체**: 지방자치단체의 18세 이상의 주민은 시·도는 300명, 인구 50만 이상 대도시는 200명, 그 밖의 시·군 및 자치구는 150명 이내에서 그 지방자치단체의 조례로 정하는 수 이상의 18세 이상의 주민이 연대 서명하여 시·도의 경우에는 주무부장관에게, 시·군 및 자치구의 경우에는 시·도지사에게 감사를 청구할 수 있다.

② **대상**: 해당 지방자치단체와 그 장의 권한에 속하는 사무의 처리가 법령에 위반되거나 공익을 현저히 해한다고 인정되는 경우에는 감사를 청구할 수 있다.

③ 사무처리가 있었던 날 또는 종료된 날부터 3년을 경과하면 제기할 수 없다.

(2) 제외대상

① 수사 또는 재판에 관여하게 되는 사항은 제외된다.

② 개인의 사생활을 침해할 우려가 있는 사항은 제외된다.

③ 다른 기관에서 감사하였거나 감사 중인 사항은 제외된다(다만, 다른 기관에서 감사한 사항이라도 새로운 사항이 발견되거나 중요사항이 감사에서 누락된 경우에는 제외대상이 아니다).

④ 동일한 사항에 대하여 소송이 계속 중이거나 그 판결이 확정된 사항은 제외된다.

3. 주민투표

(1) 의의

지방자치단체의 장은 주민에게 과도한 부담을 주거나 중대한 영향을 미치는 지방자치단체의 주요결정사항은 주민투표에 부칠 수 있다.

(2) 「주민투표법」

구체적인 주민투표의 대상·발의자·발의요건·기타 투표절차 등에 관하여 규정되어 있다. 이는 헌법상 민주주의 이념을 실현하고 주민의 참정권을 실질화하여 민주화·합리화를 기할 수 있다.

(3) 참여요건

① 주체
- ㉠ 주민투표권은 18세 이상의 주민으로서 투표인명부 작성기준일 현재 그 지방자치단체의 관할구역에 주민등록이 되어 있는 자에게 있다.
- ㉡ 외국인의 경우에도 일정한 요건을 갖추면 가능하다.

② 대상: 주민에게 과도한 부담을 주거나 중대한 영향을 미치는 지방자치단체의 주요 결정사항이다.

(4) 제외대상

다음 어느 하나에 해당하는 사항은 주민투표에 부칠 수 없다.

① 법령에 위반되거나 재판중인 사항

② 국가 또는 다른 지방자치단체의 권한 또는 사무에 속하는 사항

③ 지방자치단체가 수행하는 다음의 어느 하나에 해당하는 사무의 처리에 관한 사항
- ㉠ 예산 편성·의결 및 집행
- ㉡ 회계·계약 및 재산관리

④ 지방세·사용료·수수료·분담금 등 각종 공과금의 부과 또는 감면에 관한 사항

⑤ 행정기구의 설치·변경에 관한 사항과 공무원의 인사·정원 등 신분과 보수에 관한 사항

⑥ 다른 법률에 의하여 주민대표가 직접 의사결정주체로서 참여할 수 있는 공공시설의 설치에 관한 사항

⑦ 동일한 사항(그 사항과 취지가 동일한 경우를 포함)에 대하여 주민투표가 실시된 후 2년이 경과되지 아니한 사항

(5) 청구요건(실시요건)

① 주민이 주민투표의 실시를 청구하는 경우

② 지방의회가 주민투표의 실시를 청구하는 경우

③ 지방자치단체의 장이 주민의 의견을 듣기 위하여 필요하다고 판단하는 경우

주민	주민은 주민투표청구권자 총수의 20분의 1 이상, 5분의 1 이하의 범위 안에서 지방자치단체의 조례로 정하는 수 이상의 서명으로 그 지방자치단체의 장에게 주민투표의 실시를 청구할 수 있다.
지방의회	지방의회는 재적의원 과반수의 출석과 출석의원 3분의 2 이상의 찬성으로 그 지방자치단체의 장에게 주민투표의 실시를 청구할 수 있다.
지방자치 단체의 장	지방자치단체의 장은 주민 또는 지방의회의 청구에 의하거나 주민의 의견을 듣기 위하여 필요하다고 판단하는 경우 주민투표를 실시할 수 있으며, 주민의 의견을 듣기 위하여 필요하다고 판단하여 주민투표를 실시하고자 하는 때에는 그 지방의회 재적의원 과반수의 출석과 출석의원 과반수의 동의를 얻어야 한다.

(6) 주민투표청구심의회의 설치

주민투표에 관한 사항을 심의하기 위하여 지방자치단체의 장 소속으로 주민투표청구심의회를 둔다. 다만, 해당 지방자치단체에 심의회와 성격·기능이 유사한 위원회가 설치되어 있는 경우에는 해당 지방자치단체의 조례로 정하는 바에 따라 그 위원회가 심의회의 기능을 대신할 수 있다.

(7) 주민투표결과의 확정

주민투표에 부쳐진 사항은 주민투표권자 총수의 4분의 1 이상의 투표와 유효투표수 과반수의 득표로 확정된다. 다만, 다음의 어느 하나에 해당하는 경우에는 찬성과 반대 양자를 모두 수용하지 아니하거나, 양자택일의 대상이 되는 사항 모두를 선택하지 아니하기로 확정된 것으로 본다.

① 전체 투표수가 주민투표권자 총수의 4분의 1에 미달되는 경우
② 주민투표에 부쳐진 사항에 관한 유효득표수가 동수인 경우

4. 주민소송

(1) 청구요건

공금의 지출에 관한 사항, 재산의 취득·관리·처분에 관한 사항, 당해 지방자치단체를 당사자로 하는 매매·임차·도급, 그 밖의 계약의 체결·이행에 관한 사항 또는 지방세·사용료·수수료·과태료 등 공금과 부과·징수를 게을리한 사항을 감사청구한 주민은 감사결과 등에 불복이 있는 경우에는 그 감사청구한 사항과 관련 있는 위법한 행위나 업무를 게을리한 사실에 대하여 지방자치단체의 장을 상대방으로 주민소송을 제기할 수 있다.

(2) 소의 제기

감사기간(60일)이 종료된 날 또는 감사결과나 조치요구에 대한 통지를 받은 날, 혹은 이행조치 요구 시 지정한 처리기간이 만료된 날로부터 90일 이내에 하여야 한다.

5. 주민소환

(1) 의의

① 주민들이 지방자치단체의 행정처분이나 결정에 심각한 문제점이 있다고 판단할 경우 지방자치단체장과 지방의회의원을 통제할 수 있는 제도이다.
② **목적**: 선출직공무원에 대한 가장 확실하고 직접적인 통제수단으로 지방자치단체장들의 독단적인 행정운영과 비리 등 지방자치제도의 폐단을 막기 위한 것이 목적이다.

(2) 주민소환에 관한 법률

우리 지방자치의 숙원과제였던 주민소환제도가 「지방자치법」 개정을 통해서 확정되었고 이에 따라 「주민소환에 관한 법률」이 제정되었다.

① **주민소환투표사무의 관리**: 주민소환투표사무는 당해 지방자치단체의 장 선거 및 지방의회의원선거의 선거구선거사무를 행하는 선거관리위원회가 관리한다.
② **주민소환투표권자**
　㉠ 19세 이상의 주민으로서 해당 지방자치단체 관할구역에 주민등록이 되어 있는 자이다.
　㉡ 19세 이상의 외국인으로서 영주의 체류자격 취득일 후 3년이 경과한 자 중 해당 지방자치단체 관할구역의 외국인 등록대장에 등재된 자이다.
③ **주민소환투표의 청구**: 주민소환투표청구권자는 선출직 지방공직자(비례대표의원 제외)에 대하여 다음에 해당하는 주민의 서명으로 그 소환사유를 서면에 구체적으로 명시하여 관할선거관리위원회에 주민소환투표의 실시를 청구할 수 있다.

❶ 주민자치회(「지방자치분권 및 지방행정체제개편에 관한 특별법」)

제27조【주민자치회의 설치】 풀뿌리자치의 활성화와 민주적 참여의식 고양을 위하여 읍·면·동에 해당 행정구역의 주민으로 구성되는 주민자치회를 둘 수 있다.

제28조【주민자치회의 기능】 ① 제27조에 따라 주민자치회가 설치되는 경우 관계 법령, 조례 또는 규칙으로 정하는 바에 따라 지방자치단체 사무의 일부를 주민자치회에 위임 또는 위탁할 수 있다.

② 주민자치회는 다음 각 호의 업무를 수행한다.

1. 주민자치회 구역 내의 주민화합 및 발전을 위한 사항
2. 지방자치단체가 위임 또는 위탁하는 사무의 처리에 관한 사항
3. 그 밖에 관계 법령, 조례 또는 규칙으로 위임 또는 위탁한 사항

제29조【주민자치회의 구성 등】 ① 주민자치회의 위원은 조례로 정하는 바에 따라 지방자치단체의 장이 위촉한다.

② 제1항에 따라 위촉된 위원은 그 직무를 수행할 때에는 지역사회에 대한 봉사자로서 정치적 중립을 지켜야하며 권한을 남용하여서는 아니 된다.

③ 주민자치회의 설치시기, 구성, 재정 등 주민자치회의 설치 및 운영에 필요한 사항은 따로 법률로 정한다.

④ 행정안전부장관은 주민자치회의 설치 및 운영에 참고하기 위하여 주민자치회를 시범적으로 설치·운영할 수 있으며, 이를 위한 행정적·재정적 지원을 할 수 있다.

㉠ **특별시장·광역시장·도지사:** 해당 지방자치단체의 주민소환투표청구권자 총수의 100분의 10 이상이어야 한다.

㉡ **시장·군수·자치구의 구청장:** 해당 지방자치단체의 주민소환투표청구권자 총수의 100분의 15 이상이어야 한다.

㉢ **지역구시·도의원과 지역구자치구·시·군의원:** 해당 지방의회의원의 선거구 안의 주민소환투표청구권자 총수의 100분의 20 이상이어야 한다.

④ **주민소환투표의 청구제한기간:** 다음의 어느 하나에 해당하는 때에는 주민소환투표의 실시를 청구할 수 없다.

㉠ 선출직 지방공직자의 임기 개시일부터 1년이 경과하지 아니한 때

㉡ 선출직 지방공직자의 임기 만료일부터 1년 미만일 때

㉢ 해당 선출직 지방공직자에 대한 주민소환투표를 실시한 날부터 1년 이내인 때

⑤ **주민소환투표의 실시구역:** 지방자치단체의 장에 대한 주민소환투표는 해당 지방자치단체 관할구역 전체를 대상으로 한다. 지역구지방의회의원에 대한 주민소환투표는 당해 지방의회의원의 지역선거구를 대상으로 한다.

⑥ **권한행사의 정지 및 권한대행:** 주민소환투표대상자는 관할선거관리위원회가 주민소환투표안을 공고한 때부터 주민소환투표결과를 공표할 때까지 그 권한행사가 정지된다.

⑦ **주민소환투표결과의 확정 및 효력:** 주민소환은 주민소환투표권자 총수의 3분의 1 이상의 투표와 유효투표 총수 과반수의 찬성으로 확정된다. 주민소환이 확정된 때에는 주민소환투표대상자는 그 결과가 공표된 시점부터 그 직을 상실한다.

6. 주민청원

헌법은 모든 국민이 국가기관에 대하여 문서로 청원할 권리가 있음을 보장하고 있다. 「지방자치법」에 따르면 주민이 조례 및 규칙의 개폐나 공공시책의 개선 등 지방자치단체의 지방행정에 대한 요망 또는 정치적 의사를 표시하고자 할 때에는 지방의회의원의 소개를 받아 지방의회에 청원할 수 있도록 하고 있다.

7. 주민자치위원회와 주민자치회❶

주민자치회는 지방분권법에 근거한 민·관 협치기구로서 대표성이 강하며, 주민자치위원회는 읍·면 및 동 단위로 운영하는 대표성이 미약한 자문기구이다.

구분	주민자치위원회	주민자치회
법적 근거	「지방자치법」 및 조례	「지방자치분권 특별법」 및 조례
위상	읍·면·동 자문기구	주민자치 협의·실행기구
위촉권자	읍·면·동장	시·군·구청장
주민대표성	대표성 미약(지역유지 중심)	대표성 확보
재정	별도 재원 거의 없음 (읍·면·동사무소의 지원)	자체재원(회비, 사용료, 위탁사업 수입), 기부금 등 다양
기능	주민자치센터 프로그램 심의 및 운영 (문화, 복지 편익 기능 등)	주민자치사무, 협의 및 자문사무, 지자체 위임·위탁 사무처리

지방자치단체와의 관계	읍·면·동 주도로 운영	대등한 협력적 관계

8. 규칙 제정과 개정·폐지 의견 제출권(2021)

주민은 규칙(권리·의무와 직접 관련되는 사항으로 한정)의 제정, 개정 또는 폐지와 관련된 의견을 해당 지방자치단체의 장에게 제출할 수 있다(「지방자치법」 제20조).

유형	도입시기	청구권자	청구요건
조례제정 개폐청구 ↓ 주민조례발안	「지방자치법」 (1999), 「주민조례발안에 관한 법률」 (2021)	· 주민 · 재외주민 · 외국인	18세 이상의 주민은 다음의 기준 이내에서 해당 지방자치단체의 조례로 정하는 청구권자 수 이상의 연대 서명으로, 해당 지방의회에 청구 · 특별시 및 인구 800만 이상의 광역시·도: 청구권자 총수의 200분의 1 · 인구 800만 미만의 광역시·도, 특별자치시, 특별자치도 및 인구 100만 이상의 시: 청구권자 총수의 150분의 1 · 인구 50만 이상 100만 미만의 시·군 및 자치구: 청구권자 총수의 100분의 1 · 인구 10만 이상 50만 미만의 시·군 및 자치구: 청구권자 총수의 70분의 1 · 인구 5만 이상 10만 미만의 시·군 및 자치구: 청구권자 총수의 50분의 1 · 인구 5만 미만의 시·군 및 자치구: 청구권자 총수의 20분의 1
주민감사청구	「지방자치법」 (1999)	· 주민 · 재외주민 · 외국인	18세 이상의 주민은 다음의 범위 내에서 조례가 정하는 18세 이상의 주민 수 이상의 연서로 시·도에 있어서는 주무부장관에게, 시·군 및 자치구에 있어서는 시·도지사에게 청구 · 시·도: 300명 · 50만 이상 대도시: 200명 · 시·군·구: 150명
주민투표	「지방자치법」, 「주민투표법」 (2004)	· 주민 · 재외주민 · 외국인	18세 이상의 주민은 주민투표권자 총수의 1/20 이상 1/5 이하의 범위 안에서 조례로 정하는 수 이상의 서명으로 지방자치단체장에게 청구
주민소송	「지방자치법」 (2006)	감사청구한 자	다음 중 어느 하나에 해당하는 경우, 지방자치단체장을 상대방으로 하여 관할행정법원에 청구 · 주무부장관 또는 시·도지사가 감사청구를 수리한 날부터 60일을 경과하여도 감사를 종료하지 아니한 경우 · 감사결과 또는 조치요구에 불복이 있는 경우 · 주무부장관 또는 시·도지사의 조치요구를 지방자치단체의 장이 이행하지 아니한 경우 · 지방자치단체의 장의 이행조치에 불복이 있는 경우
주민소환	「지방자치법」, 「주민소환에 관한 법률」 (2007)	· 주민 · 외국인	19세 이상 주민 총수에서 다음과 같이 정한 수 이상의 서명을 받아 관할 선거관리위원회에 청구(비례대표의원 제외) · 시·도지사: 10/100 이상 · 시장·군수·구청장: 15/100 이상 · 광역 및 기초의원: 20/100 이상

▲ 우리나라의 주민참여제도

2 지방선거

1. 의의

주민들이 해당 자치단체의 장(長) 및 지방의회의원을 뽑는 선거를 말한다. 그러나 각 나라마다 지방자치가 생성·발전되어 온 역사적 배경이 다르기 때문에 선거방식이나 절차도 약간씩 차이가 있다.

2. 우리나라의 지방선거

우리나라에서도 자치의 범위에 따라 선거의 범주가 달라졌기 때문에 1950년대의 지방선거와 1990년대 이후의 지방선거는 서로 차이가 있다.

(1) 최초의 지방선거(이승만 정부)

1950년 제헌헌법에서 위임한 법률에 따라 최초의 지방선거를 실시하려 하였으나, 6·25전쟁으로 미루어졌다가 1952년 4월 25일에 시·읍·면의회의원 선거를 실시하고, 5월 10일에 도의회의원선거를 실시하였다. 그러나 서울특별시와 경기도·강원도의 경우는 완전히 수복되지 않은 관계로 제외되었고, 전라북도 4개 군은 치안관계로 제외되었다.

(2) 제2공화국 지방선거(장면 정부)

제2공화국 최초의 지방선거로, 제5차 개정 법률에 따라 1960년 12월 12일에 서울특별시와 도의원선거를 실시하고, 12월 19일에 시의원·읍의원·면의원선거를 실시하였다. 그러나 이 3회 지방선거로 탄생한 자치단체와 지방의회는 이듬해 5·16군사정변으로 인하여 해산됨으로써 한국의 지방자치는 일단 막을 내렸다.

(3) 지방선거의 부활(노태우 정부)

1988년 시·도지사와 시·군·구를 자치단체로 규정하고, 1991년 3월 26일 기초자치단체인 구·시·군의회 의원 선거를 실시하여 30여 년 만에 지방선거가 부활되었다.

(4) 제1회 전국동시지방선거(김영삼 정부)

1995년 6월 27일 기초의회의원 및 기초자치단체장과 광역의회의원 및 광역자치단체장의 4대 선거를 동시에 실시함으로써 진정한 의미에서의 지방자치시대로 접어들게 되었다. 1998년 6월 4일에 치러진 지방선거를 제2회 전국동시지방선거라고 하는데, 후보 등록은 모두 정당·선거인추천제를 채택하였고, 선거방식은 주민의 보통선거·평등선거·직접선거·비밀선거로 이루어졌다.

(5) 정당공천제의 확대

2006년 「지방선거법」 개정 이후 실시된 2010년 지방선거부터 기초의회의원을 포함한 모든 지방의회의원들의 정당공천을 허용하고 있으나 교육감선거에는 정당공천이 허용되지 않는다. 현재 교육감선거를 제외하고 정당공천이 실시되고 있다.

구분		선거구제	정당공천
지방자치단체장	광역자치단체, 기초자치단체	소선거구제(1인)	○
지방의회의원	광역의회	소선거구제(1인), 비례대표제(대선거구제)	○
	기초의회	중선거구제(2~4인), 비례대표제(대선거구제)	○
교육감	광역자치단체	소선거구제(1인)	×

01 지방자치의 의의로 옳지 않은 것은?

2015년 서울시 9급

① 민주주의의 훈련

② 다양한 정책실험의 실시

③ 공공서비스의 균질화

④ 지역주민에 대한 행정의 반응성 제고

02 우리나라 주민참여제도의 법제화 순서로 옳은 것은?

2011년 국가직 9급

① 조례제정·개폐청구제도 → 주민투표제도 → 주민소송제도 → 주민소환제도

② 주민투표제도 → 주민감사청구제도 → 주민소송제도 → 주민소환제도

③ 주민소송제도 → 주민투표제도 → 주민감사청구제도 → 주민소환제도

④ 주민감사청구제도 → 주민소송제도 → 주민투표제도 → 조례제정·개폐청구제도

03 주민참여제도 중 지방자치 실시 이후 가장 먼저 도입된 것은?

2018년 서울시 7급(3월 추가)

① 주민소환제

② 조례제정개폐청구제

③ 주민투표제

④ 주민소송제

04 우리나라의 주민참여제도에 대한 연결로 옳지 <u>않은</u> 것은?

2014년 지방직 7급 변형

① 주민투표제도 - 주민에게 과도한 부담을 주거나 중대한 영향을 미치는 지방자치단체의 주요 결정사항을 주민이 직접 결정하는 제도이다.

② 주민참여예산제도 - 법령이 정하는 절차에 따라 수렴된 주민의 의견을 검토하고, 그 결과를 예산편성에 반영하지 않을 수도 있다.

③ 주민발의제도 - 주민이 직접 조례의 제정 및 개폐를 청구할 수 있는 제도로, 주민은 지방자치단체장에 이를 청구하게 되어 있다.

④ 주민소환제도 - 주민은 그 지방자치단체의 장 및 지방의회의원을 소환할 수 있다. 단, 비례대표의원은 제외된다.

정답 및 해설

01 지방자치의 의의

공공서비스의 균질화는 중앙집권의 의의로 볼 수 있다. 지방자치는 행정의 통일성을 확보하기 곤란하다.

02 우리나라의 주민직접참여제도의 입법 순서

우리나라 주민참여제도의 입법 순서는 조례제정·개폐청구 및 주민감사청구제도(1999) → 주민투표제도(2004) → 주민소송제도(2006) → 주민소환제도(2007) 순이다.

03 주민참여제도의 도입시기

조례제정개폐청구제의 도입시기는 1999년으로, 주민감사청구제와 함께 1999년 가장 먼저 도입되었다.

🔹 우리나라의 주민직접참여제도

도입연도	제도	근거법률
1999년	조례제정개폐청구제, 주민감사청구제	「지방자치법」
2004년	주민투표제	「지방자치법」, 「주민투표법」
2006년	주민소송제	「지방자치법」
2007년	주민소환제	「지방자치법」, 「주민소환에 관한 법률」

04 우리나라의 주민참여제도

주민발의(발안)제도인 우리나라의 주민조례발안은 지방자치단체장이 아니라 지방의회에 청구하여야 한다. 청구하기 위해서는 지방자치단체의 주민이 조례에 지정된 일정 범위 내에서 18세 이상의 주민 수 이상의 연서가 충족되어야 한다.

정답 01 ③ 02 ① 03 ② 04 ③

05 주민에 의한 조례의 제정 및 개폐청구대상에 포함되지 않는 것만을 모두 고른 것은? 2016년 국가직 7급 변형

> ㄱ. 지방세의 부과·징수에 관한 사항
>
> ㄴ. 행정기구를 설치하거나 변경하는 것에 관한 사항
>
> ㄷ. 공공시설의 설치를 반대하는 사항

① ㄱ

② ㄱ, ㄷ

③ ㄴ, ㄷ

④ ㄱ, ㄴ, ㄷ

06 주민참여제도에 대한 설명으로 옳지 않은 것은? 2019년 국가직 9급 변형

① 주민참여제도에는 주민투표, 주민소환, 주민소송 등이 있다.

②「지방자치법」에서는 주민소송에 관한 사항을 명시하고 있다.

③ 지역구지방의회의원에 대한 주민소환투표는 당해 지방의회의원의 지역선거구를 대상으로 한다.

④ 지방자치단체가 조례를 제정하면 해당 지역에 거주하는 19세 이상의 외국인에게도 주민투표권이 부여된다.

07 우리나라의 주민직접참여제도에 대한 설명으로 옳지 않은 것은? 2015년 서울시 9급 변형

① 주민은 해당 지방의회에 조례를 제정·개정하거나 폐지할 것을 청구할 수 있다.

② 지방자치단체의 장은 주민에게 과도한 부담을 주거나 중대한 영향을 미치는 지방자치단체의 주요 결정사항 등에 대하여 주민투표에 부칠 수 있다.

③ 주민은 해당 지방자치단체와 그 장의 권한에 속하는 사무의 처리가 법령에 위반되거나 공익을 현저히 해친다고 인정되면 감사를 청구할 수 있다.

④ 주민은 그 지방자치단체의 장 및 비례대표 지방의회의원을 포함한 지방의회의원을 소환할 권리를 가진다.

08 우리나라의 주민소환제도에 대한 설명으로 옳지 않은 것은?

① 가장 유력한 직접민주주의 제도이다.

② 비례대표 지방의회의원은 주민소환 대상이 아니다.

③ 심리적 통제 효과가 크다.

④ 군수를 소환하려고 할 경우에는 해당 군의 주민소환투표청구권자총수의 100분의 10 이상의 서명을 받아 청구해야 한다.

정답 및 해설

05 조례의 제정 및 개폐청구 대상

ㄱ. 지방세의 부과·징수에 관한 사항, ㄴ. 행정기구를 설치하거나 변경하는 것에 관한 사항, ㄷ. 공공시설의 설치를 반대하는 사항 모두 주민에 의한 조례의 제정 및 개폐청구대상에 포함되지 않는다.

06 주민참여제도

「주민투표법」 제5조에 따라 18세 이상인 출입국관리 관계 법령에 따라 대한민국에 계속 거주할 수 있는 자격을 갖춘 외국인으로서 지방자치단체의 조례로 정한 사람은 주민투표권을 갖는다.

| 선지분석 |

① 「지방자치법」상 주민참여제도에는 주민투표(2004), 주민소송(2006), 주민소환(2007) 등이 규정되어 있다.

② 「지방자치법」 제22조에 주민소송에 관한 규정이 있다.

③ 지역구지방의회의원에 대한 주민소환투표는 당해 지방의회의원의 지역선거구를 대상으로 한다.

ⓘ 「주민투표법」상 주민투표의 요건

> **제5조 【주민투표권】** ① 18세 이상의 주민 중 제6조 제1항에 따른 투표인명부 작성기준일 현재 다음 각 호의 어느 하나에 해당하는 사람에게는 주민투표권이 있다. 다만, 「공직선거법」 제18조에 따라 선거권이 없는 사람에게는 주민투표권이 없다.
> 1. 그 지방자치단체의 관할 구역에 주민등록이 되어 있는 사람
> 2. 출입국관리 관계 법령에 따라 대한민국에 계속 거주할 수 있는 자격(체류자격변경허가 또는 체류기간연장허가를 통하여 계속 거주할 수 있는 경우를 포함한다)을 갖춘 외국인으로서 지방자치단체의 조례로 정한 사람

07 우리나라의 주민직접참여제도

주민소환대상자는 선출직 지방공직자로서, 비례대표 지방의회의원은 제외된다.

ⓘ 주민소환제도

(1) 소환대상: 선출직 지방공직자(비례대표 지방의원 제외)

(2) 소환결정방식: 주민소환투표로 결정

(3) 확정: 주민소환투표권자 1/3 이상 투표, 유효투표 총수 과반수 찬성

(4) 불복절차: 주민투표와 동일(선거관리위원회에 소청 → 광역자치단체는 대법원, 기초자치단체는 관할 고등법원에 소송)

08 우리나라의 주민소환제도

군수는 기초자치단체의 장으로, 주민소환 시 해당 군의 주민소환투표청구권자총수의 100분의 15 이상의 서명을 받아 청구해야 한다.

ⓘ 「주민소환에 관한 법률」상 주민소환투표

> **제7조 【주민소환투표의 청구】** ① 전년도 12월 31일 현재 주민등록표 및 외국인등록표에 등록된 주민소환투표청구권자는 해당 지방자치단체의 장 및 지방의회의원(비례대표선거구시·도의회의원 및 비례대표선거구자치구·시·군의회의원은 제외한다)에 대하여 다음 각 호에 해당하는 주민의 서명으로 그 소환사유를 서면에 구체적으로 명시하여 관할선거관리위원회에 주민소환투표의 실시를 청구할 수 있다.
> 1. 특별시장·광역시장·도지사: 당해 지방자치단체의 주민소환투표청구권자 총수의 100분의 10 이상
> 2. 시장·군수·자치구의 구청장: 당해 지방자치단체의 주민소환투표청구권자 총수의 100분의 15 이상
> 3. 지역선거구시·도의회의원 및 지역선거구자치구·시·군의회의원: 당해 지방의회의원의 선거구 안의 주민소환투표청구권자 총수의 100분의 20 이상

09 2021년 1월 전부개정된 「지방자치법」에서 처음으로 도입된 주민참여제도는? 2023년 국가직 9급

① 주민소환

② 주민의 감사청구

③ 조례의 제정과 개정·폐지 청구

④ 규칙의 제정과 개정·폐지 관련 의견 제출

10 주민자치위원회와 주민자치회에 대한 설명으로 가장 옳지 않은 것은? 2022년 군무원 9급

① 주민자치위원회위원은 시·군·구청장이 위촉하고, 주민자치회위원은 읍·면·동장이 위촉한다.

② 주민자치회가 주민자치위원회보다 더 주민 대표성이 강하다.

③ 주민자치위원회는 읍·면·동의 자문기구이고, 주민자치회는 주민자치의 협의·실행기구이다.

④ 지방자치단체와의 관계는 주민자치회가 주민자치위원회보다 더 대등한 협력적 관계이다.

11 우리나라의 지방선거에 대한 설명으로 가장 옳은 것은? 2018년 서울시 7급(6월 시행)

① 현재 광역 – 기초자치단체장 및 광역 – 기초의회의원선거 모두에 정당공천제가 허용되고 있다.

② 광역의회의 지역구선거는 기본적으로 중선거구제를 채택하고 있다.

③ 기초의회 지역구선거는 기본적으로 소선거구제를 채택하고 있다.

④ 소선거구제의 경우에 풀뿌리 민주주의의 기반이 되는 주민과 의원과의 관계가 멀어질 수 있다는 단점이 있다.

12 지방선거에 대한 설명으로 옳은 것은? 2019년 국가직 9급

① 이승만 정부에서 처음으로 시·읍·면 의회의원을 뽑는 지방선거가 실시되었다.

② 박정희 정부부터 노태우 정부 시기까지는 지방선거가 실시되지 않았다.

③ 지방자치단체장과 지방의회의원을 동시에 뽑는 선거는 김대중 정부에서 처음으로 실시되었다.

④ 2010년 지방선거부터 정당공천제가 기초지방의원까지 확대되었지만 많은 문제점이 지적되면서 현재는 실시되지 않고 있다.

09 주민참여제도

규칙의 제정과 개정·폐지 관련 의견 제출은 2021년 1월 전부개정된 「지방자치법」에서 처음으로 도입되었다.

❶ 「지방자치법」상 주민참여제도

> **제20조【규칙의 제정과 개정·폐지 의견 제출】** ① 주민은 제29조에 따른 규칙(권리·의무와 직접 관련되는 사항으로 한정)의 제정, 개정 또는 폐지와 관련된 의견을 해당 지방자치단체의 장에게 제출할 수 있다.

| 선지분석 |
① 주민소환은 2007년에 도입된 주민참여제도이다.
② 주민의 감사청구는 1999년에 도입된 주민참여제도이다.
③ 조례의 제정과 개정·폐지 청구는 1999년에 도입된 주민참여제도이다.

❶ 우리나라 주민참여제도

도입 연도	참여제도	근거법률
1999	조례제정개폐청구제, 주민감사청구제	「지방자치법」
2004	주민투표제	「지방자치법, 주민투표법」
2006	주민소송제	「지방자치법」
2007	주민소환제	「지방자치법」, 「주민소환에 관한 법률」
2021	주민조례발안	「지방자치법」, 「주민조례발안에 관한 법률」
2021	규칙제정과 개정·폐지 의견 제출권	「지방자치법」

10 주민자치위원회와 주민자치회

①은 반대로 설명되었다. 주민자치회위원은 시·군·구청장이 위촉하고, 주민자치위원회위원은 읍·면·동장이 위촉한다. 주민자치회는 지방분권법에 근거한 민·관 협치기구이며 주민자치위원회는 기초지방자치단체가 자치적으로 읍·면 및 동 단위로 운영한다.

| 선지분석 |
② 주민자치회는 자치단체장이 위촉하여 구성하는 주민대표기구이므로, 단순한 자문기구의 성격을 갖는 주민자치위원회보다 주민대표성이 강하다.
③ 주민자치위원회는 행정계층인 읍·면·동의 자문기구이고, 주민자치회는 주민자치의 직접적인 협의·실행기구이다.
④ 주민자치의 직접적인 협의·실행기구인 주민자치회가 간접적인 성격을 갖는 주민자치위원회보다 지방자치단체와 더 대등한 협력적 관계이다.

❶ 주민자치위원회와 주민자치회

구분	주민자치위원회	주민자치회
법적 근거	「지방자치법」 및 조례	「지방자치분권」 특별법 및 조례
위상	읍·면·동 자문기구	주민자치 협의·실행 기구
위촉권자	읍·면·동장	시·군·구청장
주민대표성	대표성 미약 (지역유지중심)	대표성 확보
재정	별도 재원 거의 없음 (읍·면·동사무소의 지원)	자체재원(회비, 사용료, 위탁사업 수입), 기부금 등 다양
기능	주민자치센터 프로그램 심의 및 운영(문화, 복지 편의 기능 등)	주민자치사무, 협의 및 자문사무, 지자체 위임·위탁 사무처리
지방자치단체와의 관계	읍·면·동 주도로 운영	대등한 협력적 관계

11 우리나라의 지방선거

현재 광역-기초자치단체장 및 광역–기초의회의원선거 모두에 정당공천제가 허용되고 있다. 2006년 「지방선거법」 개정 이후 기초의회의원을 포함한 모든 지방의회 의원들의 정당공천을 허용하고 있으나 교육감선거에는 정당공천이 허용되지 않는다.

| 선지분석 |
② 광역의회의 지역구선거는 기본적으로 소선거구제를 채택하고 있다.
③ 기초의회 지역구선거는 기본적으로 중선거구제를 채택하고 있다.
④ 소선거구제는 작은 선거구에서 최다득표자 1인을 선출하는 다수대표제 방식이므로 풀뿌리 민주주의에 입각하여 주민과 지방의회의원과의 관계가 가까워질 수 있다는 장점이 있다.

12 지방선거의 연혁 및 내용

1948년 대한민국 정부수립 이후 이승만 정부에 의해서 1949년 근대적 의미의 지방자치법이 처음 제정되었으나 1950년 한국전쟁으로 인하여 시행하지 못하다가 1952년 처음으로 시·읍·면 의회의원을 뽑는 지방선거가 실시되었다.

| 선지분석 |
② 1961년 5·16 군사정변에 의한 박정희 정부부터 전두환 정부까지는 지방선거가 없었지만 노태우 정부에 의하여 1991년 지방의회의원에 대한 선거가 다시 시작되면서 지방의회가 구성되었다.
③ 지방자치단체장과 지방의회의원을 동시에 뽑는 선거는 김대중 정부가 아닌 김영삼 정부에서 1995년에 처음으로 실시되었다.
④ 2010년 지방선거부터 정당공천제가 기초지방의원까지 확대되었으며 일부 문제점이 발생하고 있지만 현재도 교육감 선거를 제외하고 정당공천이 실시되고 있다.

정답 09 ④ 10 ① 11 ① 12 ①

지방자치단체의 재정

1 지방재정의 개요

1 지방재정의 의의

1. 의의

지방재정이란 지방자치단체의 존립목적을 달성하기 위하여 재화를 강제적 또는 비강제적으로 획득하고 관리하는 일련의 활동이다. 지방자치단체가 원활한 지방행정을 수행하기 위해서는 재정력이 필수적이다.

2. 기능

지방재정의 주요한 기능으로 언급되는 것은 자원배분기능이다. 즉, 국가재정이 효율성, 공평성, 경제안정 등의 포괄적인 기능을 수행하는 반면, 지방재정은 효율성이 상대적으로 강조된다.❶

3. 특징

(1) 자주성

지방재정은 스스로 지방세를 부과·징수하여 예산을 편성하는 것으로서 지방자치의 필수적인 요소이다.

(2) 다양성

국가가 단일주체인 데 반해서 지방자치단체는 면적, 인구, 기능, 산업구조 등이 다양하기 때문에 지방재정의 개선이 어렵다.

(3) 제약성

지방재정은 국가에 의해 한정된 범위 내에서 인정된다. 지방세의 세목과 세율은 법률로 결정되며(조세법률주의) 대부분의 사용료와 수수료가 정부에 의해서 통제된다.

(4) 응익성

국가재정이 응능성(부담 능력에 따른 조세주의)인 데 비해서, 지방재정은 응익성(행정서비스로부터 받은 이익에 따른 부담주의)이 강하다.

> ㉑ 도시계획, 상하수도, 오물처리, 증명서 발급 등 직접 서비스 제공에 있어서 수익자로부터 목적세나 사용료·수수료·부담금 등을 징수함

(5) 불균형성

지방자치단체는 지역별 자원의 분포나 개발정도, 입지산업의 유형 등에 따라 지역발전 및 소득의 격차가 나타나게 된다. 이러한 지방재정의 수직적·수평적 재정격차는 우리나라 지방자치의 가장 큰 문제점으로 지적된다.

---

❶ **e-호조 시스템**
지방자치단체의 재정계획, 예산편성, 지출, 결산 등 재정업무를 지원하는 시스템이다. e-호조 시스템은 서울시를 포함한 243개 지자체, 33만 지방공무원이 사용하는 지방재정관리 핵심 인프라로서 예산편성, 지출, 결산 등 지방재정 12개 분야 74개 업무에 사용된다. 또한 하루 평균 1조 1000억 원 예산과 5만여 건 지출을 처리하는 주요 시스템이다. 행정안전부는 2005년 처음 시스템 구축 후 15년 만에 전면 개편을 진행하여, 750억 원 가량 예산을 투입해 2022년까지 구축을 완료했다. 당초 예상보다 사업 예산이 줄었지만 국가 중요 인프라 가운데 하나인 만큼 계획대로 사업은 추진되었다.

구분	국가재정	지방재정
주요 기능	포괄적 기능 수행	자원배분기능 치중
공공재	순수공공재 공급 예 외교, 치안, 국방, 사법 등	준공공재의 공급 예 도로, 교량, SOC 등
주민부담	응능주의	응익주의
가격원리	가격원리 적용 곤란	가격원리 적용 용이
기업형 정부	기업가형 정부 적용 곤란	기업가형 정부 적용 용이
정책	전략적 정책기능	전술적 집행기능
행정이념	형평성	효율성
경쟁여부	비경쟁성	경쟁성(지방정부 간)
의존성	조세에 의존	세외수입에 의존
이동성	지역 간 이동성 낮음	지역 간 이동성 높음(티부가설)

4. 기본원칙

(1) 수지균형의 원칙

지방자치단체의 재정도 국가와 같이 독립적인 경제주체의 계정이므로 예산과 결산상의 수지균형을 유지하여야 한다.

(2) 재정안정의 원칙

지방자치단체의 행정활동은 영속적이므로 재정운영도 장기적인 안정을 도모한다.

(3) 효율성의 원칙

지방자치단체의 행정활동은 최소의 경비로 최대의 효과를 얻도록 효율적으로 운영되어야 한다.

(4) 탄력성 확보의 원칙

지방자치단체의 행정활동은 경제사회의 변동, 행정수요의 변화, 지역사회의 여건 변화에 단력적으로 대응할 수 있어야 한다.

(5) 공정성의 원칙

지방자치단체의 재정운영은 공익의 실현을 위해서 적절하게 수행되어야 하고 공정하여야 한다.

(6) 행정수준 확보의 원칙

지방자치단체는 지역주민의 행정수요를 충족시켜 줄 수 있도록 행정수준의 확보와 향상을 도모한다.

(7) 국가시책구현의 원칙

지방자치단체는 국가정책에 반하는 재정운영을 해서는 안 되며 국가정책과 조화되는 범위 안에서 운영하여야 한다.

5. 지방재정의 4대 재원

지방재정의 4대 재원은 ① 지방세, ② 세외수입, ③ 지방교부세, ④ 국고보조금이다.

6. 분류 ❶

(1) 자주재원과 의존재원

자주재원	• 자체수입이라고도 하며 지방자치단체가 직접 징수하는 수입이다. • 지방세와 세외수입으로 구성된다.
의존재원	• 의존수입이라고도 하며 국가나 광역자치단체로부터 제공받는 수입이다. • 지방교부세, 국고보조금으로 구성된다.

(2) 일반재원과 특정재원

일반재원	• 자금용도가 정해져 있지 않고 지방자치단체가 그 예산과정을 통하여 용도를 결정할 수 있는 재량의 범위가 넓은 재원이다. • 지방세 중 보통세, 세외수입, 지방교부세(보통, 부동산) 등이 해당된다.
특정재원	• 자금용도가 지정되어 있어서 지방자치단체가 임의로 자금용도를 결정할 수 없는 재원이다. • 목적세, 국고보조금 등이 해당된다.

(3) 경상수입과 임시수입

경상수입	• 지방세입 중에서 규칙적이고 안정적으로 확보할 수 있는 재원이다. • 지방세, 세외수입, 국고보조금 등이 해당된다.
임시수입	• 지방세입 중에서 불규칙적이고 임시적인 재원이다. • 지방채, 기부금, 특별교부세 등이 해당된다.

2 지방자치단체의 자주재원

1. 지방세 ❷

(1) 의의

지방자치단체가 행정활동을 수행하는 데 소요되는 일반적인 경비를 조달하기 위하여 당해 구역 내의 주민이나 재산, 기타 일정한 행위를 하는 자로부터 직접적·개별적인 보상 없이(대가 없이) 강제적으로 부과하여 징수하는 재원이다.

(2) 특징

① **강제적 부과·징수:** 법률에 근거해야 하지만 주민 개개인의 승낙의 의사표시를 요하지는 않는다.

② **개별적인 반대급부 없는 징수:** 개별적인 반대급부 없이 지방자치단체의 주민 또는 그 구역 안에서 일정한 행위를 하는 자로부터 징수되는 재화이다.

③ **일반적 경비의 조달을 위한 징수:** 지방자치단체의 일반적 경비의 조달을 목적으로 하는 것이다.

④ **금전상의 표시·징수:** 원칙적으로 지방세는 금전으로 표시되고 징수되어야 한다.

❶ 자주재원주의와 일반재원주의

1. **자주재원주의 - 규모보다는 구조:** 지방세나 세외수입 중심의 자주적인 세입분권이 바람직하다는 접근으로, 바람직한 지방재정을 위해서는 단순히 지방재정의 '규모'를 늘리기보다는 지방자치단체의 재정자율성이 확대될 수 있는 지방세입의 '구조'를 강조한다.

2. **일반재원주의 - 구조보다는 규모:** '구조'보다는 '규모'의 순증을 상대적으로 강조하며 지방재정의 자율성을 확대하기 위해서는 개별보조보다는 일반재원인 지방교부세와 같은 포괄보조금 확대를 선호한다. 즉, 일반재원주의의 경우는 세입측면에서의 권한의 분산보다는 세출측면에서의 권한의 분산을 강조한다.

3. **통합적 인식 - 구조와 규모의 조화:** 재정분권을 위한 자주재원주의와 일반재원주의의 두 가지 접근방법은 대립의 관점이 아니라 동시에 증가될 수 있도록 거시재정구조에서의 중앙재정과 지방재정의 비중을 전면 재검토해야 한다는 것이다.

❷ 「지방세법」 개정사항(2020)

1. **지방소비세율 인상:** 내국세인 부가가치세의 15% → 21%

2. **지방소득세의 독립적 지방세화:** 내국세인 소득세와 법인세의 10%를 지방소득세로 부과하도록 연동되어있던 것을 소득세와 법인세의 과표는 공유하되 세율과 감면기준 등은 지방자치단체가 자율적으로 정하도록 하였다.

⑤ **독립세주의**: 우리나라의 지방세는 국세와 세원이 분리되어 있으며, 기관대립형이지만 독립세주의를 취하고 있다.

(3) 원칙

① 재정수입 측면
  ㉠ **충분성의 원칙**: 지방자치를 위하여 충분한 금액이어야 한다.
  ㉡ **보편성의 원칙**: 세원이 지역 간에 균형적(보편적)으로 분포되어 있어야 한다.
  ㉢ **안정성의 원칙**: 경기변동에 관계없이 세수가 안정적으로 확보되어야 한다.
  ㉣ **신장성의 원칙**: 늘어나는 행정수요에 대응하여 매년 지속적으로 세수가 확대(팽창)될 수 있어야 한다.
  ㉤ **신축성(탄력성)의 원칙**: 지방자치단체의 특성에 따라 탄력적으로 운영되어야 한다.

② 주민부담 측면
  ㉠ **부담분임의 원칙**: 가급적 모든(많은) 주민이 경비를 나누어 분담하여야 한다.
  ㉡ **응익성(편익성)의 원칙**: 주민이 향유한 이익(편익)의 크기에 비례하여 부담되어야 한다(↔ 응능성).
  ㉢ **효율성의 원칙**: 자원배분의 효율화에 기여하여야 한다.
  ㉣ **부담보편(평등성, 형평성)의 원칙**: 주민에게 공평(동등)하게 부담되어야 한다.

③ 세무행정(징세행정) 측면
  ㉠ **자주성의 원칙**: 중앙정부로부터 지방정부의 독자적인 과세주권이 확립되어야 한다.
  ㉡ **편의 및 최소비용의 원칙**: 징세가 용이해야 하고 징세비용이 절감되어야 한다.
  ㉢ **국지성의 원칙**: 과세객체가 관할구역 내에 국한되어 있어야 한다. 즉, 조세부담을 회피하기 위한 지역 간 이동이 없어야 한다.

✔ 개념PLUS 지방세의 원칙

재정수입 측면	충분성, 보편성, 안정성, 신장성, 신축성(탄력성)
주민부담 측면	부담분임, 응익성, 효율성, 부담보편(평등성, 형평성)
세무행정 측면	자주성, 편의 및 최소비용, 국지성(정착성, 지역성), 확실성

(4) 지방세의 체계(11종)

① **보통세**: 취득세, 등록면허세, 주민세, 재산세, 담배소비세, 레저세, 자동차세, 지방소비세, 지방소득세 등 9개이다.
② **목적세**: 지역자원시설세, 지방교육세로서 2개이다.

❶ 지방세의 체계의 예외

광역시의 군(郡)지역에서는 도세를 광역시세로 한다.

❷ 세종특별자치시와 제주특별자치도의 지방세

1. 세종특별자치시: 「세종특별자치시 설치 등에 관한 특별법」에 근거하여 세종특별자치시장은 광역시세 및 구세 세목을 세종특별자치시세의 세목으로 부과·징수한다.

2. 제주특별자치도: 「제주특별자치도 설치 및 국제자유도시 조성을 위한 특별법」에 근거하여 지방세, 도세 또는 시·군세를 인용하고 있는 경우에는 제주특별자치도세를 포함한 것으로 보아 당해 법령을 적용한다.

1. 지방세의 체계 ❶❷

지방세 (11종)	광역자치단체		기초자치단체	
	특별시·광역시	도	자치구	시·군
보통세	취득세, 주민세, 자동차세, 담배소비세, 레저세, 지방소비세, 지방소득세	취득세, 등록면허세, 레저세, 지방소비세	등록면허세, 재산세	주민세, 재산세, 자동차세, 담배소비세, 지방소득세
목적세	지방교육세, 지역자원시설세	지방교육세, 지역자원시설세	–	–

2. 국세의 체계

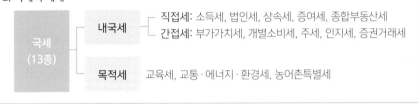

국세 (13종)	내국세	직접세: 소득세, 법인세, 상속세, 증여세, 종합부동산세
		간접세: 부가가치세, 개별소비세, 주세, 인지세, 증권거래세
	목적세	교육세, 교통·에너지·환경세, 농어촌특별세

(5) 우리나라 지방세의 문제점

① 세목은 많으나 세원이 빈약하다.

② 세수의 신장성이 낮다. 즉, 소득과세나 소비과세가 적고 재산과세가 많아 재정운영의 신축성이 저하된다.

③ 세원의 지역 간 편차가 심하다.

④ 동일한 세원에의 중복과세 등 조세체계가 복잡하다.

⑤ 지역적 특성을 고려함이 없이 획일적인 세율의 적용이 문제된다.

⑥ 독자적인 과세자주권이 결여되어 있다(조세법률주의).

📊 **고득점 공략** 지방세의 부과체계(과세방식)

1. 세율

① 법정세율: 법으로 정하여 과세표준에 곱해지는 세율이다. 표준세율, 기준세율이라고도 하며 대부분의 현행 지방세 부과 방식이다.

② 실효세율: 시장가격으로 산정된 과세표준에 대한 세액의 비율이다.

③ 제한세율: 최고 및 최저세율을 정해놓고 그 범위 내에서 변경이 가능한 세율이다.

④ 임의세율: 세율결정권을 지방정부에 위임하여 조례로 정하도록 한 것이다.

⑤ 탄력세율 ❸: 「지방세법」에 표준세율 또는 제한세율을 정해놓고 필요시 지방정부가 그 범위 내에서 세율을 가감 또는 선택할 수 있도록 하는 제도로서 취득세, 등록면허세(등록분), 재산세, 주민세, 자동차세, 담배소비세, 지역자원시설세 등이 있다.

2. 비례세와 누진세

① 비례세: 모든 과세표준에 대해 동일한 세율이 적용되는 세제로 등록면허세 등이 있다.

② 누진세: 과세표준액에 따라 세율이 달라지는 제도로서 종합부동산세, 재산세 등이 있다.

3. 정액세와 정률세

① 정액세: 상품단위당 '일정금액'을 부과하는 방식으로서 담배소비세, 주민세(균등할), 자동차세, 등록면허세 등이 있다.

❸ 탄력세율의 적용

1. 대통령령: 담배소비세, 자동차세(주행분)

2. 조례: 취득세, 등록면허세(등록분), 재산세, 자동차세(소유분), 주민세, 지방소득세, 지방교육세, 지역자원시설세

3. 비적용: 등록면허세(면허분), 레저세, 지방소비세

② 정률세: 상품가격의 '일정비율'을 세금으로 부과하는 방식으로 종합부동산세, 재산세 등이 있다.

4. 종가세와 종량세
① 종가세: '상품가격'의 몇 %를 세금으로 부과하는 방식으로 종합부동산세 등이 있다.
② 종량세: '상품 1단위당' 일정한 금액이 부과되는 방식으로 자동차세, 담배소비세 등이 있다.

5. 직접세와 간접세
① 직접세: 납세의무자와 담세자(조세부담자)가 일치하는 조세로서 자동차세, 재산세 등 대부분의 지방세이다.
② 간접세: 납세의무자와 담세자(조세부담자)가 일치하지 않는 조세로서 도축세 등이 있었다. 도축세의 경우 납세의무자는 형식적으로 소·돼지의 도살자이지만, 실질적인 담세자는 소비자이다.

6. 거래세와 보유세
① 거래세: 재산의 거래(양도·취득)에 대한 과세로서 등록면허세, 취득세 등이 있으며 최근 거래과세에 대한 비중이 증가하고 있다.
② 보유세: 재산의 보유(소유)에 대한 과세로서 재산세, 과거의 종합토지세 등 주로 기초자치단체의 세목이다.

2. 세외수입

(1) 의의
① 세외수입은 지방자치단체의 자체 세입원 중에서 지방세수입을 제외한 나머지 수입이다.
② 지방자치단체가 자체적으로 확보한 자주재원이다.
③ 중앙정부의 통제를 거의 받지 않고 지방자치단체의 노력에 따라 확대·개발이 용이하다.
④ 특정 서비스 등에 대한 응익적 성격이 강하고 상대적으로 저항이 적다.

(2) 종류

사용료	지방자치단체의 재산이나 영조물을 사용하는 경우에 징수하는 것으로 자주재원에 속한다. ⑳ 공원입장료, 공용주차장요금 등
수수료	행정서비스에 대하여 소요되는 비용을 징수하는 것이다. ⑳ 인감증명수수료 등
분담금	지방자치단체의 재산이나 공공시설로 주민의 일부가 특히 이익을 받는 경우 그 비용의 일부에 대해서 부과하는 공과금이다. 사용료·수수료와 조세의 중간적 성격을 갖는다.
부담금	국가와 지방자치단체 사이에 어느 한쪽이 상대방에게 이익을 주는 일을 하였을 때 그 이익의 범위 안에서 그 일의 처리에 필요한 경비를 부담시켜 수납하게 하는 것으로서 배출부담금 등이 이에 속한다.
기타	재산수입, 전입금, 이월금 등이 있다.

(3) 비중
과거에는 지방세수입의 비중이 컸으나 최근에는 세외수입의 비중이 더욱 증가하는 추세이다.

실질적 세외수입	경상적 수입	사용료, 수수료, 재산임대수입, 경영수익사업, 이자 수입, 징수교부금	일반회계
	사업수입	상수도사업, 하수도사업, 지하철사업, 주택사업, 공 영개발사업, 기타특별회계	특별회계
명목적 세외수입	임시적 수입	재산매각수입, 융자금, 융자금 회수, 이월금, 기부 금, 전입금, 부담금, 잡수입, 과년도 수입	일반회계
	사업 외 수입	융자금, 전입금, 이월금, 잡수입, 과년도 수입	특별회계

3 지방채

1. 의의

(1) 지방채는 지방자치단체가 재정수입의 부족을 보충하기 위하여 외부로부터 자금 조달을 함으로써 부담하는 채무이다. 이행이 복수 회계연도에 걸쳐 이루어지고 증권 발행 또는 증서차입의 형식으로 이루어진다.

(2) 지방채는 자주재원은 물론이고 세외수입으로도 보지 않는, 독립적인 재원이라는 입장이 더 지배적이다.

2. 종류

(1) 발행형식에 따른 구분(「지방재정법」)❶

| 증서차입채 | 차입증서를 제출하고 발행하는 기명채권으로 시장 유통성이 제한되는 한계가 있다. |
| 증권발행채 | 증권발행방법에 의해 차입하는 지방채로 무기명이며 시장 유통성이 있다. |

(2) 발행방법에 따른 구분

매출공채	차량이나 주택구입 및 인·허가자에게 강제로 구입하도록 하는 채권이다.
모집공채	공채를 매입하고자 하는 사람들을 모집하여 현금을 받고 발행하는 채권이다.
교부공채	지방자치단체가 공사 또는 토지대금 등을 현금 대신 지급하기 위해 교부하는 채권이다.

3. 발행절차

(1) 발행주체(「지방자치법」 제139조)

지방자치단체의 장과 지방자치단체의 조합이 발행주체가 된다.

(2) 지방채의 발행을 위해서는 재정상황 및 채무규모 등을 고려하여 대통령령이 정하는 지방채 발행 한도액의 범위 안에서 지방의회의 의결을 얻어야 한다.

❶ 지방채 발행 시 행정안전부장관의 승인을 요하는 경우(「지방재정법」 제11조)
1. 지방채 발행 한도액 범위더라도 외채를 발행하는 경우
2. 지방채 발행 한도액의 범위를 초과하여 발행하는 경우(지방자치단체의 발전과 관계있는 사업을 위한 경우 등 대통령령으로 정하는 사유가 발생하는 경우)
3. 지방자치단체조합의 장은 그 조합의 투자사업과 긴급한 재난복구 등의 필요가 있을 때 또는 지방자치단체에 대부할 필요가 있을 때 발행하는 경우

4. 장단점

(1) 장점

① 대규모 사업을 위한 재원조달방식이 될 수 있다.

② 효율적인 자원배분에 기여한다.

③ 경기조절기능을 하며, 세대 간의 형평을 기할 수 있다.

(2) 단점

지방정부의 재정적자가 누적되어 궁극적으로 주민들의 부담을 가중시킬 수 있다.

2   지방재정조정 및 관리

1   지방재정조정제도(의존재원)

1. 의의

(1) 지방재정조정제도(local finance equalization scheme)란 지방자치단체의 기능수행에 필요한 자체재원의 부족분을 보충해주고 각 지방자치단체 간 재정적 불균형을 조정해주는 제도로서 의존재원이라고도 한다.

(2) 정부 간의 재정적 협력을 포괄하는 의미로서 ① 중앙정부가 지방자치단체에게, ② 광역자치단체가 기초자치단체에게, ③ 동급 지방자치단체 간에 재원을 공여하거나 또는 지방자치단체 간의 재원불균형을 조정해 줌으로써 지방자치단체의 바람직한 역할수행을 뒷받침해 주려는 재원이전장치이다.

2. 기능

(1) 지방재원의 보장

지방재정조정제도는 국민최저수준(national minimum)의 유지에 필요한 재원을 보장함으로써 국가적 차원에서의 균질화를 가능하게 한다.

(2) 수직적 재정조정

중앙정부는 지방재정조정제도를 통하여 지방자치단체 상호 간의 재정불균형을 조정한다. 즉, 중앙정부와 지방자치단체 간, 또는 광역자치단체와 기초자치단체 간의 재정력의 격차로 인하여 발생하는 재정불균형을 조정한다.

(3) 수평적 재정조정

동급 지방자치단체 간의 재정력 격차를 조정한다. 즉, 지방자치단체 간의 재정력의 격차로 인하여 발생하는 재정불균형을 조정한다.

3. 유형

(1) 수직적 재정조정제도

① 중앙정부가 지방자치단체에게, 광역자치단체가 기초자치단체에게 재원을 공여하거나 자치단체 간의 재원불균형을 조정해주는 재원의 재배분방식이다.

② 수직적 재정조정제도로는 지방교부세, 국고보조금, 시군조정교부금, 자치구조정교부금 등이 있다.

(2) 수평적 재정조정제도

① 동급 지방자치단체 상호 간에 재원을 이전해 주는 것으로서, 재정력이 강한 지방자치단체가 재정력이 약한 지방자치단체에게 실시하는 재원의 재배분방식이다.

② 우리나라의 지방교부세, 일본 동경도의 특별구 간 재정조정, 독일의 주 간 재정조정, 호주의 수평적 재정조정제도 등이 있다.

4. 지방교부세❶

(1) 의의❷

① 지방교부세는 지방자치단체 간의 재정격차를 완화하고 전국적인 최저수준을 확보하기 위하여 지방자치단체의 재정수요에 필요한 부족재원을 국가가 지방자치단체에 보전해 주는 의존재원이다.

② 지방자치단체의 신청이 없어도 법정교부세율에 따라 확보된 재원으로 행정안전부장관이 교부하는 재원이다. 지방교부세는 지방교부세율(국세의 19.24%), 종합부동산세 전액, 개별소비세총액의 100분의 45와 정산액을 재원으로 한다.

(2) 특징

① **일반재원적 성격**: 일반재원같이 비도(費途, 비용의 용도)지정이 없다.

② **공유적 독립재원**: 국가가 징수하여 지방자치단체에 배분하는 공유적 독립재원으로서 지방교부세율은 당해 연도 내국세 총액의 19.24%로 법정화하였다. 법정재원으로 하고 있으므로 중앙정부의 자의적 배분이 거의 불가능하다.

③ **비도제한의 금지**: 지방교부세는 국고보조금과 같이 특정목적 내지 특정사업에 충당하기 위한 특정재원이 아니라 지방세와 같은 지방자치단체의 일반재원으로 사용된다.

(3) 기능

① **지방자치단체의 재원보장 기능(수직적 재정조정)**: 지방교부세는 지방자치단체의 기본행정운영에 필요한 최소한의 재원을 보전함으로써 전국적인 행정서비스수준을 보장한다.

② **지방자치단체 간 재원균형화 기능(수평적 재정조정)**: 지방교부세는 세원의 지역별 편재를 시정하고 지방자치단체 간 재정력의 격차를 완화하여 재원의 균형화를 도모한다.

③ **지방자치단체의 재정자율성 제고 기능**: 지방교부세는 지방자치단체의 일반재원으로서 재원의 용도가 지정되어 있지 않으므로 지방자치단체의 재량에 의한 지방재정의 자주적·계획적 운영을 보장한다.

❶ 지방교부세의 성격
지방교부세는 국가가 내국세의 일정부분(19.24%)을 지방자치단체에 교부해주는 제도이므로 수직적 재정조정제도에 해당한다. 하지만 지방교부세가 기준재정수요액에서 기준재정수입액을 뺀 금액을 기준으로 각 지방자치단체의 재정형편에 따라 교부가 결정되기 때문에 재정이 열악한 지방자치단체만 교부대상이 된다. 이는 지방자치단체 간의 재정불균형을 시정하는 효과를 가지기 때문에 수평적 재정조정제도의 성격도 가지고 있다고 할 수 있다.

❷ 기준재정수요액과 기준재정수입액의 반영사항
1. 기준재정수요액 반영사항
 · 지방공무원 정원 감축
 · 비정규직 공무원 감축
 · 경상경비 절감
 · 지방상수도 요금 현실화
 · 읍면동 통합 유도
 · 지방청사관리 적정화
2. 기준재정수입액 반영사항
 · 지방세 징수율 제고
 · 주민세 개인균등할 인상
 · 과표 현실화
 · 탄력세율 적용
 · 경상세외수입 확충
 · 지방세 체납액 축소
 · 지방세 세원 발굴

(4) 종류[1]

① 보통교부세

ⓐ 매 연도의 기준재정수입액이 기준재정수요액에 미달되는 경우(재정력 지수가 1 이하인 경우) 행정안전부장관이 분기별로 연 4기로 나누어 교부하는 재원이다.

ⓑ 다만, 자치구에 대해서는 특별시 또는 광역시에 합산하여 산정하고, 이를 당해 특별시 또는 광역시에 일괄적으로 교부한다.

② 특별교부세

ⓐ 보통교부세의 획일적인 산정방법으로 포착할 수 없는 특별한 재정수요를 보완하는 특정재원이다. 연중 수시로 교부할 수 있으며, 그 교부에 있어서 조건을 붙이거나 비도를 제한할 수 있다(재해복구 등 지원경비).

ⓑ 특별교부세에 있어서는 행정안전부장관의 판단과 재량이 개입되며, 정치적 관계나 각종 로비가 크게 작용한다.

③ 부동산교부세
2006년에 부동산교부세를 신설하여 종합부동산세(국세)의 세수 전액을 지방자치단체에 교부함으로써 지방자치단체의 재산세 등의 세수감소분을 보전하고 지방재정확충재원으로 사용하도록 하기 위하여 종합부동산세 세수 전액을 재원으로 하는 일반재원이다.

④ 소방안전교부세

ⓐ 행정안전부장관은 지방자치단체의 소방 및 안전시설 확충, 안전관리 강화 등을 위하여 소방안전교부세를 지방자치단체에 전액 교부하여야 한다. 이 경우 소방분야에 대해서는 소방청장의 의견을 들어 교부하여야 한다.

ⓑ 「개별소비세법」에 따라 담배에 부과하는 개별소비세 총액의 100분의 45에 해당하는 금액에 그 예산액과 그 결산액의 차액으로 인한 교부세의 차액을 합한 것을 재원으로 한다.

[1] 「지방교부세법」 개정(2014)
보통교부세의 재원비율은 높이고, 특별교부세의 재원비율은 낮추었다.

구분	종전	현행
보통교부세	96%	97%
특별교부세	4%	3%

핵심 OX

01 지방교부세는 재정격차를 완화시키기 위한 재원으로 특정한 용도로 사용되어야 하는 한계점이 있다. (O, X)

02 지방교부세 중에서 소방안전교부세는 행정안전부장관이 교부한다. (O, X)

01 X 재정격차를 완화시키기 위한 재원으로 사용용도가 특정되지 않는 일반재원의 성격을 지닌다.

02 O

구분	개념		교부주체	재원	용도
보통교부세	재정력지수가 1 이하인 지방자치단체에 교부		행정안전부장관	지방교부세율(내국세총액의 19.24% + 정산액)의 100분의 97	일반재원
특별교부세	① 기준재정수요액으로는 산정할 수 없는 특별한 재정수요 발생 시 교부	40/100		지방교부세율(내국세총액의 19.24% + 정산액)의 100분의 3	특정재원
	② 재난 복구 및 안전관리를 위한 특별한 재정수요 발생 시 교부	50/100			
	③ 국가적 장려, 국가와 지방 간 시급한 협력, 역점시책, 재정운용 실적 우수 시 등 교부	10/100			
부동산교부세	재정여건 및 지방세 운영상황 등을 고려하여 교부			종합부동산세 전액 + 정산액	일반재원
소방안전교부세	소방 및 안전시설 확충, 안전관리 강화 등을 위하여 교부			담배에 부과되는 개별소비세 총액의 100분의 45 + 정산액	특정재원

▲ 지방교부세의 종류

❶ 분권교부세 폐지에 따른 보통교부 세 지급 등에 관한 특례(「지방교부 세법」 부칙 제2조)
「지방교부세법」에 따라 보통교부세에 통합되는 분권교부세 중 기준재정수입액이 기준재정수요액을 초과하여 보통교부세가 교부되지 아니한 지방자치단체에 대하여 이 법 시행 전에 분권교부세로 교부되던 금액은 해당 지방자치단체에 2015년부터 2019년까지 보통교부세로 교부한다.

(5) 지방교부세의 지방재정 인센티브

예산낭비를 방지하고 건전한 지방자치의 정착과 재원배분의 효율성을 제고하기 위해 1997년부터 도입한 것으로서, 건전재정운영을 위하여 노력하는 지방자치단체에 지방교부세 배분 시 인센티브를 부여하는 제도이다.

5. 국고보조금

(1) 의의

① **의의:** 지방자치단체의 행정수행에 소요되는 경비의 일부 또는 전부를 충당하기 위하여 용도를 특정하여 교부하는 자금이다.

② **목적:** 국가사업과 지방사업의 연계를 강화하고, 국가가 정책적 필요에 따라 국가위임사무를 처리하고, 지방사업을 지원하기 위함이다.

(2) 특징

① **특정재원(money with strings):** 비도가 정해져 있는 특정재원으로서 사용목적이 개별적 사무에 한정되어 있다. 국가의 일반회계와 특별회계예산을 재원으로 한다.

② **의존재원:** 국가로부터 교부되는 의존재원으로서 중앙정부의 통제정도가 가장 높다. 국가목적사업 및 중앙과 지방의 공동이해관계사업의 용도로 사용되는 조건부 보조금으로서 지방정부가 일부 대응재원을 마련해야 하는 대응지원금이다.

③ **무상재원:** 국고보조금에 상당한 반대급부가 수반되지 않는 일방적인 급부금으로서 무상재원이다.

④ **경상재원:** 매년 일정하게 규칙적으로 들어오는 경상재원이다.

(3) 종류(경비의 성질)

① **협의의 보조금:** 국가가 시책상 또는 지방자치단체의 재정사정상 특히 필요하다고 인정될 경우에 용도를 특정하여 교부하는 자금이다. 장려적 보조금과 재정지원적 보조금으로 나눌 수 있다.

② **부담금**: 국가와 각급 지방자치단체 상호 간 이해관계가 있는 사무를 법령에 의하여 지방자치단체가 처리하는 경우 경비의 전부 또는 일부를 부담하는 자금이다. 즉, 단체위임사무의 위임대가로 일부 지원하는 금액이다.

③ **교부금**: 국가가 스스로 해야 할 사무를 지방자치단체 또는 그 기관에 위임하여 수행하는 경우 국가가 그 소요경비를 전액 교부하는 자금이다. 즉, 기관위임사무에 대한 의무적 보조금이다.

(4) 효용

① 행정수준의 전국적 통일성의 확보에 적합하다.

② 특정행정수요에 대한 재원의 보전역할을 한다.

③ 공공시설 및 사회자본의 계획적·적극적 정비를 추진할 수 있다.

④ 행정서비스의 지역 확산에 따른 형평성을 제고한다.

(5) 문제점

① 지방재정의 자주성을 저해한다.

② 보조금의 영세성(건당 보조금의 규모가 지나치게 작음)과 세분화에 따라 재정자금의 효율적 이용이 어렵다.

③ 국고보조금의 교부절차가 복잡하고 교부시기도 부적절하다.

④ 지방비부담의 과중으로 인한 지방재정의 압박이 발생한다.

◎ 핵심정리 지방교부세와 국고보조금의 비교❶

구분	지방교부세	국고보조금
근거	「지방교부세법」	「보조금 관리에 관한 법률」
재원	내국세의 19.24% + 부동산교부세 + 소방안전교부세 + 정산액	국가의 일반회계와 특별회계에서 지원
용도	일반 행정수요	국가시책사업과 지방과 중앙의 공동이해관계 사업
기능	자치단체 간 재정의 형평화와 국민적 최저수준 달성	자원배분과 국가목적 달성
용도제한	제한 약함	제한 있음 (개별사업별 용도지정)
지방비 부담	없음(정액보조)	있음(정률보조)
성격과 재량 정도	일반재원(재량 많음)	특정재원(재량 적음)
재정조정의 성격	수직적·수평적 재정조정	수직적 재정조정

❶ 지방정부 상호 간의 재정조정

1. **징수교부금(「지방세법」)**: 징수교부금은 광역자치단체의 세금을 기초자치단체가 징수하여 납부하였을 때, 징수비용의 명목으로 광역자치단체가 기초자치단체에게 징수액의 3%를 교부해 주는 것이다.

2. **시·군 조정교부금(「지방재정법」)**: 시·도가 관내 시·군에 대하여 재정을 보전해 주는 제도로서 시·도지사(특별시장 제외)는 시·군에 대해서는 징수 총액의 27%(인구 50만 이상의 시와 자치구가 아닌 구가 설치되어 있는 시의 경우에는 47%)의 금액을 조정교부금으로 확보하여 인구, 징수실적, 재정사정 등에 따라 시·군에 배분해야 한다. 이에는 일반조정교부금, 특별조정교부금이 있다.

3. **자치구 조정교부금(「지방재정법」)**: 특별시나 광역시가 관내 자치구에 대하여 행하는 재정조정제도로서 시세(취득세와 등록세) 수입 중의 일정액을 확보하여 관내 자치구 상호 간의 재원을 조정하여야 한다.

2 지방재정관리

1. 재정자립도

(1) 의의

재정자립도는 지방자치단체의 일반회계예산에서 자주재원(지방세 + 세외수입)이 차지하는 비율이다.

(2) 산정

우리나라는 일반회계를 기준으로 재정자립도를 계산하고 있으며 「지방자치법 시행령」에 의하면 지방채는 자주재원에서 제외하고 있다.

$$재정자립도 = \frac{지방세 + 세외수입}{일반회계예산} \times 100(\%)$$

(3) 문제점

① 재정자립도가 유사할 경우 재정력도 유사하다고 간주하는 오류를 야기한다.
   ⑩ 서울특별시와 서울특별시 중구가 각각 재정자립도가 95%라고 하더라도 양자의 재정력은 큰 차이 존재
② 지방자치단체 전체의 재정자립도이기 때문에 주민의 1인당 재정규모가 파악되지 않는다.
③ 지방교부세의 확대지급은 재정능력은 강화시키나 재정자립도를 저하시키는 등의 문제로 실질적인 재정상태를 알지 못한다.
④ 일반회계만을 포함시키고 특별회계를 제외하고 있다.
⑤ 세입측면만을 고려한 개념으로서 지방자치단체의 세출구조(경상비 지출비중 등 세출구조의 건전성 여부)를 전혀 고려하지 못한다.

2. 재정자주도

(1) 의의

① 재정자주도란 지방세·세외수입·지방교부세 등 지방자치단체 재정수입 중 특정 목적이 정해지지 않은 일반재원의 비중이다.
② 재정자주도가 높을수록 지방자치단체가 재량껏 사용할 수 있는 예산의 폭이 넓다.

(2) 산정

$$재정자주도 = \frac{자주재원 + 일반재원}{일반회계예산} \times 100(\%)$$

위의 식에서 자주재원은 '지방세 + 세외수입'을, 일반재원은 용도가 정해져 있지 않은 '지방교부세 + 조정교부금'을 말한다.

(3) 용도

지방자치단체의 보조율 및 기준부담율을 적용기준으로 활용하는데, 최근 지방자치단체에서는 재정자립도보다 재원활용능력을 표시할 수 있는 지표로서 재정자주도에 집중하는 경향이 있다.

3. 재정력지수

(1) 의의
지방자치단체가 기초적인 재정수요를 어느 정도 자체적으로 해결할 능력을 가지고 있는 정도를 추정하는 지표이다.

(2) 산정

$$\text{재정력지수} = \frac{\text{기준재정수입액}}{\text{기준재정수요액}}$$

(3) 용도
보통교부세 교부 여부의 판단기준으로 사용된다. 1이 넘으면 우수한 것으로 평가되며, 만약 1 이하인 경우에는 부족분에 대하여 지방교부세 중 보통교부세라는 일반재원을 통해 중앙정부가 교부한다.

4. 지방재정진단제도

(1) 의의
① 지방재정진단제도는 중앙정부가 지방재정운영의 사후평가를 통해서 재정운영의 책임성과 효율성을 도모하기 위한 제도이다.
② 지방자치단체의 방만한 재정운영과 그로 인한 재정상의 위기를 막기 위한 것으로서 1994년 12월 「지방재정법」에 지방재정분석 및 진단제도의 실시근거를 마련하였으며, 1998년부터 본격적으로 재정분석을 실시하였다.

(2) 절차
현행의 절차는 '재정보고서 작성지침의 시달 → 재정보고서 분석 → 재정진단 실시단체의 선정 → 재정진단 실시 → 재정진단결과의 조치'로 나누어진다.

(3) 재정분석내용
① 재정자립도, 재정력지수 등으로 재정상태를 측정한다.
② 경상수지, 지방채상환비율 등으로 재정구조의 탄력성을 측정한다.
③ 예산, 기금, 채권 등의 재정운용 실태를 분석한다.
④ 지방자치단체별 10개의 재정지표를 분석한다.

(4) 지방재정진단지표
① 재정수지분석
  ㉠ **형식수지**: 세입결산액에서 세출결산액을 감한 액수이다.
  ㉡ **실질수지**: 형식수지에서 익년도에 이월 지출되어야 할 재원을 감한 것이다.
② 세입구조분석
  ㉠ 자주재원비율
  ㉡ 일반재원비율
  ㉢ 지방채수입비율
  ㉣ 지방채부담비율

③ 세출구조분석
　　㉠ 인건비비율
　　㉡ 경상적 경비비율
　　㉢ 투자적 경비비율
④ 재정력분석
　　㉠ 경상수지비율(경상경비 / 일반재원)
　　㉡ 재정력지수(기준재정수입액 / 기준재정수요액)

> **✓ 개념PLUS**　**지방재정분석지표와 분석단위**
>
> | 부분지표
(분석부분) | 건전성 | | 효율성 | |
> |---|---|---|---|---|
> | 영역지표
(분석영역) | 자주성 | 안정성 | 생산성 | 노력성 |
> | 분석단위 | ① 재정자립도
② 재정력지수 | ③ 경상수지비율
④ 세입세출충당
비율
⑤ 지방채상환비율 | ⑥ 재정계획운영
비율
⑦ 세입예산반영
비율
⑧ 투자비비율 | ⑨ 자체수입
증감률
⑩ 경상경비
증감률 |
> | 성격 | · 재정상태분석
· 재정력 측정 | · 재정구조분석
· 재무구조, 수지의
탄력성 측정 | · 재정관리분석
· 재정운영의 계획
성 및 재원배분
의 합리성 측정 | · 재정노력분석
· 세입징수 측정
· 예산절감노력
측정 |
> | 활용 | 의존재원지원기준 | 재정진단대상단체
선정기준 | · 재정인센티브 부여기준
· 우수기관 시상기준 | |

(5) 지방재정진단의 실시

① 행정안전부장관 및 시·도지사는 지방자치단체가 제출한 보고서의 내용을 분석하여 필요한 경우 적절한 지도를 할 수 있다. 분석의 결과 재정의 건전성과 효율성이 현저하게 떨어진 지방자치단체에 대하여는 대통령령이 정하는 바에 의하여 따로 재정진단을 실시할 수 있으며, 필요한 경우 그 결과를 공개할 수 있다(「지방재정법」 제55조).

② 지방자치단체의 장은 지방재정건전화계획의 수립과 시행에 협력하도록 규정되어 있다.

③ 재정건전화계획은 행정안전부장관 및 시·도지사가 재정진단평가위원회가 제출한 권고안을 기초로 수립한다.

④ **지방재정진단의 실시대상:** 행정안전부장관 또는 시·도지사가 재정진단을 실시할 지방자치단체는 다음과 같다.

　㉠ 세입예산 중 채무비율이 세입예산의 일정비율을 초과하거나 채무 잔액이 과다한 지방자치단체에 대해 실시한다.

　㉡ 결산상 세입실적이 예산액보다 현저히 감소하였거나 조상충용을 한 지방자치단체에 대해 실시한다.

ⓒ 인건비 등 경상비 성격의 예산비율이 높아 재정운영의 건전성이 현저히 떨어지는 지방자치단체에 대해 실시한다.

ⓔ 행정안전부장관이 재정보고서를 분석한 결과, 재정진단이 필요하다고 인정하는 지방자치단체에 대해 실시한다.

(6) 현행 지방재정분석진단제도의 문제점

① **범위의 제한:** 현행의 지방재정분석은 일반회계 중심으로 이루어지고 있어 특별회계와 기금 등을 포함하는 통합회계의 관점에서 분석을 못하고 있다. 즉, 진단 대상 범위가 너무 제한되어 있다.

② **측정의 한계:** 현행의 재정분석지표는 지방재정의 건전성을 측정하는 수단으로는 나름대로의 역할을 하고 있지만, 재정운용의 효율성과 재정운용성과를 측정하는 데 한계가 있다. 예를 들어 지방채의 경우는 발행시점에서 수입으로 인식되고 상환시점에서 지출로 인식된다. 아울러 자산, 부채, 순자산(자본), 비용, 수익 등을 구체적이면서 종합적으로 회계처리해주는 시스템이 결여되어 있어, 재정진단대상단체의 선정이 불합리하게 될 가능성이 높다.

③ **실질적 구속력 미약:** 「지방재정법 시행령」 제165조를 보면 지방자치단체는 재정건전화계획 수립·시행에 협력하여야 한다고 선언적으로 규정하고 있으나, 당해 지방자치단체의 자구노력과 광역자치단체 또는 중앙정부의 지원이 구체적으로 확보될 수 있도록 하는 강행규정이 없어서 재정건전화계획이 구속력을 가지지 못하는 문제가 있다.

(7) 현행 지방재정분석진단제도의 개선방안❶

① 분석 및 진단주체를 다양화한다.

② 측정지표를 개선한다.

③ 재정진단대상단체의 선정기준을 개선한다.

④ 재정분석진단결과를 공개한다.

5. 지방공기업❷

(1) 의의

① **지방공기업:** 지방자치단체가 지역주민의 복리증진을 위하여 경영하는 기업으로서 지방자치단체가 직접 설치·경영하거나, 법인을 설립하여 경영하는 기업이다.

② **지방경영수익사업:** 지방자치단체가 재원의 확보를 위하여 경영하는 순수민간경제적인 사업으로서 주민의 복리와는 직접적인 관계가 없으며 법적 근거도 「민법」이나 「상법」에 있다.

(2) 지방공기업의 유형

① **직접경영형태(지방직영기업):** 지방자치단체의 국이나 과 또는 사업부와 같은 행정기관에 의해서 운영하는 것이다. 이러한 지방직영기업의 직원은 공무원이며, 예산도 지방자치단체의 특별회계로서 지방자치단체의 예산에 포함된다. 그 예로는 서울시 상수도 사업본부, 용인시 하수도 사업소 등이 있다.

❶ 커뮤니티 비즈니스(community business)

1. 의의: 지역 주민들이 지역의 자원을 이용하여 지역의 과제들을 해결해 나가는 지속 가능한 사업모델을 말한다. 자신이 살고 있는 지역을 건강하게 만드는 주민주체의 지역사업으로서 주민 스스로가 지역의 어려움을 해결하고 삶의 질을 높이기 위한 활동을 비즈니스로 전개하고, 시민이 주체가 되어 지역의 문제를 비즈니스의 방법으로 해결하고 그 이익을 지역에 환원하는 사업을 총칭한다.

2. 연혁 및 전개: 영국에서 출발하여 일본에서 활발하게 진행되고 있는 지역 활성화 전략으로 우리나라에서도 1990년대 중반부터 협동조합활동 등 다양한 형태의 사업명칭을 통해 활성화되고 있는 추세이다. 일본에서는 버블경제 붕괴 이후, 오사카를 중심으로 황폐화된 지역이 증가하는 등 일본형 이너시티(innercity) 문제해결을 위한 일환으로 사회단체 활동가들에 의하여 시작되었다.

❷ 지방공기업 대상사업

「지방공기업법」 제2조【적용 범위】① 이 법은 다음 각 호의 어느 하나에 해당하는 사업 중 제5조에 따라 지방자치단체가 직접 설치·경영하는 사업으로서 대통령령으로 정하는 기준 이상의 사업('지방직영기업')과 지방공사와 지방공단이 경영하는 사업에 대하여 각각 적용한다.

1. 수도사업(마을상수도사업은 제외)
2. 공업용수도사업
3. 궤도사업(도시철도사업을 포함)
4. 자동차운송사업
5. 지방도로사업(유료도로사업만 해당)
6. 하수도사업
7. 주택사업
8. 토지개발사업
9. 주택(대통령령으로 정하는 공공복리시설을 포함)·토지 또는 공용·공공용건축물의 관리 등의 수탁

② **간접경영형태:** 지방자치단체가 공법상 또는 사법상 별개의 법인을 설립해서 그 법인으로 하여금 기업을 경영하도록 하는 것으로 직원은 민간인이다.

    ㉠ **지방공단:** 지방자치단체의 공공성 업무를 전담하여 대행하는 것으로, 지방자치단체가 전액출자·출연한 것이며 그 예로는 서울시설관리공단, 부산지방공단스포원 등이 있다.

    ㉡ **지방공사:** 지방자치단체의 민간성격의 사업의 공공성 확보를 위해 설립된 것으로, 지방자치단체가 50% 이상 출자·출연한 것이며 그 예로는 부산관광공사, 양평지방공사 등이 있다.

    ㉢ **제3섹터:** 50% 미만 출자·출연한 것으로서 「민법」에 의하여 설립된 재단법인과 「상법」에 의하여 설립된 주식회사가 있다.

③ **경영위탁(민간위탁):** 지방자치단체가 주체가 되어 실시하는데 민간에게 운영을 위탁하는 것이다.

6. 지방정부의 경영수익사업

(1) 의의

① 지방정부의 경영수익사업이란 지방자치단체가 자체수입의 증대와 공공의 이익을 위해서 민간경제 분야를 침해하지 않는 범위 내에서 지역부존자원을 생산적으로 활용하고 공공시설을 효율적으로 관리하는 경제활동이다.

② 재정적 측면에서는 세외수입의 한 분야를 이룬다.

③ 초기에는 골재채취, 택지개발 등의 부존자원 매매가 주를 이루었으나, 최근에는 '반딧불이축제', '나비축제' 등 다양한 문화행사 등을 통해서 경영수익사업을 추진하고 있다.

(2) 효용

① 주민들의 조세저항(tax revolt) 없이 부족한 재원을 마련할 수 있다.

② 지역경제를 활성화시킬 수 있는 계기가 된다.

③ 지역에서 필요로 하는 민간시장이 활성화되지 않은 경우 이러한 시장실패를 치유하는 수단이 된다.

④ 수익자부담의 원칙에 따라 재원부담의 형평성을 높이고 서비스 질을 향상시키며 정부예산 절감에 기여한다.

(3) 문제점

① 경영 마인드의 부족으로 인해 적자재정이 확대될 수 있다.

② 무분별한 개발로 환경파괴를 야기한다.

③ 지역 간 경쟁의 심화로 지역이기주의가 발생할 수도 있다.

01 우리나라의 지방재정에 대한 설명으로 가장 옳지 않은 것은? 2017년 서울시 9급

① 지방자치단체의 세입재원은 크게 자주재원과 의존재원으로 나눌 수 있는데, 자주재원에는 지방세와 세외수입이 있고, 의존재원에는 국고보조금과 지방교부세 등이 있다.

② 지방세 중 목적세로는 담배소비세, 레저세, 자동차세, 지역자원시설세, 지방교육세 등이 있다.

③ 지방교부세는 지방자치단체 간 재정력의 불균형을 조정하는 재원으로 보통교부세·특별교부세·부동산교부세 및 소방안전교부세로 구분한다.

④ 지방재정자립도를 높이기 위해 국세의 일부를 지방세로 전환할 경우 지역 간 재정불균형이 심화될 수 있다.

02 지방재정의 세입항목 중 자주재원에 해당하는 것은? 2020년 지방직 9급

① 지방교부세

② 재산임대수입

③ 조정교부금

④ 국고보조금

정답 및 해설

01 우리나라의 지방재정

담배소비세, 레저세, 자동차세는 목적세가 아니라 보통세이다. 지방세 중 목적세에는 지역자원시설세, 지방교육세 2종이 있다.

| 선지분석 |

④ 지방자치단체 간 세원의 편차가 크기 때문에 국세의 지방세 전환이 오히려 지역 간 재정불균형의 심화를 가져올 수 있다.

02 자주재원

재산임대수입은 세외수입이므로 지방세와 함께 자주재원에 해당한다. 자주재원이란 자치단체가 중앙정부나 광역자치단체의 도움 없이 자체적으로 조달 가능한 재원으로 지방세와 세외수입이 있다.

| 선지분석 |

① 지방교부세와 ④ 국고보조금은 중앙정부, ③ 조정교부금은 광역자치단체로부터 지원받는 의존재원에 해당한다.

정답 **01** ② **02** ②

03 지방자치단체의 예비비에 대한 설명으로 옳지 않은 것은?

① 예측할 수 없는 예산 외의 지출에 충당하기 위하여 예산에 계상한다.

② 일반회계의 경우 예산총액의 100분의 1 이내의 금액을 예비비로 계상하여야 한다.

③ 지방의회의 예산안 심의 결과 감액된 지출항목에 대해 예비비를 사용할 수 있다.

④ 재해·재난 관련 목적 예비비는 별도로 예산에 계상할 수 있다.

04 세외수입의 종류와 그에 대한 설명을 바르게 연결한 것은?

> ㄱ. 지방자치단체가 주민의 복지증진을 위해 설치한 공공시설을 특정 소비자가 사용할 때 그 반대급부로 개별적인 보상원칙에 따라 지방자치단체의 조례에 의거하여 강제적으로 부과·징수하는 공과금이다.
>
> ㄴ. 지방자치단체의 재산 또는 공공시설의 설치로 인해 주민의 일부가 특별히 이익을 받을 때 그 비용의 일부를 부담시키기 위해 그 이익을 받는 자로부터 수익의 정도에 따라 징수하는 공과금이다.
>
> ㄷ. 지방자치단체가 특정인에게 제공한 행정서비스에 의해 이익을 받는 자로부터 그 비용의 전부 또는 일부를 반대급부로 징수하는 수입이다.

	ㄱ	ㄴ	ㄷ
①	사용료	분담금	수수료
②	수수료	부담금	과년도 수입
③	사용료	부담금	과년도 수입
④	수수료	분담금	사용료

05 지방재정에 대한 설명으로 가장 옳지 않은 것은?

① 지방수입에 있어서 자주재원의 핵심은 지방세와 세외수입으로 지방세는 법률이 정하는 바에 따라 강제적으로 징수하고, 세외수입은 지방세 외의 모든 수입을 포함하는 개념이다.

② 의존재원은 지방교부세, 국고보조금, 조정교부금, 지방채로 구성되며, 지방자치단체에서 필요로 하거나, 부족한 재원을 외부에서 조달한다는 특징이 있다.

③ 지방자치단체 지방수입의 구조에서 가장 두드러진 특징 중 하나는 자주재원에 비해 의존재원이 매우 많다는 점으로, 지방자치단체의 국가재정에 대한 의존도가 상당히 크다 할 수 있다.

④ 재정자립도는 지방자치단체 총 예산규모 중 자주재원이 차지하는 비율로 그 산식에 있어서 분모와 분자에 모두 자주재원이 존재함으로 인해 재정자립도를 결정하는 데에 중요한 요인은 의존재원이 된다.

06 지방교부세에 대한 설명으로 옳지 않은 것은?

① 지역 간 재정력 격차를 완화시키는 재정 균등화 기능을 수행한다.

② 보통교부세, 특별교부세, 부동산교부세, 소방안전교부세로 구분한다.

③ 신청주의를 원칙으로 하며 각 중앙관서의 예산에 반영되어야 한다.

④ 부동산교부세는 종합부동산세를 재원으로 하며 전액을 지방자치단체에 교부한다.

정답 및 해설

03 예비비

지방의회의 예산안 심의 결과 폐지되거나 감액된 지출항목에 대해서는 예비비를 사용할 수 없다.

🔔 「지방재정법」상 예비비

> 제43조【예비비】① 지방자치단체는 예측할 수 없는 예산 외의 지출 또는 예산 초과 지출에 충당하기 위하여 일반회계와 교육비특별회계의 경우에는 각 예산 총액의 100분의 1 이내의 금액을 예비비로 예산에 계상하여야 하고, 그 밖의 특별회계의 경우에는 각 예산 총액의 100분의 1 이내의 금액을 예비비로 예산에 계상할 수 있다.
> ② 제1항에도 불구하고 재해·재난 관련 목적 예비비는 별도로 예산에 계상할 수 있다.
> ③ 지방자치단체의 장은 지방의회의 예산안 심의 결과 폐지되거나 감액된 지출항목에 대해서는 예비비를 사용할 수 없다.

04 세외수입의 종류

ㄱ. 지방자치단체의 재산이나 영조물을 사용하는 경우에 시설사용의 대가로 주민에게 징수하는 것은 사용료이다.

ㄴ. 지방자치단체의 재산이나 공공시설로 주민의 일부가 특히 이익을 받는 경우 그 비용의 일부에 대해서 부과하는 공과금은 분담금이다.

ㄷ. 행정서비스에 대하여 소요되는 비용을 주민에게 징수하는 것은 수수료이다.

🔔 주요 세외수입

(1) 사용료: 지방자치단체가 주민의 복지증진을 위해 설치한 공공시설을 특정소비자가 사용할 때 그 반대급부로 개별적인 보상원칙에 따라 지방자치단체의 조례에 의거하여 강제적으로 부과·징수하는 공과금이다.

(2) 수수료: 지방자치단체가 특정인에게 제공한 행정 서비스에 의해 이익을 받는 자로부터 그 비용의 전부 또는 일부를 반대급부로 징수하는 수입이다.

(3) 분담금: 지방자치단체의 재산 또는 공공시설의 설치로 인해 주민의 일부가 특별한 이익을 받을 때 그 비용의 일부를 부담시키기 위해 그 이익을 받는 자로부터 수익의 정도에 따라 징수하는 공과금이다.

(4) 부담금: 국가와 지방자치단체 사이에 어느 한쪽이 상대방에게 이익을 주는 일을 하였을 때 그 이익의 범위 안에서 그 일의 처리에 필요한 경비를 수납하게 하는 것이다.

05 지방재정

지방채는 세외수입으로 보는 소수설(자주재원설)도 있으나, 일반적으로 자주재원도 아니고 의존재원도 아닌 제3의 독립된 재원으로 보기 때문에 의존재원에 포함되지 않는다.

| 선지분석 |

④ 지방재정자립도를 결정하는 데에 실질적인 중요한 요인은 의존재원인데 의존재원 중에서 지방교부세는 일반재원의 성격이 강하기 때문에 재정자주도가 더욱 중시되는 이유이다.

06 지방교부세

지방교부세는 지방자치단체의 신청이 없어도 법정교부세율에 따라 확보된 재원으로 행정안전부장관이 교부하는 의존재원이다.

| 선지분석 |

① 지방교부세의 목적에 해당하는 설명이다.

② 지방교부세의 종류에 해당하는 설명이다.

④ 부동산교부세는 종합부동산세 전액을 재원으로 지방자치단체에 교부하는 의존재원이다.

07 「지방공기업법」상 지방공기업에 대한 설명으로 옳지 않은 것은?　　　　　　　　　　　2024년 지방직 9급

① 지방직영기업의 관리자는 해당 지방자치단체의 공무원으로서 지방직영기업의 경영에 관하여 지식과 경험이 풍부한 사람 중에서 지방자치단체의 장이 임명한다.

② 지방공사를 설립하고자 하는 시장·군수·구청장은 설립 전에 행정안전부장관과 협의하여야 한다.

③ 지방자치단체는 상호 규약을 정하여 다른 지방자치단체와 공동으로 지방공사를 설립할 수 있다.

④ 지방자치단체는 지방직영기업을 설치·경영하려는 경우에는 그 설치·운영의 기본사항을 조례로 정하여야 한다.

08 지방공기업의 유형 중 지방직영기업에 대한 설명으로 가장 옳지 않은 것은?　　　　　　　2017년 서울시 7급

① 지방자치단체가 일반회계와 구분되는 공기업특별회계를 설치해 독립적으로 회계를 운영하는 형태의 기업이다.

② 지방직영기업의 직원은 대부분 민간인 신분이다.

③ 지방자치단체가 직접 사업수행을 위해 소속 행정기관의 형태로 설립하여 경영한다.

④ 일반적으로 상수도사업, 하수도사업, 공영개발, 지역개발기금 등이 지방직영기업에 속한다.

09 다음은 각종 지역사업을 나열한 것이다. 이 중 현행 「지방공기업법」에 규정된 지방공기업 대상사업(당연적용사업)이 아닌 것만을 모두 고르면?　　　　　　　　　　　　　　　　　　　　　　　　2013년 국가직 9급

ㄱ. 수도사업(마을상수도사업은 제외)	ㄴ. 주민복지사업
ㄷ. 공업용수도사업	ㄹ. 공원묘지사업
ㅁ. 주택사업	ㅂ. 토지개발사업

① ㄱ, ㄷ　　　　　　　　　　　　　　　　② ㄴ, ㄹ

③ ㄷ, ㅁ　　　　　　　　　　　　　　　　④ ㄹ, ㅂ

10 「지방공기업법」에 근거한 지방공기업에 대한 설명으로 가장 옳지 않은 것은? 2019년 서울시 7급(2월 추가)

① 지방공기업은 수도사업(마을상수도사업은 제외한다), 공업용수도사업, 주택사업, 토지개발사업, 하수도사업, 자동차운송사업, 궤도사업(도시철도사업을 포함한다)을 할 수 있다.

② 지방공기업에 관한 경영평가는 원칙적으로 행정안전부장관의 주관으로 이루어진다.

③ 공사의 운영을 위하여 필요한 경우에는 자본금의 2분의 1을 넘지 아니하는 범위에서 지방자치단체 외의 자로 하여금 공사에 출자하게 할 수 있다. 단, 외국인 및 외국법인은 제외한다.

④ 지방공기업에 대한 경영평가, 관련정책의 연구, 임직원에 대한 교육 등을 전문적으로 지원하기 위하여 지방공기업평가원을 설립한다.

정답 및 해설

07 「지방공기업법」상 지방공기업

지방공사를 설립하고자 하는 시장·군수·구청장은 설립 전에 행정안전부장관이 아닌 관할 특별시장·광역시장 및 도지사와 협의하여야 한다(「지방공기업법」 제49조).

| 선지분석 |
① 「지방공기업법」 제7조에 대한 설명이다.
③ 「지방공기업법」 제50조에 대한 설명이다.
④ 「지방공기업법」 제5조에 대한 설명이다.

❶ 「지방공기업법」상 지방공기업

> **제5조【지방직영기업의 설치】** 지방자치단체는 지방직영기업을 설치·경영하려는 경우에는 그 설치·운영의 기본사항을 조례로 정하여야 한다.
>
> **제7조【관리자】** ① 지방자치단체는 지방직영기업의 업무를 관리·집행하게 하기 위하여 사업마다 관리자를 둔다. 다만, 조례로 정하는 바에 따라 성질이 같거나 유사한 둘 이상의 사업에 대하여는 관리자를 1명만 둘 수 있다.
> ② 관리자는 대통령령으로 정하는 바에 따라 해당 지방자치단체의 공무원으로서 지방직영기업의 경영에 관하여 지식과 경험이 풍부한 사람 중에서 지방자치단체의 장이 임명하며, 임기제로 할 수 있다.
>
> **제49조【설립】** ① 지방자치단체는 제2조에 따른 사업을 효율적으로 수행하기 위하여 필요한 경우에는 지방공사(이하 "공사"라 한다)를 설립할 수 있다. 이 경우 공사를 설립하기 전에 특별시장, 광역시장, 특별자치시장, 도지사 및 특별자치도지사는 행정안전부장관과, 시장·군수·구청장(자치구의 구청장을 말한다)은 관할 특별시장·광역시장 및 도지사와 협의하여야 한다.
>
> **제50조【공동설립】** ① 지방자치단체는 상호 규약을 정하여 다른 지방자치단체와 공동으로 공사를 설립할 수 있다.

08 지방직영기업

지방직영기업의 직원은 공무원 신분이다. 기관장 등의 관리자도 공무원 신분이다.

| 선지분석 |
① 지방자치단체가 일반회계와 구분되는 공기업 특별회계의 형태로 운영한다.
③ 지방자치단체가 직접 사업수행을 위해 설치하는 사업소형태의 조직으로, 지방자치단체의 소속행정기관에 해당한다.
④ 상하수도, 지방도로, 자동차운송, 궤도, 공영개발(토지, 주택), 지역개발기금 등이 지방직영기업의 대상이다.

09 지방공기업 대상사업

ㄴ. 주민복지사업, ㄹ. 공원묘지사업은 대상사업이 아니다.

| 선지분석 |
상하수도, 지방도로, 주택, 토지개발사업 등은 지방자치단체의 대표적인 공기업 대상사업이다. 상하수도사업본부, 택지개발사업단 등이 있다.

10 「지방공기업법」의 주요 내용

「지방공기업법」 제53조 제2항에 따르면, 공사의 운영을 위하여 필요한 경우 자본금의 2분의 1을 넘지 않는 범위에서 외국인 및 외국법인을 포함한 지방자치단체 외의 자로 하여금 출자하게 할 수 있다.

| 선지분석 |
① 「지방공기업법」상 지방공기업 대상사업들이다.
② 지방공기업에 대한 경영평가는 원칙적으로 행정안전부장관이 실시하되, 필요 시 지방자치단체의 장으로 하여금 평가하게 할 수 있다(「지방공기업법」 제78조).
④ 「지방공기업법」 제78조의4에 규정된 사항으로 옳은 지문이다.

❶ 「지방공기업법」상 자본금의 출자

> **제53조【출자】** ① 공사의 자본금은 그 전액을 지방자치단체가 현금 또는 현물로 출자한다.
> ② 제1항에도 불구하고 공사의 운영을 위하여 필요한 경우에는 자본금의 2분의 1을 넘지 아니하는 범위에서 지방자치단체 외의 자(외국인 및 외국법인을 포함한다)로 하여금 공사에 출자하게 할 수 있다. 증자(增資)의 경우에도 또한 같다.

정답 07 ② 08 ② 09 ② 10 ③

찾아보기

찾아보기

MEMO

MEMO

서현 |

약력

서울대학교 행정대학원 정책학 전공
현 | 해커스공무원 행정학 강의
현 | 김재규학원 행정학 강의
현 | 장안대학교 행정법률과 강의
전 | EBS 명품행정학개론 강의
전 | 에듀윌 행정학개론 강의

저서

해커스공무원 현 행정학 기본서
해커스공무원 현 행정학 단원별 기출문제집
해커스공무원 현 행정학 실전동형모의고사 1
해커스공무원 현 행정학 실전동형모의고사 2
멘토행정학 Ⅰ·Ⅱ, 도서출판 배움
9급 솔루션 행정학개론 문제집, 도서출판 예응

2025 대비 최신개정판

해커스공무원

현 행정학 기본서 | 2권

개정 13판 1쇄 발행 2024년 7월 4일

지은이	서현, 해커스 공무원시험연구소 공편저
펴낸곳	해커스패스
펴낸이	해커스공무원 출판팀
주소	서울특별시 강남구 강남대로 428 해커스공무원
고객센터	1588-4055
교재 관련 문의	gosi@hackerspass.com
	해커스공무원 사이트(gosi.Hackers.com) 교재 Q&A 게시판
	카카오톡 플러스 친구 [해커스공무원 노량진캠퍼스]
학원 강의 및 동영상강의	gosi.Hackers.com
ISBN	2권: 979-11-7244-188-3 (14350)
	세트: 979-11-7244-186-9 (14350)
Serial Number	13-01-01

공무원 교육 1위,
해커스공무원 gosi.Hackers.com

해커스공무원

· 해커스 스타강사의 **공무원 행정학 무료 특강**
· **해커스공무원 학원 및 인강**(교재 내 인강 할인쿠폰 수록)
· 정확한 성적 분석으로 약점 극복이 가능한 **합격예측 온라인 모의고사**(교재 내 응시권 및 해설강의 수강권 수록)

한경비즈니스 2024 한국품질만족도 교육(온·오프라인 공무원학원) 1위